武俠小說的黃金時代

香港大武俠時代：初期名家**我是山人**書影2
初期名家**風雨樓主**書影1
初期名家**牟松庭**書影1

香港大武俠時代：初期名家**蹄風**書影4

武俠小說的黃金時代

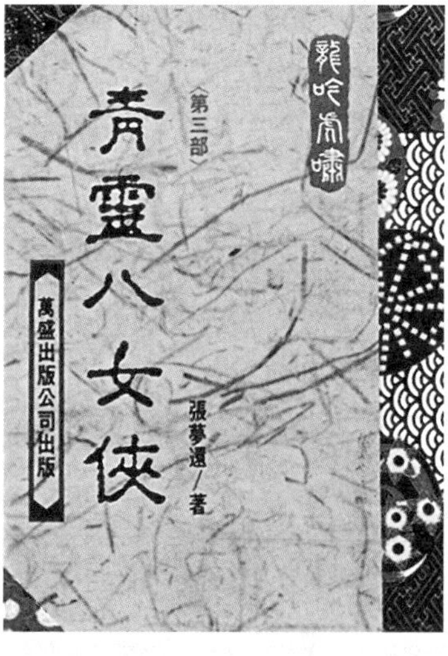

香港大武俠時代：初期名家張夢還書影4

香港大武俠時代：盛期宗師梁羽生書影4

武俠小說的黃金時代

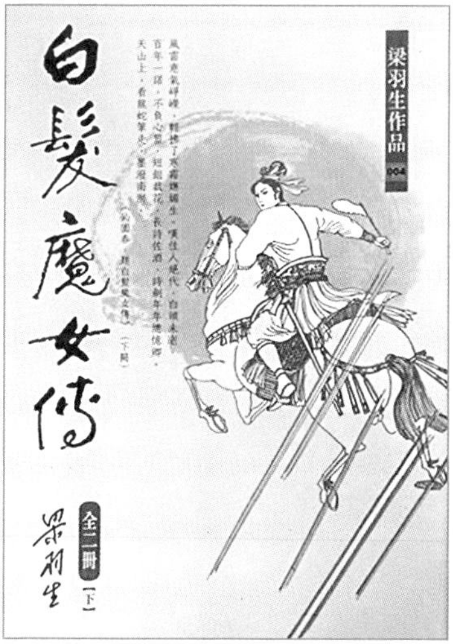

香港大武俠時代：盛期宗師梁羽生書影4

名家雲湧的當年香港

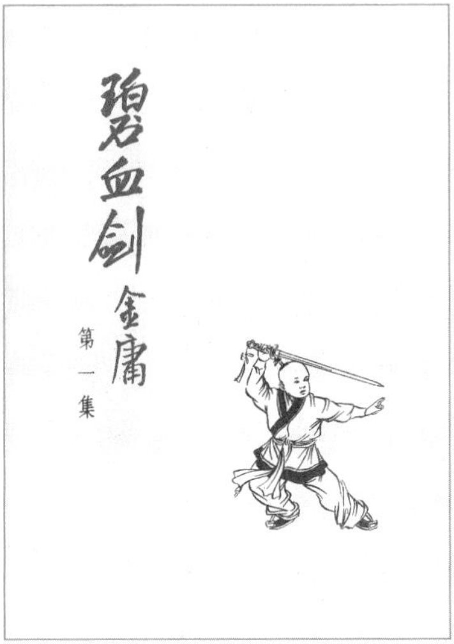

香港大武俠時代：盛期宗師**金庸**書影4

武俠小說的黃金時代

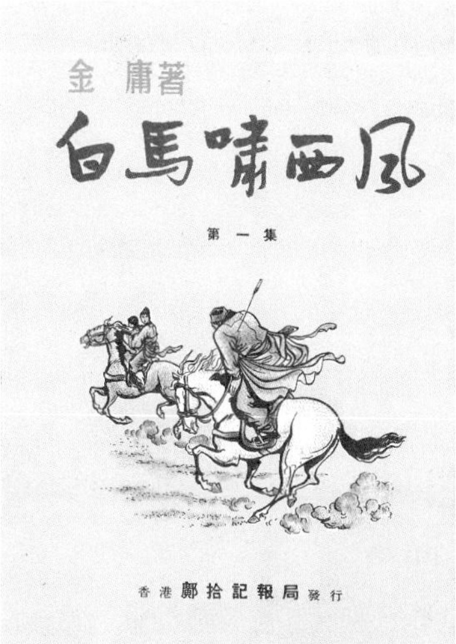

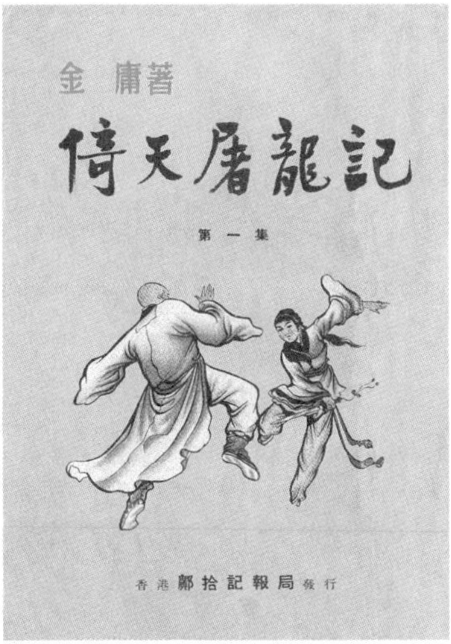

香港大武俠時代：盛期宗師金庸書影4

名家雲湧的當年香港

香港大武俠時代：盛期巨擘金鋒書影2
盛期巨擘田牧風書影1
盛期巨擘江一明書影1

武俠小說的黃金時代

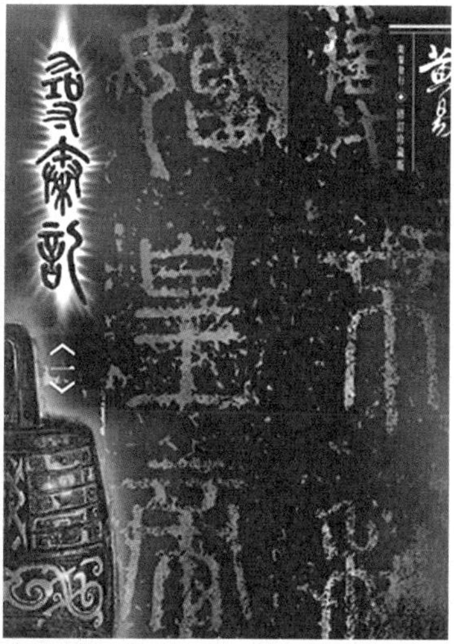

香港大武俠時代：盛期巨擘黃易書影4

香港大武俠時代：盛期巨擘黃易書影4

武俠小說的黃金時代

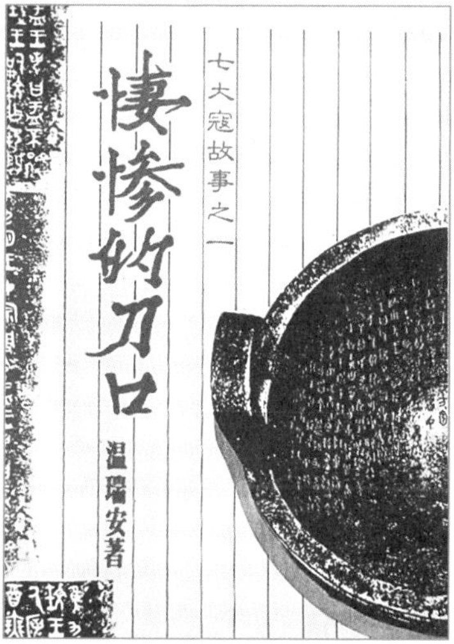

香港大武俠時代：盛期巨擘溫瑞安書影4

香港大武俠時代：盛期巨擘溫瑞安書影4

武俠小說的黃金時代

香港大武俠時代：中期健將黃鷹書影4

香港大武俠時代：中期健將**倪匡**書影4

武俠小說的黃金時代

香港大武俠時代：晚期後浪**龍乘風**書影4

名家雲湧的當年香港

香港大武俠時代：晚期後浪**西門丁**書影2
晚期後浪**馬榮成**書影1
晚期後浪**喬靖夫**書影1

（部分封面提供：顧臻）

香港武俠名家名作大展

上

金庸／前後左右

陳墨——著

香港武俠名家名作大展（上）——目錄

黃鷹小說述評 521

香港武俠名家名作大展（上）——目錄

序

驀然回首，看香港的大武俠時代

知名文學評論家　陳曉林

陳墨先生覽讀及研究武俠文學三十餘年，出版甚多有關港台武俠評析的專書，對金庸武俠小說更推出過數百萬言的深度論述，其觀點之獨到、分析之深刻、燭照之周詳，不但在文學評論界素有口碑，在廣大的武俠愛好者及相關網絡社群討論中，更是膾炙人口。

此次，陳墨先生應邀參與中國武俠文學會的一個大計畫，負責撰寫兩岸三地之武俠小說全史中的《香港武俠小說史》，又特地花了三年時光，大量且深入地覽閱一個世紀以來香港所出版的武俠小說（原始版本大都是印刷粗糙的毛邊小冊），涵泳既深，心得自多。為了在體例嚴謹的史著中做到言必有據，他在披閱過程所作的讀書札記，竟達三百餘萬言之多。

我有幸得閱其中若干重要篇帙，深知這些「札記」，對當年香港那些年風起雲湧、數之不盡的武俠作品中值得流傳的精品，不但提要鉤玄，述其特色，甚且考其淵源，明其流變；尤其值得重視的是：還能從現代文學評論、文藝心理學、文藝社會學及接受美術的視角，加以闡釋和詮述。故而，我認為：若由此三百餘萬言的「札記」中精選約四分之一，編為專書，以饗讀者，則必將是武俠文學的一宗大事因緣。

金庸前後的盛況

長久以來，一談到香港武俠，人們心中的第一印象就是金庸作品。事實上，在華人世界，金庸作品已儼然成為武俠文學的代名詞；之所以如此，當然有諸多眾所周知的外在因素，而金庸作品本身的文學質地、思想意境及藝術感染力，自亦是有目共睹的成功條件。然而，卻因為金庸本人的形象過於龐大，金庸作品的流傳更是無遠弗屆，以致在極大程度上凌壓、覆蓋了同時代的其他本也甚為優秀的武俠作家與作品，這亦是不容諱言的實況。

甚至，由於兩岸三地情況特殊，相當長一段時期內武俠小說是靠盜版在流傳，以致即使是對武俠文學深感興趣的閱讀大眾，拿到金庸之外的高水準作品時，竟往往不知真實的作者為誰，對該書的正確評論或賞析便更無從說起了。

其實，金庸小說不是憑空出現的，在他寫作武俠之前，香港固然有舊派廣式武俠的流行，與他同時或稍後，寫新舊過渡或完全新式武俠而風靡香江的作家更大不乏人。梁羽生早金庸一年成名，長期與他並肩馳騁，固不待言；其他武俠名家如張夢還、蹄風、金鋒等，有段時期也在金庸的影響圈之外各逞姿采，於〈武俠世界〉〈武俠春秋〉上與金庸創辦的〈武俠與歷史〉競爭，不落下風。再後來，倪匡、溫瑞安等也各自成名，加上台灣的古龍跨海來勢洶洶，使金庸封筆後的香港武壇仍是風起雲湧，一點也不寂寞。

浩瀚武林的起落

歲月推移，即使到了「金庸封筆古龍逝」的時代，撐持武俠創作的大局，溫瑞安之外亦仍有黃鷹、龍乘風、西門丁等不少新秀蔚起，各展風姿，也各逞才情。然後，人們更見到為武俠作品開創「穿越」、「玄幻」兩大新徑的黃易閃亮登場，配合著網路創作風尚的狂飆突起，帶動了一片新潮。黃易雖不幸英年早逝，但他別出心裁、另闢蹊徑的大量作品，分明突破了金庸的風格與範疇，而和銳意求新求變的古龍、溫瑞安一樣，為武俠創作留下了一道極亮麗的風景線，也拓展了一片可耕耘的新天地。

連許多頗嫻熟香港武俠小說發展狀況的學者及關心人士都不知道的是：在香港武俠創作風起雲湧的時代，一些早已在別的專業領域聲譽卓著的名人也怦然心動，化名參加到武俠寫作的行列，例如著名歷史小說家及專欄作家董千里，著名動作片導演張徹等等。至於後來的大漫畫家馬榮成、丹青等因經營武俠小說改編漫畫而紅遍兩岸三地，自己遂也投入武俠創作，則更是順理成章的事了。

不過，當年香港的武俠創作之興盛，是和武俠雜誌、武俠電影、電視連續劇、漫畫，以及後來的相關網遊、電競之蓬勃分不開的，彼此交互帶動，形成熱潮；但隨著娛樂多元化的發展和網路塗鴨之風的蔚起，爭閱一字一句認真寫成的武俠小說的勁道卻儼然退潮。所謂「時來天地皆同力，運去英雄不自由」，世事無常，斗轉星移，如今天才橫溢的倪匡亦竟逝去，眼看香港武俠的全盛時期似已帷幕將落。然而，驀然回首，當金庸、梁羽生、古龍、溫瑞安、黃易等爍爍群星在香港交會，光芒閃耀著整個華人世界之際，那種盛況，畢竟令人回味無窮！

這部《香港武俠名家名作大展》，內容與旨趣，正不啻是香港大武俠時代之貼切寫照，其間所述評眾多名家、千百名作的風采、神韻、境界，委實值得珍視，更值得回味！

前言　為海外武俠創作的黃金時代留下心影

陳墨

因為要寫《香港武俠小說史》，這幾年讀了不少香港武俠小說。其中絕大部分此前不僅未曾讀過，甚至聞所未聞。每部小說都作了相應的《札記》，包括作者及作品的相關資訊、小說中的人物及其門派身分、小說故事梗概、我讀小說的感受和印象等幾個部分。日積月累，年復一年，寫出的《札記》超過三百萬字。

沒想到，臺灣風雲時代出版社社長陳曉林先生竟對這些《札記》有興趣。他讓我把《黃易小說札記》和《蹄風小說札記》發給他看，看後，他說風雲時代出版社要出版《札記》中的精華部分。具體說，一、只出版其中述評，即有關小說閱讀感受和印象部分；二、要我編出一個依香港武俠之初、盛、中、晚期鮮明風貌展示的選本。於是，就有了這部《香港武俠名家名作大展》。

我當時的札記中並不是正式的評論文章，只是作為我寫《香港武俠小說史》的原材料。它們都是邊讀邊寫，只寫自己的感受、印象，沒有考慮篇章結構，更沒有斟酌字句，有話則長，無話則短，肯定有個人主觀性。好在詩無達詁，對任何一部文學作品都可能見仁見智，這部《香港武俠名家名作大展》所記所述所評，其價值及其弱點，或許都在於它是個人之見。

因為出版社規定了字數上限，《札記》不可能全部出版，於是需要選擇。或是選盡可能多的作家、減少每位作家作品量，以求廣度；或是選少量作家，盡可能多選同一作家的作品，以求豐度或深度。反覆權衡後，我決定選少量名家，儘量多選每家作品，以便讓讀者獲得更完整的印象。

關於本書，還有幾點需要說明。如下：

一、金庸小說述評部分極其簡要，原因是，金庸作品早已傳頌極廣，幾乎家喻戶曉，我本人也已寫了數百萬字的評析，故本書對金庸作品只作精簡之綜合述評，不再深度展開。

二、因為字數限制，且決定只選部分名家作品札記，所以有五十位以上香港武俠小說作家的作品閱讀札記無緣入選。這些未入選作家作品，可參考我的《香港武俠小說史》。

三、即便是入選作家，也沒有全部呈現對他們作品的閱讀札記，例如倪匡的中短篇小說札記、張夢還的中短篇小說札記等就未選編，溫瑞安、黃鷹、龍乘風、西門丁等人也都還有部分作品札記未選編。其原因，仍是本書字數容量有限。

四、我閱讀香港武俠小說，並不是嚴格地按時間順序閱讀，只能有什麼讀什麼，讀什麼記錄什麼。此次編選，我盡可能按每位作家的創作順序編輯，但不能保證每部作品的順序都對。我只能盡力而為。

五、選編的《香港武俠名家名作大展》，除了對文中的明顯錯漏、廢話及過於情緒化的刺眼語詞加以修訂或刪除，沒有對原文作大的改寫，保持《札記》的原有風貌。

六、我閱讀的香港武俠小說，多是由顧臻先生提供。大部分是他本人的收藏，小部分是他從其他俠友處借閱。感謝顧臻先生及所有俠友的慷慨相助！

七、最後，這部《香港武俠名家名作大展》得以出版，要感謝風雲時代出版社，尤其要感謝陳曉林先生！

陳墨 二〇二二年中

◆鄧羽公小說述評◆

鄧羽公（一八八九－一九六四），又名鄧君毅，一名先奉，廣東佛山南海人，世居佛山古洞直街，祖父和父親都是佛山著名中醫。自幼在廣州讀私塾，十九歲投身報界，曾在廣州大小報社任職，有報界「怪傑」之稱。後移居香港，是香港武俠小說的開山祖師之一。

《至善禪師三遊南越記》

《至善禪師三遊南越記》是淩霄閣主（鄧羽公）最重要的武俠小說之一。其重要性，一是為鄧氏小說篇幅最長、價值最大者；二是書中講述的廣東籍武林人物及其歷史，為後代「廣派」武俠故事書寫提供了寶貴資源。值得一說的是，本書開始寫作並連載的時間，是一九三一年前後，當時日本侵略者已經佔領了中國東北，正在向華北滲透，大規模侵華戰爭迫在眉睫。作者是否有對時局的考慮才寫這部反抗異族入侵的作品？我們不得而知。但或多或少會產生抗日精神的聯想。

本書的主要內容，是寫河南嵩山少林寺（即廣東人所謂的北少林）住持白眉和尚一心復國，並把少林寺建成反清復明基地，從而被雍正王朝所忌恨，以至於官府派兵毀滅了少林寺。白眉對此也有預備，安排自己的徒子徒孫到南方去播撒反清復明的火種，培育反清復明的人才，建立反清復明基地，以便在機會來臨時就與滿清王朝對抗。故事以白眉的弟子至善為第一主人公，講述他三進三出廣東，培育二娣、小武新錦、班主鐵腳三、華寶、生老虎（梁挽）、鐵頭老鼠（胡惠芳）、胡惠乾、秦虎、方世玉、童千斤等一大批弟子，從事反清復明事業。至善禪師先是以紅船為基地，進而以廣州西禪寺為基地，進而開闢了芙蓉寨、福建九蓮山洞、萬猴山等多處根據地，且改造了秦虎的飛鷹嶺、飛鵝嶺基地。至善最突出的行為，是率人進京刺殺了毀滅少林寺的罪魁禍首雍正皇帝。此舉對反清復明事業雖然沒有關鍵性影響，但最低限度能夠報仇雪恨，能夠鼓舞人心。

本書並不是一部政治歷史小說，而是一部典型的武俠傳奇作品。證據是，書中人物故事及其武功技藝，都有明顯的傳奇色彩，顯然不是按照歷史寫實的路子寫作。例如，少林寺被毀滅時，少林寺僧竟然用孔明燈當氫氣球飛出寺外數百里，至善和尚居然從河南嵩山一直飄到漢中定軍山，這當然不可能是歷史事實，只能是近乎神話的武俠傳奇。

緊接著，至善與五梅在蜈蚣山消滅淫狐，更是近乎神話，而至善的兵器和武功，也是在武術技擊和傳奇神功之間，實際上更偏於神話功夫，他可以在空中飛行，一天數百里完全不在話下。書中有多處山精海怪的描寫，諸如野人、蟒蛇、狐仙、靈犬、美人魚等等，也足以證明作者志在傳奇。更重要的是，作者之所以要寫這部書，固然是想闡發民族精神，同時也是想給方世玉、胡惠乾、洪熙官、童千斤、鐵頭老鼠、華寶等人，為廣東歷史中的武林傳奇人物平反昭雪，樹碑立傳。

他們都是至善的弟子，所以，至善的故事也就是廣東英雄的故事；當然，廣東英雄的故事也就是至善禪師的故事。也正是這一意義上，這部《至善禪師三遊南越記》稱得上是廣東武林英雄傳奇之書，成了有關廣東傳奇英雄人物的故事、小說、電影、電視劇改編的重要資源。

本書的結尾有些出人意料。至善禪師在廣東、福建及廣東與廣西邊界、廣東與江西邊界等地建立了反清復明根據地，到最後竟然沒有人們預料和期待中的那種與滿清王朝的正面大決戰，而是在滿清官府的精心佈局下，被迫從廣東撤退至廣西十萬大山。期待中的高潮沒有出現，從小說寫作角度說，多少有些讓人失望。但從閱讀效果看，其實也並不太差，因為在歷史上說，到了乾隆時代，滿清政權早已落地生根，人們開始享受安居樂業的太平盛世，並不期望重燃戰火，因為沒有人希望過那種因戰爭而動盪不安的生活。

在小說的結尾部分，至善禪師與萬雲龍、勞虎等人發生了爭執，至善要保存反清復明的火種，傳承少林武術精神；而萬雲龍、勞虎則主張與官兵正面對抗，不惜犧牲。很難說這兩種選擇哪一種更正確，但作者顯然更傾向於白眉和至善的選擇，即退隱到廣西十萬大山之中，保存反抗的薪火。作者讓萬雲龍也隨至善等人退隱到廣西，並暗示著名的反清復明組織「洪門」就開始於廣西十萬大山之中——洪門組織公認的創立者就是萬雲龍。作者還進一步暗示，後來洪秀全起義之所以從廣西開始，是因為白眉、至善等少林寺僧退隱廣西十萬大山後，培育了廣西人民的反抗精神。這當然是小說家言，但也是作者為這部書的結尾找到了一種可以理解的合理推斷。

本書與光緒年間開始流行的《聖朝鼎盛萬年青》一書有關聯。本書開頭有一段：

「故當日少林技僧因何而受清帝仇視，以至於焚毀少林，此種辣毒手段，世傳多為清帝諱。坊間《萬年青》一書，即為專制帝王掩其罪惡也。而其述至善等人舉動，尤為謬誤。竟將此段慘痛之孤臣孽子心腸湮沒殆盡。在當時專制帝王摧鋤壓迫反動勢力之苛酷嚴密，或亦勢所不許。閣主獲此兩段少林秘史，互吸印證，誠有待於吾人之編正以告世人。」

這也就是說，這部書是《萬年青》一書的糾偏之作，作者立場與《萬年青》的立場截然不同，書中人物形象與《萬年青》中所塑造的廣東武林人物形象如方世玉、胡惠乾等人的形象自然也迥然有別。

白眉、五梅等人的身分設定，也與《萬年青》不同。在《萬年青》中，白眉是四川峨嵋山和尚，後轉入成都，其武功來源未加說明。白眉的弟子高鐵嘴即高進忠稱呼至善、馮道德為師叔，似乎白眉是與五梅、至善同輩人物。更重要的是，《萬年青》中的白眉雖然不問世事，但經不住弟子馬雄和捕頭方魁的懇求，終於答應從成都前往廣州，參與廣東武林的糾紛。也就是說，在至善的弟子方世玉、胡惠乾與馮道德的弟子牛化蛟、呂英布、雷大鵬的衝突中，他是站在馮道德一邊。

更重要的是，他既然參與至善師徒與馮道德師徒的糾紛，實際上是要站在官府一方，幫助官府並利用官府的力量打擊胡惠乾、至善。《萬年青》中，就是白眉出主意讓官府派兵、派員圍攻福建少林寺，並在官兵幫助下，親自動手將至善、方世玉師徒殺害，並逮捕了洪熙官等人。而在《至善禪師三遊南越記》中，作者明確說，白眉乃是明朝九門提督朱國忠，是明朝宗室。明亡後到少林寺出家，後擔任嵩山少林寺住持。白眉是五梅、至善、三德、馮道德等人師父，更是少林寺反滿復漢、反清復明運動的組織者和領導人，正因為白眉領導少林寺反清復明，清朝皇帝雍正才下令毀滅少林寺。本書就是從官府派人火燒少林寺開始的。

在《萬年青》中，五梅師太不過是少林寺弟子，沒有說她的出身。她與至善是什麼關係？與白眉、馮道德又是什麼關係？書中沒有明確交代。因而，在方世玉打擂臺故事中，他幫助了方世玉；

在胡惠乾打機房故事中，她又幫助胡惠乾對付馮道德，讓馮道德鎩羽而歸。但在最後，她又受白眉邀請，與馮道德一起來對付至善，並親自對付方世玉，將方世玉打死。此人到底是什麼立場？作者寫得不很清楚，讀者也就難以分辨。

而在《至善禪師三遊南越記》中，作者明確說，五梅乃是清初文豪呂留良的女兒，也是《聊齋志異》中所寫的紅線女俠。五梅師太的這一身分定位，決定了五梅這個人物在這本書中的立場和行為與她在《萬年青》中完全不同。在這部書中，五梅是一個立場鮮明的反清復明領袖之一。她是以廣州海幢寺作為基地，培養反清復明人才，並幫助至善建立反清復明基地。

值得一說的是，在民間傳說中，通常都認為是呂四娘刺殺了雍正，但在這部書，白眉卻沒讓五梅即呂四娘參與刺殺雍正的行動，只是讓她割了雍正的頭顱，祭奠自己的父親呂留良。有意思的是，她在祭奠父親之後，曾一度猶豫要不要徹底歸隱，但在至善等人的勸說下，她還是振作精神，把反清復明事業進行到底。

周日清的身分。在《聖朝鼎盛萬年青》中，是乾隆遊江南時偶遇的少年，因幫助乾隆付帳單而得乾隆賞識，收他為義子。但在這部書中，作者說周日清其實是萬壽山保壽寺法靈和尚的童僕，學得法靈和尚一身本領，乾隆在保壽寺上香時見到周日清，收他為義子。乾隆登基後，讓周日清隨侍左右。

（第三十二章）

在第三十三回中，作者在敘述萬雲龍身世時，提及此前的《少林寺劫前秘錄》一書。書中講述萬雲龍在少林寺中是正心、慈安的弟子，因正心、慈安淫亂，引發少林寺僧不滿，遂請白眉回寺主持，萬雲龍則憤然離寺，前往四川。

本書當然有不足之處。小說的大框架雖然相對完整，即以至善禪師三進三出廣東作為情節線索，結構全書，使得故事相對完整。但在三進三出的過程中，有不少故事都是作者敷衍而成，並不是所有段落都精彩可讀。更重要的是，小說在人物形象刻畫方面，總體上顯得很薄弱。

至善是本書的主人公，但在前面很大篇幅中，都是聽從五梅師太的指揮。這固然是因為五梅的年紀比他大，又是他的師兄，但若至善對自己的任務目標沒有規劃，對廣州官府的形勢及鬥爭方略也沒有清晰認知，如何能成事？至善遇到白眉，更是言聽計從，師父怎麼說，他就怎麼做。所以如此，當是由於作者有傳統師徒倫理方面的考慮，徒弟要聽師父的，師弟要聽師兄的。白眉是至善的師父，五梅是至善的師兄，至善當然要聽他們的。

同樣的情況也出現在至善與其弟子之間的關係上，無論方世玉、童千斤、華寶、胡惠乾、洪熙官等人怎麼能幹，都要聽至善的。而且，至善也確實表現得比他們更加富有經驗與智慧。也就是說，凡是有白眉或五梅在場的時候，至善的經驗與智慧就要打折扣；而凡是沒有白眉、五梅師太的場合，至善的智慧與經驗就顯得更加突出。出現這樣的情況，是因為師徒倫理；作者可能沒有想到，這樣做會有損於小說創作中人物形象刻畫。本書第一主人公至善的形象已然如此，其他人物形象概念化，也就毫不稀奇。

《五嶺游俠傳》

《五嶺游俠傳》共十回。講述清軍南下時，朱一貴、屈大均（翁山）率領羅天生、陳文豹、聶風人、施福、天衣道長、心白禪師等漢族英雄，在仙霞嶺、大庾嶺等重要隘口狙擊清軍；後救出紹武皇子，前往臺灣投奔延平王鄭經的故事。

小說開頭出現的黃宗羲、黃道周、金堡、屈大鈞（翁山）等人，都是真實歷史人物。作者讓這些歷史人物在序幕中登場，目的當然是要取信於讀者。臺灣歷史上確有朱一貴其人，本書的第一主人公朱一貴，不是臺灣鄉民，而是明朝王子。本書的故事情節，則是虛構傳奇。書中朱一貴隻身刺殺滿清貝勒，劫奪滿清軍糧分給當地饑民，三四個人即可攪亂清軍陣營等等，即是典型的傳奇故事。

本書民族主義和愛國主義思想主題十分明晰。滿洲軍隊入關並南下，明王朝的官員面臨劇烈的歷史變遷，有人投敵求榮，有人逃難保命，也有人挺身而出、對抗異族入侵。書中羅天生、陳文豹、聶風人、施福、凌安世、徐千斤、雲中龍及天衣道長、心白禪師等人，跟隨、支持和幫助朱一貴、屈翁山抗清義舉，不惜犧牲，成為可歌可泣的民族英雄。而與他們敵對者，固然有滿清貝勒與將軍，但更多是新近投敵的明朝漢族官員。漢人個體的不同選擇，是這部書的一大看點。

面臨劇烈社會動盪，個人生死關頭，一家人也可能有截然不同的選擇。其中最典型的是，處州總鎮侯天龍投降滿清，其女侯月嫦力勸無效，反而將女兒逐出家門，導致侯月嫦輕生，獲救後投入抗清隊伍中。更值得一說的是，書中的延平王鄭經及其軍師周松齡，深怕朱一貴等人搶臺灣地盤，拒不接納紹武皇子，反而設計圍剿大陸來人，反清同道互相殘殺，朱一貴死於內訌，讓人憤懣難抒。這一出乎讀者意料的情節結局，不僅符合人性本能，或許更接近於歷史真實。

《五嶺游俠傳》雖以武俠為名，重點卻是演繹歷史傳奇。證據是，本書關注重點明顯是明朝「江山」，而很少涉筆於由武林人組成的「江湖」。書中偶爾也會描述武功打鬥，例如第六回書中，鐵臂猿凌安世與清軍汪千總的對打，「凌安世施展『李逵救母』的板斧絕技，上則迎架敵槍，下則橫斧轉化為『吳剛伐桂』；汪千總正欲掣回鐵槍，轉化為『王彥章撐渡』的解數，連挑帶打，以應付凌安世上下兩路劈攻……」。但縱觀整個戰場，乃至書中所描述的所有戰鬥，都是典型的戰爭形式，而非尋常的江湖打鬥。如是，這部小說究竟是歷史傳奇，還是武俠小說？就需要斟酌。或許可以說，它是將歷史傳奇融入武俠小說的一種嘗試。

本書時而串珠，講述朱一貴在不同情境中衝鋒陷陣；時而開枝散葉，分頭講述朱一貴、屈翁山、羅天生等人在不同地點的戰鬥故事。每一段故事都很熱鬧，有一定的吸引力。但大多數情節都只是敷衍故事，在結構上缺少整體性。典型例證是，小說第一回中鄭重其事地講述胡一青偷偷離開黃宗羲，想來是要投入抗擊滿清的實際戰鬥，但此人竟從此失去蹤影。

本書語言，屬文言白話形式。敘事語言接近白話，對話則多是文言。如小說開頭，朱一貴出場時對黃宗羲說：「黃老師別來無恙？尚憶及京華分袂，老師曾謂天行事尚有可為之言乎？」這種小說語言，當下讀者或許有些不適，但在一九五〇年代，或許有讀者喜歡。小說最後一回「日月潭水寒，文章空想三分勢；五丈原星落，天地傷心一首詞」，對仗工整，富有文學韻味。就小說而言，朱一貴戰死是勢所必然，而朱一貴在殘酷戰鬥中還要作詞，恐怕有些浪漫過頭。

◆我是山人小說述評◆

我是山人，原名陳魯勁（一九一六—一九七四），別署陳勁，廣東新會人。十六歲時到電話公司當學徒，繼而到報館工作，繼而自辦小報。後移居香港。一九四七年開始武俠小說創作，是香港舊派武俠小說的代表性作家。一九五一年起，先後擔任香港《武術小說王》雜誌主編、社長。後擔任香港《天下日報》總編輯。

《洪熙官大鬧峨嵋山》

我讀的版本是香港陳湘記書局版，上下冊（**厚冊，上冊內含六輯，三二八頁；下冊內含七—十二輯，連續頁碼五九三頁，後有圖書廣告**），每冊定價港幣十元。

《洪熙官大鬧峨嵋山》是作者我是山人所著「洪熙官系列」中最著名的作品，可以說是他的巔峰之作，也可以說是他的代表之作。此書和此後的《洪熙官三建少林寺》、《洪熙官三破白蓮觀》、《洪熙官血戰羅浮山》等幾部書的水準相當高，與後來的若干部書如《周小紅三戰洪熙官》等等不可同日而語。

《洪熙官大鬧峨嵋山》一書的最大看點，是將一個尋常的武林復仇故事，寫出了「復仇史詩」的味道，書中故事情節跌宕起伏，讓人心潮澎湃，感慨萬千。

這部書的前半部分其實並不是以洪熙官為主人公的，而是以他的師父至善禪師為主人公，甚至其師兄弟方世玉的形象重要性也不在洪熙官之下。之所以如此，一方面是由於傳統倫理，即弟子要聽師父的話；進而還有傳統的認知，即師父總是要比弟子高明，這一傳統倫理和傳統認知（**此認知其實並非真確，但卻是傳統作家的信念**）的核心要點，是師父比弟子高明、弟子要聽師父的話。所以，只要至善禪師還活著，那麼少林寺向馮道德、白眉道人的復仇行動，就必須聽至善指揮。

書中的故事實際上也是如此，在至善禪師活著的時候，所有的復仇行為都是由至善安排並指揮的。直到在鼎湖山慶雲寺之戰中，至善禪師、方世玉等先後被殺，洪熙官成了少林弟子團隊中輩分和武功最高的人，洪熙官才升級為主人公。

說這是一部復仇者史詩，是因為從至善禪師主導到洪熙官主導，少林弟子經歷了無數次努力抗爭，最後才殺了高進忠、殺了馮道德、殺了白眉，結束這個故事。

說它是復仇史詩，是因為它是復仇者史詩，少林寺弟子的復仇，有三大理由，一是高進忠乃是武當弟子，他是因火燒少林寺而立功後被提拔為廣東提督的，成了滿清異族政權的爪牙；而少林寺弟子則心懷反滿抗清的志願——洪熙官是朱明王朝的後裔，是因為逃難才來到廣東，且改為洪姓；在他的胸膛上刺了「勿忘國恥」四個大字——其次才是少林門派與武當派、峨嵋派之間的門派鬥爭；又次，至善、洪熙官等人的復仇，實際上還有更加實際且更加讓人信服的動機，那就是為少林寺死難者復仇——在此前一部書即《三德和尚三探西禪寺》中，我們看到了高進忠隨滿清軍隊放火燒了少林寺，且將少林寺至善禪師的弟子，即洪熙官的師兄弟如胡惠乾、童千斤、方孝玉、方美玉等十餘人打死，這些人是至善、洪熙官的戰友，他們的復仇是為死難的戰友而復仇，這一動機具有最大的正當性。

也就是說，書中提供的反清復明動機固然是一個高尚的動機，但卻不是一個十分真實的動機，至少在這部小說的故事情節中我們沒有看到這一動機的發展；門派之間的衝突與戰爭固然是一個真實的動機，但卻不是一個感人的動機，所以，五枚師太就置身於這一行動之外，始終不願參與至善與馮道德、白眉道人的衝突，而且，實際上五枚師太、至善、馮道德、白眉道人等是師出同門，所謂門派之戰，其實是同門之戰，也是兄弟鬩牆。與前兩個動機相比，只有第三個動機，即為自己的死難戰友復仇的動機，才是既真實、也感人的動機。

在這部書的中間，至善禪師、方世玉又為復仇而犧牲，活下來的洪熙官等人就更加憤恨，更加要為師父和師兄弟復仇了。當然，馮道德的弟子、白眉的弟子也是如此，動機相同，理由對等。

說這部書是復仇者史詩，是因為這部書中所寫的故事，首先其實並非復仇故事，而是逃亡故事，這一復仇史詩或復仇者史詩，首先是「流亡史詩」或「流亡者史詩」。在這個故事的開頭，至善禪師在佛山武館授徒，而方世玉、洪熙官卻被官府追捕，難以生存，因為高進忠當了廣東提督，一定要將至善、方世玉、洪熙官、李翠屏等四個少林寺滅頂之災的倖存者抓捕歸案。所以方世玉、洪熙官都受到通緝，無處存身，因而要找到師父至善，尋找生存之道。也就是說，方世玉、洪熙官等人是為生存而戰——他們的復仇，也是因為高進忠不讓他們生存，只有復仇才能生存——為生存而戰的故事，不僅具有合法性、正當性，且讓人關注。

這部書中的基本情勢，是敵強我弱。高進忠、馮道德、白眉道人一方，有幾點明顯的優勢，其一是他們可以利用官府的力量，可以發動地方政府追查通緝少林寺弟子，可以率領清兵圍剿少林寺弟子。其二是，當高進忠感到自己的實力有所不足時，他能隨時前往北京請求更高級官府的支持，可以找來更高武功幫手。其三，是憑道德的武功、白眉道人的武功——尤其是後者——高於至善禪師，白眉道人的「千斤閘」內功，讓他刀槍不入，唯有眼睛這一弱點，幾乎是不可戰勝的。無論是至善、方世玉還是洪熙官，都不是白眉道人的敵手。

上述三點加在一起，形成了高進忠集團即官府＋武當＋峨嵋集團的巨大優勢。與之相比，少林寺弟子始終處於劣勢，他們的抗爭，是弱者的抗爭；他們的故事，是弱者戰勝強者的故事，從而他們的復仇經歷千辛萬苦、千迴百轉之後獲得勝利，才更加難能可貴，也更具有情節懸念、更具有吸引力，從而更加感染並震撼人心。

本書的故事大多經歷了合理化處理。尤其是其中主人公洪熙官在至善禪師在世時是一種表現，與至善禪師甚至不在一起，而是單獨發展，他還有一個特別的理想，那就是要讓少林寺武功傳諸後世、發揚光大。也就是說，洪熙官在反滿抗清、門派鬥爭、復仇戰爭等三大動機之外，還有第四個動機，即傳播少林武功。這也是一個意義重大的動機。書中寫到洪熙官從單身漢成長為丈夫、父親，從至善的弟子到少林派復仇集團的領導人，其中有若干很不錯的細節講述他的成長。

書中的五枚師太形象也很有意思，她是一位修行者，一位隱者，一位真正超脫於俗世的人。同時，她也是一位極其重視同門之情的人。她始終超脫於至善集團與高進忠、白眉集團的衝突之外。如上所說，當高進忠、白眉先後去白鶴庵請她出山幫助他們消滅至善集團時，她嚴正地拒絕了，勸對方要講同門情誼，不能同門相殘，更不能因此而增加殺孽。

同樣，她來到至善集團的住處，至善要她幫助自己消滅高進忠、白眉集團時，她的回答仍然不變。實際上，由於她和至善的關係更加親密（尤其是她與苗翠花、方世玉的關係更加親密），所以她還加勸了至善、方世玉等人，希望他們不要與馮道德、白眉道人等同門為敵。

當白眉道人最後來到萬重山見五枚師太並請求她的幫助時，五枚師太仍然堅持初心，不願捲入同門之爭中去。為此，她不得不在雲遊歸來後再次出門遠遊（避開白眉糾纏）。這一人物的出現，使得這個故事增加了一個有趣的觀察角度，是耶非耶？復仇還是和平？就有了另一種非同尋常的答案。使得這部書的內涵大大豐富了。

書中人物還有不少可說處。例如洪熙官之子洪文定的兒童形象，從他剛剛出生不久，到他成長為幼童，到他再長大為少年，書中都有精準的刻畫。洪文定的形象，在某種意義上說，甚至比他的父親洪熙官形象更加活潑感人。有意思的是，書中安排他學習飛鶴拳、安排胡惠乾的兒子胡虎學習猴拳，最後用猴拳、飛鶴拳擊斃了白眉道人。也就是說，少林弟子復仇，經歷了至善禪師、洪熙官、洪文定三代——這也是我稱這部書為「復仇者史詩」的原因之一。

書中還寫了雲中子與駱小娟的愛情故事。他們倆的愛情故事，從初次見面到心有靈犀，到兩情相悅，到雲中子犧牲，都有相當準確生動的描述。這種描述，也是這部書的重要亮點。只要想起雲中子的犧牲，就會黯然神傷。

本故事還有一個特點，是語言十分流暢，尤其是在復仇征戰中常常插入一些動人的心理細節，這些心理細節還又常常與風景描寫相結合，造成「一切景語皆為情語」的美妙效果。最典型的例證是，其一，方鸞英在丈夫公爺福死後的情景描述（她的丈夫公爺福其實並非少林寺弟子，只是學過少林寺武功，他只是紅船弟子即戲劇演員而已，但他被高進忠當作少林弟子而抓捕並殺害），其妻子是個女中丈夫，在丈夫遇害後，她及時找到至善禪師，一心要為丈夫報仇。書中有一段她失去丈夫之後的情、景描寫，語言不多，但卻動人心魄。

其二，另一個例子是，高進忠、馮道德、白眉覺得如果能請到五枚師太助陣，就能更加迅速地消滅少林集團，所以高進忠親自前往雲南白鶴庵拜見五枚師太，在白鶴庵中，有一段高進忠的感受描寫，從此處的環境風景感受到一種從來沒有過的「出塵之感」。這一段非常真實，也非常動人。當然高進忠最後還是離開了白鶴庵回到塵世之中，繼續他的俗世工作和俗人生涯。對比之下，這一段就更加生動而刺眼。

這部書當然也有不足。首先，是一個知識錯誤，即作者說少林寺的創寺祖師爺達摩禪師是伊朗（書中寫做「依朗」）人，即「河南少室山少林寺，而為依朗僧人達摩祖師所創建者」（第四輯第一七八頁），這顯然不確。

進而，至善禪師為了復仇，而在武功上又不是白眉的敵手，所以讓武功低下的白大海去刺殺白眉（白大海的父親是退休官員，曾接待過白眉禪師，白眉將他收為弟子，帶他到廣州。但白大海一直羨慕少林寺武功，一向同情少林派的不幸遭遇，所以中途拜至善為師，這是他的自主選擇），這顯然是一個不靠譜的選擇。

無獨有偶，至善禪師接下來又讓戲劇武生公爺福的妻子方鸞英去毒殺白眉（前面介紹過，方鸞英一心為死去的丈夫復仇，為復仇可以不惜犧牲自己，所以能夠裝扮成賣唱者混入提督府，給白眉等人下毒），這事看起來也不怎麼靠譜。當然也可以從另一個角度看，做出這樣不靠譜的選擇，可見至善禪師實在是沒有更好的復仇招數，亦即說明至善禪師「技窮」矣。

這部小說將前人小說和筆記中的某些內容引入，例如將《張文祥刺馬》中的張文祥引入，讓他變身廣州總兵，幫助高進忠打擊少林寺弟子，最後死於非命。又，將《聖朝鼎盛萬年青》中乾隆皇帝化名高天賜、帶侍衛周日青下江南遊覽的故事也引入書中，在高進忠進京求援路過江寧（南京）時，恰逢高天賜（乾隆）也在南京。

但這部書中，高天賜、周日青「打抱不平」懲罰江寧知府的公子，卻顯得嚴重不靠譜——在《萬年青》中有一個基本假設，即天神護佑乾隆皇帝，所以無論他怎樣冒險，都有天神護佑。而在這部書中，卻沒有這一假設，也不可能有這一假設，所以，這部書中乾隆、周日青不顧風險打抱不平就顯得可笑而不可信。

《方世玉正傳》

我看的版本是香港陳湘記書局版，共一冊，共二十回，一五六頁，沒有標明出版時間，定價廿五元港幣（從這一定價看，這一版的出版時間很晚）。

方世玉打擂臺故事流傳很久且很廣。晚清小說《萬年青》中就有這個故事，鄧羽公在一九三〇年代發表的《至善禪師三遊南越記》中也有這個故事，後人不斷講述方世玉故事，大多是從《萬年青》和《至善禪師三遊南越記》中來。我是山人的《方世玉正傳》亦只是對故事的改編重述而已，主要內容沒有什麼不同。

這就有一個重要問題：我是山人的這部書算不算是對前者的抄襲？這個問題大有討論的餘地，更有討論的必要。說它是抄襲前人之作，當然有一定的道理，因為故事是前人創作的，後人再來講述同一故事，自然有抄襲之嫌。但若按照民間文學的口頭傳統說，我是山人及其後的作者寫作方世玉的故事，雖然其中有很多雷同，甚至故事主幹也與前作都沒有什麼大不同，但這也可以說是對前人故事的「重述」和改編——如果故事相同＋說法（**敘事語言形式**）完全相同，那當然還是抄襲，而故事相同、說法不同者則可能不是抄襲而是「重述」——如果要找例證的話，古代民間口頭文學故事大多是這樣代代相傳的，史詩故事是如此，民間故事也是如此。

方世玉、洪熙官、黃飛鴻等著名的廣東英雄，大多成了民間口頭文學的主人公，從而後人書寫這些故事，也只是對前人故事的改編與重述。真正的問題是，在同一故事的改編、重述版本中，有哪些不同？（**毛聊生小說中也有類似情況，其中不少作品到底是抄襲還是對流傳廣泛的故事母題進行改編重述？這是武俠小說作者的一個值得認真考慮的問題。**）

《方世玉正傳》中包含三個故事原型，前面（**故事的第一大段落**）是方世玉打擂臺，後面（**故事的後半部**）是胡惠乾打機房，中間還有一個短故事，即至善禪師的大弟子黃坤蒙冤及被拯救故事。如果按照「武林名人傳記」或小說的完整性的要求，這部書算不上是佳作，因為它不過是將此前已經流行的有關方世玉、胡惠乾、黃坤的故事進行簡單整合，納入方世玉故事框架之中——方世玉在黃坤故事中雖然不是主角，但確曾出場立功；而在胡惠乾故事中則起到了很重要的作用，說是關鍵性作用也無不可。所以，黃坤故事、胡惠乾故事，也可以是方世玉故事。讀者喜歡方世玉這個人，所以只要與方世玉有關，即會被讀者所接受。

《方世玉正傳》用更熟練、更流暢的現代白話重新書寫，前一部分尤其通俗流暢，後一部分在人物對話中加上了若干文言，閱讀效果稍有不同。

重述方世玉故事，檢測的標準，當是對前人故事中「想當然」內容線索的「合理化」處理。《方世玉正傳》中增加了一些細節，或對原來的故事有所改寫，從而在「合理化」方面有不少成功的例子。如下：

一，方德續弦新婚之夜的心態與言語細節。方德雖然欣喜，但仍然怕委屈了苗翠花這個大姑娘，這很符合這個正派且善良的商人的身分和個性。

二，在杭州擂臺上，苗翠花與李小環鬥了三日三夜，始終是平手，苗翠花提議就此罷手言和，而李小環堅持要為丈夫報仇，要與苗翠花再鬥，直到她父親李巴山來。這一情節安排，與此前的故事說法相比，更突出李小環的報仇心，也讓苗翠花不願與同門相鬥的心思更加突出，從而使得這兩個人物形象更突出。

三，李巴山來，因為他是師叔，苗翠花、方世玉都沒有與他鬥，苗翠花立即推遲打擂臺時間，而去找至善、找五枚師太來對付李小環，這不僅是苗翠花的經驗（**不願與同門長輩對抗，同時也怕不是長輩對手**），同時也使得故事更曲折。

四，這個故事與此前故事的一個重要的不同點，是五枚來到杭州後，曾三勸李巴山未果。第一次是在見面之初，他就曾勸說李巴山不要讓仇恨變得不可消解，實際上李巴山本人也被說動了，只是李小環堅持要為丈夫報仇，李巴山被女兒的仇恨情緒所「綁架」，才不得不堅持要與五枚對抗。

第二次是五枚在擂臺比武平手之後（**是否有可能是五枚師太故意打成平手？並非沒有這種可**

能），李巴山要在梅花樁上比武，五枚曾再次勸說李巴山，李巴山再次心動、又再次堅持；第三次五枚再三勸說，李巴山仍堅持己見，最後被五枚打下梅花樁被尖刀刺死——這一結局也有意思，即五枚師太並沒有直接殺害李巴山，李巴山是「自取滅亡」。

五，小說中李小環之死，並非被方世玉或苗翠花打死，而是她在父親死後立即自殺。這一安排，突出了李小環寧死不屈或寧死也要堅持仇恨立場的固執個性，同時也消減了方世玉、苗翠花的行為罪孽，李小環自殺，當然不能說是方世玉或苗翠花的過錯。如此一來，方世玉、苗翠花行為的「合理性」就更明顯。

六，小說中，紡織機房的白安福等人籌集三千兩銀子找牛化蛟幫他們報仇，牛化蛟顯然是出於貪財（**三千兩銀子肯定比他當拳師的收入要高得多**）原因才答應替他們去殺胡惠乾。但即便如此，牛化蛟在見到白安福及機房司理者仍然說：殺人非同兒戲，要對方三思而行。這種說法，符合牛化蛟的身分，他畢竟只是一個普通拳師，並非職業殺手。同時，也是牛化蛟的狡猾，即這樣說了，即便他將胡惠乾殺死，他也可以不負責任，因為他曾提前警告過，並且與機房行會簽訂了殺人不負責（**由機房負責**）的合同。這一細節，符合生活常理，因而很重要。

七，這部書中，機房司理去找呂英布為牛化蛟報仇、為機房殺胡惠乾，故事主線並無變化，有變化的是呂英布的職業及其地點有了變化，即呂英布並不在武當山，而是在肇慶開設武館，這樣寫的好處是，其一，可以少跑路，即不會耽誤太長時間就能請到他；其二，武館拳師不可能不愛錢；其三，有意思的是，呂英布說他是為師弟報仇，所以不能要錢；在機房司理的反覆勸說下才接收這筆錢。這是呂英布的狡猾之處，也是他會做人、會做戲的表現，非常精彩。

八，在雷大鵬來廣州後，李錦綸見識了他的武功，知道對方武功高超、力量巨大（**他使用的鐵棍重達八十二斤**），設計了車輪戰的打法。這一設計很有意思，超出了一般武林正方的行為準則，即正派人是不使用車輪戰來取勝的。作者當然並不是要把方世玉師兄弟寫成惡人——何況方世玉對車輪戰並不認同，只是大師兄要這樣做，他無法提出反對意見而已——而是要強調雷大鵬不易戰勝。如果雷大鵬容易戰勝，一是故事就會沒那麼精彩，二是把武當派的武功寫得太差未免不合實際、也不合常理。所以，李錦綸的這種選擇，是一個不壞的主意。

九，至善一方主力方世玉最後一個上場，此前雷大鵬已經與方世玉的多位師兄以及師弟胡惠乾大戰了數場，體力消耗巨大，方世玉再上場當然就占了很大便宜。有意思的是，方世玉要上場時，李錦綸本是阻止了他，說是先要救助受傷的胡惠乾。是雷大鵬在擂臺上大罵，才使得方世玉忍無可忍，這樣，車輪戰的嫌疑就可以稍稍減輕。

更有意思的是，當方世玉將雷大鵬打翻，本可以立即殺害對方，而方世玉突然起了不忍殺害對方的心思，從而避免了雷大鵬的報復（**雷大鵬有後招對付方世玉，因為方世玉沒有上來殺他，所以他的後招也就無法施展**）。這一筆，既寫出了方世玉的善念，同時也造成了一次「事後緊張」，說明善有善報。

十，馮道德最後下山，說只找胡惠乾、方世玉算帳，而不傷害其他的至善弟子，這符合馮道德的身分。雖然他的三個弟子即牛化蛟、呂英布、雷大鵬都被殺害，馮道德仍然沒有被仇恨蒙住雙眼，並沒打算濫殺無辜。這表明，他不想因此與師兄至善造成不可彌補的仇恨，實際上也鋪墊了最後和解的伏線。

十一，本書的結尾十分乾脆。寫五枚師太不請自來——她是來探訪老友悟空師太，並決心幫助悟空師太重建隆慶庵，與方世玉相遇，並及時解救了胡惠乾的危機——馮道德跟隨其後，一定要殺他。若非如此，胡惠乾、方世玉很可能會被馮道德殺了，五枚師太遠在雲南，無法救助。結尾的另一妙處，是五枚師太非常喜歡方世玉，一定要將自己新收的兩個女弟子蘭英、梅英許配給方世玉。這一處理方式，使得小說的結尾回到方世玉身上，使得《方世玉正傳》名副其實。

小說《方世玉正傳》並非沒有弱點和不足。其不足是：

一，雷老虎擺擂臺，為什麼要「拳打廣東全省，腳踢蘇杭二州」？按照故事原創者的設計，是要引起廣東人的憤怒。若不如此，方世玉惹事就沒有理由。但這樣寫法卻並不合理：一是，雷老虎與廣東人有什麼深仇大恨？為什麼要在杭州擂臺上「拳打廣東全省」？書中始終沒有給出理由，所以不合理。二是，雷老虎在杭州謀生，杭州人沒有虧待他，他為什麼要「腳踢蘇杭二州」？任何一個有理性、有常識的人都不會這麼幹。真這麼幹了，杭州人豈不是要將他家燒了？

二，方世玉喜歡惹事，跑到擂臺前找雷老虎比武，雷老虎不在，方世玉竟然帶著鐵棍在擂臺下打死六人、傷二十一人。這一設計固然大快人心，但卻有兩個不合理處，一是，方世玉這樣做未免濫殺無辜（**或可用他年輕不懂事來解釋**）；二是，更重要的是，在擂臺上打死人和在擂臺下殺人，完全是兩回事。在擂臺下殺人是公共事件，不必雷老虎出面，杭州官府就應該派人將方世玉抓起來。因為這樣公然殺人，會嚴重破壞本地的公序良俗。作者卻沒有想到這一點。

三，回到廣東之後，書中寫到方世玉要到廣州西禪寺去拜至善禪師為師練武，而他的兩個哥哥方孝玉、方美玉也要跟他們去。作者可能沒有想到，此時方孝玉、方美玉兩個人有多大年齡：他們比方世玉大二十歲以上，此時，如果方世玉是十五歲，那麼方孝玉至少是三十七歲（苗翠花嫁給方德前，方孝玉已經二十歲，且已成婚，苗翠花在嫁給方德兩年後才生下方世玉），而方美玉亦至少三十五歲了。三十七歲、三十五歲的兩個哥哥是否會與十五歲的三弟一起拜師？本身就是一個問題；更大的問題是，三十七歲、三十五歲的兩個哥哥應該有自己的職業和家庭了，難道他們不必謀生？作者這樣寫，很可能是不假思索地照抄了前人故事，而沒有想到合理性問題。

四，在黃坤故事中，黃坤的妻子和妹妹黃玉蘭一起誣告黃坤通匪，試圖將黃坤整死，以便她們和馬釗群能做「長久夫妻」。黃坤的妻子甘氏這樣做不難理解，問題是，黃坤的妹妹黃玉蘭為什麼要參與整死哥哥的計謀？十六歲的黃玉蘭與人通姦是一回事，與人合謀整死自己的親哥哥可是另一回事。作者不加分別地寫甘氏與黃玉蘭合謀，顯然是沒有考慮到黃玉蘭的身分與立場的特殊性。

五，胡惠乾急於報復父仇，不惜違背師命鑽陰溝提前下山，當然可以理解。問題是，他在西禪寺掛出「新會胡惠乾專打機房」的燈籠，豈不是將西禪寺及三德和尚也拖下水？進而，胡惠乾在第一次衝突中打死十三人、傷二十人，聽起來大快人心，充分表現出胡惠乾的憤怒和勇猛，問題是，殺死仇人與濫殺無辜並非同一回事；殺十三人與殺一人也不可能是一回事。這不僅寫出了胡惠乾的憤怒和魯莽，實際上也寫出了胡惠乾的凶殘與邪惡。南海知縣即使同情胡惠乾，也不可能將一個一次殺害十三人、傷害二十人的凶手無罪釋放吧？作者這樣寫，顯然也是不假思索、只追求一時的痛快，而沒有考慮到事情的合理性。

六，最不可理解的是，雷大鵬來廣州為何只說為師兄弟報仇，而不提為父母報仇？一二二頁「方小子殺了我師兄，我今日以牙還牙……」——方世玉在杭州殺害了雷大鵬的父親雷老虎，父仇不共戴天，而雷大鵬竟只是要為師兄報仇，是什麼道理？難道他不知道父親被殺？這也說不過去，因為後來方世玉主動提及他殺了雷老虎，雷大鵬似乎早已知道此事。這說明，作者在講述《胡惠乾打機房》故事時，已經將前面的《方世玉打擂臺》的故事忘了，在同一部書中出現前後不一致的情況，表明作者在寫作時沒有貫通故事情節，從而出現這樣的疏忽。

七，五枚師太在收蘭英、梅英的第一天，就用「脫皮換骨神藥」讓蘭英、梅英立即改變體質，使得兩個人很輕易地抬起裝滿水的荷花水缸，十五天培訓就讓這兩個美女街頭賣藝，這未免太過神奇了。神異當然是傳奇的一部分，但在這部並不以神異為追求的寫實性故事中出現如此神異現象，就有些不搭了。

最後，由於作者只是拼湊了《方世玉打擂臺》和《胡惠乾打機房》故事（外加一個黃坤蒙難及被拯救故事），沒有將方世玉作為真正的主人公進行整體重構，也沒有增加任何新的情節與內容，這部《方世玉正傳》實在有些名不副實。雖然有一定的可讀性，且在重述中有所加工，但卻算不上是一部上佳作品。

《火燒海幢寺》

《火燒海幢寺》[1]講述海幢寺武術教習膏藥和尚與廣州城內綸錦絨線行會武館弟子衝突故事。起因是海幢寺幾名僧人，受絨線行會工人挑釁圍攻，膏藥和尚出手將工人打傷。行會武館教頭楊雄彪為受傷弟子報仇，邀師兄弟截殺膏藥和尚，反而被對方所殺。其時廣州行會武館教頭孔南、趙虎、甘華等，全都是武當弟子，與海幢寺少林派有宿仇，因而絨線行會工人與膏藥和尚的矛盾，演變為武當派對少林派的大規模衝突。

暗殺不成，武館教頭率領數百名行會弟子圍攻海幢寺，驚動了廣東巡撫，各打三十大板。孔南等人只得請武當派掌門人清虛道長來廣州為同門報仇，無奈清虛也不敵膏藥和尚。行會武館中人試圖毒死對方，不料被膏藥和尚發覺，反受其辱。行會派人到海幢寺放火，很快被撲滅。膏藥和尚試圖講和，行會不答應；膏藥和尚只能武力征服，行會才不得不派人議和。後清虛道長請來賽尉遲張海雲，再戰膏藥和尚，仍是不敵。行會武館召集數千人圍攻海幢寺，廣東巡撫再度出面，強迫雙方和解，條件是，膏藥和尚離開海幢寺。

海幢寺膏藥和尚與絨線行會中人打來打去，故事說不上精彩。比較有意思的是膏藥和尚其人。此人俗名劉起龍，原是山東獨腳大盜，一次作案時遭遇兩位年輕的武林高手，用圍棋子打破了他的頭，只要不貼膏藥，傷處就流黑水，從此離不開膏藥。其後悔悟出家，得膏藥和尚之名。來到海幢寺掛單，後為寺廟打更，被慧靈方丈賞識，提拔為寺僧武術教習。膏藥和尚的個性，自然與眾不同。

更值得注意的是，書中的諸多「牛精」形象。不僅合勝堂教頭牛精南（孔南）是牛精，其弟子豬肉均、賣魚炳、瓜菜秋等也是牛精，誇張一點說，書中絨線行會是一個大大的「牛精群」。粵語中的牛精，是指任性衝動、蠻不講理、死纏到底的人。實際上，所謂牛精，其實是理性不健全、心智不成熟。所謂牛精群，當然是指牛精組成的群體，由於人多勢眾，群體分子就更加牛精。

牛精及牛精群的最大特點，是認知能力極其有限，大多只能自以為是。行會武館教頭們，把普通的人際糾紛，看作是絨線行會與海幢寺之間的衝突，更上升為武當派對少林派的復仇，這種情緒化演繹，其實很牛精。證據是，書中最後一場榮譽之戰，即膏藥和尚與張海雲比武，這兩個人其實與少林、武當無關：膏藥和尚的武功出自家傳，並非出身少林；張海雲原是鏢師，亦非武當出身。這二人比武爭勝，竟被當成少林、武當的榮譽象徵，豈不可笑復可悲？

牛精群的另一大特點，是不可理喻，只服強力。膏藥和尚主動講和，他們堅決不答應；待到膏藥和尚打得他們人心惶惶，才不得不上門求和。更有意思的是，絨線行會武館兩次興師動眾圍攻海幢寺，都被巡撫彈壓，最後不得不與海幢寺議和。他們怕官府，並不是敬畏法律，而是害怕官府的武力和權威。

書中的幾個細節也值得一說。例如，故事發生在清道光初年，海幢寺方丈慧靈、膏藥和尚等就成了鴉片煙民，廣州城也出現了鴉片煙館。又如，行會中人提出要投毒暗殺膏藥和尚，清虛道人斷然制止，堅持要光明正大地比武爭勝。這說明，武當派掌門人與廣州絨線行會中人，有明顯不同的道德水準。

《花拳胡惠乾》

《花拳胡惠乾》是個較長的中篇，分上下兩集。講述南少林弟子胡惠乾學藝復仇故事。錦綸堂機工蘇海（牛精海）仗勢欺人，打死了胡惠乾的父母雙親，少年胡惠乾報仇不成，反而被他打成重傷。幸被方世玉兄弟相救，到福建少林寺拜在至善禪師門下習武十二年，急於為父母報仇，又通不過少林寺木人巷，只得從後門偷偷下山。

回到廣州後，胡惠乾掛起了「專打機房」的燈籠，公開向錦綸堂挑戰，先後打死了仇人牛精海和數十位錦綸堂機工，以及錦綸堂武館教頭張錦龍及其師兄弟牛化龍、趙天錫。錦綸堂師爺白安福向武當派掌門人馮道德求助，馮道德派徒弟呂英布到廣州，又被胡惠乾打殺。白安福再上武當，請來了武藝更高的魏興洪，不料魏興洪卻投向了反清復明的西禪寺陣營。

白安福三上武當，請來了馮道德，來到西禪寺，卻又被至善禪師所敗。胡惠乾去潮州接了妻子，回到新會老家。在此期間，插入了方世玉打擂臺故事。其後，金華鎮千總高進忠（白眉弟子）及其姘婦李二環，和金陵漢軍統領方奎（馮道德弟子）一起南下廣州。高進忠設計殺害了童千斤，繼而殺害了胡惠乾。

胡惠乾打機房故事，源自晚清小說《萬年青》，粵語讀者對這段故事並不陌生。《花拳胡惠乾》一書，不過是根據民間傳說和自己的想像，對這段故事作出重新演繹。本書的主要看點，是詳細敘述了胡惠乾的童年故事，其父母慘遭殺害的經歷，為主人公學藝復仇進行了更為扎實的鋪墊。本書的上集故事，情節生動，引人入勝，而且絲絲入扣。胡惠乾之父胡耀庭的痛苦經歷，讓人感同身受。

本書的缺點也很明顯。首先是結構方面，下集故事中插入方世玉打擂臺情節，與胡惠乾完全沒有關係。李小環的堂妹李二環與高天賜（乾隆）的關係語焉不詳，而她與高進忠的關係發展也過於簡略。更大的問題是，這幾大情節段落的講述，使得本書的結構出現明顯的斷裂。胡惠乾的傳記變成了同門故事集。

更大的問題是胡惠乾形象自相矛盾。書中說胡惠乾聰穎過人，並渲染他的英雄氣概，實際上卻是衝動莽撞而頭腦簡單，近乎亡命之徒。證據是，其一，是他和方世玉同時進入少林寺學藝，十二年後方世玉打過了木人巷，而胡惠乾卻沒有通過，其聰穎不免要打折扣。

其二，是他回到廣州後，公開亮出「打機房」的燈籠，殺了仇人牛精海後，仍要繼續殺戮，人為地將事態擴大，讓西禪寺置於與錦綸堂上萬機工對立的境地，讓其所有師兄弟都置身於危險之中。

其三，小說最後，當高進忠殺死童千斤後，三德和尚等人無不知道高進忠武功超強，不宜多做無謂冒險，而胡惠乾卻一意孤行，繼續打機房，直到被高進忠打死。他的行為，與其說是英雄氣概，不如說是亡命莽夫。

其四，也是最重要的一點是，至善禪師領導的少林武術集團還有更高的民族主義理想，即反清復明。這就是說，胡惠乾也同樣肩負反清復明大任，但在他的心理和行為中，卻看不到絲毫為民族大義而克制自己的跡象。否則，他怎麼會濫殺漢族同胞，並將自己有為之身斷送？

作為熱血青年，胡惠乾為報父仇而刻苦學藝，因仇恨衝動而成殺人狂，又因魯莽自負而斷送身家性命，這都是牛精個性的表現。問題是，作者給這位主人公貼上聰穎過人、民族英雄（**反清復明**）的標籤，而在寫作過程中卻不按其設計方案完成。胡惠乾忘乎所以，實際上是作者失去分寸。

《至善三下嶺南》

我看的版本是香港南風出版社版（**偉記書局代理**）的合訂本，包括上、中、下集及其續集，但頁碼卻還保留了單行本的原貌，上集一至四十八頁，中集一至四十八頁，下集一至四十八頁，續集一至六十八頁（**續集也分上下集，但頁碼連續**）。定價三元六角港幣，應該是這部書的新版，出版時間應該相對較晚。

本書封面書名是《至善三下嶺南》，有「武俠技擊小說」字樣。內頁邊緣則有另一個書名《至善禪師南遊記》。上集第一頁有《開篇話》，惜未寫時間。

看《至善三下嶺南》或《至善禪師南遊記》，勢必會想起清代小說《聖朝鼎盛萬年青》，以及鄧羽公的名著《至善禪師三遊南越記》——有關少林至善禪師的故事，大多來自這兩部書——看起來，我是山人的這部書似乎是「經典故事重述」，實際上，我是山人的這部書是一部不折不扣的獨創之作。

作者在這部書的《開篇話》中開宗明義：「至善禪師之能，僅見於坊間稗說，中有形容之如閭里間之好勇鬥狠者，斯實不足以傳至善也。」又說：「其儼然一代宗師，洵非偶然。然至善匪以武術傳世而已，亦為當代之高僧，述至善而類於一江湖武師，失其宗匠之地位，述至善而忘其為名山有德之僧，更認少林寺為武館矣。」[2]由此可見，作者我是山人是要寫出一個不一樣的至善禪師，寫出自己心目中的至善禪師。

在《萬年青》中，至善是個逆賊；在《至善禪師三遊南越記》中，至善是個反清復明的民族主義志士，而我是山人的這部書則淡化了民族矛盾、消滅了政治維度，書中的至善純粹是一個武術大宗師（當然也是得道高僧），這是本書的第一個特點。

本書的另一特點，是與當時流行的技擊小說的主流模式有明顯區別（與我是山人本人的《洪熙官系列》等技擊小說也有明顯區別），那就是並不以連場打鬥作為寫作主旨，而是以至善禪師南下收徒作為主要情節，本書開頭三十餘頁中竟無一場打鬥，只寫至善禪師來到廣州光孝寺先後收李錦倫、梁阿松為徒，直到至善離開廣州回嵩山，梁阿松無人管束，才在打春牛時與築橫沙惡霸打鬥。

作為武術宗師，傳道授業的故事最能體現其獨特風采。而傳道與授業的前提則是選材，即發現人才。本書開頭故事，就是寫至善禪師發現李錦倫、梁阿松並收他們為徒的過程。李錦倫和梁阿松各有特長，李錦倫善於投石，而梁阿松天生大力，一入至善法眼，就看出這兩個人有武術資質，有培養前途。所以，至善毫不猶豫地要收他們為徒。

李錦倫是富家子弟，而梁阿松則出身貧寒，有老母親要贍養，至善收梁阿松為徒，不僅沒有束修學費，反而要為弟子贍養母親出資。李錦倫的年紀較大，經歷較多，個性相對成熟，做事謹慎小心，值得信賴；而梁阿松則年紀幼小，有兒童天性，喜歡熱鬧且喜歡惹事，容易激動乃至容易衝動，書中這兩個人物的個性相當鮮明而突出，梁阿松對李錦倫師兄心服口服。在以往的至善師徒故事中，寫洪熙官、方世玉的較多，寫童千斤的也不少，寫李錦倫和梁阿松的則相對罕見，這部書可以說是彌補了這一缺憾。

至善禪師收李錦倫、梁阿松為徒，引起了光孝寺年輕僧人的不滿和議論，主要原因是：至善駐紮光孝寺，為什麼不教授光孝寺僧人武功，反而要到外面去找弟子？這一問題固然是書中情節，卻也正是值得關注的要點。實際上，作者也正是要通過這一情節，突出至善的大宗師形象。

至善有一個非同尋常的觀點，即學藝練武不能靠外力推動，而是要靠自己勤勉發揮。至善不教授光孝寺僧人武功的真正原因，並非他不願意，而是光孝寺的年輕僧人並沒有人主動向他請教——僧人敬上除外，書中說至善發現敬上有「反骨」，不願教他武功；敬上師徒從梁阿松處偷師學藝，被至善發現，至善立即阻止了，並讓住持智圓處分了敬上，這是一個值得討論的話題。

若說至善看不上敬上的資質，或者覺得敬上心浮氣躁、野心勃勃或心術不正，或許還說得過去；

若說敬上有反骨云云，則是有討論餘地，因為書中的敬上到最後也沒有表現出什麼反骨來——其他僧人非但沒有向至善主動請教，且在智圓的動員下，這些人勉強向至善求師時，也無法通過至善的考察。至善讓他們跪著等他，其中一半僧人竟然弄虛作假，沒有弄虛作假的悟隱、悟緣等人，也心氣不高、智力有限（**在小說開頭對滿身膿瘡的異人半禪的態度上，即可看出這些人眼光不明、心智有限**），即便智圓方丈說了半禪是奇人、高人之後，這些人非但不相信，仍然懷疑半禪的能耐（**實際上等於懷疑智圓的判斷力**），且對半禪仍然沒有好感。總之，這些人非但不是學佛的種子，也不是練武的材料，他們只是生活在光孝寺中，不得不練武、不得不學佛，正如普通學校裡的許多孩子，本身並不熱愛學習，而不得不待在學校裡、不得不學習而已。

至善對練武資質者有自己的判斷方式。本書所寫的主要內容，概括起來說，可謂「至善禪師收徒記」，即收李錦倫、梁阿松、童千斤、尚清和尚、魯矗五個弟子的過程和故事。李錦倫、梁阿松的故事比較簡單，而收童千斤為徒的過程就比較複雜了。

童千斤拜師故事，在其他作者筆下曾有過敘述，說他在海幢寺將寺門取下當涼床，勒索寺僧錢財，直到被至善打敗而服輸拜師，這一故事頗有傳奇色彩。而本書中的故事則更有傳奇性，童千斤是旗人，到光孝寺用香火點煙斗被僧人斥責，一氣之下將寺門偷走，以至於光孝寺在很長時間內都只有半邊大門。由於至善、李錦倫、梁阿松都去了福建少林寺，所以光孝寺僧對童千斤毫無辦法。

梁阿松回來後，試圖找童千斤算帳，反而被童千斤邀集旗人士兵將梁阿松抓入軍營。直到李錦倫回光孝寺才將他救出。最後還是至善禪師本人用盡辦法將桀驁不馴的童千斤收為徒弟。童千斤不僅力氣大，且練武時間不短，有一定的基礎，更重要的是，此人雖然頭腦簡單、性格衝動，但卻心地質樸、單純善良。

至善到白雲山廉泉寺教尚清和尚武功，是這部書中最神奇的段落。故事看起來似乎有些平淡，但內容卻含意豐富，至善在白雲山短短的十多天時間內，不僅教授了毫無武功基礎且身體病弱的尚清和尚武功，讓他恢復健康，且讓山中的飛禽走獸都感染了武功氛圍，個個身手不凡，讓人眼界大開。

這段故事看起來近乎神話，卻有深意在焉。其深意，就是至善禪師對李錦倫、尚清、童千斤等人說武功的段落——堪稱本書的華彩篇章——說尚清和尚可以學習高深內功，而梁阿松、童千斤卻還不夠資格；其原因是，尚清和尚天資聰穎，修道有成，按照古人所謂「技進乎藝，藝進乎道」的邏輯，尚清既然修道得道，學習武功技術自然會事半功倍；而梁阿松、童千斤則只是力大、只練技術，離得道境界很遠，所以還不夠修道（即內功）的資格。

至善對童千斤說：「夫學技不論外功與內功，要皆以本人之修煉為主，以強身務道為志，若忘此意，而欲學技有成，擊人於不覺，則此直全悖達摩祖師倡練武術之本旨矣！」看起來似乎老生常談，實際上包含了作者對武功與文化的深刻思考，至高無上的練武者，實際上是練人，而非止於練武。

書中最長的收徒故事，是至善征服敵人魯轟——魯轟是廣州軍人專門請來對付至善及光孝寺僧的武術高手，職業是武術教練，此人的武功高超，個性自負，與至善勢不兩立。兩次襲擊至善，而被至善所看重，且看中，一定要收他為徒。所以請自己的大弟子降龍來打傷他、然後又為他治療，讓魯轟意識到自己的武功比降龍差得遠，比至善差得更遠，最終成了至善的弟子。這段故事很長，也很曲折，梁阿松、童千斤等人根本就無法理解至善禪師的用心與策略。

《至善禪師南遊記》是否寫出了大宗師至善的形象？恐怕是說起來容易做起來難，這部書並沒有完成作者預期的目標。尤其是，至善不僅是武術宗師，同時也是佛學大家，書中對至善佛學修為沒有什麼展示——或許是因為作者自己的佛學修為不足；或者是因為在武俠小說中大寫佛學不合適；或許是作者找不到合適的方式展示至善的佛學修養和高僧氣質——對其武術大宗師的形象，雖然有不少展示（通過他的選徒、征服人心以及談論武功等不同方式），但至善的形象還算不上十分成功。這可能是舊派武俠小說家的共同難題。

本書的弱點很明顯。

首先是，作者的寫作過程無法達到預期，反而膨脹出了不少篇幅。本書預計是寫三集，所以標注為上、中、下三部分，但寫到下集時，由於作者對收服魯矗故事鋪張過多，以至於無法在下集的篇幅內完成任務目標，不得不增加一個「續集」，這使得本書的結構變得頗為古怪，上、中、下、續集寫的是同一個故事。

而且這個故事實際上還沒有寫完。按照書名，即《至善三下嶺南》，至善禪師應該三次到嶺南，而這部書中只寫了兩次到嶺南：第一次是至善應邀來光孝寺主持大法會，收李錦倫、梁阿松為徒；第二次是至善到福建少林寺，光孝寺因童千斤偷走寺門而派悟隱前往福建少林寺請至善回廣州協助破案，於是至善來廣州，收童千斤、尚清、魯矗為徒。——說這個故事沒有寫完，不僅因為沒有寫到至善三下嶺南，也因為書中只寫到李錦倫、梁阿松、童千斤、尚清、魯矗等五個弟子，而對至善禪師更有名的幾大弟子如洪熙官、陸阿采、胡惠乾、方世玉兄弟（方孝玉、方美玉）等人則根本沒有提及。

本書最大弱點，是小說結尾段落，即寫到吳氏以色相誘惑至善，至善將此案偵破，並將迫使吳氏為惡的行雲道人抓捕並送交官府。從傳奇角度說，這段故事當然有其可觀之處，吳氏、行雲道人大耍法術，至善也施展鎮魔咒、伏魔咒對付他們。但這些內容，非但對刻畫武術、佛學大宗師至善的形象沒有幫助，反而讓這部小說虎頭蛇尾，變得不倫不類。這段故事除了傳奇，實在看不出有什麼意義。

小說最後一段，寫五枚師太的弟子雷鵬招惹梁阿松，見到至善後立即認錯，似乎是以此方式回到至善身邊，但看不出這段故事有什麼意義。恐怕是作者不願意繼續這部小說的寫作，只能到此匆匆收場。如此收場，實在讓人莫名其妙，只能說，這一結局實是大煞風景。

【注釋】

1 我看的版本是香港南風出版社出版、偉記書店代理的《火燒海幢寺》影印本，共三回、一集。附有《花拳胡惠乾》（二集）。

2 我是山人：《至善三下嶺南．開篇話》合訂本第一頁，香港，南風出版社，偉記書局代理，無出版時間。

◆毛聊生(金鋒)小說述評◆

毛聊生即金鋒，金鋒即毛聊生，二者都是張本仁（一九二七—）的筆名。在《香港武俠小說史》中，因毛聊生與金鋒有「舊派」與「新派」之別，不得不分為兩章敘述，在這裡，當然要將同一作者的小說札記放在一起。

《大俠追雲客》

我看的版本是香港大眾圖書出版社版，共十二集，每集四十四頁，封面有「毛聊生著，我是山人編」字樣。第一集封面有「正集」字樣，此後各集都有副標題，例如第二集為《大俠追雲客：大戰豹頭人》，第三集為《大俠追雲客：巧遇怪神乞》，第四集《三戲兩面魔》，第五集《血戰紅鬼谷》，第六集《雙掌定崆峒》，第七集《一劍定乾坤》，第八集《小蘋洲奪劍》，第九集《火燒連環塢》，第十集《單劍壓崑崙》，第十一集《大打蛛網擂》，第十二集（**大結局**）《豹隱武當山》。

在第二集第三十四回開頭，有一段作者的題外話：「僕自客歲撰《大俠追雲客》一書後，對於筆墨耕耘早已生厭，但蒙讀者錯愛，斤斤以追雲客大破開元寺事後下落如何？黑白兩小英雄俠蹤如何為問。兼敘以山人之介，囑撰續集，盛意拳拳，辭不獲已，乃復徵集枯腸，再磨荒硯，操觚塗鴉，撰《追雲客續集》一書，以報答讀者厚意焉。」[1]（後面沒有標注時間，也無作者署名）

這說明，《大俠追雲客》的「正集」只有前面兩個故事，即追雲客與黑摩勒的故事（對手是鐵傘道人和他的師父無名叟）；白摩勒與開元寺故事（對手是開封開元寺住持智清、智靈及長白三豹等人）。

從作者的夫子自道中可以看出，小說的「正集」和「續集」的寫作，中間應該相隔了一定的時間。這就有一個問題，為什麼相隔一定時間的正集與續集的交界點，是在第二集的第二十八頁，而不是在第二集的結束、第三集的開始？只有一種可能，那就是我所看的「大眾圖書出版社」版以及「合作書社」版，並不是這部小說的原始版本。真正的原始版本，應該是每集三十六頁版——第一集四十四頁＋第二集二十八頁＝七十二頁，分為兩集（冊），即每集（冊）三十六頁（值得注意的是，從第五冊開始，又改為每集四十頁，而非前四集那樣的每集四十四頁）——也就是說，這部小說的再次編輯版，搞亂了原作的順序。

在後面的故事中，這部小說頁碼和內容仍然有不標準的情況，即有的故事長、有的故事短，並非每集一個故事。接下來的好幾個故事都是跨集故事。這是不是完全由編輯負責？卻又很難斷定。若能找到每集三十六頁一個單獨故事的證據，才能確定問題全部都是由再版編輯，即我是山人所造成的；若並非如此，那就只能說，在這部書的續集中，作者寫作故事也並不是嚴格按照每集一個故事操作的。

討論這個問題，實際上牽涉到一個更重要的問題：《大俠追雲客》究竟是一部完整的長篇小說，還是一部以追雲客、白摩勒、黑摩勒師徒為主人公的短篇故事集？亦即：它究竟是一個完整的連續故事還是一個系列故事？

這個問題看起來似乎很容易判斷，從本書每集（冊）一個標題的情況看，似乎是後者，即每集一個故事，亦即這是一個短篇故事集，而不是一部長篇小說，即不是一個完整的長篇故事。但實際情況卻又並非完全如此，例如第三集《巧遇怪神乞》中就出現了新情況，這部小說是從嘉興縣令虞舜農開始寫起，但這個故事只寫到虞舜農讓兒子前往武當山拜師練武為止；接著出現第二個故事，即虞孝跟隨侯震前往武當山途中，遇到黑摩勒幫助師侄施林奪回房產，竟又放下虞孝，轉而寫施林的身世和經歷。

而這一集的故事主幹，既不是虞縣令、虞孝的故事，也不是施林與馬泰衝突的故事，而是寫罷施林，又寫白摩勒，有人來找白摩勒，因為白摩勒當年得罪過川中八大天王，如今八大天王要約戰復仇，本故事的主幹即是雙方蘇州大戰。

從這一主幹看，本故事中的線索一（**虞縣令故事**）、線索二（**施林故事**）純屬多餘的雜音；但實際上並非如此，因為本故事中的線索一，即虞縣令的故事還有後文，即後面的第四個故事（**三戲兩面魔即搶劫殺人案故事**）；同樣，黑摩勒幫助施林奪回房子也有後遺症，那就是後面的第五個故事（**武當派與少林派的衝突**），實際上，在虞縣令故事中出場的蘇小妹這個人，又成了再後面的一個故事（**武當派與崆峒派的衝突**）的伏線。這也就是說，這部作品既不完全是一個完整的長篇小說，也不是純粹的短篇故事集，而是短篇故事相互連綴成長篇故事。

作者採取了一種「辮式結構」，即在前面的故事中留下一條伏線，在後面適當的時候再發展成一個單獨的故事。而在後面的單獨故事中，說不定又埋下另一個故事的伏線。這種情況，既可以說是作者的構想不十分成熟時就開始寫作，以至於在安排故事線索時並不確定要寫哪個故事；但也可以說作者的結構意識很強，有意無意地將原本是拼湊、連綴性的短篇故事，組成更大的「長辮子」。在本書中，主要人物如追雲客、黑摩勒、白摩勒等出現在每一個故事中，有些人物則只出現在其中若干個故事中，而有些人物只是在某個特定故事中才出現。

總體上，《大俠追雲客》有其可看性（否則也不會有十多集的續書）。但這部小說或這個短篇小說集的總體水準參差不齊，有些很好看，有些則很一般。

下面專說前兩個故事，即黑摩勒拜師復仇故事，和白摩勒身世及其開元寺復仇故事。

這兩個故事有些古怪特異之處，其一，是只寫到主人公追雲客從小時候到打虎成名（追雲客的這段故事與霍元甲的故事有相似之處，即因身體不佳而不被父親喜歡，甚至不讓他練武。他是靠自學成才，在打虎時成名，從而獲得父親的重視，開始教授他武功，又讓他去武當山師從一癡道人學藝，成為武當派的絕頂高手）。但作者並沒有敘述追雲客隨後的故事，即跳過了追雲客的青年時期、壯年時期，接下來直接就是追雲客晚年時期，當追雲客收黑摩勒、白摩勒為徒時，他已經是一個老道人了。他是否成家？為什麼沒有成家？他是否出家？是什麼時候出家的？為什麼出家？這些都沒有答案。

其二，追雲客身為「大俠」，性格卻十分古怪，明知道鐵傘道人是個壞蛋，卻不直接向他動手，而是寧可在暗中支援黃人俊將他趕走，以至於陳知府、黃人俊兩家都遭受滅頂之災，即被鐵傘道人屠殺，此時追雲客才教授遺孤陳成練武報仇，成為黑摩勒。在另一故事中同樣如此，明知道開封開元寺住持智清姦淫婦女、隨意殺人（殺了十八個進京趕考的舉子），卻不去殺智清道人、毀滅開元寺，而是費力地讓江小妹拯救周青，導致智清道人向周青、江小妹夫婦報仇，然後他才將周青的兒子周馨兒

(白摩勒)帶走,教授他武功,讓他為父母報仇。

在這個故事中,還有一個古怪之處,那就是智清、智靈兩位和尚為什麼要到四川去殺周青一家呢?周青只是從開元寺被人救走而已,並沒有能力對開元寺造成威脅,惟一的解釋,是作者的特意安排,即要讓周青的兒子成為孤兒。這也讓追雲客的個性顯得更加特別、更加古怪。

其三,黑摩勒、白摩勒成名時,他們還是少年。從傳奇效果看,老道追雲客率領兩個少年縱橫江湖,很可能被看作是更有傳奇性;但由於老年和少年同行,他們的情感維度就無法展開,從而讓小說的情感價值、文學價值有所不足。或許,作者根本就沒有想到這一點。作者想到的,僅僅是講述傳奇故事而已。

《巧遇怪神乞》

這個故事開頭有多條線索。從嘉興縣令虞舜農開始寫起,寫到虞舜農讓兒子前往武當山拜師練武——這就有點奇怪,一個縣令為何要讓兒子練武呢——而從虞孝跟隨侯震前往武當山途中,遇到黑摩勒幫助師侄施林奪回房產,竟又放下虞孝,轉而寫施林的身世和經歷。寫罷施林,又寫白摩勒與川中八大天王的宿怨,由此引起的八大天王與武當派的蘇州大決戰。所以如此,最主要的原因顯然是因為作者在開始寫這個故事時沒有清晰的構思。但後來,卻成了本書的一個特色。

如果有足夠的耐心,就會看到本故事的主幹,即《巧遇怪神乞》——白摩勒遇到怪神乞車衛,是他按照師父追雲客的囑咐,約好助拳好手之後,來到蘇州約戰之地才出現的。那是蘇州知府的兒子丁世德率師爺錢清泰、金沙手韓子彬、黑金剛雷洪,抓平民毛老壽強迫提親,綁打毛老壽時,白摩勒準備出手,但被怪乞丐點了穴道,直到最後才解開白摩勒穴道,並警告他有人在暗中盯著他。

蘇州知府公子搶親逼婚，是一個常見的情景，但小說並不是寫搶親故事，也不是寫由這個故事衍生的其他故事，只是借這個常見的場景讓「怪神乞」車衛這個特殊的人物登場，這一登場亮相確實有神奇效果，對白摩勒是一個震驚，更是驚喜，這就完全符合傳奇小說的特徵，車衛的裝束、言行作風、武功都令人驚奇——飯店小二講述他整治本地乞丐小集團的經歷，也大快人心。

如前所說，本書的主幹是川中八大天王與武當追雲客門下的矛盾恩怨引起的衝突。八大天王派人約戰，白摩勒將日期定在來年九月、地點定在蘇州虎丘。所以如此，是因為他要向師父追雲客通報，同時也需要時間邀請助拳者。如果說本故事中的前幾條線索寫著寫著就放下了，有些讓人摸不著頭腦；那麼白摩勒與八大天王的衝突則是突如其來，這也符合傳奇規則，不如此寫就不夠傳奇。而實際上，八大天王中人既要搶劫、又要殺人，破壞了綠林準則——搶劫者不必殺人就不能妄自殺人——白摩勒懲罰獨臂天王鄭忠，割下他一隻耳朵，已經算是很輕的懲罰了。但正因如此，帶來了後遺症，即八大天王要報仇。

江湖中復仇現象是普遍存在。八大天王與白摩勒有仇，法空和尚與怪神乞丐車衛有仇，他們聯合起來找追雲客師徒復仇，並不稀奇。追雲客為了慎重起見，要白摩勒去邀人助拳，也符合常規。復仇以及大戰的過程，都寫得中規中矩。

本故事的看點，一是出現了愛情景觀，即黑摩勒與韓彩鳳兩情相悅。這很符合物理與人情，首先，這個故事開始時，離開元寺大戰已經過去了十年，也就意味著黑摩勒已經從一個懵懂少年成長為一個青年。其次，韓彩鳳在遭遇採花賊之後是被黑摩勒拯救的，很可能有「迷香後遺症」，即激發了少女的情感欲望，從而對黑摩勒會產生情感。再次，黑摩勒送她回家，又住在她家，男女之間的情愫有機會生長發芽，成為一種情感常態。作者對此雖然沒有多寫，但已經足夠明顯。

本故事的看點之二，是黑摩勒與白摩勒的個性不同。白摩勒少年時曾意氣用事、離開師門，長大後卻變成了沉穩內斂的青年；而黑摩勒則因從小就在師父追雲客身邊，未免有些恃寵而驕，個性張揚。典型例證是，白摩勒的弟子施林與少林弟子馬泰師徒發生矛盾，回武當山去找白摩勒訴苦，卻被白摩勒批評了一頓；而黑摩勒聽說此事後，毫不猶豫地幫助施林奪回房子，且對馬泰師徒毫不客氣。他的這一行為是大多數年輕人都會有的衝動，也是黑摩勒與師兄白摩勒的明顯不同。另一個例證是，在韓家莊中，黑摩勒張揚，白摩勒提醒他不可張揚，實際上，白摩勒的武功遠遠超出師弟黑摩勒，這也符合武功越高越內斂謙遜的成長規律。

本書的第三個看點，當然是雙方打鬥——許多武俠小說的愛好者，最愛就是技擊打鬥場面——從偷襲與反偷襲開始，到七戰四勝約定，到最後混戰，書中寫得很清晰。雖然不能說十分精彩，但至少是熱鬧非凡，能滿足讀者的好鬥心。

《三戲兩面魔》

此故事從第四集第二十頁開始，在上一個故事中有伏筆。

這個故事標題為《三戲兩面魔》，反面主人公自然是兩面魔商和，此人最大的特點是亦男亦女，隨時可以轉換性別裝束，讓人難以分辨真假虛實。進而，此人不僅是一個採花賊，而且還與太湖水賊薛鬍子有勾結（應該是受薛鬍子重金禮聘），要刺殺嘉興縣令虞舜農。所以這個故事連接了上一個故事的開頭部分，即講述虞舜農的遭遇和經歷，在遭受刺殺之後，終於決定告老還鄉。但即便如此，也不能確保平安，以至於在回鄉途中仍然遭受水匪薛鬍子、兩面魔商和的追殺。

本故事的看點之一，當然是「三戲兩面魔」，第一次是車衛戲弄兩面魔，當他刺殺虞舜農時，將他驚嚇離開，確保了虞舜農平安（**不幸的是虞舜農還是中了他的子午悶心釘，差點死於非命，幸虧車衛將他治好**）。第二次戲弄商和的人卻不是車衛，而是追雲客，即商和假扮賣花女，連蘇小妹也無法分辨他是男性裝扮，若非追雲客將他的真容揭露出來，蘇小妹很可能上當，虞舜農很可能中招。第三次戲弄，則是車衛、追雲客、彭湘諸位高手，商和最得意時，卻遭滅頂之災。

本故事的看點之二，是將虞舜農退休回鄉隊伍，與珠寶商萬浩人、黃學正請鎮江萬順鏢局保鏢前往廣東，由鐵獅王程遠的大弟子李澄波、二弟子黎廣率領的鏢隊，這兩班看似風馬牛不相及的人馬、兩條不相干的線索合併起來寫。其中最大的好處，是從鏢師李澄波、黎廣的視角來敘述這個故事；另一個好處是講述薛鬍子、商和等惡人不僅要殺清官虞舜農，而且要劫鏢——既殺清官、又劫鏢，不僅讓薛鬍子、商和的惡性本質暴露得更加充分，同時也使得薛鬍子、商和能找到更多的當地幫手（**這些人對虞舜農沒有仇恨，卻希望得到財富**），使得這個故事更加合理化。

本故事的第三個看點，是從鏢師李澄波、黎廣角度講述，一路神秘兮兮、緊張兮兮，懸念迭起。同時，由於黎廣的粗獷個性，口不擇言，引起川中大俠彭湘女兒亞翠的不滿，進而對他實施喜劇性懲罰，甚至在大戰來臨前夕，仍要裝作與他們有仇的樣子來戲弄這個鏢師，增加故事的閱讀趣味。

本故事的第四個看點，是以鏢隊為第一層，即第一明線，以虞舜農回鄉隊伍為第二層即相對隱蔽的線索；而彭湘、車衛、追雲客則為第三層即絕對暗線或伏線。實際上，這三個人也不是同時出現，而是可以細分出更多的伏線層級，不妨說彭湘父女是第三伏線、車衛是第四伏線、追雲客是第五伏線——追雲客是這部小說的絕對主人公（**小說的書名就是《大俠追雲客》**），但在這個故事中，追雲客卻直到最後才正式登場（在嘉興縣城揭露商和真面目時，書中只說是一個醉老漢，而沒有說明這個人就是追雲客，直到最後才揭開謎底，說那個人就是追雲客）。

本故事的第五個看點，是毒龍禪師的出現，書中沒有寫商和去請師父幫忙，毒龍禪師彷彿是突然從天而降。從毒龍禪師的為人看，他要出面幫助弟子復仇，完全符合人情物理（毒龍禪師的年紀越大，很可能對弟子的護犢之心越濃），否則，商和師兄弟也不會如此肆無忌憚。

此外，毒龍禪師的十三朵金蓮花的武功，也讓人大開眼界，彭湘的武功很高，兵器對打可占上風，但當毒龍禪師發暗器金蓮花時，彭湘就不是敵手，要車衛接替，追雲客幫忙，才將毒龍禪師打傷趕走。值得注意的是，這個故事最後，彭湘責備追雲客說不該讓毒龍禪師逃走，而追雲客則說毒龍禪師負傷嚴重，很可能命不久長，不將他當場打死，是讓他保有一份武林前輩的起碼尊嚴。這一說，突出了追雲客的為人和價值觀，值得讚賞。

《血戰紅鬼谷》

蘇小妹的故事，在第三個故事中就開始了，第四個故事中有所延續（蘇小妹保護嘉興縣令虞舜農回家途中遇險，蘇小妹是保護他的人之一），而在這個故事中才敘述蘇小妹的身世與經歷。但這個故事仍然不是蘇小妹故事的全部，只是蘇小妹故事的一部分，甚至還只是蘇小妹故事的一個「引子」。這是小說的一種寫法——前文稱之為「辮式結構」——或許是有意為之，或許是作者還沒有想好。

本故事是繼續第三個故事中的第二條線索，即馬泰師徒強佔白摩勒弟子施林在黃山萬松岩的茅屋，黑摩勒代師侄打抱不平，將馬泰師徒打敗——若不是侯震及時攔截，黑摩勒很可能將馬泰打傷，即便如此，仍然對馬泰冷嘲熱諷，以至於馬泰懷恨在心，找自己的師門即莆田少林寺訴說冤情，才有這場少林、武當大戰。

本故事的第一看點，當然是少林、武當兩派的衝突。衝突的原因，可以說是少林門徒馬泰惹事，也可以說是武當門徒黑摩勒逞強。更重要的關鍵是，少林寺掌門人鐵梧桐六根不淨、嗔怒不熄，對弟子言語偏聽偏信——這在江湖之爭中幾乎是正常現象，只是在少林寺僧身上，尤其是少林方丈身上似乎難得一見，但也並非完全不可能——從而導致少林寺與武當派之間的武力衝突。鐵梧桐所以如此，實際上還有另外兩個原因，其一是以為武當派出自少林，從而應該以少林為尊，至少不能對少林派有任何不敬；其二，是少林高僧——其實並不高明——黃葉叟性烈如火，容不得本派弟子被他派門徒欺侮，迫使方丈向武當宣戰。

本故事的第二看點，是黑摩勒惹事。雖然不是故意惹事，而是為本門弟子施林打抱不平，但畢竟還是惹事，例如在打鬥中對馬泰毫不容情，甚至在打敗馬泰後還要冷嘲熱諷，讓馬泰無法下臺，為了找回自己的面子也不得不報復。黑摩勒的行為，是年輕人的特點，這樣的黑摩勒才顯得更加真實可信，甚至還有幾分可愛。另一個證據是，師父追雲客要他下山去邀請彭湘助拳，他自作主張地卻先跑到莆田少林寺去探查，按理說也是好心，問題是他有些不自量力，屬於莽撞行為，是所謂初生牛犢不怕虎，這同樣也是年輕人的突出特點。更有意思的是，長白三老來批評他師父追雲客教徒不嚴，他還十分不服氣，想要為師父找回面子。

本故事的第三個看點，當然是書中的打鬥。也包括在打鬥之前，雙方都是未雨綢繆，從追雲客決定請人助拳開始，到車衛佈置上山的秩序結構（讓追雲客從正面上山，讓彭湘父女擔任左翼，讓枯松子師徒擔任右翼，讓車衛、侯震、彭嶽從後山上來，作為奇兵），再到打鬥安排，寺前打鬥作為熱身，寺中打鬥才是正戲。誰也沒有想到，第一仗居然不是黑摩勒上陣，而是第一次出現在書中的枯松子的徒弟祖成周旗開得勝。枯松子對智德大師的那一場也很精彩。最精彩的當然還是鐵梧桐用巨型方便鏟連敗侯震、彭湘，最後與追雲客兩敗俱傷。

本書的第四個看點，當然是追雲客未雨綢繆，提前讓大弟子白摩勒去請長白三老來當和事佬。這表明追雲客極其不願意與少林寺發生衝突，因為武當與少林畢竟是同一支系，且為武林正義支柱，如果相鬥則不僅損害少林、武當的利益，甚至對天下武林都會有嚴重的負面影響。所以，他預先請來和事佬，在關鍵時刻為他們解開矛盾糾結，化解戾氣，讓少林和武當重歸於好。

《崆峒山之戰》

武當與崆峒之戰，夾雜內容如此之多，可能是由兩個原因造成的。一個原因是，蘇小妹的仇人宋錫三出身於崆峒派，其義父吳獨不願惹起兩派爭端，蘇小妹只得隱忍。吳獨死後，蘇小妹找不到理由讓追雲客等為她找崆峒派報仇，但當崆峒派的谷壽光、李鑄龍、閔南亭等人再次刺殺虞舜農、放火燒死虞德農一家，情況就不一樣了。虞舜農之子、虞德農之侄虞孝是武當弟子，追雲客當然要為弟子報仇除奸。

本故事行文夾雜，還有一個原因，即寫虞孝的經歷，滅塵道長贈寶劍而獅林觀道士偷回，為下一個故事埋下伏線，是本書「辮式結構」的一部分。

就這個故事而言，其中最大的驚喜，是在谷壽光等人刺殺虞舜農時，虞家更夫沙老九突然挺身而出，大敗刺客。這是典型的傳奇故事，沙老九——長江一龍沙壽峰的經歷也令人感慨（雖然書中插敘的故事寫得不盡合乎情理，沙壽峰由一個一心練武的奇才變成一個酒徒兼賭徒，似乎缺少合理性，至少是有些勉強）。

本故事的另一個看點，是大俠彭湘、追雲客等人有些意氣消沉，或者說是看淡世情。這是上一個故事，即武當與少林派衝突故事而起，彭湘的消沉是因為他被少林寺方丈鐵梧桐的重磅方便鏟打敗，動搖了他的自信，加上年事已高，不再像年輕時那樣意氣風發，而是有了歸隱之心。追雲客則在與鐵梧桐兩敗俱傷之後，自然也有某些後遺症，更重要的是受到長白三老的教訓後，不再像以前那樣動輒出手懲凶除魔，而是盡可能地隱忍。如此就寫出上一個故事的影響，具有很好的結構作用，同時也有很明顯的合理性，同時還增加了小說的情節跌宕。

本故事的第三個看點，是黑摩勒受罰面壁被正面描寫。黑摩勒年輕氣盛，喜歡惹是生非，為武當派帶來了不少麻煩——武當與少林派的衝突就是由於他打了少林弟子馬泰而引起的——追雲客當時就說要罰他面壁。本以為是那麼一說，但在蘇小妹上武當山時，親眼見到黑摩勒在面壁，那就不一樣了。更不一樣的是，黑摩勒也遵守面壁規則，不敢離開面壁處一步。旁證是，當蘇小妹向白摩勒提出讓黑摩勒下山幫忙時，白摩勒一口否定，說不行，因為這是師命。這一情形，表現了追雲客門下紀律嚴明，同時也表現了追雲客對江湖爭端有所反思。

本故事的第四個看點，是彭湘之子彭康武藝不凡，傲氣逼人，顯然是另一個黑摩勒。這也說明，練武少年容易衝動惹事，而在功夫達到一定程度後常常會眼高於頂，動輒生事。彭康與蘇小妹第一次見面時的打鬥就充分說明問題，蘇小妹明明是稱道對方的武功，但彭康卻以為對方是喝倒彩，這點小事被他糾纏不休。

進一步的例子是，在抵達崆峒山附近後，彭康不把崆峒派的人放在眼裡，立即動員姐姐彭翠和他一起夜探十二連環塢，結果落網被囚，但此時的彭康仍未真正接受教訓。直到看到追雲客的武功，才真正知道山外有山、天外有天，也即是說，這個故事中的彭康在接受教訓、接受教育，有明顯的心智成長和進步。

本故事的第五個看點，是武當派突擊分隊在崆峒派十二連環塢的經歷，「刀球」陣、毒火獄、金水獄、浮沙獄、阿迷獄、血雨獄等六道機關的描寫，雖然並非完全獨創，仍讓人大開眼界。追雲客從希望和談、不願殺人，到最後忍不住大開殺戒的過程，也充分表現出武林環境的凶險。好在，他並沒有被憤怒情緒控制，最終仍放任崆峒香主吳青逃走，而車衛也釋放了另一香主邵天元。

本故事當然也有不足與缺陷。

這個故事最明顯的問題，是對崆峒山位置的說法。崆峒山與崑崙山、峨嵋山一樣，都是眾所周知的名山，崆峒位於甘肅境內，但書中卻說：「至於虞舜農，可以送上湖南崆峒山金鼇嶺……」（**第七集第廿四頁**）又：「崆峒山在湖南極西，接近貴州省境……」（**第八集第十頁**），未免讓人吃驚。

這個故事還有兩大問題，一是第七集書名有些文不對題——書名是《雙掌定崆峒》——應該是講述武當派與崆峒派的衝突，亦即應該講述由蘇小妹復仇的故事引起的武林之爭，但實際上卻完全沒有設計蘇小妹復仇故事，也沒有見到崆峒派的影子。第八集《小蘋洲奪劍》卻又不是雲南故事，而是崆峒故事的一部分，直到第九集《火燒連環塢》的第十九頁，崆峒故事才結束。這應是重編後造成的。

本書的另一個問題，是其中重要情節，即滅塵道人被人用假採花案騙入陷阱，負傷中毒致死的經歷，與某部小說——很可能是大圈地膽的小說，但需要查詢考據（**我肯定看過類似故事，且在筆記中有記錄的**）——非常相似，幾乎一模一樣。是毛聊生抄襲別人的作品？還是別人抄襲毛聊生的作品？

當然需要考據才能確定，即要看哪一部作品在前、哪一部作品在後。毛聊生似乎很喜歡這個故事——即一個道士被假採花案所迷惑並因此中毒送命故事——以至於在他的作品中至少出現過兩次，一次是這裡，另一次是在小說《一碧寒光劍》中寫到韓蓉、唐林夫婦用這個方法誘騙仇家一塵道人（與這個故事中的滅塵道人的名字相近）。

《天罡與崑崙》

這個故事的前因，是在上一個故事中，即虞孝曾幫助過雲南獅林觀滅塵道人，滅塵道人讓虞孝掩埋其遺體、到雲南報訊，贈他寶劍。但當虞孝報信後，獅林觀道士希望將寶劍留在觀中，至少要等到其大師兄回來之後，因而將寶劍盜回。這讓虞孝十分生氣，且成了一個心結，要師父追雲客替他作主，找獅林觀討回公道。

獅林觀道人的行為、虞孝的情緒或許都是可以理解的，但追雲客、枯松子、車衛等老一輩人決定前往昆明獅林觀，卻有可以討論的餘地。說獅林觀道人的心理可以理解，有兩個原因，一是不願意讓本門的祖傳寶物伏魔青龍劍被別人所得；二是滅塵道人的信並非熟悉的筆跡（是左手書寫，且還有托腕成書），此事的真假還需要調查。說他們的行為可以理解，一是白雁道人對送信的虞孝始終都很客氣，並且留有後路，說三個月後再來，甚至讓虞孝從觀裡偷走寶劍，只是再偷回來；二是送給他五十兩黃金作為送信的報償。他們的心理和行為沒大問題。

說虞孝的生氣可以理解，一是因為滅塵道人贈劍確是事實，而他也認同這件事實，也就是說，從心理上他把這把寶劍當作了自己的東西；二是因為虞孝還非常年輕，缺乏社會經驗，不能理解他人的感受和立場，無法接受獅林觀道士的為難處境，所以無論白雁道人伊秋萍對他如何禮貌，都無法熄滅他的憤怒。

問題是，武當老一代俠義江湖人如追雲客、枯松子、車衛等人為什麼也像虞孝那樣憤怒，並且不加猶豫地相約前往獅林觀，要為虞孝要回寶劍、討回「公道」？按理說，這幾位長者應該是富有人生與社會經驗，應該理解對方的立場才對。漫說不知道那封信的真假，即使知道那封信是真，對方想保留本門寶物的心情也不難理解。如果能進行換位思考，若是自己遇到這種情況又如何？當然可以責備對方說話不算數，不尊重滅塵道人的遺囑，但道德行為上的缺陷，不見得就是對武當派的大不敬。如此，對獅林觀興師問罪，多少有些恃強凌弱的嫌疑。

當然，真實的江湖社會中，這種情況也許會是正常現象，即所謂「公說公有理，婆說婆有理」，即各人堅持各人的立場說話，所以矛盾紛爭難以避免，最終就是要看誰有理——作者如此設計，表明作者本人也認同這樣的江湖事實或江湖「規則」，否則，他就不會這麼寫了。更重要的是，作者設計這個理由，真正的原因不是講道理，而是製造大規模打鬥的機會——這畢竟是「技擊小說」，作者講故事的目的就是要表現技擊場景。這是本作品的局限，但也是它的特色。

這個故事中有若干看點。其一，是鐵冠道人的出場，故意激化武當派與崑崙派的矛盾，使得這場大規模的打鬥不可避免。鐵冠道人曾在虎丘故事中出現，因為被武當派打敗，一心想要報仇，從而苦心孤詣、找到缺乏江湖經驗的玉面吼林秋江、追雲童子蕭亮參與對武當白摩勒、黑摩勒的爭鬥，無論勝敗，他們的師父西崑崙的詹常都會捲入其中。這使得這場打鬥的必然性大大增加。

其二，獅林觀中也出現了兩派，一派是以白雁道人伊秋江、滄海道人為代表的主和派，另一派是以浮塵道人、幻塵道人為代表的主戰派，以至於其新任掌門人一粟道人難以抉擇。這種情形，也正是人類矛盾衝突中常見的情形。值得注意的是，白雁道人為了爭取和平，曾不惜犧牲自己，即將寶劍送回、自己自殺。他沒有想到的是，如果他真的自殺了，獅林觀與武當派的仇怨可能會越結越深，好在車衛、追雲客等人及時阻止了他的自殺行動。使得故事出現新的曲折。

其三，在本故事中，黑摩勒有所成長，顯得比過去懂事，畢竟，他曾被罰面壁三年。但他在具體行為中，還是改不掉出語傷人的老毛病，也可以說是嫉惡如仇的個性。進而，少年彭康可以說是黑摩勒的接班人，他的行為表現，是另一個黑摩勒。例如他前往獅林觀夜探，不知天高地厚；又如他要將懸掛在昆明大理寺塔上的崑崙派橫幅摘下來（**有趣的是正是黑摩勒的阻止，刺激了他非這樣做不可**），結果差點送了小命。若不是兩隻鶴及時營救，彭康的結局難以想像。

其四，本故事中的另一變數，是崑崙派的鍾先生。他是崑崙派中人，卻又是白摩勒的師父之一，同時與武當派的追雲客關係密切。他不能不接受崑崙派的召喚，卻又不願意與武當派發生正面衝突，所以，他選擇了隱身求和的策略，最終與白摩勒及追雲客達成一致，即請當地高人可一子前來調解，而請人的重任責無旁貸地落到白摩勒的身上，武當與崑崙之爭，是他的兩個師門之爭，白摩勒的立場顯得非常尷尬而特別。所以，請人來講和，是最符合他的立場。

其五，本故事中還有一條值得注意的線索，那就是蘇小妹與虞孝的關係。在虞孝失去寶劍這件事上，蘇小妹的表現比虞孝本人還要激動和堅決。所以如此，原因很簡單，那就是蘇小妹關心虞孝，把虞孝當作「自己人」，亦即小姑娘愛上了虞孝。所以，每到蘇小妹和虞孝相互關心、甚至相互關聯時，黑摩勒和白摩勒兩人都會相視一笑，這是在提醒讀者注意兩個人的關係。這種寫法很有意思。

其六，本故事中的打鬥安排也很有意思。除了崑崙派、武當派的高手逐個登場外，還有兩點新鮮，一是蛛網擂臺，為過去所未見。在這個擂臺上比武的難度明顯超過尋常的擂臺，使得這場比武更加傳奇。二是蛇蠱與可一子殺蛇的安排，這也是相對新鮮的場景，更重要的是，放蛇蠱的一方使用了非正規手段，在道德競爭中顯然落於下風，可一子的調和也就更加理直氣壯。

最後，本故事最驚人之處，是調解成功後，寶劍被人奪走。是所謂一波未平、一波又起，使得這個故事呈現出開放性和連續性。

總之，這個故事可看性很好，但打鬥的理由其實並不充分，好玩而已。

《飛鯨島之戰》

這是《大俠追雲客》的最後一個故事，本書第十二集書名副標題為《豹隱武當山》，故事的主要內容其實是「大戰飛鯨島」。

本故事從上一個故事即「大破蛛網陣」的結尾就開始了。武當追雲客等高手前往雲南香蘭渚獅林觀，目的是要取得滅塵道人送給虞孝的伏魔青龍劍。武當派迫不得已與崑崙派發生了衝突，幸而得到當地武林名宿可一子的調解，雙方願意講和，獅林觀也願意將寶劍送給虞孝，正當取劍時，寶劍突然被人奪走——下一個故事，即「大戰飛鯨島」故事就是從這裡開始。

這個故事有兩種寫法，一是偵探加技擊寫法，即尋找盜劍人，然後奪回寶劍；另一種寫法是純技擊寫法，即省略偵探尋查過程，直接講述技擊故事。本故事就採取了第二種寫法，即純技擊式寫法。只不過，書中花費了一定的篇幅，讓武林奇人可一子講述了「飛鯨島三公主」的來歷。在這段插敘中，也有兩種寫法，一是歷史敘事，一是歷史＋神異敘事，本故事採取了第二種寫法，即歷史＋神異故事。

齊碧霞、齊明霞、齊紫霞三姊妹是三胞胎，父親遭受文字獄牽連，不得不逃亡避難。母親在生下三個女兒之後即難產去世，而父親也終於被官府發現，官府中人將其父親殺害，將三個幼女拋入青海湖中，被青海湖中的美人魚救起並養大（美人魚曾受過齊氏三女父親的恩惠，在她被三頭怪追殺時，齊父將三頭怪擊斃，又將美人魚從當地頑童手上拯救出來，送回水中）。美人魚臨死前，讓她們拜崑崙旁支苦行師太為師，學得了一身本領。大姐齊碧霞有了師傅寶劍銀河劍，二姐齊明霞有從師門叛徒趙楓娘手裡奪回的明月劍，唯獨三妹齊碧霞沒有寶劍，而她的武功最低、心氣最高，所以就去雲南香蘭渚獅林觀奪了伏魔青龍劍。

飛鯨島三公主的身世與經歷有神異成分。這也是書中的第一大看點。書中第二看點，是三公主在飛鯨島上建立了一個「女兒國」，即收了八位年輕貌美的女弟子，這個島上全都是清一色的女性，只不過，本書沒有「女權主義」傾向，同時，也沒有借這一女兒國來渲染色情或情色。

書中的第三看點，是三公主齊紫霞的心態，雖然沒有被深入刻畫，但還是能從她的行為中看出她武功低、心氣高的特點，因為從小由美人魚養大，又跟性格孤僻的苦行師太學藝十年，這幾個姐妹都缺乏社會生活經驗，且接受了美人魚、苦行師太的價值觀：即世界上的男子都沒有好人（有點極端女權味道），所以才我行我素且膽大妄為，並且還不講道理，只知道自己、不能體諒對方。

值得注意的是，三姐妹的心理和行為實際上有微妙差異，齊紫霞最為極端（可以說是一種心理問題），大姐齊碧霞顯然更為懂事、也更為謹慎，如果按照她的意志，肯定不會去奪劍，即便是奪了劍，也會在武當派來人時將寶劍還給對方。二姐齊明霞則處於大姐和三妹之間，左右搖擺。由於姐妹情深，最終大姐齊碧霞、二姐齊明霞都站在了三妹齊紫霞一邊——或許是對她武功稍低且沒有寶劍的一種下意識報償——總之是與武當派高人進行決戰。

值得注意的是，喜歡熱鬧的車衛卻沒有參加此次大戰，理由是不願意與女子鬥。而與武當派交情很一般的可一子卻參加了此次征戰，他當然不是為了武當派，而是為了自己的面子，在他調和成功之後，竟然有人將寶劍奪走，使得他的調和行為不夠圓滿，盜劍者的行為顯然傷害了他的自尊，所以他要來。

本故事的另一看點，當然是最後的決戰。如果武當一方沒有蘇小妹參與，那就會形成男子一方與女子一方的「性別大戰」，但因為有蘇小妹參與，此一戰役就不能稱為「性別大戰」。

此次大戰的看點有三，一是武當一方的「海空聯合作戰」，即有人騎鶴、有人踏波、有人用牛皮筏子登島。二是島上的珊瑚八卦陣、噴火噴霧柱子、洪水陣，與此前的故事有所不同。三是故事最後，也是這部小說——無論稱其為長篇小說還是稱其為短篇故事集——的最後，追雲客已經歸隱，但在歸隱十年後，竟又出現在抗洪救災第一線，即單手拉鱷龍，這給追雲客的故事留下了一個開放性結局（**他雖歸隱，但隨時可以復出**），同時也是讓大俠追雲客的故事抹上最後一道彩色（**只有在這個場景中，追雲客是純粹的大俠行為**）。

小說的不足之處。

一是有關飛鯨島三公主的故事，由可一子講述並不合適。因為他即便知道飛鯨島三公主之名，也不可能知道她們的所有經歷，尤其是其父親的經歷、美人魚養育她們長大的經歷，甚至苦行師太教養她們的經歷也未必知道。由作者直接敘述可能更好，因為只有作者才是最權威的知情人，想怎麼說就怎麼說。

二是飛鯨島三公主齊紫霞如何知道遠在雲南香蘭渚獅林觀內有一把寶劍？書中沒有作任何交代，這是一個明顯的缺漏。

三是飛鯨島既然是世外桃源，向來無人上島，那麼三公主為何要在島上設立那些機關（噴霧、噴火、洪水陣）？難道是知道武當派要來奪劍，臨時設計並建造的？用心的讀者可能難以接受，但也只能接受。

《大俠追雲客》一書共十二集，但只有八個故事，主要原因是採取了「辮式結構」，有時候作者可能也忘記了到底是要講述長篇故事，還是要作短篇故事集，所以有些故事就不是真正獨立成篇，例如蘇小妹的故事就很牽強，無法獨立，只能夾雜在虞孝復仇故事中（即武當派與崆峒派矛盾衝突故事）加以處理。

這部小說或短篇小說集，是「技擊派」小說的變種，也可以說是一種創新嘗試，由普通的武林恩怨衝突，加上若干神異傳奇，比純粹的技擊故事——即「為打鬥而打鬥」的故事——的可看性要強些，但追雲客、白摩勒、黑摩勒（稍好）等主人公的形象，以及經常出現的次要人物如車衛、枯松子、沙壽峰等人物形象，都不是很生動，是典型的故事帶動人物，而很少有人物帶動故事。

這部小說比舊派武俠小說的平均水準稍高，值得一說。

《追雲客別傳：七禽掌》

我看的版本是香港南風出版社出版（祥記書局代理）的版本，共有五集，每集四十頁左右。每頁字數約為五十×廿二＝一千兩百字。

《七禽掌》是《大俠追雲客》和《白摩勒三戲夜明珠》的續書，是這個系列的最後一部。講述追雲客的四弟子龍力子下山行走江湖的故事。

故事情節分為幾個段落，第一段故事是龍力子拯救並結識公孫鈺、拜見四師叔公孫嘯廬（此人恰好是公孫鈺的親叔叔）、到八達嶺蟠龍谷拯救萬盛鏢局總鏢頭劉宗敬（此人是公孫鈺的恩人，也是符君毅的好友），消滅黑面閻王焦勇為首的蟠龍谷匪幫。

第二段故事是和公孫鈺一起尋找鄭素環來到鎮江，幫助青幫首領杜文龍的孤兒寡婦對付芒山七煞以及長江海沙幫，最後芒山七煞被雲南獅林觀七道士消滅。

第三段故事是龍力子隨三師兄虞孝回到福建晉江，蘇小妹設計消滅平琴島海盜。

第四段故事是龍力子前往四川找大師兄白摩勒報告追雲客即將歸天消息，途經雲夢山，幫助公孫嘯廬打敗海沙幫總舵主追魂叟谷壽朋師徒，在武當山擊斃金眼佛和方素容，追雲客感化阿達羅和宜山三鳥，結局是追雲客端坐寂滅。

從故事層面看，這部小說仍然是採取傳統說書人的串珠式結構，但故事情節相互勾連得很緊密。具體有三點，一是段落之間勾連緊密。龍力子本來是要到四川青衫坪去找大師兄白摩勒，但在途中救了公孫鈺，公孫鈺要到雲夢山去找符九（符君毅的化名），結果卻見到了四師叔公孫嘯廬，剿滅了焦勇匪寨。第一段與第二段故事，是由鄭素環誤解公孫鈺後獨自出走，公孫鈺和龍力子尋找鄭素環，在鎮江見到了三師兄虞孝，在消滅芒山七煞後回到晉江，開始第三段故事。第三段故事結束後，龍力子前往四川找白摩勒報告師父即將歸天消息，很自然地將第四段故事串聯起來。

二是在故事中，雖然不斷出現新人如追雲客的四師弟，即龍力子的四師叔公孫嘯廬師徒；同時也不斷出現熟人或「故人」，即此前《大俠追雲客》及《白摩勒三戲夜明珠》中的人物，例如虞孝、蘇小妹、黃天恨、白摩勒、彭亞翠、夜明珠及彭康等，這就隨時將《七禽掌》與前作緊密地聯繫在一起。

三是在本書中，還有非常規的前後勾連，例如第二段故事中的長江海沙幫總舵主追魂叟谷壽朋，出現在第四段故事中；第一段故事中的復仇者賀猛龍出現在第四段故事的最後；更值得注意的是《大俠追雲客》中的毒龍禪師的弟子阿達羅也出現在這部書的最後段落中，使得本書的故事情節相當緊密，環環相扣，一氣貫通。

書中有幾個人物形象寫得不錯，一是公孫嘯廬的內侄女兼女弟子鄭素環，心高氣傲、個性偏激，與公孫鈺第一次見面，打鬥時未能取勝，就使用了師父再三叮囑須慎用的暗器「金步搖」；見到公孫鈺與焦勇的妻子玉面狐狸高錦紅在一起，就以為未婚夫公孫鈺變心，根本不聽他解釋就憤然離開，留言很絕情：「難配負心人，一笑謝塵俗。」最後，當白摩勒稱讚龍力子的七禽掌武功很了不起時，鄭素環也躍躍欲試，要顯示自己的劍法，因為她跟隨姨父／師父公孫嘯廬更久，結果卻被夜明珠挫敗。

鄭素環的個性相當突出，更值得注意的是，這種個性的形成，其實與她的身世有關，因為她父母雙亡，從小在姨父母家長大，使得她不僅格外敏感、格外自尊也格外偏激，真正的原因是自我中心過度；她要「顯擺」自尊和自傲，其實是自信心不足乃至自卑心過強的潛意識表現。

書中的另一個有光彩的人物，是虞孝的妻子蘇小妹。在第三段故事中，虞孝能夠領導七賢莊弟子徹底打敗海盜，蘇小妹厥功至偉。小則與龍力子一起前往平琴島，誘殺巡邏船上的海盜並火燒海盜船，救出被俘的虞剛；大則用兵如神，釜底抽薪，讓丈夫虞孝率民兵迎擊海盜，而她自己則率人搗毀海盜老巢。在這一戰役中，蘇小妹的形象光彩照人，相比之下，虞孝、龍力子等人則黯然失色。

蘇小妹能夠如此，是因為她飽經滄桑離亂，富有江湖經驗，且更習慣於運用自己的聰明智慧；相比之下，虞孝雖然武功出眾，畢竟是官宦子弟，缺乏江湖經驗，更何況面對來去如風的海盜。龍力子與蘇小妹相比，當然更是相去甚遠。在這段故事中，虞剛年輕勇敢而魯莽無畏，虞孝相對沉著且豪氣沖天，不如蘇小妹智計過人。

書中的武當老一代中，碩果僅存的公孫嘯廬和追雲客的形象也令人印象深刻。公孫嘯廬長期隱居而與世無爭，武功超群而不妄開殺戒，在鎮江故事中，兩次提醒雲南獅林觀一粟道人不要過多殺人，不要殘酷過度，就讓人印象很深——獅林觀道人殺心過重，也有其具體原因，不僅是他們的師兄或師父滅塵道人慘遭唐泰、巴飛鳳等人殺害之仇；同時也因為他們為找仇家凶手而經歷了漫長的八年時間，仇恨愈積愈深，爆發起來也就更加驚人，好在，經過公孫嘯廬提醒之後，一粟道人等立即停止殺戮。他們對主凶巴飛鳳用凌遲之刑，也因公孫嘯廬的提醒而終止——公孫嘯廬不願殺人，最典型的例證，還是他赦免海沙幫總舵主谷壽朋師徒，他們前來找他報仇（**實際上公孫嘯廬恰恰是減少海沙幫傷亡的人，而非殺害海沙幫眾的人**），打傷鄭素環、公孫鈺，但最後公孫嘯廬還是讓他們帶傷離開，而沒有趕盡殺絕。這是一個老人、尤其是一個隱居的老人的行為方式的生動表現。

追雲客司徒湛的行為更勝一籌。小說開頭不久，就遭遇賀猛龍、屠金虎襲擊，而司徒湛不許龍力子殺害他們，讓白猿帶他們離開。更可貴的是，小說結尾，面對為毒龍禪師報仇的阿達羅和宜山三鳥，追雲客說明毒龍禪師自取滅亡的經過，但為了消解阿達羅的仇恨，他寧願受對方一擊，這一行為震撼了對方，也感動了對方。這是一個老人、尤其是一個道人真正「得道」的表現。司徒湛並沒有絮叨任何大道理，只是將心比心，從而觸動對方，讓對方幡然醒悟。

這部小說的不足之處，一是，書名《七禽掌》，龍力子也向公孫嘯盧學了七禽掌，但在本書的打鬥中卻沒有安排龍力子使用七禽掌的機會，以至於龍力子的七禽掌只能在白摩勒等人面前表演一番算數。龍力子的表演固然很精彩，但總不如在實際戰鬥中對敵施展更有震撼力。二是，本書講述龍力子下山的經歷，按理說，龍力子是這部書的敘事主人公，但這個主人公的形象卻並不突出，在幾段故事中，他都只是作為「見習生」而存在，在第一段故事中他從土匪手下救出公孫鈺，但那幾個土匪的武功不值一提；而在剿滅焦勇集團的戰鬥中，他的光芒完全被符君毅、鄭素環等人的光彩所掩蓋。

在第二段故事中，公孫嘯盧出場，龍力子光芒盡失；在第三段故事中，蘇小妹的光芒遠遠蓋過了龍力子。在第四段故事中，白摩勒、黑摩勒先後出場，龍力子這個四師弟自然地失去了自己的光彩。作者設計龍力子這個人物，本身就有問題，說他來自少數民族地區也就罷了，還說他是人與熊雜交的產物，而書中卻沒有書寫這一人物社會化、人性化、文明化的任何痕跡，他在這個故事中，只是充當了故事的樞紐、導遊、見證人。

《北派青萍劍》

我看的版本是香港南風出版社版（祥記書局代理），共五集。封面有「我是山人編，毛聊生著」字樣。內頁有「技擊鬥劍小說」《北派青萍劍》（第一輯）「我是山人編，毛聊生新著」字樣。第一輯名：雲俠夜守黃山。

《北派青萍劍》第二集中沈香紅的身世與經歷——這段經歷與《大俠追雲客‧血戰紅鬼谷》中所說蘇小妹的身世幾乎完全一致，當是作者自己抄襲自己。

《北派青萍劍》講述董海公的故事。董海公其人，或許是由武術家董海川（一七九七—一八八二）生平及事蹟的啟發，董海川是河北廊坊人，而董海公是河北涿縣人；董海川曾在安徽九華山學藝，而董海公曾在安徽黃山學藝。但這不是董海川的傳記，而是董海公的傳奇，作者無心寫作武術大師的生平，而是講述武俠傳奇故事，為的不是記錄國術稗史，而是娛樂讀者。

本書故事情節相對簡單。董海公自幼身體瘦弱，但心智發達、骨骼清奇，被天癡老人收為弟子，是天癡老人第一個、也是唯一的一個弟子；天癡老人早年曾仗義江湖，與岳陽十魔結怨，岳陽十魔來黃山找天癡老人復仇，將天癡老人打下山谷。董海公離開黃山遇到賣藝的沈香紅，以及神行賣蛋翁張嘯川，幫助沈香紅報了殺父之仇後，張嘯川推薦他去貴州找癲道人再學藝，以便為第一個師父天癡老人報仇。

董海公再學五年，下山後再遇賣蛋翁張嘯川師徒以及陶湘，找來當年結識的揚州三傑，一起去洞庭湖君山，大破岳陽十魔的君山匪寨；大魔黃能、二魔藍玉、神弓二郎聶潤龍逃走；董海公等人跟蹤追擊，與黃能、藍玉、聶潤龍及其師長哈哈僧悟元、崑崙三友，即天池上人、滄浪羽士、游龍真人（游龍子哈元敬）及其弟子飛天燕子柳雲飛、三手俠嚴玉生展開決鬥，最後癲道人找來天南逸叟詹四（他也是黃能、藍玉的師父）處決了黃能、藍玉，報仇故事結束。

本故事的重點仍是武打加傳奇，所以董海公的經歷非常特別，從河北涿縣到安徽黃山這一段經歷還算正常，但董海公離開黃山前，與黃山猿猴一起消滅七星席怪蛇、被猿猴救上懸崖的情節就很神奇了。而董海公第二次拜師，即找癲道人的經歷，如遭遇殭屍、尋回青萍劍等就更加傳奇了；再後來到岳陽洞庭湖君山復仇，再到貴州野茅嶺、烏鴉岩與當地生苗打交道，陶湘被金環公主下蠱，烏鴉岩巫婆解蠱等等，傳奇性達到巔峰。打鬥場面很多，寫得繁複但脈絡清晰。

《北派青萍劍》在結構上也很講究，首先是大結構相當完整且嚴謹，天癡老人與岳陽十魔的衝突作為核心情節，始終支配了這個故事的走向。其次是作者相當注意故事段落的銜接，作者始終圍繞董海公的經歷講述，從而能做到主線清晰，且環環相扣。再次是與作者此前的作品人物聯繫起來，例如董海公的第二個師父癲道人，就是作者此前小說的主人公，是讀者熟悉的人物，通過董海公拜師，使得這部作品與讀者所熟悉的作品人物聯繫起來，形成一個更大且更完整的武林世界。最後，即便是傳奇情節，例如青萍劍的線索，也有很精細的設計，即此劍是天癡老人在黃山犧牲時失落，被樵夫在山谷裡找到，賣給武林人物，被武林人物帶到貴州，藏在破廟中，最後又被主人公董海公發現，形成可信的鏈條。

董海公的形象雖然不是特別突出，但他的基本狀貌還算清晰。此人為人正派，心地善良，否則天癡老人不會收他為徒。幫助素不相識的賣藝女子沈香紅前往聊城復仇，更體現了董海公的俠義心腸——在此過程中，董海公對沈香紅的好感也是一個重要因素，而這也是本書的主要內容之一，即青年男女的愛情和婚姻。

有意思的是，在聊城之行過程中，由於董海公缺乏江湖經驗，又年輕好奇，從而在夜探韓錢龍家的時候，他看揚州三傑中的李澤堂、夏德成與韓府爪牙打鬥而入迷，忘記了自己來此的目標，還是張嘯川提醒他並帶他去營救夏建成，他才想到自己的任務。這一場景十分有趣，也十分真實。

後來在洞庭湖君山戰役中，董海公經歷了五年學藝，有了更加豐富的經驗，所以在再次營救夏建成時就顯得老練許多。在君山之役過後，董海公的領袖氣質逐漸顯露出來，證據是，在黃能、藍玉逃亡之後，正是董海公建議追擊。只可惜，作者忽略了董海公的領袖氣質，沒有把這個主人公放到真正的領袖地位上去，只能讓他跟隨賣蛋翁和黑龍姑、癲道人的指揮棒行動，從而變成了一個配角，有時候甚至是龍套。在早期小說中，這種情況十分常見，所以主人公的形象並不是十分突出。

書中其他人物也有些可說之處。首先是天癡老人，武功超群而自負，醉俠甘瘋子提醒他岳陽十魔已再拜師學藝，武功大大提升，要天癡老人暫避，但天癡老人不當一回事，結果被岳陽十魔打下懸崖，無謂犧牲。這是一般武俠小說中較少的情節，天癡老人這樣的武林高手竟然就這樣被殺，說到底是性格使然。

其次是神行賣蛋翁張嘯川，此人最大特點，是以賣蛋為生，是真正的市井之俠；此人的另一特點，是為了練武而自宮，以至於變成「張老公」（即公公，亦即閹人），這很有研究價值，當年的練武之人多半講究「童子功」，以為結婚和性生活會讓練武人的精力受損。再次，賣蛋翁的行為很傳奇，待人卻很親切，對主人公董海公尤其青眼有加，總是在董海公最需要的時刻出現，聊城之行、洞庭湖之役、貴州之役，都離不開賣蛋翁張嘯川的策劃和指揮。可以說，張嘯川是董海公的第三個師父，也是這部書中的關鍵人物。

此外，書中的沈香紅這一人物也值得一說，她的經歷雖然與《大俠追雲客・血戰紅鬼谷》中蘇小妹的經歷基本相似——可以判定本書中沈香紅的經歷是抄襲作者自己書寫的蘇小妹的經歷——作者之所以不惜自己抄襲自己，恰恰說明作者很欣賞此前虛構的那段故事，即父親少年時讀書不成，青年時好賭，老年時自私，以至於續弦被騙導致家破人亡，給子女帶來無妄之災，讓年輕的女兒不得不走入茫茫江湖。這段故事是作者努力「接地氣」的表現。努力寫出傳奇故事中的生活景觀，不可輕易看過。

《北派青萍劍》之後的「終南俠」等書，很可能是本書的續集，只可惜我沒法找到那些書，沒法看到那些書，從而無法對這一系列作出完整的分析和說明。

《天山雷電劍》

我看的是香港環球圖書雜誌出版社版，合訂本上下冊，內含六集，上冊為一、二、三集，下冊為四、五、六集，共四四三頁。每集五回，全書共三十回。

封底有《金鋒著武俠小說》廣告，書目包括《西域飛龍記》全四冊，每冊八角；《大澤龍蛇傳》全四冊，每冊八角；《天山雷電劍》全六冊，每冊八角。

本書是《西域飛龍傳》的續書，史存明、孟絲倫、伊麗娜等人仍然是這部書的主角。只是本書的故事情節線索另有頭緒，也可以說是另一個故事，主因是這部書中增添了新人，正、反兩個陣營中都有新的角色加入，前三集故事的內容大多是「新人介紹」。正面陣營中加入的新角色，主要是范金駒、范金驥兄弟，以及來自滿清軍營福康安大帥麾下的岳金楓，到此，史存明團隊的骨幹成員全部聚齊，他們是：史存明、孟絲倫、岳金楓、伊麗娜、范金駒、范金驥等六人。

反面主角——即書中最先出現的新人——是鐵爪魔娘甘翠蓮。從十五至八十五頁，用了七十頁即將近一集的篇幅講述甘翠蓮的身世與經歷。她的經歷堪稱淒慘。要點是，一，父親甘天瀾曾是雍正的血滴子，因奉命殺害同僚好友冷天培一家而內疚於心，當冷天培的女兒冷雪梅來報仇時，甘天瀾自殺。二，父親死後，母親又死，再遭火災，甘翠蓮從此漂泊江湖。三，被惡霸兼強盜賈玉麟強姦、毀容、折斷八根手指。四，多次找冷雪梅報仇未果，先是不敵冷雪梅，後被竺虬（天殘叟）打敗，最後是找不到仇家。五，在當了崆峒掌門後武功大進、聲名鵲起，卻走火入魔，半身癱瘓。直到伊麗娜來，她才突然康復——頗有寓言性——並陰差陽錯地成了史存明等人最大敵手。

按理說，鐵爪魔娘甘翠蓮與史存明、智禪、孟絲倫之間並沒有什麼深仇大恨，她也不是清兵的幫凶，為何成了他們的最大敵手？這需要作深入的分析和解釋。

甘翠蓮是個滿腹鬱悶仇怨而無處發洩的人，也可以說是一個心理或心態不怎麼正常的人，用現代精神分析學概念說，她是個神經症患者。她找不到復仇的對象，卻又無法消除或發洩內心積聚的滿腹仇恨怒火，幾乎到了逮到誰就會與誰為敵的地步，否則她就無法活下去。恰好，她的救命恩人兼大弟子伊麗娜說了自己的情感經歷，言下之意，不過是感嘆命運捉弄人，自己的心上人史存明卻愛上了金弓郡主孟絲倫，孟絲倫的美貌、智慧、身世和武功都是伊麗娜無法與之相比的。但在甘翠蓮看來，史存明是個忘恩負義的傢伙，從此，她對史存明全無好感且還懷有仇恨怒火。

甘翠蓮的一生從未有過男女情愛，在年輕時就被賈玉麟姦污並毀容，留下對男子的深仇大恨，覺得天下男子十之八九都不是好東西，史存明「欺負」了伊麗娜，當然更不是好東西。甘翠蓮來到白熊谷，是因為白熊谷是伊麗娜的家鄉，甘翠蓮見有漢人佔據了伊麗娜的家鄉，自然要把他們當作仇敵，要將他們趕走。而史存明恰恰在這些人中，史存明是伊麗娜的負心人，所以就更加可惡。進而，最關鍵的一點是，史存明在白熊谷圍攻甘翠蓮時，曾使用過崑崙派的武功旋風掌（是地缺翁教的），所以，甘翠蓮在潛意識中，把史存明當作崑崙派弟子，她找不到崑崙派的人報仇，史存明就成了她的目標。

理智正常的人當然不會這樣做，問題是，甘翠蓮的心智本身就不怎麼正常。所以，她追到拉薩去繼續與史存明為敵，恰好史存明不僅學了地缺翁的旋風掌，又新學了天殘叟的三陰滅陽掌、最後又學了瀟湘仙子的玄玄掌，幾乎成了崑崙派的弟子，甘翠蓮找史存明報仇的行為就顯得更加理由充足了。更巧合的是，崑崙派的瀟湘仙子不僅入侵崆峒派總部、打傷崆峒派多名弟子，且找到拉薩來與她為敵，且公開幫助史存明。所以，甘翠蓮與史存明為敵，沒有理由也變得有理由了。

書中甘翠蓮的神經症心理描寫，通過她的一連串匪夷所思的行為充分地表現出來，這是本書最重要的藝術貢獻。正如《西域飛龍傳》中寫出了飛龍師太。

本書的情節結構，與《西域飛龍傳》相似，即半為江湖恩怨傳奇，半為反清歷史故事。不同的是，前者前半段寫反清戰爭，後半段講江湖傳奇；而這部書則是前半段講述江湖恩怨，後半段講述反清戰爭——史存明等人到拉薩參與反抗福康安的戰爭，是這部書的重點及高潮部分。

本書的另一點不同，是後半段反清戰爭故事中，又夾雜了鐵爪魔娘甘翠蓮與史存明等人之間的江湖恩怨與打鬥。民族間戰爭故事加上個人間武功打鬥，使得後半段故事不僅內容豐富飽滿，而且懸念迭起，節奏緊張刺激。甘翠蓮與福康安合作，但她絕不是滿清的鷹爪走狗，如她對伊麗娜所說，她只是利用福康安的清兵勢頭，正如福康安也只是利用甘翠蓮的高超武功，他們的聯合，使得拉薩故事形成了戰爭與技擊、入侵與復仇兩條故事線索，這兩條線索有時候單獨發展，更多時候又互相交織。

在本書之中，伊麗娜和岳金楓兩人本來風馬牛不相及，一個是武林高手甘翠蓮的女弟子，一個是滿清軍隊的先鋒官，因甘翠蓮與清軍合作而相遇；而又因這兩個人都有反清思想，都要幫助史存明反清門爭，而最終走到同一陣營中。

伊麗娜與岳金楓的交際，總共也不過幾次，一次是岳金楓要伊麗娜去拉薩給史存明等人報信，說福康安要用紅衣大炮轟炸；第二次是岳金楓得知福康安要殺伊麗娜嫁禍於史存明，岳金楓通知並幫助伊麗娜離開軍營；第三次是他倆先後被瀟湘仙子拯救，相見於瀟湘仙子的帳篷中——這次是伊麗娜幫岳金楓療傷。書中兩人的關係，可謂有緣千里來相會，此後相互產生好感，進而情感加深。這讓史存明擺脫了一個情感重負，也讓伊麗娜有了最好的歸宿。作者設計十分巧妙。

書中兆惠的側福晉賀蘭明珠跟隨福康安到天山尋找心上人史存明，是一個出人意料的設計。仔細想，這一設計並非完全不可能，這部書畢竟是傳奇之書，史存明、賀蘭明珠畢竟是傳奇中人，賀蘭明珠的行為和心理自然有傳奇性，她千里迢迢地來天山找心上人，即是傳奇的行為。更何況，書中還交代了史存明在巡撫衙門中躲在賀蘭明珠的臥室中避難——這部書中錯寫為西安巡撫衙門——讓兆惠對這個側福晉產生了懷疑和冷淡；而兆惠的懷疑和冷淡勢必讓賀蘭明珠對史存明的懷念和遐想更加強烈，從而有來天山找情人的大膽壯舉。

賀蘭明珠的到來及生病，給史存明帶來了很大的麻煩，雖然書中只是簡單述及，也足可觀。首先是智禪和尚責怪弟子荒唐，沒學好武功之前亂惹情債；其次是金弓郡主孟絲倫「虎視眈眈」，對賀蘭明珠與史存明的關係難以接受。好在她是聰明之人，且史存明曾以自殺表白自己的清白，孟絲倫很快就從嫉妒中解脫出來。書中賀蘭明珠一直在故事背景中，很少露面。但作為一條線索卻始終存在，史存明等人離開拉薩時，賀蘭明珠乘轎子也出現了，她要跟史存明去尼泊爾！這就留下了一個懸念。

書中對西藏人物與地理的講述，有值得討論的地方。福康安率兵征討尼泊爾，是歷史上的真實事件。福康安乘機征服西藏，從政治上說是拓展了國家疆域，讓西藏與內地成為一家，即有正面意義。作者站在反清立場上，幫助西藏人抗擊滿清勢力入侵，作為小說，當然沒有什麼問題。作者對達賴等人的描寫，也大體符合人物的身分及行為規範。達賴在大軍壓境之下派使者求和，甚至——在尕巴延、呼音克的建議或唆使下——要抓捕史存明、智禪等人獻給福康安，從政治上說，也不難理解。政治人物與武林人物的價值觀念和行為方式畢竟有所不同。達賴的「變心」算不上是多大的惡行，只是道不同不相為謀而已。

書中對西藏的政治制度、拉薩的地理環境可能不是特別熟悉，達賴治下其實有噶廈政權，有噶廈官員，而不僅僅有所謂「僧正」（這一說其實也不準確）。此外，拉薩並無城牆，布達拉宮也不是布達拉寺，作者對此可能不是很熟。當然這都不過是細節，無關大局。

《冰原碧血錄》

《冰原碧血錄》由香港環球圖書雜誌出版社出版，初版時間是一九五九年八月、再版時間為一九六〇年二月。

史存明學藝故事見《西域飛龍記》。冷霜梅故事的前傳是《天山雷電劍》。

史存明故事是一個系列，即《西域飛龍記》—《天山雷電劍》—《冰原碧血錄》—《子母離魂劍》—《血詔驚龍記》—《五鳳囚龍記》等。

《冰原碧血錄》講述冰原故事，即大雪山（喜馬拉雅山）南麓的尼泊爾境內發生的故事，主要背景及故事線索是福康安、海蘭察率清兵進入尼泊爾，即歷史上著名的「廓爾喀之役」（發生在乾隆五十六年至五十七年，一七九一至一七九二年）。

歷史上的廓爾喀之役有其具體原因，即尼泊爾入侵後藏，佔領聶拉木等地而引發戰爭。但小說作者剪裁了前因，只說是滿清王朝的一次侵略戰爭，目的是要烘托史存明團隊——包括智禪上人、史存明、金弓郡主孟絲倫、岳金楓、伊麗娜、范金駒、范金驥等及熊谷族人——幫助尼泊爾人抵抗滿清侵略軍的傳奇。

史存明團隊是反清義士，一直從事反滿抗清事業，從回疆到西藏，如今來到異域尼泊爾，本是要避難求存，適逢乾隆派福康安率三十萬大軍進攻尼泊爾，智禪上人及史存明團隊當然要幫助尼泊爾人抗擊清兵，幫助尼泊爾人也就是幫助他們自己。小說的主要故事線索，就是此次戰爭的發展線索。從福康安過大雪山，攻擊銅鼓關，渡過白象河，直到圍攻加德滿都王城，尼泊爾國王阿澤登旺求和為止。

小說中的戰爭故事，與歷史上的戰爭故事並不是一回事，為了突出傳奇英雄，作者讓懂得軍事謀略的金弓郡主孟絲倫從一開始就接管了軍事指揮權，並打退了福康安一次又一次進攻。直到尼泊爾出現糧食危機，才不得不結束。

小說是以一場戰爭為背景，且書中有戰爭線索和戰爭場景，但這不是一部戰爭小說，而是一部武俠小說。所以，在小說中突出的不是戰爭指揮官，而是武俠英雄，即雙方的武學高手。正方除了史存明團隊外，還有瀟湘仙子蕭玉霜、冷霜梅先後加入；反方則有金山雙醜呼延陀、呼延真兄弟，還有一個特殊人物，即尼泊爾白髮巫婆薩菩婆，她利用尼泊爾人對黑蟒神的敬畏，成了尼泊爾人巫術和迷信的神祇。進而又與尼泊爾人哈延合作，將混血美人瑪爾佳引入皇宮，迷惑國王，使得哈延當上右丞相。哈延又推薦薩菩婆成為尼泊爾國師，薩菩婆用精神功催魂術控制了國王，其目的是讓哈延取而代之。為此，他們在戰爭中成了一種內部破壞力量，一是扣下運往前線的軍糧，二是薩菩婆不斷與史存明作對，三是在陰謀破產後，薩菩婆乾脆帶著尼泊爾地圖投向福康安，從而影響了此次戰爭的結局。

為了保證本書的傳奇性和吸引力，突出「冰原」的奇異，作者頗費心思。不僅在瑪薩兒湖因地震而出的石油上作文章，即先是讓見多識廣的孟絲倫利用石油的可燃性火燒銅鼓關，讓福康安的第一次進攻先勝後敗；後讓海蘭察炮轟石油湖，讓金弓郡主孟絲倫在瑪薩兒山的軍隊無法存身，不得不撤退。進而，作者還虛構了大雪山的特有人類即雪人故事，雪人身材高大，力氣過人，戰法凶猛，還有獵犬般辨味追蹤能力，雪人故事穿插在冷霜梅、史存明的故事中，使得本書獨具特色的傳奇因素吸人眼球。

此外，薩菩婆的武功獨具一格，也增添了小說的傳奇趣味，由於她有印度淵源，所以她的瑜伽功曾大顯身手，繼而又以催魂術（即所謂精神功）先後迷惑了史存明、鐵爪魔娘、國王阿澤登旺，讓小說情節增加了諸多變數。最後，她還以毒藥、毒蜂、機關等術，讓書中正派義士吃盡苦頭。

說及傳奇性，書中熊素珊的故事不可不提。她的身世與經歷極具傳奇性。其父親熊元憲原是張家口一家鏢局的副總鏢頭，為了躲避仇家而到蒙古山區隱居，救了受傷的冷霜梅，終於被仇家找到，冷霜梅幫助制服仇家，但其父仍被仇家所殺。冷霜梅收熊素珊為徒，但在大風中失散多年。熊素珊再次出現時，居然成了刀客（盜匪）的領袖，化名洪珊，被史存明、蕭玉霜收服，成了義軍的一分子。

在蕭玉霜的安排下，她又女扮男裝，化名王勇，混入清兵陣營，成了海蘭察的親兵，在銅鼓關前刺殺福康安，瓦解了清兵的一次攻勢。被俘後吃盡苦頭，才得與師父冷霜梅團聚。由於元氣大傷，生命垂危，蕭玉霜想出讓童男子范金駒幫助她裸體療傷之法，讓她恢復。她與范金駒之間大有故事可說，只可惜作者未能兼顧。

本書的一大看點，是主人公史存明的成長。

一開始，他是一個頭腦簡單、性格火爆、心思單一的人，在艱難困苦的經歷中，慢慢變得冷靜而理智，學會使用自己的心智、控制自己的情緒。如果說在心智成長方面，小說中的線索還不是特別明顯，在武功進步方面，小說中則有專門的安排。主要線索之一，是瀟湘仙子蕭玉霜明確提出，史存明的武功不夠高，必須從鐵爪魔娘手裡奪回地缺老叟的《離火劍譜》。為此，蕭玉霜陪同史存明前往崆峒山找鐵爪魔娘，在戰爭間隙裡，上演武林奪寶故事。取得劍譜之後，史存明的武功才有明顯的提升。

線索之二，是薩菩婆覬覦史存明的寶劍和武功，不斷與他爭鬥，試圖以武力奪取，而史存明開始無法戰勝她，甚至曾被她的精神功所控制，直到冷霜梅教他崑崙心法，才可以與薩菩婆周旋。

線索三，在小說的大部分情節裡，史存明都不是金山雙醜的敵手，但到小說最後，史存明不僅將最主要的敵手薩菩婆打下白象河，而且還在地堡裡單獨面對金山雙醜兄弟（**當然有冷霜梅為他掠陣並提示**），終於將金山雙醜擊斃。

本書的另一看點，是對海蘭察形象的刻畫。

海蘭察是清軍副統帥，是義士史存明團隊的對立面，但書中的海蘭察形象卻沒有被簡單化、漫畫化對待，而是與福康安形象形成了鮮明對照。福康安作為史存明的頭號敵手，他的形象不免會被簡單化處理，但海蘭察則不一樣。此人出場，是公開處決違反軍紀的十六名士兵，一方面說明海蘭察統兵軍紀嚴明，同時也說明海蘭察對百姓有同情之心和保護之意。進而，在軍事才能上，海蘭察也比福康

《血詔驚龍傳》

《血詔驚龍傳》共十集、五十回，[2]是《子母離魂劍》的續書，與《天山雷電劍》、《冰原碧血錄》、《西域飛龍傳》等書也有關聯。史存明反清故事，借用了金庸小說《書劍恩仇錄》的核心要素，即滿清乾隆皇帝是漢人陳世倌之子。

本書講述天山大俠史存明、金弓郡主孟絲倫夫婦率領岳金楓、伊麗娜夫婦及呼倫齊等人，在天山地區繼續反滿抗清鬥爭故事。史存明手握事關乾隆的親筆詔書，要乾隆以一百萬兩銀子贖回，乾隆想借此機會將史存明等義士一網打盡，而孟絲倫則讓官方美夢成空。乾隆惱羞成怒，撤換了伊犁將軍，並派福康安率領霍都巴罕、尼堪布、白福銘、黎劍公等多位高手到天山地區展開掃蕩。雙方相持不下之際，史存明又率人前往北京，讓和珅、乾隆飽受驚嚇。伊麗娜在皇宮中被捕，孟絲倫抓了和珅之子，在西山碧雲寺交換人質後，史存明等人被官兵重重包圍。義士金凱帶著詔書與官方談判，以便史存明等人突圍，結果金凱犧牲，血染詔書。最後，史存明等人再入皇宮，迫乾隆退位。

本書的故事框架清晰，情節也很緊湊，戰陣、計謀、打鬥等細節也不乏亮點，有可讀性。只不過，書中主要人物形象不那麼突出。史存明是反滿抗清的最高領導人，武功超人，智謀平庸，但故事情節卻並非圍繞他展開，且重要作戰行動都是由他的妻子孟絲倫策劃安排，但孟絲倫也算不上小說主人公。岳金楓夫婦、范金駒夫婦、史劍虹兄妹、范中岳兄妹、呼倫齊、金凱、狄人虎、狄鵬舉、江虎兒、管寒溪、凌志輝等人，每個人都有些閃光點，但大多缺乏清晰的個性特色。

小說中讓人印象較深的，是武西施謝雲瑛、癩道姑洪仙韻、薩布素的女兒薩玉花三位女性。

小說開頭是武西施追殺金凱、狄人虎，從中原一直追到天山。武西施匪夷所思的殘酷嗜殺，源於她自恃武功超群，更因其婚戀受騙，從而對男性世界充滿怨恨。她與伊犁將軍薩布素的女兒薩玉花投緣，因而願意充當清廷的間諜，前往反清陣營中臥底；因對史存明的武功人品心悅誠服，又變身反清陣營的細作。後在將軍府被炸毀面容，心性再度變化，回到崆峒山，史存明為她解除走火入魔之厄，她又再入江湖，死心塌地地加入史存明陣營。武西施的幾次轉變，雖有非常明顯的人為痕跡，但這些痕跡的背後，卻有其特定的心理邏輯依據。而她的變化，又影響到清廷與反清陣營的勢力均衡，增加了故事情節的複雜性。

癩道姑洪仙韻是另一種情形，她的最大心願，是打敗史存明，成為武林第一高手。雖不是清廷的幫凶，卻常常給反清義士帶來麻煩。她的另一個心願，是為自己找一個傳人，先強迫武西施，後強迫薩玉花，既剛愎自用，又懵懂無知。她的故事是小說中的插曲，增加了故事情節的變數。出人意料的是，她與薩玉花相處過程中，受到薩玉花的影響，觸發人性良知，是這部書中最溫馨的一段。癩道姑頭腦簡單而形象醜陋，心懷莫名的怨憤，行為有些不可理喻，卻並非沒有人性，心裡也有柔軟的部分。單純而善良的薩玉花觸碰到她心靈的柔軟部分，遂有如此出人意料的表現，可謂人性的證明。

薩玉花是伊犁將軍薩布素的女兒，她的故事是，父親將她許配給福康安之子傅爾丹，雖然兩家門當戶對，傅爾丹也一表人才，但薩玉花卻在武西施謝雲瑛的幫助下逃婚離家。薩玉花這樣做，是因為她暗戀反清義士狄鵬舉，除卻巫山不是雲。薩玉花單純善良，與其父身分不同，立場也不同，史存明等人對她的態度自然也不同。而薩布素對女兒的寵愛，也寫得頗為感人。薩玉花逃婚出走的故事，增加了故事的變數，只可惜，作者沒有善始善終，竟忘記交代薩玉花的結局。

《五鳳囚龍記》

《五鳳囚龍記》是《血詔驚龍傳》的續書。[3]戚孟剛送女成婚，女婿唐季珊被殺，自己被圍攻致死。戚女戚賽玉、徒弟陶子俊逃出重圍，先後加入反清領袖天山大俠史存明的團隊。史存明等人來到北京，一心要扳倒奸相和珅，經歷種種曲折。金弓郡主孟絲倫率領鳳綺華、戚賽玉、覃瑤珍、姜雪蝶進入皇宮，脅迫嘉慶皇帝。太上皇乾隆去世不久，嘉慶即宣布和珅罪狀，賜死，並抄其家。

本書從陶子俊、戚賽玉師兄妹的遭遇寫起，導入史存明反清團隊，與《血詔驚龍傳》從金凱、狄人虎叔侄逃亡到天山加入史存明團隊的故事模式相似。

本書增加了若干敘事線索。一是陶子俊和戚賽玉的情感關係。陶子俊與師妹戚賽玉兩情相悅，但戚賽玉早已許配唐季珊，不得不自我克制。唐季珊被殺，陶子俊囿於傳統觀念，非但不敢表達真情，反而板起面孔，要戚賽玉守望門寡，侍奉公公唐星池。這讓戚賽玉既憤懣，更傷心，負氣獨自出走，成了癲道姑洪仙韻的弟子。經歷諸多曲折，唐星池逝世，史存明勸說陶、戚，方才喜結良緣。

二是增加了川楚白蓮教之亂的歷史背景。白蓮教的王齊氏等主腦人物，出現在書中。白蓮教雖也反清，但史存明等人不認同他們的行為方式，史存明團隊與白蓮教主腦的關係在敵友之間。一方面，史存明要從白蓮教中救人；而另一方面，卻又幫助白蓮教劫取和珅家財，用作軍費。這一線索，增加了小說情節的變數，白蓮教主腦人物的種種神秘舉動，也增加了小說的人文景觀。

三是本書的矛盾焦點集中於和珅。和珅在相府召集武林大會，目的是通過比武選拔高手，對付

「亂黨」史存明。這一線索，不僅大大增加了武打篇幅，也通過眾多比武選手呈現出更為廣闊的武林風貌。再加上史存明、白蓮教都想奪取和珅家的珍寶，和珅府邸成為鬥智鬥勇的特殊空間，也讓故事情節有更多跌宕。

四是本書講述了武西施謝雲瑛、癩道姑洪仙韻等重要人物的結局。武西施被清廷鷹爪抓獲，被挑斷筋絡，廢除武功，最後含恨而死。癩道姑最後一次與史存明比武失敗，也失去了人生目標，後被鷹爪抓獲，霍都巴罕想偷學其圓圓劍，對她實施精神折磨，導致她發瘋，最後被白蓮教主所傷，臨死前與史存明和解。癩道姑的一生，生死都是與眾不同，讓人感慨唏噓。

本書的問題也不少。其一，本書開頭寫六盤三鬼設計殺害唐季珊，進而截殺隱居多年的武師親戚孟剛，讓陶子俊、戚賽玉不得不逃亡，情節固然好看，情理卻很難說通：六盤三鬼為什麼要這麼做？書中竟始終沒有說明任何理由。既非仇殺，又非財殺，更非情殺，只能說是作者刻意安排，為殺人而殺人。

其二，史存明團隊的反清目標不再明確。在這個故事中，嘉慶登基，乾隆退休，史存明等人來北京，似乎專為扳倒奸相和珅。金弓郡主等人冒險入皇宮，並不是要刺殺乾隆或嘉慶，而是要與皇帝談論清除和珅事，這與嘉慶皇帝的目標一致，與其說是反清，不如說是幫助清朝皇帝清君側。

本書名為《五鳳囚龍記》，書中也出現了孟絲倫等五位女俠入宮脅迫嘉慶皇帝的情節。仔細想來，孟絲倫此舉，並非根據實際情況，而是特意要湊齊「五鳳」，以便完成「囚龍」遊戲，人為痕跡十分明顯。如此，反清鬥爭的嚴肅主題就被嚴重扭曲。

其三，書中還有諸多情節缺陷。例如，史存明煞有介事地交代後事，而後孤身回到北京，終於勞而無功，最後還是回到妻子孟絲倫身邊。他這樣做，很像是個自以為了不起的大男孩，為了證明自己而故意冒險，最終只能證明他幼稚無能。這與其反清領袖的形象，實在是有害而無益。在《血詔驚龍傳》中，他已經幹過一次獨自冒險卻勞而無功的事，本書讓他再幹一次，實不知作者意欲何為？

再如，乾隆皇帝的漢人血統，無論如何都應該是最高機密，但乾隆皇帝病危時，居然與和珅談論後悔沒有恢復漢人江山，作者似乎忘記了，和珅是滿族正紅旗人。又如，書中的鳳綺華，對陶子俊似乎情有獨鍾，但最後卻不了了之；鳳綺華曾與嘉慶相約三天後見，但在「五鳳囚龍」時，雙方卻似根本不曾相識。

《滄江七女俠》

我看的版本是香港環球圖書雜誌出版社版，共十二集，無出版時間。本書故事的前傳是《青門鴛鴦劍》、《猿山神劍》。

《滄江七女俠》講述的是一個奪寶故事，寶物是大理國歷代國王的寶藏，爭奪者是滅掉大理國的元朝蒙古國師呼羅多率領的武林高手和軍隊，保護寶藏者是大理國王段志興的弟弟、人稱猿山神俠的段志傑，及其弟子文鈺、沐仇兒、段小龍以及青門派高手玄都子、浮塵子、韋仙客及其弟子施小宛、施小曼、滕紅彩和段金花。

整部書大體上分為幾個段落，即開頭段落、呼羅多第一次奪寶段落（中間插入石龍子、石玲珠兄妹逃跑，以及施小宛、施小曼姐妹與金靈姑之間的衝突），呼羅多第二次奪寶段落（中間插入青門派與竹山派之間的矛盾衝突，段志傑幫助青門派到竹山救人的經歷），以及最後的尾聲，即呼羅多第三次率兵前往猿山未果。

奪寶故事在武俠小說中極為常見，本書的特點是在傳奇方面下功夫。吸引人的要素主要包括奇獸、機關、毒藥、奇人等。下面分別說。

奇獸主要包括兩類，一類是猿山奇獸，即合趾猿群體，亦即猿山的主要獸類。牠們的特點是智力上接近於人類，能夠聽得懂人類指揮，有自己的語言，同時也可以對侵犯猿山者做團隊包圍和攻擊。牠們是段志傑等人的最重要的幫手，在本書之前的《猿山奇俠》中，牠們就曾和段志傑聯合作戰，打退了元朝國師呼羅多的第一次大規模進攻。在本書中，牠們繼續發揮威力，讓人驚奇。

書中還有另一類奇獸，即竹山派豢養的狗頭猩猩，大體上是狗頭形狀，體質上如同猩猩，牠們的特點是十分凶悍，當然也相當少見，另一特點是可以接受人類的培訓。只不過，竹山派對牠們的培訓並非以尊重與合作方式，而是以殘酷的毒藥鞭加上灌毒藥的方式。所以，牠們沒有猿山的合趾猿那樣具有靈性，而是有更明顯的獸性。結果也與猿山之猿大不相同，牠們被灌藥後，瘋狂地相互撕咬，甚至反噬主人。

書中的第二奇，是機關的佈置。

首先當然是猿山惡龍峽藏寶洞內的佈置，內部按照四象、八卦分佈，路徑複雜曲折，其中有水、有沙、有石、有陷阱，如果不熟悉其中路徑，找不到正確的入口或出口，很難找到通往藏寶之處的道路，即使找到，最後一關還有磁石大門，可以將一切金屬兵器吸出。

呼羅多多次奪寶難以取得如意結果，最重要的原因之一，就是找不到正確路徑。黑醜、黑酉兩兄弟冒險進入，差點被水淹死，就是典型的例證。書中還有其他機關，例如翠華谷裡的土堆，秦太沖、秦太玄兄弟佈置的石堆，以及竹山派在竹山佈置的六微浮塵陣，以及松風觀的大鐵屋等等，都是一些機關，專門用來對付強大之敵。書中最後階段，段志傑、玄都子、浮塵子和韋仙客等人所遭遇的火燒鐵屋之險，就是證明。

書中第三奇，是毒藥。

毒藥的來源有多處，第一大來源是毒手彌勒的弟子金駝姑（即金靈姑）與她的師兄衛海客，兩人都是用毒高手，由於衛海客不服師父的臨終安排，要找師妹金靈姑索回師父的經典秘笈和可增強功力的毒龍丸。兩人的毒戰讓人大開眼界，而更讓人大開眼界的是金靈姑種出了七修羅花、血杜鵑等毒藥，而且還有玉螭散等多種離奇毒藥。有意思的是，不僅毒手彌勒的弟子會用毒，竹山派似乎也會用毒，例如竹山四友中的生死判徐湘就會用毒，張羽和石玲珠就是中了他的毒藥才被抓獲。竹山派的六微浮塵陣裡也曾施放毒氣、鐵屋裡也曾施放毒氣，甚至還給狗頭猩灌注毒藥膠，讓牠們發瘋發狂，這些都是奇聞。

本書第四奇，就是奇人。奇人分為兩大類，一類是非武林奇人，即雲南當地土著，作者統稱他們為「苗」（這或許是在中國人懂得民族識別前的認知與稱謂），生苗與熟苗，所謂熟苗即已開化的苗人或少數民族土著；所謂生苗則是保持傳統生活方式，即不曾與漢民族有交流習慣的土著。書中寫到了花籠苗、洗骨苗、大藤苗，就是幾個主要的類別。

書中的段金花來自花籠苗，她父親是花籠苗的酋長，段金花在花籠苗寨裡的地位應該很高，但金花還是不習慣本部族的生活方式，嚮往外面的世界，所以跟隨段小龍走出了自己的山寨。書中的洗骨苗沒有多少描寫，但對大藤苗的習俗則有所渲染，呼羅多的天竺助手夜摩星就曾抓了不少大藤苗幫助他們開路。

另一大類是武林奇人。首先是石龍子、石玲珠兄妹，這對兄妹居然是人猿雜交的產物——比梁羽生小說《白髮魔女傳》以及蹄風小說《猿女孟麗絲》、《天山猿女傳》的主人公孟麗絲更為傳奇——只是在這部書中只是寫他們特殊的價值觀念和血性衝動，寫他們的特殊經歷及其奇特行為（例如石龍子居然用牙齒咬穿土牆），而沒有涉及這兩個人物的生物特性與社會性的衝突。很是遺憾。

此外，書中還有異域奇人，即來自印度的夜摩星，此人最大的本領是善用精神功即催魂術，亦即用藥或催眠術控制他人的精神，還可以用音樂控制毒蛇，並將毒蛇與被催眠的兒童結合成奇妙的毒蛇陣。

除了異族奇人、異域奇人之外，還有第三類奇人，即一般武俠小說中較少見到的人物，諸如神龍見首不見尾的鐵手鬼丐雷四，就算得上是一個道道地地的奇人。其他如逍遙子、黑神子、臥龍子、黑醜、黑酉、陰陽雙怪、竹山四友、毒手彌勒及其弟子等等，多多少少也可以算作是奇人，這些人在一般的武俠小說中很少見，而在這部書中卻有很多。

本書的故事情節很是清晰，圍繞猿山寶藏展開，因為有諸多離奇因素加入，對一般讀者肯定有不小的吸引力。但本書的獨創性較低，文學性也不高。這樣說的理由是，書中的這些奇人奇物奇事，在還珠樓主的小說中俯拾即是，算不上創新，更算不上是獨創。說這部小說的文學性不高，則是因為小說的創作目標不過是傳奇，而不在於人物形象刻畫，更不在於對人性的探索和書寫。

本書開頭寫得很是精彩，讓人充滿期待。蒙古兵進軍雲南，大理滅國。大理國末代國王的遺腹子段小龍與其師父龔洛川隱居在中國和緬甸交界的蠻耗村，有叛變者來逼迫龔洛川說出藏寶秘密，龔洛川寧死不屈，臨終前說出段小龍的身世秘密，並要他去找自己的叔叔學藝復仇——這位王子的復仇不是普通的殺父之仇，而是要復國，從而涉及反蒙古抗元朝的政治鬥爭。

但小說並未朝這方面發展，段小龍實際上也算不上是本書的主人公，只是書中奪寶故事的一個引線而已。在段小龍遇到苗山金花、金花在段小龍殺了女巫後隨段小龍走出苗寨，也很讓人期待，即看到兩個年輕主人公的江湖歷險，甚至可能還期待兩個少年主人公的愛情故事，但這些也都沒有成為小說的主線，在他們遇到段志傑之後，段小龍的復仇、段金花的歷險也就到此結束，復國鬥爭、愛情故事也都並不存在。

本書的缺陷和不足頗多，且很明顯。

例如，小說開頭說「雲南的中部和西部，崇山峻嶺之中，有一道急湍的大河，名叫瀾滄江，又名怒江，瀾滄江上游發源是四川的金沙江」（第一集第一回第一頁，香港環球圖書雜誌出版社），將雲南三江合一，是明顯錯誤。金沙江是長江源頭，瀾滄江經緬甸、老撾、泰國、柬埔寨、越南入海，怒江才是流向緬甸成薩爾溫江。

又如，作者將南詔國和大理國通用，給人的印象是南詔國即大理國，大理國即南詔國，實際上南詔國是南詔國（存在於七三八—九〇二年），大理國是大理國（存在於九三七—一二五三年），不是一回事。書中所寫，應該是大理國被元朝所滅之後的故事。又如，說「這蝮蛇又名叫眼鏡蛇」（第四集第二四五頁），明顯是知識性錯誤。一般武俠小說讀者或許並不關注這些，書中的歷史錯誤、地理錯誤、知識錯誤等等，很可能並不會受到關注，從而也就沒有人會批評。

進而，在敘事方面，書中有前後矛盾的情況。例如第五十三回，竹山四友明明已經俘獲了張羽和石玲珠，但到五十五回中，石玲珠仍然出現在金駝姑身邊，並與她對話。這樣的情況，很可能是作者在寫作過程中忘記了前面的情節。

進而，書中還有第三類情況，那就是對金庸小說的模仿。具體例子，是書中的毒手彌勒、金駝姑、衛海客等毒門故事，與金庸《飛狐外傳》中藥王門有相似處。師父：一是毒手藥王，一是毒手彌勒，一號無嗔、一號無戒；毒藥，一是七修羅花，一是七星海棠；身體形狀：一是駝背薛鵲，一是駝背衛海客、金駝姑。所不同者，金庸小說《飛狐外傳》中的藥王谷師徒的傳奇形象和傳奇故事中包含了作者對人性的書寫，例如毒手藥王的名號從大嗔、一嗔到微嗔、無嗔的變化隱喻了這個人物的精神修養的提升；與其師弟石萬嗔的綽號與形象形成鮮明對照。書中毒手藥王的關門弟子程靈素的形象則成了其師兄師姐們的鏡子。而《滄江七女俠》中的毒手彌勒師徒，則只是傳奇而已，書中的衛海客、金靈姑兩個弟子同時偷食了師父的靈丹，以至於兩個人都變成了駝背且難以治癒。為什麼毒手彌勒不喜歡師兄衛海客，而偏偏喜愛犯下同樣錯誤的金靈姑？作者並無解釋。

進而，書中寫到青門派與金靈姑的衝突，多少有些問題。施小宛、施小曼姐妹接受段志傑的囑託，暗中護送石玲珠到翠華谷，被金靈姑所種植的七修羅花毒昏，金靈姑答應石玲珠的請求給予解藥，讓她倆離開，這已經是很客氣了。但施氏姐妹怪金靈姑態度不好，竟向師父韋仙客投訴，讓師父帶她們二次登門報復，找金靈姑的麻煩；進而，韋仙客後來也沒有如願報復金靈姑，居然再向掌門人玄都子投訴，讓玄都子、浮塵子一起來翠華谷，雖然最終並沒有釀成巨大衝突和悲劇結局，但青門女俠的行為，與竹山派的行為有什麼差別呢？——書中的竹山派之所以與猿山神俠等人反目成仇，就是因為秦太沖、秦太玄兄弟心胸狹窄，睚眥必報，才去找竹山四友出來報仇，而竹山四友既極其護短，又有不小的貪心（想得到金靈姑所種植的血杜鵑），以至於不惜與青門派結仇，進而與猿山神俠等人結仇。

竹山派的行為可以理解，因為他們一直偏安一隅，目光短淺，心胸狹窄，只知道自己的立場，而不理解也不尊重他人的立場與利益，因為眼光受限而導致心智不發達，又因為心智不發達而導致行為乖張。他們將石龍子抓去，又將張羽和石玲珠抓去，又與猿山神俠、玄都子結仇，以至於釀成竹山滅頂之災，都是可以理解的。問題是，青門派號稱是名門正派，韋仙客、施小宛和施小曼等人怎能與竹山派的秦太沖、秦太玄一樣？這樣寫，作者豈不是正邪不分？

最後，這部書的書名為《滄江七女俠》，按理說應該是以七位女俠作為主人公，但實際上並非如此，這使得小說名不副實。實際上，所謂「滄江七女」之說，也是到小說的最後階段，即元朝國師呼羅多最後一次率兵來到瀾滄江邊，浮塵子隨口說出的一個概念。作者讓韋仙客和她的四個女弟子施小宛、施小曼、滕紅彩、段金花，以及金靈姑、石玲珠姐妹七個人在瀾滄江鐵索橋上攔截呼羅多一行，說到底不過是人為安排。真正起作用的只有金靈姑、韋仙客、施小宛、施小曼四人，而滕紅彩、段金花和石玲珠三位年輕女俠，並沒有起任何作用，如此，她們如何能夠並稱為「滄江七女俠」？

《碧劍紅娘》

我讀的版本是香港環球圖書雜誌出版社版，合訂本，上、中、下三冊，其中含十集（下冊含四集），連續頁碼共六八五頁。封底有金鋒武俠小說目錄。

從小說的主要故事情節看，《碧劍紅娘》講述的是一個奪寶故事，即死亡谷（死火山口）中有綠玉柱，無比堅硬，用以製造兵器則無堅不摧——火神姥姥最先發現此處，用炸藥將玉柱炸成玉片，一片玉劍即如神兵，綠燕拿著這片玉劍將入侵塔克瑪部的塔山部兵器、戰車都斬斷，讓敵方聞風喪膽而去。

緊接著，有更多人前來奪寶，而醜面行者酆業和他的兩個女兒則重新佔領了死亡谷，笑無常也來幫忙，與冷泉居士、鐵腳和銅頭二丐、武當三老等人發生衝突。酆業帶著綠玉離開，但遇卜天童、綠燕追蹤。綠玉被黑魚聖母所得，酆業追擊黑魚聖母，綠玉被大鵰掠走，落入黃沙蜸藍鳳仙手中。藍鳳仙是當年的惡魔，但駐顏有術，看似年輕姑娘，抓綠燕為人質，讓岳鼎、卜天童為她去崑崙山迷蹤谷盜取《玄天秘笈》。結果太極子設計將藍鳳仙殺死，綠玉落入綠燕等人手中。

這部小說的故事情節很吸引人，一方面是因為奪寶故事核心情節的懸念，且書中對手不斷變化，出現的新人物武功越來越高；另一方面是書中不僅是有奪寶故事，且還有邊疆風情，以及個性鮮明的人物。

書中講述天山故事，對天山南北的草原風情的描繪很是仔細，對當地少數民族部落如塔克瑪部落（唐瑪、綠燕所屬部落）和阿山（塔山部落，即沙布林、塔利都所屬部落）因求親不成而引發的矛盾衝突，不僅有民俗風情層面，且還有政治、經濟層面。政治層面，是指唐瑪部落受到滿清迫害不得不遷徙至此，因而與滿清王朝不共戴天；而阿山（塔山）部落則主動投靠滿清，試圖借滿清勢力在草原稱王。沙布林的這一行為，又不僅是純粹的政治目的，其後還有更實際的經濟利益，即佔領更多的草原資源。所以，這兩個部落的衝突，有多重意義。作者的講述，也很清晰且很細膩。

奪寶故事的主要人物大多來自中原地區，無論是佔領死亡谷的火神姥姥、酆業父女、笑無常列缺等人，還是前來奪寶的崆峒派、天臺派、武當派等等，全都是從中原而來。

值得注意的是，這些人紛紛來到草原奪寶，背後其實也有政治原因，那就是滿清王朝統治者希望中原武林相互攻擊、自相殘殺，從而製造一個流言，說新疆地區出現了一件武林異寶，得之者可以「無敵於天下」。先期趕到的人大多是衝著「無敵於天下」這一武林人常有的夢幻目的而來，當然也有人出於相反的目的，即前來揭露這一流言的虛偽，例如冷泉居士。

書中的一些人物形象，例如綠燕、岳鼎、劉鶚、卜天童等，刻畫得很生動。

首先是草原女兒綠燕，她的騎射技藝高超，是女性隊伍的領袖。小說開頭她們在草原上歌舞時遇到狼群，綠燕最先發現，並想到用火保護自己、嚇走狼群的辦法，即可見綠燕的冷靜機智和領袖才幹。當她發現狼群中有人，即狼孩卜天童，既好奇、又好心，追蹤到死亡谷，自然而然地進入本小說的主要場景空間，順利展開故事。

綠燕對狼孩卜天童的溫情關愛，表現了她善良的一面；她還讓黑魚聖母釋放曾與她為難的邛山一怪金鈴秀士厲鼎山，非但不讓黑魚聖母殺他，甚至不讓廢除對方的武功，這表現綠燕姑娘極其善良的本性，而對劫持她的黑魚聖母，她又表現出堅毅不屈的品行，雖然並不與黑魚聖母對抗，但卻並不真正屈服。後來對藍鳳仙也是如此，她不得不答應留在其身邊當人質，但卻沒有被對方的「好心」所迷惑，而是在關鍵時刻發揮作用，打碎了藍鳳仙的魔燈。

綠燕是草原的女兒，也是草原的主人，也是綠玉的主人，書中出現的第一把綠玉劍就是由她帶出、由她擁有，她要將綠玉劍送給天山大俠史存明，可惜埋在地下再也找不到。而第二把綠玉劍也屬於她，這看似偶然，實際上有一定的象徵意義。

其次是武當弟子岳鼎。他是武當三老之滅塵道人的弟子，同時也是追隨史存明——抗清英雄史可法的孫子——抗清的岳金楓和伊莉娜的兒子，也就是說，他有武林、歷史雙重身分，既是武林正道的傳承人，也是抗清英雄血統的繼承人。此人心地善良，品德高尚，為人光明正大且正直無私。入關第一戰就被人堵截，但他並沒有仇恨對方，進而在綠洲中救助了瞎眼閻羅單雨生，更表現了他的尚義風度。

最典型的例證有二，一是當卜天童在白雲谷中打翻了矮腳叟的藥爐，他堅持要和卜天童一起向谷主人說明情況並照章賠罪，以至於讓卜天童對他極為不滿；另一個例子是，他一直受到殺人天魔的追殺，但當殺人天魔在沙漠中被他們打昏後，他又立即救助殺人天魔。岳鼎不僅道德品行高尚，而且也有足夠的機智，典型例子是，當笑無常打亂武當三老的三才陣，岳鼎用黑魚聖母的釣魚絲智勝笑無常列缺；又在崑崙山迷蹤谷裡利用鐵爪牛的血跡逃出雪人陣。這些細節，無不表現出岳鼎其人的機智靈活，高尚品行，善良心地，使得其形象真實可信。

劉鶚的形象也是慢慢浮現出來的，他第一次露面，是與師妹汪綺、汪玲在一起，汪氏姐妹年少輕狂，將岳鼎當作敵人，劉鶚卻冷靜觀察，與岳鼎為友。只是無法阻止汪氏姐妹的任性，不得不隨之離開。與岳鼎等再次相逢，劉鶚的表現更加精彩，他的師父冷泉居士被黑魚聖母所傷，而劉鶚、汪氏姐妹被岳鼎、陶子俊、卜天童所救，立即採用苦肉計打傷黑魚聖母，換得解藥，救助了師父冷泉居士。

這部書中有一個很值得注意的特點，那就是老一代雖然武功高強，但心智靈活性卻不如年輕一代，武當三老不如岳鼎靈活，而冷泉居士也顯然不如劉鶚機智。劉鶚的武功雖然不是很高，但他長相英俊、為人仗義、心思靈活，綠燕與他相處時間不長就暗中愛上了他，並不稀奇。

書中最為獨特的人物是卜天童。此人從小在狼群中長大，是道道地地的「狼孩」，一直隨狼群而行。是好心且好奇的綠燕、紅玉兩個姑娘要解救他，將他追到死亡谷中，火神姥姥發現了他，並利用了他，教他武功，發現此子天資聰穎，很快就學會了入門武功。當他追隨綠燕走出死亡谷，逐漸適應人群的生活時，又遭遇黑魚聖母，他堅強不屈而又心思靈活，終於逃出黑魚聖母魔爪，求得陶子俊、岳鼎救出綠燕。

本書的讀者對卜天童這一人物必然會充滿好奇心，想知道此人後來的命運如何。作者早已暗示了他的「本性」，當他希望拜陶子俊為師時，陶子俊說他惡性未除，若學會了超級武功，有可能為善但也可能為惡，所以拒絕收他為徒。武當三老見到他交出被害弟子的鐵符，卜天童大怒，他甚至不承認武當四位弟子正是由他親手炸死（雖然是奉火神姥姥之命而為），對武當三老恨之入骨，決心要學藝報仇。

更讓人瞠目的是，當他與岳鼎同行到白雲谷，卜天童打倒矮腳叟的煉藥爐，岳鼎要他向主人賠罪，卜天童竟刺傷岳鼎，且滿懷憤恨獨自離開，從此不知所蹤。這一人物看似印證了陶子俊的預言，實際上卻是環境造就了他。

設身處地為他想，從小在狼群中長大，未受社會化教養，卜天童回到人群中來，必然要經歷自然本性與人群規則的矛盾衝突期，在此期間，若人們都像綠燕那樣真心關懷他，此子完全可能變成一代大俠；而陶子俊、武當三老卻既不懂得他的本性，更無教養他的耐心，使得他表現出本能的憤恨，而這一憤恨又被誤解為心思惡毒，這對他實際上並不公平。岳鼎要他認錯，違背他本能的應有反應，更由於他對武當三老固有的仇怨，使得他對岳鼎下手。這一行為，實際上不過是出自自我保護的動物本能而已，岳鼎始終沒有真正理解這一點，只是簡單地從道德上去判斷，給這個人物貼上「本性惡」的簡單標籤，實在是可惜。

書中的其他人物也有可說之處。例如火神姥姥與丈夫火德星君當年曾想在中原武林稱王，丈夫被殺，自己也受傷，以至於來此找綠燕復仇。這是一個復仇狂，實際上也是一種心智缺陷，結果死於綠燕手中（因為她打死紅玉，綠燕在憤恨之下割斷了一節繩梯，火神姥姥被地下洪水沖走）。也可以說，她是死於自己的手中（假如她不打死紅玉，綠燕就未必割斷繩梯）。

酆業也是有心智缺陷的人，他覬覦崑崙派的武功秘笈，私自進入禁地盜經被發現、被處罰，他不僅對處罰他的本門長老恨之入骨，甚至對寫下經書的前輩也仇恨滿腔——這一細節足以證明此人的心智與人格缺陷。

第三個人物笑無常列缺也是如此，此人名字中有「缺」字，實際上已經暗示了此人「缺心眼」、「缺理智」、「人格有缺陷」，他練成武功後在江湖做惡，後被騙到東海島找「天都子」而九死一生，成了他的奇恥大辱，他也是滿腔仇恨，但從不會檢討自己，卻責怪那個「欺騙」他的人（後來才知道是太極子），最後他死於崑崙山迷蹤谷，這是一個很好的象徵寓言。

本書也有不足之處。

首先，書名《碧劍紅娘》，就沒有落到實處。碧劍是指綠玉劍，這在書中出現過（而且有兩把綠玉劍），但「紅娘」卻沒有出現。若說「碧劍」就是「紅娘」，似乎也說不通，因為綠燕愛上劉鶚，似乎與她的綠玉劍沒有半點關係。因為劉鶚並沒有與綠燕並肩作戰，碧劍也沒有在他們的愛情關係中發揮作用，男主人一直是岳鼎——他是武當弟子、又是岳金楓之子——從小說敘事安排上說，綠燕與岳鼎產生情感才更加合理，且更符合讀者的心願與期待，但作者卻沒有這麼寫，原因不得而知。

進而，若寫綠燕與卜天童之間有情感關係，或卜天童對綠燕產生不由自主的情感也說得通，但書中也沒有這樣寫。實際上，書中沒有專門描寫綠燕的情感，只是在敘事中帶上一筆，說綠燕愛上了劉鶚，這讓讀者驚愕。

其次，書中的奪寶故事背後，本來有一個滿清王朝的陰謀，即滿清統治者要讓中原武林內訌，所以製造了新疆有寶的流言，讓中原武林人士前往奪寶，從而自相殘殺。冷泉居士來新疆，就是要告訴眾人這一點。問題是，其一，說滿清統治者製造謊言嗎？死亡谷確實有寶。說中原武林自相殘殺嗎？實際上書中的正派人士聯合起來，對付的是酆業、笑無常、黑魚聖母、藍鳳仙等極少數魔頭。總之，書中設計滿清統治者流言，卻沒有落到實處，變成了空談。

最後，書中的太極子在崑崙山隱居了上百年，火氣居然不減。殺笑無常在先，又設計殺藍鳳仙在後。問題是，藍鳳仙的行為雖然不算正派，但至少在書中卻也沒有看到她有多麼罪惡，以至於該當死罪。從書中的情節和細節看，她遵守諾言，在黃沙壑隱居了十五年，且她也願意遵守諾言與綠燕分享綠玉，讓綠燕得到了綠玉劍，且她還制服了魔頭黑魚聖母，讓她當奴僕，這可以說是一件好事。但在書中，藍鳳仙還是被太極子設計殺死。這對藍鳳仙不公平，而對太極子則不光彩。

《劍網十三重》

《劍網十三重》[4]講述漢朝初年武林人試圖盜挖秦始皇陵故事。楚因郭嘯天邀集風水先生董彥等人，引誘神偷余無畏加盟，試圖盜挖秦始皇陵。其盜陵對手是關中神叟陸羽公及其飛龍幫。余無畏與大俠韓一夫及其女兒韓玉湘，加入陸羽公的隊伍。武林絕頂高手南駝、北瘋先後出現在驪山附近，南駝綁架了陸羽公的女弟子柳葉青，陸羽公率流雲道士、蒙啟、夏侯英、趙一棍、余無畏等人打傷了南駝。北瘋要救南駝，答應幫陸羽公找回柳葉青。

北瘋派弟子單丹雲探查柳葉青下落，被南駝的洞穴機關所囚禁。地震破壞了機關，單丹雲拼死救出柳葉青，囑咐她代自己前往穀城求見黃石公。柳葉青脫險後，即從驪山出發，前往穀城，一路經歷了黑煞門等重重險關，終於見到了黃石公，黃石公毀掉了開啟秦始皇陵的鑰匙，並要單丹雲、柳葉青拜在他的門下，專心練功。

書中有很多奇人奇事，有很大的可看性。郭嘯天要神偷余無畏盜取韓玉湘的嬰兒，余無畏得手後，居然與韓玉湘打賭，說要再偷一次，就非常吸引人。其後，傳奇人物層出不窮，郭嘯天和陸羽公屬下多為奇人，與一心要做整容手術、以便化醜為妍的南駝相比，卻是小巫見大巫。

南駝不可一世，與秦始皇陵中獨眼鬼叟、無情叟相比，卻又算不得神奇。柳葉青前往穀城，先後遇到鬼書生、烏瘤子、羅剎婆婆等黑玡島上的黑煞門高手，以及三髻道人、穀城樵隱、白頭翁、白雲仙等人，越來越神，越來越奇，最後出現的黃石公更是神奇中的神奇。

只不過，讀罷全書，就會覺得本書的故事問題多多。故事好與不好，有一條重要標準，就是要打得開、收得攏，具體說，一須自圓其說，二須結構為整體。而《劍網十三重》的故事，在兩方面都有明顯的不足。例如，單丹雲的身世究竟如何？一開始神神秘秘，留下懸念，而到最後竟不了了之。再如，單丹雲說他從三歲起就拜在北瘋門下學藝，而黑玡島主烏瘤子卻說單丹雲是黑煞門弟子，直到三年前才離開，實情究竟如何？始終不得而知。

按烏瘤子所說，單丹雲拜在北瘋門下，當是臥底復仇，但也始終沒見真章。又如，孫梅核學了伏羲步，書中說日後引起軒然大波，但卻根本沒有下文。柳葉青打通生死玄關，書中說此後在破除秦始皇陵的十三重劍網中發揮作用，同樣沒有下文。又如，北瘋與妻子白雲仙這對恩愛夫妻，為何感情破裂？北瘋為何發瘋？他是真瘋還是假瘋？這些關鍵問題，書中都沒有任何交代。更不必說，書中的那隻白色猴子為何在乾清觀失蹤？為何與那無名乞丐配合默契？無名乞丐到底是什麼人？他要做什麼？始終不得而知。最後，白頭翁、白雲仙等人與黃石公到底是什麼關係？他們為何要阻攔求見黃石公的人？書中同樣沒有合情合理的說法，看到最後還是一頭霧水。

更嚴重的問題是，小說缺乏整體性。前一部分寫郭嘯天、陸羽公等幾股勢力試圖盜挖秦始皇陵，後一部分寫小姑娘柳葉青為完成心上人單丹雲的囑託而單身歷險，爭盜秦始皇陵故事主線無故中斷，前後成了兩個不相干的故事。從種種蛛絲馬跡看，小說中人物，其實大多與秦始皇陵有關。例如南駝，並非只想整容，她還受託測算驪山地區的日影月痕，此事應與秦始皇陵有關。

又，開啟秦始皇陵的鑰匙共有兩把，其中一把裝在鐵盒中，在三髻道人手中，後來被北瘋夫婦奪取，可見三髻道人、北瘋、白雲仙也都與秦始皇陵墓有關。又，另一把鑰匙在穀城樵隱手裡，而白頭翁又與他打鬥了多年，據黃石公說，這兩人都想盜挖秦始皇陵，由於無法合作，於是才有爭鬥。

又，黑煞門創始人無情叟，曾出現在進入秦始皇陵的地道中，當然不會是為了旅遊觀光。對武林中人覬覦秦始皇陵事，黃石公顯然知情，且顯然有其主見，最後親手毀掉陵墓鑰匙，就是最好的證明。以上這些，足以證明書中的世外高人都與秦始皇陵有關，問題是，上述這麼多人，牽涉到多條線索，有些人要盜挖，有些人要保護；而盜挖者與保護者、盜挖者與盜挖者之間，關係淵源和矛盾衝突複雜，衝突如何形成，矛盾如何解決，需要作者有整體性構想，而後做出清晰的敘述。

本書的作者沒有做到這一點。小說名《劍網十三重》，但小說裡無人進入秦始皇陵中，讀者也無緣見識所謂「十三重劍網」為何物。如此，這部作品就名不副實，故事沒有整體結構，小說沒有真正完成。

【注釋】

1毛聊生：《大俠追雲客．大戰豹頭人》第二集第廿八頁，香港，合作書社，無出版時間。署「我是山人編」。

2金鋒：《血詔驚龍傳》（上、中、下冊），香港環球圖書雜誌出版社出版，未見出版年代。

3這是作者在第一回書中所說。見金鋒：《五鳳囚龍記》上冊，第一頁，香港環球圖書雜誌出版社出版，未標明出版年代。該書共六十回，分十二集，結集出版時分上、中、下三冊。

4《劍網十三重》於一九六二年十月廿七日至一九六四年四月十八日在香港《武俠世界》雜誌連載，其後由武林出版社及香港環球圖書雜誌出版社出版，共四冊，十六集、七十回。

◆蹄風小說述評[4]◆

蹄風，原名周叔華（約一九〇九—一九八一年），原籍廣東南海，生長於廣州。中山大學經濟系畢業，曾任職於廣州電報局。一九四八年到香港米業商會擔任秘書。一九五五年左右開始武俠小說創作，後應邀擔任《武俠世界》創刊主編。

《海南俠隱記》

本書當為蹄風的第一部武俠小說。

環球出版社單行本封面，除書名外，有「少林武術秘辛」一行小字。環球版單行本中有「刊載《藍皮書》第一七四期，港初版一九五六年五月，港再版一九五六年七月」字樣。

根據作者《序言》日期，可知本書連載日期至遲是在一九五五年九月二十日之前。

書中插圖上方有蹄風親筆書寫的說明，毛筆行書後有蹄風簽名及印章。上集書前有作者的《海南俠隱記序言》，引述詩句：「世事滄桑似弈棋，武術沉淪火藥興。城市丘墟成一瞬，百年景物又何如？」

作者的第一部武俠小說，從自己熟知、讀者也熟知的作品如《聖朝鼎盛萬年青》和鄧羽公的《至善禪師三遊南越記》中取材，這不難理解。值得注意的是，作者寫南少林的覆滅，竟然是讓白眉和尚、五枚師太和馮道德、高進忠、馬雄等人一起，與至善禪師為首的南少林作對。這不僅違背了少林門風，也違背了白眉、五枚與至善禪師的個人關係倫理。

作者為什麼要這麼寫？或許是參照了晚清作品《萬年青》，更重要的原因，應該是要借此製造更加尖銳而驚人的矛盾衝突——有什麼比同門相殘、師徒拼命更為驚心動魄的矛盾衝突呢？從另一面看，也可以說是因為作者對小說創作還不是很熟練，為了講故事而不知輕重地製造玄機。書中白眉和尚與至善禪師的拼鬥最為典型，作者專門寫至善死於白眉之手。

南少林覆滅的故事，只不過是這部小說的開頭。滿清佔領了中國，要消滅一座寺廟自然是輕而易舉之事，即便沒有白眉、五枚等人的幫助，也同樣不成問題。有白眉、五枚——書中說這兩個人是被逼無奈、不得已而為之，五枚甚至還為此懺悔並設法贖罪——這樣的人幫忙，當然就更簡便。

實際上，滿清侵佔中國，正是有許多漢人幫忙，幫助滿清的人，或許也有各自不得已的苦衷。也就是說，在情理而言，白眉、五枚等人幫助滿清王朝進攻少林，並非沒有可能。只不過，讀者可能不大習慣這樣的故事而已。尤其是在《至善禪師三遊南越記》之後，人們對白眉、至善師徒關係有了普遍認同，而白眉的抗清意志也給人留下了深刻印象。作者如此顛覆前人，既可以說是為了故事效果，也說明作者有另創一說的勇氣。

《海南俠隱記》是以南少林覆滅作為背景，只有謝阿福、洪熙官兩位在被俘之後又被飛雲、青草所救，逃脫死亡命運，開始反抗生涯。既然大陸本土包括福建、廣東都無法立足，當然只能到海南孤島上去尋求生存之道。洪熙官將自己的女兒和妻子送到苗翠花處，自己則前往海南創建反清根據地，伺機搶奪官府庫銀，發動群眾，與滿清鷹爪作堅決的、不妥協的鬥爭，這是無奈的選擇，也是必然的選擇。另一方面，滿清王朝也不能允許反抗勢力的存在，不斷追查並消滅反抗者。

小說並不是專寫洪熙官，而是從少林弟子的下一代開始寫。第一回中寫馮道德、高進忠追殺逃出囚牢的謝阿福，後半段是寫洪熙官的女兒洪秋兒練成武藝之後找高進忠報仇，即是。第二回，則是寫謝阿福之子謝贊標逐漸長大成人，其母讓他去找佛山阮樹學藝，其中穿插阮樹的故事，即他如何學到武功、如何獲得跌打良藥及其藥方，然後再回歸主線，講述謝贊標學藝成才。在謝贊標學成梅花棍法之後，阮樹讓他去找洪熙官、飛雲等人，推動故事的發展。在此過程中，又出現藍丁（明心和尚），進而出現胡惠乾的兒子胡友德、胡繼祖，這些人都是至善禪師的徒孫輩，即反滿抗清的第三代或第四代（如果把白眉算是第一代的話）。

只不過，小說並沒有專寫新一代反滿抗清故事，而是以少林弟子與滿清鷹爪的衝突作為主線。謝贊標找到青草和尚，並跟隨他學藝，尤其是在他找到飛雲和尚，受命去幫助洪熙官奪取官府庫銀之後，謝贊標的重要性就逐漸降低。飛雲、洪熙官、鐵頭和尚及其洪門五座主等人的重要性及其影響明顯超過了謝贊標。作為少林弟子的敵方，反派人物分為三批，第一批是老對頭即馮道德、高進忠；第二批是左承德、鐵臂熊張黑虎、萬壽道人、孫鐵腿孫昌、卓木吉納爾維（黑二鬍子）；第三批是清化上人、方德、白安福、馬雄和小雲夫婦、李洪、花背子、錦花豹子李長春、火二郎林家泰、鐵線拳曾山、三水蔡忠、東莞麥洪武、將軍府捕頭怪眼猿袁通等人。與這些人的打鬥，是這個故事的主線。

在這個故事中，有關清化上人的故事最為奇特，書中說他是來自西藏黃教的喇嘛，法術高深，幾乎不可戰勝。孫小紅想起師父五枚師太曾留言，即「西藏雪峰，老僧潛蹤。劍鞘文字，得遇神翁。」其後與飛雲一起前往西藏喜馬拉雅山區，尋訪天蟾喇嘛，最終找到了克制清化上人的方法。這段故事，不僅寫出了五枚師太的懺悔和贖罪，也為故事增加了一段令人難忘的傳奇，即深入西藏雪山地帶所謂「法地」；同時還揭露了清化上人，即天蟾喇嘛的二弟子法華的法術其實不過是近代西方物理學和化學知識的實際應用。這段故事試圖把神話與現代科技結合成新式傳奇路線，從而增加可讀性趣味，並增加故事的可信性。

這個故事中還有若干細節值得注意。一是寫武昌名捕頭孫昌（孫鐵腿）立場改變，由於飛雲沒有對他趕盡殺絕，因而他改弦更張，不僅不再與少林弟子為敵，而且還決心在暗中幫助少林弟子，前後兩次釋放了被官府鷹爪關押的少林弟子如謝贊標、洪秋兒，以及胡友德等。二是寫三水蔡忠、東莞麥洪武兩位廣東籍武師，雖然被官府徵召來對付少林弟子，不得不從，但在實際打鬥中卻儘量敷衍了事，在最關鍵時刻說明自己的苦衷，從而得以善終。

三是寫洪熙官、飛雲等人最終沒有將頭號大敵左承德處死，而是將他釋放，在一般武俠小說中，這是一件非常規的事，因為左承德是敵方圍剿少林弟子的最高首領，將他抓獲豈能不將他處死？但洪熙官卻決定釋放他。這樣做，釋放出的信號是，其一，少林弟子並非嗜殺之人，而是有自己的立場和原則，知道左承德不過是官府打手而已，不對他斬盡殺絕。其二，少林弟子追求的是反滿抗清的大業，而非與某個官府鷹爪間的個人仇怨。其三，他們不殺左承德，官府也會處理左承德，左承德回京後被撤職查辦。這樣的寫法，是作者的細心之處，需要讀者細心品味。

作者初作小說，技法尚不熟練，本書的不足之處很明顯。

首先，這部書的主人公是誰？恐怕很難說清楚。本以為是謝贊標，但謝贊標很快就淹沒在洪熙官、飛雲等老一輩英雄的光芒之中。若說洪熙官是本書的主人公，「海南俠隱」似乎就是在說他，但他並沒有成為反滿抗清的領導者，他的出場次數也沒有那麼多，即他的「戲分」達不到主人公的分量。我們只能說，這部書的主人公是反滿抗清的少林英雄＋洪門兄弟全體，而不是哪一個人。

其次，書中插敘，例如阮樹少年時的經歷、學藝、獲藥的故事有明顯的問題。一是不該由謝贊標的母親敘述這些，因為她既不是阮樹的親友或知情人，也不是武林人物，如何知道阮樹的這些經歷？二是阮樹故事中，獲取藥方的經歷難以置信，關外強盜隱身在寺廟中，被阮樹打傷至死，還要將自己的藥方送給仇家，說是強盜的臨終善念，人為因素未免過於明顯，從而難以置信。三是阮樹的故事對本書的意義不大，他雖然幫助少林弟子，但卻已經逝世，這段故事屬於贅疣。

再次，藍丁獨自前往北京打探左承德何時出京，這一情節安排明顯出自人為。既然聽到左承德要率人南下抓捕少林弟子，派人前去打聽他們何時出京有什麼實際意義？更何況，藍丁不但在北京打聽，而且還獨自深入皇宮去打聽消息，這未免有些過分。他如何知道左承德和清化上人的住處？怎麼敢這麼做？這麼做的意義又是什麼？這些疑問都無法說。只是作者覺得這樣寫比較傳奇而已。讓藍丁被抓獲，讓謝山去拯救，又因藍丁自知傷勢嚴重，不忍謝山陪他送死而自殺，目的當是讓人看到謝山的俠義情懷，看到藍丁的高風亮節，但因必要性存疑、實際可能性同樣存疑，這段故事就變成了做作，得不償失。

最後，謝阿福的兒子謝贊標，洪熙官的女兒洪秋兒，這兩位少林弟子新一代的代表人物最後結為夫婦（**小說最後一段有所交代**），但在他們見面、並肩作戰的過程中，卻沒有看到他們之間有任何情感火花，更沒有專門的情感線索。在寫作這部小說時，作者顯然還是按照老派觀念和技法，不把青年男女的愛情心理、愛情表現、愛情故事作為小說的重要內容。進一步說，是作者此時還沒有一種自覺意識去把握主要人物的情感、心態和個性，而只是在講故事，只是要講故事，而沒有把人物和故事結合起來，更沒有讓人物驅動故事發展的意識。

一九五〇年代中期，這樣的小說或許仍然會被讀者所接受。但與金庸、梁羽生的新派武俠小說相比，其差異就很明顯了，金庸的《書劍恩仇錄》和《碧血劍》，梁羽生的《龍虎鬥京華》、《草莽龍蛇傳》及《七劍下天山》中，愛情故事早已成了故事主線的一部分，早已蔚然成美麗風景。

《游俠英雄傳》

《游俠英雄傳》是作者的又一次長篇小說創作嘗試。其後又寫作了與此密切相關的《游俠英雄新傳》，武林出版社一九八一年出版了兩大卷本《游俠英雄傳》，內容包含了《游俠英雄傳》和《游俠英雄新傳》，回目名稱也有所改變。這兩部書是同一部書，還是兩部書？是一個值得討論的問題。至少，作者在創作初期，是把它當作兩部書的，否則就不會把續集取名為《游俠英雄新傳》。

《游俠英雄傳》講述清朝康熙時代中原武林的游俠故事，如書中所說，北五省有青龍會，山東有紅燈教，安徽有捻黨，福建和江西有天地會，廣東有三點會，長江上游有青幫，長江下游有紅幫（原紅槍會）。五臺山白鹿苑禪林住持凌空長老臨終前，命自己的弟子王崇明帶著短劍和口信前往金陵檀度庵找靜因師太，靜因師太給他講述了此前數十年間江湖幫派之爭，即燕於南代表紅燈教與紅幫與青幫聯絡，青幫領導人卞金剛囚禁了燕於南，引發了青幫與紅幫，以及武當二燕、金仲華與王維揚及其青龍會的衝突。

書中現實故事的核心線索，有明、暗兩條。暗線索是奪寶故事，即李自成的寶藏被許多江湖人覬覦，從青幫領導人卞金剛，到紅燈教繼任領導人妙法真人，都想奪取白玉藏寶圖，為此，卞金剛不惜偷盜王維揚，而妙法真人不惜綁架袁纖雲，迫使王崇明帶著白玉藏寶圖去贖人。明線則是孟氏三英、王氏兄弟、洪承棟、王雲龍、靜因等人聯合偵查並攻破史雲程為滿清政府修建的黑獄。

在故事層面，本書有不少看點。一是抗清名將袁崇煥的後人袁無愁、袁纖雲等數代人都被清廷鷹爪追殺。二是黃梅的弟子陸元華、燕於南、花尚武為反清而努力奮鬥，最後陸元華、花尚武出家，燕於南死於非命。三是順治、王雲龍、史雲程三人之間同父異母、同母異父的複雜關係。四是滿清政府迫使青海少數民族遷徙，導致宗流的復仇之戰。五是李自成的寶藏引起江湖爭端。六是五臺山白鹿苑禪林住持凌空長老（陸元華）的三個弟子，即王崇明、邯曇、班加之間的分歧。七是史雲程興建並管理黑獄，逮捕並摧殘反清志士，引發包括他的同母異父兄弟王雲龍等人的反抗和攻擊。

如何將上述故事情節有效地串聯起來，是這部小說的一個重大技術問題。作者對這一問題並沒有找到合適的解決辦法，以至於小說存在明顯的不足。

首先是插敘過多。王崇明前往金陵見靜因師太，靜因師太講述青龍會往事，竟達兩回之長度，以至於讀者很可能會忘記王崇明來金陵、凌空長老懸念事。其後，在講述王春明、王崇明追蹤孟氏三英事，插入王春明追隨宗流學藝事（宗流本人的故事也插入其中，顯得過長）。其後在講述王氏兄弟探黑獄被宗流指點脫險情節時，插入宗流與史雲程交往的經歷，雖然算是對黑獄的瞭解有所幫助，但那段插敘也有些過長，影響正文情節的發展節奏。其後，在談到天池怪俠王雲龍與鐵馬神功史雲程的關係時，又插入有關這兩人身世的故事，顯得過長，尤其是史雲程的經歷長到讓人忘卻正文主線。其後，在靜因師太帶袁無愁來到關外，剛見面不久即插入袁無愁經歷……不斷插敘，正文和主線七零八碎。

其次是主人公不明，這部小說的主人公是誰？恐怕不易回答。從開頭看，小說的主人公好像是五臺太極門掌門人、青龍會北五省新把舵王崇明，但王崇明在小說中並沒有真正獲得主人公地位。因為他的行為，要麼是被師父凌空上人差遣，要麼是被孟氏三英所逼迫，最後獻出藏寶也是青龍會掌印靜因師太的主意。王崇明在這部小說中最多不過是一個配角，甚至可以說是一個大龍套。靜因是小說的主人公嗎？好像也不是。王雲龍、孟端是不是主人公？好像也不是。

再次是小說的主題不明。從滿清政府不斷派人追殺袁崇煥的後人，例如袁無愁、袁纖雲等就不斷被追殺；進而，史雲程開辦黑獄，逮捕和關押的也是反清志士；進而，北五省的青龍會似乎也應該是一個反清組織，甚至紅燈教也應該是，否則燕於南就沒有必要聯絡紅幫和青幫……但是，小說是以反清為主題嗎？好像並非如此。反證是，書中寫到了順治、王雲龍的同父異母關係，也就是說，順治實際上是漢人王高的兒子，滿清政權實際上存在漢人血統，如此，反清還有什麼必要？

另一反證是，本書最後出現的英雄大會主持人（尹青，即滿清四皇子允禛），也是江湖上人人景仰的大英雄，那麼，反清之說又從哪裡說起？最重要的反證是，靜因對王崇明說往事時，語焉不詳，而王崇明的思想和行為中似乎並沒有把反清置於優先考慮的位置。由此可證，小說並沒有把反清當作明確主題。小說還停留在江湖傳奇的層面上，有什麼傳奇故事就說什麼傳奇故事。即便是攻打史雲程的黑獄，重點似乎也不是反清，而是對史雲程個人行為不滿和懲戒。

最後，由於作者寫作技法不夠熟練，書中的許多重要線索並沒有展開。例如袁無愁父女被鷹爪追殺，似乎只是清廷無計畫的偶發行為。又如最後的挖寶行動，也沒有任何「奪寶」敵對勢力的干擾——就連清廷鷹爪也沒有看到一個——以至於這一大型行動很快就順利結束，沒什麼「故事」可言。書中最大反派史雲程其人其事，也有明顯的想當然痕跡，例如他還沒有出山就對師父有了凶氣，出山的第一戰就去找自己的同門師兄孟葉、蓮華，他要殺害同門的原因是什麼？作者並沒有給出合理的解釋。史雲程的悔悟，也顯得過於簡單。最讓人難以理解的是，書中最後天下英雄大聚會，竟然只是讓武林英雄從各地趕來參加一個「點名」儀式就宣告結束，而書中北五省青龍會把舵竟然不知道主持人是誰！這樣的寫法有什麼道理可言？由此可見，在寫作長篇武俠小說方面，作者還在路上。

《游俠英雄新傳》

書中有訊息：《游俠英雄新傳》第一集港初版一九五六年十一月，港再版一九五七年三月，港三版一九五八年六月。

書前有《吳肇鍾序》：「吾友蹄風君少嘗習武技，頗得師承。近年執筆為武俠小說，情味雋永，理解甚明，殊膾炙人口。夫武術一門，固為國粹，最少範圍而論，亦足鍛煉體力，振懦起頹，今蹄風君所述古今武林事蹟，饒有民族思想，對於晚近提倡武術，不無裨益。現值環球圖書雜誌出版社為蹄風君新著游俠英雄新傳付梓，爰綴數言，以為愛好武術小說人士介紹。丙申（**一九五六**）秋日，唯盦吳肇鍾謹識。」——書名題寫者也是吳肇鍾，此人是香港白鶴派宗師。接著是《自序》。

《游俠英雄新傳》共八冊、廿四回，每冊三回。全書可分為前後兩個部分，恰好各占一半篇幅。前一部分是講述山西太極王家的長子王春明出遊，包括：一、營救賽玉霜（丁翠蓮）的情人秦百先；二、與周濤去漠南蒙古找駝俠和沙哈洛一起去準噶爾盜取寶馬美人；三、與黃鬚俠陳興明及張繼、孟氏三英一起攔截官兵營救方苞父子；以及四，回到三音神廟，受到大內鷹爪金夢彪、馬如龍的偷襲，發現甘鳳池的五龍金光劍在金夢彪手中，真如喇嘛派王春明和沙哈洛到北京探查有關五龍金光劍及尹青消息。大體上可以稱為「蒙古故事部分」。

後一部分可以說是「中原故事部分」，包括：一、雲台劍客司馬瀛與尹青結識的故事（尹青化名西門明幫助司馬瀛打敗東瀛三劍客）；二、雲台劍客司馬瀛與甘鳳池結識故事（擂臺比武及盜劍故事）；三、甘鳳池和呂四娘營救司馬瀛故事；四、甘鳳池和呂四娘及陳四、馮小五、八極頭陀等人營救甘鳳池之妻陳美娘故事；五、北京滿清宮廷眾皇子爭奪王位，陷害四皇子允禎，以及允禎回歸皇室並迎娶蒙古王妃施拉美故事（與前一部分的故事銜接起來）。

後一部分故事雖然看起來比較雜亂瑣碎，從司馬瀛說到甘鳳池，又說到呂四娘，再說到北京宮廷皇子爭權，實際上有一個隱隱約約的主線，即大俠尹青——皇子允禎故事。司馬瀛故事開始不久，尹青就出現在其中，幫助司馬瀛打敗東瀛三劍客，不僅表明尹青——允禎武功超群、智力超群、個性魅力超群，同時也表現他有國族意識。在甘鳳池故事中，尹青再度出現，則寫出了尹青與甘鳳池的不同點，尹青覬覦五龍金光劍，設法以假換真，而甘鳳池則勸他不要這麼幹。後來尹青仍然要換劍，甘鳳池再次拖延；最後尹青還是以假劍換取了真劍。這一細節充分表現了尹青——允禎的個性，凡是他想要得到的東西，他就一定要得到。

再後來尹青、甘鳳池受到八皇子的衛士金夢彪、閻孟雄的圍攻，以及司馬瀛被捕、陳美娘被抓，一直到最後，雖說是司馬瀛、陳美娘等人的經歷，實際上都與尹青——允禎有關，都是朝著他來的。司馬瀛、甘鳳池夫婦不過是遭受了池魚之殃而已。本書後半部故事中的核心情節，應該是允禎皇子遭八皇子陷害而被康熙驅逐，被獨臂尼拯救，從而到廬山白雲處學藝（與年羹堯同學），進而流浪江湖，最後回歸宮廷，獲得康熙諒解，並以迎娶蒙古王妃施拉美為終點。

實際上，本書的前半部，也與尹青有密切關聯。王春明離家漫遊，其第一個目的就是要去找弟弟口中的那個魅力驚人的武林大會主持人——也就是尹青。在王春明接受終南居士年羹堯的請求去營救秦百先時，尹青就出現了，只不過當時是蒙面而已。後來當年羹堯因王春明發現了他的秘密，並從他主管的秘密流放營中救出秦百先，要找王春明比武算帳時，尹青再度出現，解決了他們的紛爭。

實際上，王春明去蒙古盜取寶馬美人，也是尹青的主意。由於駝俠盜取了宮廷御馬，康熙讓年羹堯破案，冒蓮和白泰官都說不可能從駝俠手中要回御馬，只能另想辦法，從準噶爾可汗噶爾丹那裡盜取另一匹寶馬，尹青說應該將寶馬和美人施拉美一起盜來。王春明的蒙古之行，看起來是他游俠故事的一部分，其實是受尹青的唆使、為尹青辦事。因為他和冒蓮、周潯等也與尹青結拜兄弟。

王春明其人，在《游俠英雄傳》中就已經出現，他的個性符合游俠特點，不安於日常生活，喜歡到處遊走，豪爽灑脫而心性質樸，富有江湖經驗而畢竟頭腦簡單，當得起大俠稱號，但也容易淪為政治謀略的御用工具。如果說《游俠英雄傳》的主角是他的弟弟王崇明，那麼這部《游俠英雄新傳》的故事主角就是哥哥王春明。當然，這部書的真正主人公實際上是尹青——允禎。在《游俠英雄傳》的結尾露面，神龍見首不見尾；而在這部書中，他的故事就很完整了。他是一個道地的落魄王子，憑著自己驚人的毅力和決心，修練了白雲傳授的超級武功，更有王者之相和王者氣度，使得與他打交道的人都在他的「氣場」中深受感染。書中的年羹堯個性突出，野心勃勃；甘鳳池、白泰官、呂四娘等俠士也都英姿颯爽，個性鮮明，但這些人在尹青面前無不傾倒，無不自覺或不自覺地受他影響和支配。

本書的看點，除了落魄王子傳奇主線之外，還有數段愛情故事可圈可點。

首先是丁翠蓮和秦百先的愛情故事線索，一個大戶人家的美貌侍女愛上了一個窮書生，這樣的故事並不鮮見。鮮見的是，丁翠蓮和秦百先的愛情故事受到了魚殼大俠陳四，即豆腐叟的鼎立幫助，繼而又受到游俠王春明的幫助，終於認了武當雙燕方剛、方強為乾爹，從而獲得幸福生活的保障。其中秦百先之名，有「百善孝為先」之喻，但在書中，秦百先的孝心卻成了一個反諷，他沒有接受豆腐叟的勸告及時離家出逃，而是堅持要為生病的父親盡孝心，結果不但自己被官府捕獲，且讓老父因此而慘死，大有「百無一用是書生」之慨。

其次，書中講述了冒辟疆與董小宛的愛情故事，這個故事很多人都看到過或聽到過，似乎並不新鮮。新鮮的是，冒辟疆在失去董小宛之後，另有機緣結識了黃山俠隱及其女兒蔡青蘿，蔡青蘿愛上冒辟疆，並生下了女兒冒蓮——這與梁羽生筆下的冒浣蓮並不是一個人——冒蓮的外婆是蒙古人，駝俠、八極頭陀是冒蓮的舅公，而三音神尼沙哈洛是冒蓮的師父，也是冒蓮的表姑。

冒辟疆的兩段愛情故事與本書的情節並不直接相關，只是要介紹冒蓮其人的身世。但與秦百先和丁翠蓮的故事聯繫起來看，「百無一用是書生」的隱含主題就會更加明顯。

最後，書中還有第三段愛情故事，即上半部敘事主人公王春明與蒙古三音神尼沙哈洛的愛情故事。

這是一段真正傳奇的愛情故事，也是突破宗教倫理和世俗道德框架的愛情故事，沙哈洛是宗教聖女，按理說，非但不能結婚，同時也不能有自己的愛情；而王春明則是有婦之夫，按理說，也不能與他人再度談情說愛，尤其不能與異族的聖女談情說愛。但故事就那麼發生了，而且是自然而然地發生的。沙哈洛的聖潔與美貌讓王春明情不自禁，而王春明的偉岸雄風也讓沙哈洛情動於衷，這兩個人的愛情故事是本書之中最為出人意料，也最為動人心魄的篇章。

本書的不足之處也有不少。其中最大的不足，是作者還沒有完全長篇小說的結構技巧，前四集故事是以王春明為敘事主人公，故事線索清晰，情節起伏跌宕；而後四集的故事則越走越遠，將前四集的主人公王春明擱置的時間達八回以上，即占全書總篇幅的三分之一，這樣的寫法，存在明顯的結構失調。即便是王春明、沙哈洛再度出現，他們倆也不再是小說的敘事主人公，而只是尹青周圍的群星之一二，失去了前四集中的那種光彩，難免會讓喜歡王春明、沙哈洛的讀者失望。

進而，在後四集的故事敘述中，作者的結構能力也再度經受考驗。如第四集末至第五集開始插敘甘鳳池故事，又插敘雲台劍客司馬瀛故事，已經有些累贅；而其後在呂四娘出場前後，又插入其叔叔呂忠即道士呂景陽的故事，顯得有些信天游，似乎是想到哪裡寫到哪裡，從而顯出結構上不均衡的弱點。

進而，關於尹青——允禎的身世與經歷揭秘部分，應該是本書的重大關鍵。書中所述，看似圓滿，但很難經得住仔細推敲。四皇子允禎在十五六歲時就遭受其八弟的陷害而被康熙另眼相看，在事理上說當然是可能的。問題是，八皇子允禩小允禎三歲，那時不過才十二三歲而已，當時仍有太子允礽在，父親康熙也在盛年，這個十二三歲的皇子何以如此迫不及待地爭權？從當時的情況看，皇位無論如何也不可能落到八皇子允禩手裡，那麼他為何要冒如此之大的風險將父親康熙咒死呢？

關於允禎身世與經歷的另一個疑點是，獨臂尼慧根為什麼要幫助一個滿清皇子脫難？為什麼要花費如此之大的心思和精力，對白雲大師隱瞞允禎的真實身世，將一位滿清皇子培育成武功高手？獨臂尼是明朝崇禎皇帝的女兒，無論如何都與滿清皇室有不共戴天之仇，她這麼做如何解釋得通？其他任何一個人要這麼做都還可以解釋，唯獨前明公主獨臂尼慧根這麼做實在難以解釋。

書中說，獨臂尼這樣做的原因，是希望允禎能夠改變滿清統治的路線，為漢人贏得與滿人平等的機遇（甚至還希望恢復漢人衣冠），這反而更說不通，因為康熙本人就已經實行了滿漢平等政策，讓漢人參加科舉考試，且在朝廷中也讓漢族大臣進入核心高層，獨臂尼為何還要多此一舉？之所以如此，不過是小說家異想天開。

最後，本書第十七回，納蘭明珠出現，書中說他是個「少年」，說「……他名義上是康熙的一等親隨，禁衛軍統領，實際上他卻是各王子貝勒中最得康熙寵信的人。他不只是個騎射出色的滿洲青年，而且練得上乘武技，而且填得一手好詞，在中國文壇上算得一個奇蹟，因為他還年輕，當日詞壇上已占著了一席。有人說他做的詞傷感上比得上李後主，清麗處又像李清照少年時候的作風，抒情和風流蘊藉，又如周邦彥的可愛，至今清史上和坊間稗史，都記載著納蘭明珠的片斷事蹟，可惜他早死，記載得不甚詳盡。」[1]

這段記載有明顯錯誤，書中說此人是納蘭明珠，實際上應該是納蘭明珠的兒子納蘭容若，即納蘭性德（一六五五—一六八五）。進而，即便是說納蘭性德，仍然有錯，因為胤禛（即書中的尹青，一六七八—一七三五）成年時，納蘭性德早已不在人間了。而書中說這個納蘭明珠比尹青更年輕，明顯不確。書中的這個人物，既不可能是納蘭容若，更不可能是納蘭明珠。換上另一個人、另一個名字肯定比現在更好，作者讓納蘭明珠登場，只能增加破綻。

《密勒池劍客傳》

本書《前言》寫於一九五八年一月一日香港還劍樓，說本書是為虹霓出版社寫成此書。《密勒池劍客傳》是一部未完成的小說。證據是本書第四冊最後，有編者說明：「邇蒙各地讀者紛紛來函索購本書第四集，而原作者蹄風先生因身體關係，不克趕寫，特煩名武俠小說作家續撰完成，謹此致歉！」這也就是說，本書的前三冊是蹄風先生所作，而第四冊則是出版社請別人代筆完成。雖說第四冊的最後，說了楊雲表因鐵隱禪師告訴他貝葉經已被達賴喇嘛派人送到了密勒池，所以他也就不必再前往北京冒險奪假經。本書故事似乎結束了，實際未必如是。

蹄風先生原先構想究竟如何？我們不得而知。從本書的第一、第二、第三冊看，作者對這部書顯然有相當大的佈局，李自成進京、明朝崩潰、滿清入關等歷史大事開始寫，到密勒池使者靈筠將楊漣之子楊雲表帶到密勒池修練，當然是要敘述楊雲表後來的一番事業成就，絕不會如現在這樣匆匆收場。

蹄風先生為什麼沒有完成此書？當真是因為身體原因而無法完成嗎？我們也不得而知。如此，對本書的評說，就出現了不小的困難。

在前兩卷書中，作者寫到了密勒池劍客靈筠在黃鶴樓召集中原武林領導人大會，曾將洪英召來，此人是後來的天地會的創始人，由此不難推測，作者可能會設計洪英創立天地會從事反清復明活動；

另一方面，靈筠還曾與吳三桂見面，要吳三桂反清，陳圓圓說吳三桂當時手上沒有兵力，無法反清，靈筠暗示吳三桂有機會時再反清。歷史上，吳三桂後來確實反清，自己要當皇帝；吳三桂的行為與靈筠的安排及作者的設計是否有關？應該說可能性非常大。但這些，在本書僅有的四卷中沒有被說及。

又，本書第三卷開頭，作者專門講述了四川首富張武父子的故事，安排張瓊前往西部到甘孜寺避險，因相思病而去世，後來他兒子張瓊思尋找父親，遇到楊雲表，楊雲表送他避火劍，暗示他與手持魔火劍的法都瑪有姻緣關係，後來的書中對此沒有真正展開，只是簡單地說此後張瓊思和法都瑪互相救助五次，最後成親云云。

從現有的故事情節看，作者蹄風先生要從李自成起義推翻明王朝，吳三桂為報仇而引清兵入關，以至於滿清王朝替代了明王朝這一歷史大變局開始講述，當有自己的安排。從前面的情節看，書中李自成形象是傳統觀念中的反賊，與左派作家筆下的李自成形象——如梁羽生小說《白髮魔女傳》和金庸《碧血劍》中的李自成形象——截然不同。

在《密勒池劍客傳》中，李自成不過是亂世梟雄，非但沒有俠義心腸，且有忘恩負義之行，典型證據是，他落難時逃到龍駒寨，受到寨主譚民佑數日招待，臨走時還送給他們盤纏；而李自成進京之後，卻將譚民佑的女兒譚青青抓來，逼迫她當自己的嬪妃，譚民佑前來說情，他非但沒有放人，反而將這對父女逼死。這一細節，即可看到李自成是怎樣的一個人。由此不難看到，在作者的心目中，李自成無論是落難或是成功（攻入北京，登上皇位），都不是真正的蓋世英雄，而只是一個典型的梟雄匪徒而已。這一形象令人印象深刻。

本書的另一個看點，是書中出現了武當掌門卓一航、天山玉羅剎練霓裳、天山弟子楊雲聰等人物，與梁羽生小說《七劍下天山》、《塞外奇俠傳》及《白髮魔女傳》（《白髮魔女傳》是一九五七年下半年開始在《新晚報》連載）等書中人物同名。如果只是一個，或許還可以說是出自偶然巧合，但書中居然有三個人物與梁羽生小說人物同名，而且這幾個人物的關係也與梁羽生小說相似，例如卓一航與玉羅剎的愛情，那就不能說是偶然巧合了。很顯然，蹄風先生是要借用梁羽生小說人物的知名度，讓自己的書中故事成為梁羽生小說的「互文」。

更值得一說的是，若《密勒池劍客傳》中卓一航、玉羅剎、楊雲聰等人物只是平凡的小角色倒也罷了，偏偏這幾個人物及其衍生人物卻是這部書中的重要角色。所謂衍生人物，一是指卓一航與玉羅剎練霓裳的女兒練映霞（後來改名為卓映霞）。二是指楊雲聰的弟弟楊雲表，梁羽生筆下的楊雲聰是明朝名臣楊漣的兒子，而蹄風則讓楊漣多一個兒子楊雲表，即本書的主人公。三是楊雲聰的師妹法都瑪，這一人物與梁羽生筆下的飛紅巾哈瑪雅相似，可以說是從哈瑪雅這一原型中脫胎而來。

在本書的前兩卷中，卓一航和練霓裳的女兒練映霞到武當山盜取雌雄螭龍劍，並將奉師命送寶劍到武當山的楊雲表打落水中。而在本書後兩卷書中，練映霞對楊雲表的癡心，楊雲聰對法都瑪的暗戀，以及法都瑪對卓映霞的單相思（卓映霞女扮男裝，法都瑪以為她是男子），成了這部小說的重頭戲。如果說這部小說有什麼值得一說的話，楊雲表、楊雲聰、卓映霞及法都瑪的四角戀，肯定應該是首選話題。問題是：這是不是小說原作者蹄風先生的想法？

本書名《密勒池劍客傳》，其主人公毫無疑問應該是來自密勒池的靈筠，以及被靈筠帶到密勒池的楊雲表。讀者對這部小說的期待，也應該是：一，作者對武林中最讓人嚮往而又最為神秘的密勒池的講述和描繪；二，作者對密勒池劍客靈筠、楊雲表——尤其是楊雲表——在武林中的所作所為。但我們在這四卷書中，並沒有看到作者對密勒池的敘述，更沒有對密勒池的「揭秘」；也沒有看到靈筠費盡千辛萬苦帶到密勒池修練數年之後的楊雲表有多大作為。書中只寫到密勒池最高領袖愛密羅多尊者派楊雲表下山參加西藏的迎經節，目的之一是要讓張瓊化身的一塊石頭與魔火劍交鋒，變成碧玉寶劍，此事很容易就辦妥了。

另一目的是要將一世達賴手書的貝葉經留在西藏（經書中有武功秘笈），但鐵隱告訴楊雲表，被滿清貝子納蘭明帶走的並非經書真本，而是假經（應該是抄本），真本早已被達賴派人送到密勒池去了。也就是說，楊雲表不必為此奔忙。所以，楊雲表下山很快就完成了任務，回到密勒池，根本就沒有什麼作為。從這一點看，《密勒池劍客傳》實際上名不副實，根本不能滿足讀者的期待。

問題是，楊雲表下山蜻蜓點水，惹出卓映霞一番情孽，是小說第四卷的主要內容，而第四卷並非蹄風先生所作，而是出版方找人代筆完成的。那麼，第四卷的內容是不是蹄風先生的設計？如果不是，蹄風先生的設計又是什麼？

蹄風先生的設計是什麼，我們不得而知。但蹄風先生所遭遇的問題，實際上在第一卷中就顯現了，按理說，密勒池中高人應該懂得歷史命數，即李自成起義、明朝滅亡、清兵入關，都是歷史的必然。靈筠也承認這一點。問題是，既然知道這種歷史命運不以人的意志為轉移，靈筠為什麼明知勞而無功卻還要東奔西走？從靈筠的所作所為看，密勒池劍客的見識不過如此，如此又能期待他的弟子楊雲表有什麼了不起的作為？也就是說，從一開始，作者就陷入了難以為繼的困境之中。因此，這部書很可能是無法圓滿完成，遂有作者生病、找人代筆之事。

當然這只是猜想。本書第三卷開頭（第十三章），作者放下歷史，放下密勒池劍客靈筠和楊雲表，講述川中首富張武、張鐘、張瓊祖孫三代故事，重點是張瓊新婚之日遭遇「川西三怪」襲擊，雖然兩怪被擊斃，但還有一怪蕭鳳清逃脫，並揚言三年後會再來。張瓊避難到甘孜寺，與當地退休官員李暢之女李青萍演出奇異戀情，先後死去，甘孜寺鐵缽禪師將他們合葬，取名「孽緣塚」，死後多年，鐵缽禪師開棺查驗，見張瓊棺中無屍骨，靈魂化為青石。這段故事，應該與作者的整體設計有關，張瓊之子張瓊思與法都瑪的戀情或許與此設計有關。這段神話，與《密勒池劍客傳》的神秘異能應該也有關聯，只可惜作者沒有寫完此書，讀者無法看到作者的完整設計，從而也就無法判斷這部書的成色究竟如何。

《猿女孟麗絲》及《天山猿女傳》

《猿女孟麗絲》和《天山猿女傳》，用了兩個書名，實際上是一部書。[2]

《猿女孟麗絲》只有兩集，共八回，講述猿女孟麗絲深入西藏拜師學藝的經歷。雲南毒龍江土司孟都拉，將野人山人猿之女帶回部落，取名孟麗絲，視如己出，寵愛有加。孟麗絲自幼喜歡武藝，孟都拉帶她到西藏求師學藝，在珠穆朗瑪峰遇隱居在此的天龍大喇嘛，贈她天龍寶劍，命她持此劍到前後藏及青海十八間大寺廟學習飛龍劍法。原來天龍大喇嘛將一百零八招飛龍劍法分別傳給了十八個寺廟，每家寺廟只傳六招，要學全一百零八式，須到這十八個寺廟學習。孟麗絲到日喀則扎什倫布寺拜謁，得班禪首肯，留在寺中學習武功和藏、漢文字，歷時三年。

三年後，孟麗絲來到拉薩拜謁達賴喇嘛，入哲蚌寺學會六招飛龍劍法，而後到噶丹寺，經歷了蓮花椿等多重考驗，方得習藝機會。適逢無定山清風觀紅霞仙子盜走噶丹寺珍珠旗，孟麗絲前往清風觀，盜回珍珠旗，卻被紅霞仙子追殺，幸得僧人徐凌霄救助。徐凌霄講述了他和紅霞仙子之間恩怨錯綜的故事，孟麗絲大為感動，主動將珍珠旗交還給紅霞仙子，讓她與徐凌霄冰釋前嫌。而紅霞仙子也受感動，將珍珠旗送回噶丹寺，二十年仇怨從此一筆勾銷。孟麗絲回程路上，與清廷侍衛成容若（即納蘭性德）同行。成容若暗探紅教甘孜寺，落入陷阱中。《猿女孟麗絲》兩集故事到此結束。

接下來就是《天山猿女傳》，分五集，共十五回。寫孟麗絲到甘孜寺設法救出成容若，揭露黃面如來、赤髮羅漢師兄弟殺害恩師尼堪干布及清廷使者的驚人事實。後聞黃面如來師兄弟要到青海熱振寺，綁架尼堪干布的繼承人獅子大明禪師，又追蹤千里到回疆黑城子，救出獅子大明禪師。其後，孟麗絲拜訪了十八間寺廟，學全了飛龍劍法，即回雲南老家探父。其後，孟麗絲父女與成容若一起到北京，捲入康熙九皇子奪嫡的矛盾漩渦，因不敵大俠甘鳳池，決心繼續拜師學藝，於是遠赴天山，做了紅衣女俠法都瑪的唯一傳人。

在天山學藝期間，孟麗絲兩次下山。一次是準噶爾珊瑚公主比武招親，孟麗絲受命保護哈布王子，挫敗金弓王子呼蘭耶等人，讓哈布王子成為珊瑚公主的駙馬。另一次是到耶律城，參與西北武林比武選舉盟主，孟麗絲與天山南北五鬼三魔展開激戰，又在天門峰論劍時勝過神鷹太子哈迷蚩，卻落入了滿清胤禛王子的算計中。回到天山後，紅衣女俠讓孟麗絲專心學藝，三年不許下天山。

《猿女孟麗絲》和《天山猿女傳》講述的是孟麗絲的故事。故事的主要看點，當然是主人公孟麗絲，首先是她獨一無二的身世，自幼生長在叢林中，由人猿養育成人。在《猿女孟麗絲》中，作者暗示她是人與猿雜交的產物；而在《天山猿女傳》中，苗文寬與孟都拉爭奪孟麗絲，才知道她其實是人猿從野人山下人家偷來的孩子，也就是說她實是人類嬰兒，只是受到過人猿養育。其次是孟麗絲的經歷，從珠穆朗瑪峰拜見天龍大喇嘛，直到耶律城挫敗五鬼三魔，一路都是傳奇。

更可觀的是，孟麗絲的個性，表現了自然野性的馴化過程。孟麗絲的成長，經歷了四種完全不同的環境，即叢林世界——毒龍江半開化部落文明社會——西藏地區宗教文明社會——北京的政治文明社會。

首先是叢林世界，這是純粹的自然，人類嬰兒被野生人猿養育，遵循的是叢林法則。被孟都拉帶入毒龍江部落，是從不開化的叢林進入了半開化的人間，孟麗絲表現出了優異的適應能力。在西藏的宗教社會中，無論是喇嘛教與清風觀道教的矛盾衝突，還是黃教與紅教的矛盾衝突，孟麗絲立場鮮明，遊刃有餘。而在北京，九子奪嫡的矛盾複雜性，遠遠超出了孟麗絲的心智。

孟麗絲離開北京，不僅僅是因為她覺得技不如人，同時更是由於她在這種複雜漩渦中感到嚴重不適，從而本能地想要逃離。以孟麗絲的心智，只能適應非此即彼的二元衝突，卻不能應付更複雜的多元矛盾，例如西北武林的正邪矛盾之上，還有西北武林作為一個整體與滿清王朝的鬥爭。證據是，在耶律山比武選盟主的故事中，孟麗絲就差點成了年羹堯、胤禛皇子的政治工具。

小說中的孟麗絲故事，極富傳奇性和想像力。孟麗絲的身世及其求師過程，如同環珠樓主的劍仙故事，紅教領袖尼堪千布的三大弟子即黃面如來、赤髮羅漢、金眼妮妮，及其後出現的鐵真人、紅衣女俠、風雷真君、癩和尚、玄玄女俠、陰陽妖女白蓮仙、五鬼三魔、烏瘤和尚等人物的武功技能，無不遠遠超出常人。

更奇妙的是，這部作品並非單純的劍仙故事，孟麗絲的成長經歷，始終在一個明晰的歷史框架之內，那就是滿清入主中原，政治勢力逐漸向西藏、新疆等邊遠地區滲透，書中各地各派的首腦人物，無不在滿清政治勢力影響之下。實際上，滿清的政治人物，例如成容若、四皇子胤禎、年羹堯以及參與奪嫡的諸位王子，也都化身為武林人物，成容若、年羹堯、胤禎等人還都是超級武功高手。成容若參與了甘孜寺故事，年羹堯和胤禎則出現在耶律城。純粹武林人物的行為方式近乎劍仙，但他們的價值觀和行為邏輯仍是現實中人；純粹歷史人物的行為動機十分真切，但他們的行為方式卻符合虛構武林世界的基本規則，如此，虛構的武林社會與真實的歷史背景就得到了有機縫合，形成特定的傳奇空間。

這部作品當然也有弱點。首先，是《猿女孟麗絲》中插入徐凌霄與紅霞仙子的故事，即敵對部落的兒女戀情，雖如羅密歐與茱麗葉故事那樣動人，但那畢竟是個獨立故事，與孟麗絲故事的關聯性不大。故事有兩回，篇幅比例未免失當。

其次，是女扮男裝的孟麗絲得到珊瑚公主青睞，直到入洞房後才以哈布王子替換，傳奇性十足，情理性則成問題。孟麗絲這樣做，對珊瑚公主極不尊重。實際上，在入洞房之前，她有時間與機會撮合這對新人。珊瑚公主的師父癩和尚明知孟麗絲是女性，卻不提醒珊瑚公主，如此視婚姻如兒戲，讓人難以接受。

再次，在耶律城故事中，紅衣女俠法都瑪派孟麗絲前往，以為她能對付五鬼三魔，實際上孟麗絲卻不是五鬼三魔的對手。這就有些自相矛盾，紅衣女俠猶如神人，豈能如此見識不足、料事不明？孟麗絲幾次被五鬼三魔抓獲，都得到了年羹堯的救助，如此安排，體現了滿清政治人物胤禎皇子的精明算計，但這樣一來，衝動任性的孟麗絲，就成了胤禎皇子的工具乃至玩具。這樣的寫法，在傳奇故事層面固然有較好的效果；但在人物形象層面，則讓主人公孟麗絲的主體性受到限制、能動性受到嚴重削弱。其結果，使得主人公孟麗絲成了一個單純的打手，既不知道為何而戰，更不知道如何應對複雜局面。

總之，小說主人公孟麗絲的形象相對淺薄而簡單。孟麗絲的武功在不斷提升，但她的心智水準卻沒有相應的提升，她的個性也沒有明顯的深化發展。小說呈現了孟麗絲在不同的文明群體中的經歷，營造了孟麗絲個性發展的有效空間，但作者一味寫作傳奇，卻忽略了主人公孟麗絲適應、成長、進步的實際路徑。

《清宮劍影錄》

在環球圖書雜誌出版社出版的《清宮劍影錄》正文之前，有作者《以詩代序》：

自鑄蕪詞寫眾生，娛人娛己寄閒情。
雖無白雪陽春調，卻有荊軻擊劍聲。
百年舊事話康雍，赤血如花映月紅。
帝主蛾眉決生死，縱橫劍影落清宮。
英雄酣鬥百千場，名士多情俠士狂。
博得世人爭一笑，花光劍氣入文章。

本書講述滿清雍正朝故事。說雍正登基後，背叛江湖道義，用毒酒殺害路民瞻、周潯等人，呂四娘、甘鳳池、白泰官等江湖同道誓報此仇。雍正聘得滿族劍術高手亞密當、密勒池高僧赤空三藏及崆峒派等諸多武林異人，欲將所有與之為敵的武林人物捕殺。而以三音神尼為沙哈洛為首的武林俠士，不畏強暴，前赴後繼，不斷與雍正展開殊死拼爭，雍正最終被呂四娘所殺。

小說的主題，是反暴君，即只是針對雍正，而非針對滿清政權。也就是說，並非反清復明。證據是，書中無一個人物是以恢復明朝為奮鬥目標或戰鬥口號。實際上，「反清」也非小說主題。證據是，小說結尾，包括大漠派的沙哈洛、崑崙派的司馬長纓、青藏派的王雪蓮（即密勒池的慧塵）、少林派的甘鳳池、衡山派的呂四娘、太極派的王崇明、武當派的雲霄等武林各派代表，都同意亞密當提出的要求，終其一生都不得傷害雍正繼位者和碩寶親王（乾隆）的一根毫髮。[3]

小說開頭，寫滿族少年那亞兒、亞密當同門學藝，後分道揚鑣，前者與雍正勢不兩立，後者成了雍正的忠心侍衛，故事從容舒展，厚樸大氣。按身分與性格論，貴族出身而性格偏狹的那亞兒似應站在雍正身邊，身分貧寒而天性豪邁的亞密當則應是雍正的反對派（亞密當的師父恰是與愛新覺羅族有仇的葉赫族人），作者安排出人意料，小說情節更加可觀。可惜那亞兒過早犧牲，無法與亞密當爭鬥到底。

另一微瑕，是書中說那亞兒曾為納蘭容若的心腹衛士，而納蘭容若死於康熙二十四年（一六八五年），離雍正繼位還有三十七年之久，如此算來，到雍正四年聘用亞密當時，他該有六十歲左右；而到雍正被殺時，已成七十老翁。這與書中所寫並不相符，三音神尼沙哈洛長亞密當一輩，直到小說結尾，作者說她「剛是四時許人」[4]，所以如此，顯然是作者沒有計算年代。更大問題是，那亞兒、亞密當故事的時間安排過早，與主要故事情節即雍正朝故事相隔較遠，難以銜接。

雍正故事前半部分，雖是熱鬧好看，但書中雍正似乎時時刻刻都在謀劃消滅武林好漢一件事，與一般武林幫派掌門人的差異不大。讓岳鍾琪將軍修建華山黑獄，將重要犯人送往那裡，似乎也非良策。小說最後部分，雍正死前的那段時日，才像是一個皇帝，做皇帝所做，想皇帝所想。此時，雍正也才像一個人，他對孟麗絲的情感，孟麗絲對他的情感，給人留下了印象。

但讓人印象深刻，並值得回味的，卻不是故事情節，而是書中的幾個人物。首先是亞密當，此人入宮侍衛雍正，是遵照師父之命，但後來得知師父原意恰恰相反，卻也並不改變初衷，繼續為雍正服務。他對雍正忠心耿耿，卻又並不惟命是從，雍正讓他處死沙哈洛，他卻將沙哈洛放走；雍正要他殺紫陽道長，他卻顧全武林道義而再次放生。這表明，大內侍衛領班的政治身分，並沒有改變他的獨立意志和道德操守。雍正恨其不忠，將他毒死，孟麗絲設法讓他死裡逃生，他非但沒有找雍正報仇，也沒有就此灰心喪氣，而是在暗中保衛雍正。看似愚忠的行為，卻讓人肅然起敬。

另一讓人難忘的人物，是來自密勒池的赤空三藏。此人受邀入宮，被雍正供奉為國師，固然是熱衷功名，有虛榮之心，且為雍正做過不少壞事；但卻也不敢忘其根本，儘量不親手殺人，且從雍正手下拯救過若干武林人。最讓人難忘的是結局，當密勒池使者來臨，雍正拒不踐諾（**敕封他為後藏政教首領**），他不但由此看清了雍正的本性，更徹悟了世俗價值的虛妄，因而自割頭顱，自贖其罪，護衛尊嚴，且以大智大勇求證大道，震撼人心。

三音神尼沙哈洛的形象，也寫得很有特點。雖然她身分崇高，武功驚人，但卻如和煦陽光，普照大地。從一開始，就寫信給亞密當，解釋誤會；亞密當找她報仇，她還是處處容讓，避免對敵，進而以德報怨。亞密當對雍正死心塌地，與江湖俠士為敵，她仍良言勸導，播種善種，啟發慧根。更讓人印象深刻的是，她是佛教領袖，卻並非徹底否定人性，亦未斷絕情懷，對情人王春明的懷念終生不渝；而對女兒佛光，即雪山蓮的愛也始終溢於言表，當女兒要放棄聖嬰身分，改名王雪蓮，決心還俗，與司馬長纓相伴，她也不加指責，公然表示凡女兒所想她都支持，一如世俗良母。

小說中，佛光（王雪蓮）與司馬長纓的戀愛也寫得有聲有色。司馬長纓千里追蹤到密勒池，佛光在佛教規範與兒女私情間徘徊掙扎的過程，就相當感人。而小說結尾處，司馬長纓枕在佛光膝上長睡兩日，累得佛光坐著不敢稍動[5]，稱得上是小說中最動人的場景。

《武林十三劍》

本書承接《清宮劍影錄》，講述滿清乾隆朝故事。武林反清勢力領導人沙哈洛等曾與保清勢力領導人亞密當等盟誓，不加害雍正的繼承人乾隆。乾隆繼位之後，想把被父皇雍正逼走的十四皇叔允禵找回來，並試圖恩威並施，用籠絡和挑唆之法消除民間的反清勢力，開創太平盛世。但乾隆、允禵的威逼，不能使武林平靖；而甘鳳池、呂四娘等人也不願放棄反清復明的初衷，朝廷與民間武林的衝突仍在繼續。

年輕一代武林高手的湧現，使得滿清朝廷與民間武林的衝突增加了極大的變數。結果是，朝廷不能平靖江湖，武林人也不能達成反清復明的目標。故事的高潮，是大、小金川之戰，人物立場轉換出乎意料；而反清勢力受挫乃至犧牲亦在所難免，將乾隆私生子福康安抓為人質，也無法改變既有大局。

本書共廿四集，長達百餘萬言，故事情節相當精彩，足以吸引讀者不斷追蹤。值得一提的是，梁羽生《白髮魔女傳》中的卓一航、玉羅剎故事線索在這部書也被提及，卓一航曾幾次露面，其女兒卓明珠還是書中的重要角色之一。此外，金庸《書劍恩仇錄》中浙江海寧陳世倌之子、紅花會總舵主陳家洛，在這個故事中變身為江南兄弟會總舵主「陳家漢」，與卓一航之女卓明珠成了戀人。作者顯然借用了梁羽生、金庸小說的資源。

書名《武林十三劍》，可知本書的主人公並非一人，而是一個複數，即所謂「十三劍」。指的是哪十三個人？是本書讀者要面對的一個問題。答案是：不確定。在本書第四集裡，玄玄女俠給乾隆留下「天下十二劍」的預言，即：天山號傳人（**孟麗絲**），臥虎稱一絕（**亞密當**），陽光之女神（**沙哈洛**），密宗傳衣缽（**王雪蓮**），五龍一脈承（**司馬長纓**），三劍東南北（**東虎、南蛟、北龍**），屠龍驚海內（**呂四娘**），豪氣蓋西陲（**朗瑪先**），神劍播威名（**李來風**），鐵臂扶真主（**周日清**），嵩嶽千面人（**陳家漢**），武當來巾幗（**卓明珠**）。但在第廿三集裡，又出現了「少林十三劍」聚義，列出了十三人：至善禪師、李來風、陳家漢、上官雲華、甘碧、卓明珠、雲妙香、鄧紅綃、小飛龍、沈鴻、周復明、呂芃姐、莫臥兒等。作者本人是否能說出「十三劍」確切所指？恐怕也不一定。

所以這樣說，是因為這部作品的寫法，與大多數武俠小說一樣，有些「信天游」，也就是想到哪裡寫到哪裡。故事開頭幾集，明顯是以年羹堯之子為主人公，在雍正時代，被迫隱姓埋名，隨王涵春學藝，化名王建中；而在乾隆時代卻被造就為忠心耿耿的鐵臂侍衛，誓死保護乾隆。只不過，他的故事，只是本書的「楔子」，這「楔子」長達三集半，有十幾萬言，到第四集才開始故事正文。此後，金羅漢培植北龍、東虎、南蛟、西鳳四大門徒，試圖稱霸武林，同時反抗清廷，或以為這幾個人才是本書的主人公。問題是，沒過多久，東虎、南蛟先後被殺，北龍也未成氣候，唯西鳳作為允禔之女、武林最大變數，貫穿小說始終。

以故事的「戲分」和重要性而言，西鳳（幼時名梅玲，後來被稱為飛鳳郡主）、司馬長纓和王雪蓮三人，算得上是本故事的主人公。在本書中，司馬長纓、王雪蓮正式結為夫婦，飛鳳單戀司馬長纓，曾設計讓司馬沾腥，後因允禔籠絡成功，讓二女共事一夫。飛鳳郡主成了司馬夫人，而司馬夫婦則成了保皇派。

這一設計，有兩個重要問題。一是，司馬長纓之父和王雪蓮之父都是被滿清王朝所殺，這兩個人如何會成為殺父之仇的鐵桿幫凶？若作者能寫出這兩人從反清義士變成清廷鐵桿保皇派並受封郡王和郡主的心路歷程，若合情合理且絲絲入扣，那一定是絕妙的小說構思。可惜作者並未在這方面做功夫，而是用取巧之法演繹傳奇，讓王雪蓮摔成失憶症（忘記自己的真實身分，以為自己是允禔長女飛鸞格格），讓司馬長纓吃下迷魂藥（死心塌地愛上飛鳳），最後又讓飛鳳神經錯亂。三位主人的「變心」之法，過於取巧，醒悟之道亦未見高明。

具體問題是，王雪蓮因妒生恨，發瘋發狂，以至於摔下秘魔崖，患失憶症，被允禔所利用，說她是他的長女飛鸞格格，從而甘心做清宮打手。若從「失心瘋」角度寫倒也罷了，問題是，與此同時，雍正托夢給乾隆，讓他派人到秘魔崖下等待王雪蓮掉落，以便加以利用，這就將心理問題變成了神話（迷信）宿命，從而降低了小說的意涵。

另一相關問題是，西鳳誘騙司馬長纓：一個十四歲的孩子怎麼懂得妓女魅惑之術？

又一問題是，呂四娘為救司馬長纓，讓雲裳假扮常雨雲，抓她之後，混入清宮，結果是自己把自己送入虎口，不像是一個老江湖的做法。

更嚴重的問題是，書中司馬長纓、王雪蓮、西鳳三位主人公最後都成了清廷打手，讀者如何建立立場和價值認同？

《雙劍盟》

《雙劍盟》寫於一九六〇年。說杭州公子張定宇、孟良（阿孟）主僕，與京中首富之子黃恩盈、皇族朱半仙、遼東東方亮（玉面潘安）等人相識於北京明月樓，其後的故事情節及人物命運安排即屢屢出乎意料。故事發生在明末清初，既寫明朝腐敗，也寫李自成為牛鬼蛇神，並寫滿洲為韃子，主人公雖然與這些勢力都有所牽連，但作者的立場超然。國族認同並不明顯，或因香港特殊視角。

此書的武功設計也頗見心思：有色彩武功、聲音武功、聽覺武功、味覺武功、更有張定宇的精神武功云云。遺憾的是，沒有哪一種武功給人留下真正深刻印象。

還有一點也頗新穎，那就是寫出了長江後浪推前浪，世上新人趕舊人，在「二聖一奇、雙魔三俠」之後，又有一批新生力量出現於江湖，例如陸雲、黃眉及張定宇、孟良、黃恩盈等。

此書的局限，是結構與人物形象方面。按理說，本書的主人公應該是張定宇，但張定宇在劫鏢事件結束後即中途拜師學藝，消失了很長時間。書名《雙劍盟》，雙劍所指一直不明，最後才知道是說張定宇和柳青兒，這兩人聚少離多，情感、個性及相互關係的敘述也不充分，主體性也不強，形象並不鮮明。張定宇貌似有主見，其實只是師父的應聲蟲。其師父摩訶明，「摩訶」意思為「大」，摩訶明亦即「大明」，但此人卻是藏僧，與大明沒有關係，且對大明之亡也沒有同情。

在張定宇離開的時間內，作者不得不讓其他人來替代，從而削弱了張定宇故事的完整性和形象的整體規劃。作為小說，本書沒有做到讓故事情節隨著人物性格和命運的路徑走，而是讓故事推著人物走，以至於人物被動於故事情節，且下筆有「信天游」情形，如第廿八回寫孟良拯救玉面潘安東方亮，東方亮生死未卜，而作者卻丟下這一線索，轉而敘述阿孟的經歷，這也還罷了；不料由阿孟的經歷又轉到寫藍太極與常綠葉的愛情故事，一連好幾回，記性不好的讀者差不多要將東方亮的事忘記了。而藍太極只不過是孟良的師兄罷了，在小說中並不是什麼重要人物。藍太極與常綠葉的愛情故事，雖有傳奇性，但卻是節外生枝，與小說的主幹關係不大。

書中人物眾多，但能夠給人留下深刻印象的卻不多。書中雖說有「二聖一奇，雙魔三俠，最厲害還推武潘安，關西也有辣刮刮。」等十一位武林名人，但雙魔很晚才露面，且與故事主幹幾乎無關；三俠是誰，甚至沒有明確交代。一方面是因為這些人物來來去去，無法深入瞭解；另一方面是作者志不在此，只是要講故事而已。「彈指崑崙」吳不問、「太虛劍聖」秦懷遠、「神丐」李九霄等追隨史可法，在揚州殉難，有一段精彩故事，但這些人物卻沒給人留下什麼深刻印象。

本書有受金庸小說《碧血劍》和《射鵰英雄傳》影響的痕跡，只不過價值觀有所不同。對李自成等歷史人物大多採取刻板印象，有時候乾脆直接以「牛鬼蛇神」稱呼，更出人意料的是，書中說山西傅山也投靠了李自成，號為「傳神仙」，以毒藥陷害「彈指崑崙」吳不問，又與藍太極爭奪常綠葉，形象頗為不堪。——在這方面，此書可與金庸《碧血劍》比較，金庸作品中的李自成是正面形象，為萬眾所期盼。這是新中國意識形態的表現，但金庸小說的妙處在，既寫出了李自成的卡里斯瑪形象，亦寫出李自成的心理和精神局限：可帶頭造反，卻非人民救星。

《龍虎下江南》

《龍虎下江南》，開頭講述傅恆、岳鍾琪、司馬長纓等人平復了大小金川之亂，回到北京，這是承接《武林十三劍》。懸念是：飛鳳、福康安失蹤。

小說的正文，是寫十三劍中最小的一位，即代表少林寺的女弟子莫臥兒成長故事，她是少林寺掌門人隱禪大師的弟子，立志為師父隱禪大師報仇，一心尋找飛鳳郡主，且要刺殺乾隆。為此，她到密勒池盜取《龍猛真經》，與和尚窮、金羅漢兩位武林前輩發生矛盾衝突，並為解救密勒池大弟子哈巴羅而舌戰群僧。把密勒池典藏的武學經典《龍猛真經》當作「少林練功秘訣」，並把它刻在黃河源頭星宿海的石頭上，練成超級武功，又因服用玉液金髓丹而功力大增，成為新一代高手中的佼佼者。多次與飛鳳對抗，追蹤到江南，捕獲福康安。

莫臥兒這個名字的非常之處，是印度歷史上有「莫臥兒王朝」，那是突厥化蒙古人建立的強大王朝。書中的莫臥兒與這個王朝沒有關係，只是回部的一個少女而已。即便如此，她也因這個名字而給人留下深刻印象，且肯定會與孟麗絲、沙哈洛一樣，成為蹄風小說中的別樣風景的重要座標。可以說是蹄風小說中的第三位異域人物經典。

小說中出現了一批青春期少男少女，包括少林弟子莫臥兒，金羅漢的弟子燕山郎，和尚窮的女弟子梅心美，和孟麗絲的弟子、乾隆私生子福康安。這幾個人都是在十三至十六歲之間，成為武林新一代的代表人物。其中，莫臥兒是堅決反清者，福康安是滿清皇帝乾隆的私生子，當然站在滿清立場；燕山郎相對中立，梅心美本來也是堅決反清者，但因個人情感關係而誤入歧途。

書中讓人印象最為深刻的故事線索，也正是這幾位年輕人的情感關係，形成了一個出人意料的「閉環」，即莫臥兒喜歡燕山郎，燕山郎喜歡梅心美，梅心美喜歡福康安，而福康安喜歡莫臥兒。這也不難理解，他們都是少年，正處於青春發育期，個人心理和人格都在成長過程中，情感因緣複雜難測。

莫臥兒喜歡燕山郎，是因為燕山郎是她遇到的第一個同齡人，而且燕山郎有一種放浪不羈的個性，對我行我素的莫臥兒有強大的吸引力。只是兩人相遇時，莫臥兒已經懂得情愛，而燕山郎卻還懵懂。所以，這兩個人的情感陰差陽錯，等到燕山郎懂得愛情時，他的目光已經投向了師妹，即和尚窮的女弟子梅心美。

梅心美與莫臥兒的主要差別，是梅心美具有更明顯的女性氣質，更為溫柔和婉，與意志堅定作風硬朗的莫臥兒完全不同。也正因如此，梅心美被典型的公子哥兒福康安所吸引，而覺得師兄燕山郎粗俗而土氣。書中最生動的故事情節，正是梅心美情不自禁地愛上福康安，即便知道了福康安是小貝勒，也無法改變她的情感傾向。因而，在甘碧抓住福康安之後，梅心美鬼使神差地將他釋放，並跟隨他到龍船上，成了福康安的情婦。反清立場、民族衝突、家族仇恨等等，都被她拋在了腦後。

這也難怪，因為民族、家族仇恨之類都是超我，而情感欲望則是本我，本我的力量顯然大於超我。更何況，她是和尚窮的弟子，而和尚窮則是乾隆的同父異母兄弟，梅心美或多或少會受師父的政治立場的影響。最重要的因素，當然還是不可預測的情感力量。

福康安是書中的一個重要的反派典型。他聰穎過人而且胸懷大志，小小年紀就成了武功超人孟麗絲的入室弟子，從小耳濡目染，對宮廷政治無師自通。因而成了莫臥兒等反清志士最可怕的敵手之一。他第一次出手，是幫助莫臥兒營救燕山郎，說他懂得「五鬼搬運功」，將被皇家囚禁的燕山郎從皇宮運到了妙峰山，從而讓莫臥兒心懷感激，對康清——福康安——深信不疑。

此事有幾點可說，一是他喜歡莫臥兒，願意為她做事，以便爭取她的好感。二是他這樣做也有另外的目的，那就是以此獲得反清志士的信任，以便混入反清隊伍中掌握第一手情報。三是燕山郎乃是金羅漢的弟子，金羅漢是和尚窮的好友，而後者是乾隆的同父異母兄弟，金羅漢和和尚窮都曾幫助滿清對付過反清志士。飛鳳抓住燕山郎，並不是要對燕山郎本人怎樣，而只是要利用燕山郎誘捕莫臥兒等人。福康安要利用燕山郎取得莫臥兒的好感，不難獲得乾隆、飛鳳等人的同意。

進而，福康安與莫臥兒、梅心美的關係也有分別，對梅心美，他是要加以利用，再加本能欲望，並沒有真心地愛上對方。越是如此，他誘騙梅心美的言語和行為就越是自如。尤其是梅心美將他釋放之後，為了表示感激，他會表現得更符合梅心美的期待，從而將梅心美更加牢靠地握在手中。而對莫臥兒則完全不同，那是一種無法自禁的情感，超越了功利追求。也正因如此，他在第十一集的結尾，才會被莫臥兒抓獲。

司馬長纓的變化是一大看點。他的父親司馬瀛死於雍正之手，但他卻成了乾隆的將軍，且屢立戰功，繼而成了金川之主。所以如此，是因為飛鳳郡主深愛他，幫助他不斷立功；繼而他也深愛上飛鳳，覺得飛鳳對自己一往情深十分難得。與此同時，他與王雪蓮有約，即要利用自己的身分，讓大小金川成為反清復明義士的基地。

實際上，他也被官場所吸引，有意無意間習慣了榮華富貴的生活，雖然其母親之死是一個嚴重警告，但他卻以身負重任為自己開脫。或許他真的這樣想，但回到金川、再見飛鳳，尤其是當飛鳳為自己生下兒子之後，他的想法卻發生了變化。他是真的想要與飛鳳長期廝守，潛意識中希望在官場上繼續生存。王雪蓮催促他亮出反清復明的旗幟，讓他無法接受，直到王崇明來，讓他想起父親慘死、母親自殺、飛鳳的欺騙、王雪蓮的深情——更主要的是明白了自己的處境危如累卵——終於恢復理智，下定決心離開官場，開始萬里尋妻。

和尚窮和金羅漢的形象及其變化。和尚窮是個放浪不羈的世外高人，但也有其性格弱點，喜歡我行我素，但有時候難免恣意妄為，去密勒池盜取《龍猛真經》就是最好的例證。更重要的是，當他知道自己是雍正的私生子，是乾隆皇帝的同父異母兄弟，有滿清皇族血統，不免會有其民族身分與血統認同，從而勸老友金羅漢幫助清軍。另一面，他畢竟不是官場中人，也不願讓皇宮權力鬥獸場的種種規則束縛自己，因而他在滿清官府和漢族武林的衝突中成了最大變數。

在與莫臥兒的矛盾衝突中，最能表現和尚窮的個性，莫臥兒戲弄了他和金羅漢，但在峨嵋山再見莫臥兒時，卻沒有落井下石，反而提醒莫臥兒趕快離開。進而，在某些時候，他還會幫助義士與朝廷鷹爪做鬥爭，例如他戲弄葛木合，又為營救金羅漢而與葛木合、紅眉喇嘛、黑面神暗地裡搗鬼，等等。但他卻既不是反清之人，也不是滿清朝廷屠殺義士的幫凶，他答應乾隆下江南，正是擔心孟麗絲好勝殺人。

金羅漢也有自己的民族身分認同，到這部書中，他雖然一直與和尚窮同行，但卻不再參與和尚窮幫助清廷的行動。例證是，他與和尚窮互換弟子，在無量山鄭祥雲師太的提示下，找一女生梅心美做和尚窮的弟子。這不光是他害怕對方的弟子比他的弟子強，更重要的是防止和尚窮教出武藝高強的弟子成為朝廷的幫凶即新一代鷹爪。

進而，和尚窮邀請他下江南——因為乾隆要下江南——他拒絕同行。此時他已年高，不免要考慮自己是誰，更希望有個好弟子。但他並不是反清復明的鬥士，而是置身事外的方外高人，他也是這部小說中的一個變數。

小說中重構了權臣和珅的身世與經歷，說他是那亞兒的後人，和哥哥哈布丹一起投入了碧琅釣叟葛木合門下。獲得誠親王允禵的推薦，拜在滿族著名劍客亞密當——也就是他的殺父仇人——門下，五年後，用慢性毒藥殺害了亞密當，並取得了亞密當的黃龍劍，回到師父葛木合身邊後，投入成親王妻子阿丹門下，為接飛鳳回京，挫敗了武林十三劍的圍追堵截而立下汗馬功勞。

在本書的大部分故事情節中，哈和珅——和珅——稱得上是第一反派，他在碧琅釣叟葛木合門下只是一個超級打手而已。是阿丹要推薦他當大內侍衛時，此人做出了最出人意料的選擇，即不願去當侍衛，而願意當乾隆的轎夫。結果很快就被乾隆賞識，很快就成了乾隆的第一寵臣——此後的故事，與歷史上的和珅故事基本相似。和珅的故事，不僅是為小說增加了一個有意思的反派，由於他是滿族著名劍手和反抗者那亞兒的後代，此人投向乾隆並成為乾隆身邊的第一寵臣，具有反諷意味。

蹄風在小說創作中，還有一個有趣現象，那就是拿金庸、梁羽生的小說人物尋開心，改寫一些人物的形象和命運，如對武當鉅子卓一航、白髮魔女練霓裳的形象和命運的改寫——卓一航的女兒卓明珠還出現在這部小說中，與陳家漢連袂而行，成了這部小說的一道風景。

在這部小說中，作者又拿金庸的《書劍恩仇錄》尋開心，金庸的《書劍恩仇錄》是以海寧陳世倌之子陳家洛為主人公，而這部小說中出現的陳家漢，則說是海寧陳世倌的孫子，更有意思的是，當飛鳳率人到相國府搜查「反賊」後，陳家漢向爺爺陳世倌老實交代了自己練武學藝、結交江湖志士的消息，陳世倌說要想一個辦法讓乾隆認為自己是陳家後代。也就是說，乾隆懷疑自己是陳家後代，是陳世倌一手設計的。在真實生活中的陳世倌當然不會這麼幹，因為這樣做有欺君之罪，且罪不可赦。但這是小說，戲說也沒有關係，重點是提供有別於《書劍恩仇錄》的另一版本，即《龍虎下江南》的專屬版本。

蹄風顯然很熟悉晚清小說《聖朝鼎盛萬年青》，本書中對這部小說也有戲仿與改寫，那就是讓乾隆在出東華門至楊柳青港上船之後（這些都是按照歷史真實書寫的），因和珅建議微服前行，化名高天賜，帶著周日青，這就重現了《萬年青》中的場景。只不過，《龍虎下江南》的真正目的，是要將武林中的反清勢力一網打盡，與一路遊山玩水的《萬年青》中高天賜故事並不相同。這部書中的馮道德、至善等人的姓名和身分，顯然也與《萬年青》有關。只不過，對馮道德的描寫基本上是把他當作一個壞蛋，而對至善的描寫則更為簡單。

本書的主要不足之處，是蹄風小說一貫弱點，一是小說缺乏整體結構，二是對主要人物的心理與個性描寫缺乏深度。《龍虎下江南》的結構整體性雖然比此前的小說略好，至少是主線始終很清晰，即從司馬長纓等平復大小金川之亂後回京，然後再去找飛鳳，飛鳳被囚禁得到解脫，回到北京，跟乾隆一起下江南，這一主線是清晰的。在這一主線發展過程中，則串聯了諸多與主線關聯並不太深的副線，影響了主線的發展。最重要的證據是，小說寫到第十二集就匆忙結束，「水陸擂臺」故事虎頭蛇尾，與前面的渲染和安排並不匹配，以至於作者不得不再寫續書。

主人公個性缺乏深度，主要是指對莫臥兒、燕山郎等人的刻畫，只停留在故事層面。例如對莫臥兒偷盜《龍猛真經》的過程講述佔據了大量篇幅，而對莫臥兒練武的過程則相對淡化，只好用玉液金髓丹來增加她的功力。更重要的是，她對師父隱禪上人的情感沒有生動的呈現；與至善的相遇也近乎神話。莫臥兒的個性並沒有得到充分發掘和表現，她的政治立場、個人情感也都只是輕描淡寫，停留在一般故事層次。所以，作者不得不用大量其他人的故事來補充或串聯。

在寫到乾隆要微服前行，讓和尚窮上船扮演乾隆，這本身就有點隨意。而福康安誘騙梅心美，還說這是乾隆要以此要脅和尚窮，則是隨意過分了。和尚窮雖然是雍正的私生子，是乾隆的同父異母兄弟，在滿清皇權重大危機時，他可能會毫不猶豫地幫助乾隆及滿清皇家，但在平日裡他應該不會接受乾隆的召見，不會去做乾隆的替身。若發現乾隆拿他的弟子梅心美作為要脅，很可能會適得其反，讓和尚窮反戈一擊。書中的和尚窮沒有這麼做，那是作者人為安排，而不是和尚窮應有的個性表現。

總之，《龍虎下江南》是一部可看的小說，在一定程度上還可以說是一部很好看的小說，但卻算不上是一部好小說。

《龍虎下江南》曾被改編為電影，蕭笙編劇、康毅導演，曹達華、于素秋、蕭芳芳、陳寶珠等主演，上下集，公映時間為一九六三年五月、六月。

【注釋】

1 蹄風：《游俠英雄新傳》第六集第四三五頁，香港，環球圖書雜誌出版社，一九五七年一月。

寫成丹青奇俠。這位武功不俗的僧人，有典型的文人氣質。被少女薛若素無理糾纏，開始是無計逃避，繼而是逐漸生情，一度產生應緣還俗之想。他想為父親報仇，刺殺前明廣西巡撫瞿式耜之子，發現仇人父子深明大義，因而躊躇再三，終不忍下手。更有意思的是，有人報訊說，薛若素的父親薛元敬是他的仇人，一因找不到確切證據，二因與薛若素情絲糾纏，也只能壓抑自己的復仇衝動。如此搖擺，既見個性氣質，更顯內心悲苦。是本書的一大看點。

清廷派出大批高手圍攻天臺山，目的是抓捕義軍領袖，消滅抗清力量，實際上卻也影響到在山中避亂隱居之人。皇甫璧和辛大娘隱居的綠竹窩，苕溪釣叟和孫女杜小青的隱居地，都被滿清鷹爪入侵，是所謂覆巢之下無完卵，山中無地可避秦，這兩組人物故事，是本書的另一看點。

本書的不足之處，是缺乏整體構思。打鬥篇幅過多，儘量鋪排而不加剪裁，遠超過情節敘事之需，以至於一些重要的謎團沒有解開，例如，辛大娘與東方玉如究竟是什麼關係？她為什麼不許東方玉如與心上人皇甫璧見面？辛大娘、東方玉如離開綠竹窩之後去了哪裡？進而，薛元敬究竟是不是元濟的仇人？他在靖江王蒙難事件中扮演了什麼角色？進而，滿清鷹爪圍攻凌雲寺，目的是抓捕義軍領袖，然而書中卻沒有義軍的影子。

薛若素奉命勸說皇甫璧當抗清娘子軍領袖，皇甫璧也答應了，但直到本書結束，誰也沒見到娘子軍。更遺憾的是，本書以《丹青奇俠記》為名，卻沒有專注於主人公元濟／石濤的故事，在天臺山之圍故事段落中，元濟的故事似乎不再是本書的主線。八大山人、牛生慧這兩大王子畫家，雖變身武林高手，曾多次與主人公元濟／石濤相見，除最後一小段外，作者對他們見面的書寫重點在傳奇，很少見到其心靈的袒露與碰撞。

《邪派高手》

作者於一九八三年為本書結集出版寫了一篇《前言》，說七年前小說還在連載，且連載了三年多，可以推測這部作品連載於一九七四至一九七六年間。[1]

這部小說可謂「小傢伙走江湖系列童話故事」。

小說最突出的特色，是塑造了一個與眾不同的主人公。首先，他從十歲開始獨立生活，行走江湖，十三歲即大鬧京師，在江湖成名。其次，他不但武功高強，而且醫卜星相、琴棋書畫無所不通，他甚至還懂得鳥獸語言。更神奇的是，雖然有幾位高人教過他，但卻沒有正式拜師。再次，他有很多名字，例如：小傢伙、凌起石、小石頭、小石子、石喜棱、石敢當、鐵鋒、石如鐵、冷天風、黑大哥等，每個名字都是一段傳奇。又次，凌起石的與眾不同之處，在於他善於學習，尤其善於思考，善於開動腦筋。面對不同的江湖人物，他總是要進行調查，而後再採取相應行動。

最後，是因為「凌起石堅持自己的意見，說由過去事實證明，名門正派一樣有叛徒，有壞人，除非他不做壞事，不是壞人，否則，就該予以應得的處罰。若果因為他是出身名門正派就予以通融，那不但不公平，而且有縱容之嫌。他主張好人就是好人，壞人就是壞人，該由其本人去負好與壞的責任，不能由其門派去負責與判別。對於好人與壞人當然有不同的對待，卻不能因其出身及門派而有所分別。」這種個人主義價值觀，不被當時人所認同。所以，儘管他仗義行俠，助弱鋤強，而在正派人眼裡，他仍不能算是正派中人，而只是個「邪派高手」。

說這部作品是「系列童話故事」，是因為，這樣的傳奇主人公，只能在童話中才能出現。只有在童話中，人們接受主人公是什麼人，不會問為什麼。而小說所寫情節，從幫助劉玉鳳奪回被劫的鏢銀、幫助正派官員呂旭洗清罪名從而大鬧京師，到救助輕生女子、剷除江湖黑店，相互間並沒有什麼關聯。小說創作，無非是一個故事接著一個故事，讓主人公在不同情境中歷險，結果是好人被救、壞人被殺。作者原本只打算連載兩年，但應讀者和編者的要求，不斷延續至連載三年之久，就是因為系列故事可以不斷地延續下去。因此，在這部小說中，除了呂玉娘、尚青、金不換及劉玉鳳、竹瑩等少數人物外，大多數人物都是匆匆而過。

以童話標準看，這部作品可得高分；若以「成人的童話」標準看，則有不少扣分點。首先，它不完整。證據是，將凌起石養大的高仲坤到底是生是死？本應該成為主人公最關切的問題，但作者卻忽略了這一點，以至於明明在昆明殷家莊聽說高仲坤有難的消息，凌起石也說要去拯救高仲坤，但卻一路耽擱，直到小說最後也沒有去尋訪高仲坤的消息。

小說的另一個扣分點，是缺乏整體結構，作為系列故事，只有情節連環，但卻沒有整體性設計。凌起石誅殺少林、武當等名門正派的不肖弟子，這些名門正派是否會找凌起石麻煩？是否會聯手對付這一「邪派高手」？作者完全沒有考慮這一點。另一方面，凌起石屢次與邪惡勢力作鬥爭，而邪惡勢力竟也沒有採取聯合行動對付凌起石，這就更說不通。所以如此，是因為作者讓主人公率性而為，也讓小說信天游，寫到哪裡是哪裡。

【注釋】

1 顧鴻：《邪派高手．前言》，第一—三頁，貴陽，貴州人民出版社，一九八八年。

◆朱愚齋小說述評◆

朱愚齋（一八九二—一九八四），原名朱棠，字愚齋，別號齋公，南海大灶鄉人。辛亥革命後，奉母到香港。是林世榮的弟子，黃飛鴻的再傳弟子。一九三一年開始武俠故事寫作，撰寫《廣東近世四大俠軼事》，一九三三年發表《粵派大師黃飛鴻別傳》，號稱「國術稗史」，是「廣派」武俠小說濫觴。

《粵派大師黃飛鴻別傳》

《粵派大師黃飛鴻別傳》於一九三三年六月廿一日起在香港《工商日報》連載，一共連載二四五期。這部書並不是武俠小說，也不是嚴格意義上的傳記，而是黃飛鴻傳奇故事集，《別傳》之名，頗為合適，不分章節，也沒有回目。

此書從黃飛鴻十二歲時隨父親街頭賣藝開始講起，直到黃飛鴻逝世結束。說它不是嚴格意義上的傳記，是因為本書不以傳主的生平編年敘述，至多不過是按照少年、青年、中年、老年的大體分期，想到哪裡寫到哪裡。記述的重點為武林或市井故事，涉及黃飛鴻的家庭日常生活的篇幅反而不多。例如，書中就找不到黃飛鴻小妾莫桂蘭的名字及其故事；書中說黃飛鴻終年七十五歲，也未必準確。

書中所說，不全是黃飛鴻故事，還包括黃飛鴻弟子的故事，甚至徒孫故事，其中林世榮及其弟子的故事占了不少篇幅。這樣寫不合傳記常規，但也有一個好處，那就是諸多武林掌故，在一定程度上具有口碑史料價值。作者是林世榮的弟子，興致所至，有時候還會講述自己的見聞。例如在講述黃飛鴻為黑旗將軍劉永福療傷事時，插入一大段作者自己的見聞：「予內戚梁氏女，跌仆脫麒麟脾，越年餘，疽發，治之無功，卒以是去世。摯友馮君其焯，其長公子，亦以是殞其生，嗚呼，世之罹此創者，又安可忍乎哉。」接著又說自己師從林世榮學藝而後學習跌打醫術的經歷，再加一段對現實中的傷科醫生的觀察和議論，然後才重新進入正題，說黃飛鴻故事。類似插敘，想到哪寫到哪，雖不嚴謹，倒也有趣。

作者集成的有關黃飛鴻及其弟子的故事，雖不免有演繹和想像成分，難稱信史，但作為武術圈的社會史口碑史料，仍有一定的參考價值。書中的黃飛鴻，有市井江湖人的脾性，年輕時，難免於鬥氣，有時也好色；步入衰年，則洞察世情，韜光養晦，不欲惹事生非等等，都真實可感。黃飛鴻於傷科醫藥、武術、舞獅等領域中的事蹟，或離事實不遠。書中對武術打鬥的講述，雖有渲染乃至虛構，但卻儘量向實在的武術功夫靠攏，屬武術功夫寫實一路。如開頭由黃飛鴻賣藝時介紹五郎八卦槍，從太極、兩儀、四象、八卦，說到五郎八卦槍法，頭頭是道。

有關習技之道，書中也常有精彩之論，如：「技擊之道，談何容易，非大歷艱苦，必無有成，尤須有恆，功勤不苟，然後始能徹悟斯技之理。苟一暴十寒，不如不習之為愈。吾嘗見有一時心意衝動，投身而習斯術者，未及數日，而雄心已冰，更有時作時輟，略識手法名目，則以驕人，間有高眼慈心，良不欲其陷於危境，告以技擊直義，使其覺悟自拔，猶嘵嘵問難，刺刺不休，故老拙懷藝以來，非深識其人者，寧葬技泉壤，亦不傳也。」這是鐵橋三初見蔡贊時的一段話，雖非驚人創見，卻也是學藝與人生的經驗之談，值得聽取。

《別傳》寫作時，黃飛鴻逝世不久，此書為較早的黃飛鴻傳奇故事集，亦是日後黃飛鴻題材小說及電影的主要藍本，功莫大焉。

《別傳》以文言文形式寫成。

◆王香琴小說述評◆

王香琴，原名王中嶽（一九〇六—一九七九年），另有筆名幽草（王香琴寫豔情，幽草寫武俠）。廣東佛山人，現代小說家，善寫豔情小說而文筆華麗，寫情細膩處確有獨到的手法。成名於廣州，在《公評報》發表的《我之初戀》，在《國華報》發表的《十萬美人塔》，都可算是他的傑作。

微型武俠小說札記

一九三五年至一九四二年間，王香琴在《工商晚報》、《粵江日報》等報紙上發表了一系列一千字左右（有些不足一千字）的文言小說，其中有一部分是武俠小說。我看的是楊銳先生（即「民國故紙堆」）從報上抄錄作品的電子版，特此說明並致謝！

《異尼》（一九三五）

這個故事十分傳奇，又似乎有現實依據，因為這是作者老師倩梅的親身經歷，看起來就不能不信了。故事是說倩梅老師在民國六年北遊大同，坐騎狂奔入林，讓倩梅摔傷，有人救了她並幫她療傷。

這是一種俠義行為，但那救人者似乎過於魯莽，將倩梅的衣服脫光，給她上藥，晚上還點著蠟燭照遍她全身，晚上還要和她一起睡。倩梅拒絕，但他仍然與倩梅睡在一張床上。此人見倩梅惶恐且憤怒，才將自己偽裝脫去，露出尼姑真相，對倩梅說出了自己的身世，即父母被山中虎狼吃了，鄰居以為她不祥，將她送到尼姑庵。偏偏尼姑庵師父被一土豪抓走，要尼姑做妾。她遇到一僧教她武功，她發誓要救出尼姑師父，懲罰土豪，終生侍佛。但師父抗拒土豪，早已去世，土豪也不知所終。最後，異尼要倩梅看她表演劍術，實際上是拿起小劍來自殺，血肉模糊。倩梅將此事告訴作者，得以流傳。

這個故事是個武俠故事，「異尼」無疑是個武俠，不僅會武功，且有俠義精神。救助倩梅就是例證，她的經歷令人唏噓。父母被老虎吃了，不僅得不到同情，反而以為她「剋父母」，一也；在尼姑庵存身，尼姑師父又被土豪劫去當妾婦（因為尼姑美貌，此類事甚多），二也；學好武功後本要拯救師父、懲罰土豪，但結果卻找不到人，三也。異尼裝男子，救助倩梅，脫光她衣服並與倩梅同床而眠的行為，似乎有性遊戲意味，難道這個異尼有同性戀傾向嗎？按理說，作者不會寫同性戀故事，只是想寫出這個尼姑的異常之處，傳奇而已。

《神槍》（一九三五）

這篇作品中有兩個故事，一個是左宗棠自詡文武雙全、才華蓋世，但在山中遇少年、少女，少年文才、少女劍法都讓他自慚形穢；少年家的黑麻子女僕鴉兒舉鐵棒如麻稈，說「英雄不出，遂使豎子成名。」左宗棠從此不敢驕傲。另一個故事是說近代張營長，以神槍手自居，百發百中，遇到一隻山中飛鳥卻無法打中，山中一少年卻一擊命中；張營長有一段時間不敢自滿，但後來戰績不俗，再次自滿起來。有一次入山捕盜，遇到一群女子，將他屁股、手臂打傷，她們能夠遠距離射中老鼠的眼、耳、肺，讓張營長眼界大開，又汗顏無地。

這是典型的寓言故事。兩個故事是同一主題，即山外有山、天外有天，無論你有多大能耐，世間總有人比你更強。左宗棠是一代名將，因遭遇比他更厲害的少年、少女、黑女僕，從此變得謙遜而不敢自滿。相比之下，後一個故事中的張營長就差得多了，他也遇到過比他射術更好的少年，但卻並沒有真正接受教訓，過一段時間又開始自滿，直到他遇到一群女性個個都是神槍手，這才學乖。故事中的山中少年、少女、黑女僕、老婦人等等，都是「世間隱者」的指代，亦即所謂「世外高人」，不必實有其人，只是寓言而已。多看此類故事，讓人增長智慧，也會受到教訓——誰敢說自己某項技藝是世界第一人？

《卜紫姑》（一九三五）

這是個神話寓言故事，不算是純粹的武俠小說，而是道地的傳奇。

所謂神話寓言故事，即能指是神話，所指卻是寓言。其中說及的紫姑，是民間信奉的廁神，傳說廁神紫姑善卜生前身後事，能預知未來。所以民間信奉者眾多。本篇名《卜紫姑》，卻並不是講述卜紫姑的故事，而是講述一個信徒李信善因母親、妻子生病無人能治，入深山尋找神卜紫姑——醫術無法，只好求巫術——結果遇到一個和尚，說出李信善入山的目的，即其母親、妻子的病，和尚說他母親前生是屠夫，不僅喜歡殺生且手段殘酷，今生該受苦而終；其妻子前生是悍婦，曾將丈夫已懷孕五個月的妾媵毆打至脫胎，今生也該受苦而終。和尚又受李信善曾做過好事，該今生獲報，大器晚成，且有兩子；而他曾將一個盜賊逼下懸崖致死，算是作惡（盜賊是孝子，因無奈才做賊），故今生該當鰥夫三十年。

和尚將李信善迎進洞中，有美女起舞佐酒，和尚將美女拿住，美女原來是剪紙。這個故事的主題，即和尚所說——佛家常說——「欲知前世因，今生受者是；欲知來世果，今生作者是」，這很好理解。但本故事還有另一個主題——也是佛家常說的——一切皆幻（例如在和尚所居住的山洞裡的剪紙美女，以及草稈剪成的巨人），恐怕就不是李信善這樣的人所能懂得了，否則，他也不會按照和尚的指引到廣東等待自己的桃花運。讀者懂得多少？那就要看各人的悟性了。

《冤獄》（一九三五）

本故事名《冤獄》，言聽訟斷案之難。這是個極為曲折精彩的偵探推理故事。張子才是晚清時代魯東某地的幕僚，遇到一件強姦謀殺案，通過現場附近遺留的一把凶器刀斷定凶手是某甲。正準備抓捕時，某甲在逃，三日後被抓獲，竭力呼冤。但張子才問他，若沒有犯罪，為什麼要逃？某甲卻又不說。張子才繼續探查，發現某甲在逃時，有商人被殺，財物被劫。張子才斷定某甲之所以不說自己為什麼逃，是因為他殺了商人。某甲聽說後，更呼冤枉。後抓捕到同案犯，供出某甲的名字，財物也被找到，所謂人證物證俱在，某甲被處死。強姦殺人案卻反而被懸置起來，有人以為這兩件案子都是某甲做的，但張子才發現其中矛盾甚多。

過些時候，又有人被殺，殺人者是某甲的妻子，被殺者是強姦殺人案受害者的兒子，張子才和官老爺問婦人為什麼要殺人？婦人說，被殺者殺了自己的父親，栽贓給她丈夫，她當然要為丈夫報仇。張子才問有什麼證據？婦人說，其妻子知道情況，官府將被害者的妻子抓來聞訊，妻子開始時呼冤，婦人怒斥後，妻子終於承認自己的丈夫好賭，欠債很多，其父親不願替他還債，所以決心殺了父親，並嫁禍於鄰居某甲。後來抓獲了一個強盜，恰好與某甲同名，他是搶劫殺人案的嫌疑犯，那麼，被處死的某甲顯然是冤枉的了。

問題是，當時某甲為什麼不說自己為何要逃呢？直到張子才退休時，想到自己冤枉了某甲，去為某甲上墳，見一婦人，說某甲當時與她偷情，因為她丈夫還在，某甲不願說出實情，而偷情婦人當然也不敢說。最近偷情婦人的丈夫死了，婦人才敢來到某甲墳前說出實情。張子才終於明白真相，可見斷案之難。這個故事還有一個尾聲，那就是張子才因為斷錯了案子，生了兩個兒子都是癡呆，張子才得到了「現世報」——這個因果報復對張子才未免太過殘酷。

這個故事似乎與武俠故事完全沒有關係，為什麼把它當作武俠故事？理由是，張子才瞭解到，某甲之所以蒙冤受難被處死，「子才密訪甲之閭里，則甲雖豪強，然有俠氣，殺人越貨，似不肯為，特使酒任性，好以力雄人，一鄉均受其摧折，遂為人所廣詬耳。」——這也就是說，某甲其實是個俠客，即所謂閭里之俠，因為「好以力雄人」，廣為人詬，才蒙受不白之冤。俠客蒙冤，使得這個故事更有趣味，也更有深意了。

《推刃記》（一九三五）

這是一個復仇故事，也是一篇典型的武俠小說，因復仇故事乃是武俠小說最常見的故事類型。所謂「推刃」即一來一往地輾轉復仇行為。本故事中，一個叫大覺的僧人被高僧悟可的弟子打敗，大覺覺得丟面子，就去殺了仇人的師父。悟可的弟子聽說大覺僧住在藥王寺，寺僧前往藥王寺，大覺已經離開，但憤怒的和尚們將藥王寺僧殺死，並焚燒了藥王寺。參與藥王寺屠殺行動的小和尚了凡，其父親又被藥王寺僧所殺。殺人僧被捕後供認不諱，縣官覺得他罪不致死，想給他減刑；了凡衝到大堂上殺了仇人，甘願伏法，說他的父親被殺，是因為他殺了人；而他殺人是因為師父無辜被殺。縣官又想給了凡減刑。有劍客來找縣官，問縣官是不是要為了凡和尚減刑，縣官說是，劍客說他的師父被殺，誰的師父沒有被殺？劍客將縣官也殺了，其後還焚燒了縣衙。新官上任後，知道這是所謂推刃，遂將雙方寺廟中人都抓捕了，數月間殺了十多人，才平復了復仇的鏈條。

這個故事的最奇特之處其實不是復仇，而是復仇殃及池魚乃至累及無辜。悟可大師的弟子打敗了大覺，大覺打不過仇人，卻去找其師父悟可；悟可被殺後，其弟子找不到凶手大覺，卻將藥王廟燒了、殺寺僧多人。此後仇恨連綿往復，無止無休，根本原因乃是復仇的「盲目」或「遷怒」。老官員心善，想為不得已殺人者減刑，結果卻被當作幫凶而被殺；新上任的官員不管三七二十一，將復仇雙方的人都抓來殺了，終於制止了連環仇殺。問題是：誰敢保證新官吏所殺的人中沒有無辜者？那些人都是想要復仇的人嗎？還是只想苟活者卻被殺了？

這個故事具有很強的寓言性。值得品味。

《更生記》（一九三六）

這是一篇非典型武俠故事。嶺南高士梅到鴛鴦江經商，當地劉姓大戶將女兒劉青娥許配給他為妻，劉青娥的兄弟是紈褲子弟，歧視高士梅這個外來的上門女婿，高士梅決定帶妻子回鄉。妻子不從，他只好獨自離去。事後想念妻子，派人去打聽，卻得知妻子又嫁新人，帶兩個僕人前去調查，果然如此。高士梅告官，但因夫家、妻家都是當地大戶，官府不理。有老婦來騙高士梅去見劉青娥，說青娥是不得已，高士梅去了，也見了青娥，但青娥卻沒有理睬他，馮家將他囚禁、毒打後扔在草地上。最後是馮家丫環李虹影同情高士梅的遭遇，將他救出。高士梅回鄉後大病一場，一直不知道自己為什麼遭此厄運。後來抓住了那個騙他的老婦人，才知道是青娥夫妻都不願讓這個「前夫」活在世上，必欲除之而後快。

這個故事讓人感慨，故事中的亮點是馮家的丫環李虹影。雖然她不會武功，卻明顯具有俠義心腸，從主人和新主婦的眼皮底下將無辜受難者救出，需要巨大的勇氣和非凡的情懷。沒有李虹影，主人公高士梅肯定不得生還，高士梅得以死裡逃生，全靠李虹影的俠義行為。李虹影也因此而被主人丟下水去淹死，並且將她遺體餵狗，其遭遇慘絕人寰，但她的同情心和俠義行為卻會被讀者記住。

《峨嵋鋸》（一九三七）

這個傳奇故事講述浙江人陳秉禮到南方求官未果，資金耗盡而流落在當地，以其並不十分擅長的醫術謀生。一日出診到西山，落水上岸入深林，見一戴豹頭面具的人，問他懂不懂醫術，他說會，請他回家為母親和哥哥診治。哥哥是與當地女強盜三娘子苦鬥三日受傷的，瀕臨死亡，無可救藥。陳秉禮治好了伶伶的母親。三娘子來問伶伶家裡來了什麼人，要他獻出來做食物。伶伶與三娘子鬥，很快就被三娘子殺了，剁成五截，三娘子說是好食物。陳秉禮逃走時被三娘子的爪牙抓獲，因陳秉禮懂醫術，而三娘子有濕症，讓陳秉禮幫她治療，說若能治好，她就放他走。逼陳秉禮吃人肉（**伶伶的肉**），陳不吃，強迫他吃；陳吃了嘔吐，才不再勉強他吃。陳秉禮治好了三娘子的濕症，三娘子果然不殺他，還讓他看自己的兵器「峨嵋鋸」，即大刀上有五環鉤，兩面都能殺人。陳秉禮逃生後，對人說起峨嵋鋸，沒有人知道那是什麼樣的兵器。

本故事是非典型武俠小說，故事中有美女強盜，只是她吃人肉，沒有食物就劫殺人命當食品，本山四位山大王都與三娘子狼狽為奸。說是武俠小說，證據之一，就是三娘子的武功非凡，且與陳秉禮談及內功：「用蛾眉鋸，必先工內功。內功精純，能以力透刃中，然後刃之用乃備。」三娘子還親自為他做示範。證據之二，是三娘子的行為是典型的江湖綠林行為，只是吃人肉則少見（可能是作者為了傳奇而這樣說，增加恐怖效果）。有意思的是，三娘子說若能治好她的病就會釋放陳秉禮，她說到做到了。更有意思的是，陳秉禮遇險兩次，都因為自己懂得醫術而脫身，看來醫術專業不僅可以救治他人，也可以拯救自己。

《快恩仇》（一九三七）

這是個俠義奇男子的故事。鄒姓樵夫為賣女者打抱不平，被當地富豪的僕人打死，其子牛兒雖年少，發誓要報仇。富豪願意賠償百兩銀子，還讓他到自己的商鋪裡做工，牛兒嗤之以鼻。後來，富豪還要將女兒嫁給牛兒，勸牛兒放棄報仇，牛兒仍然嗤之以鼻。再後來，牛兒買了一把破刀刺殺富豪，被富豪的僕人抓獲，富豪釋放了牛兒。再後來，牛兒因為身懷凶器被抓，將被當作匪盜處決，富豪去為牛兒說情，讓軍官釋放了牛兒。富豪裝死，牛兒聞訊，到富豪家門前要自殺，說他有報仇心，也有報恩心，富豪既死，他就以死相報。

富豪女兒瓊英勸阻了牛兒。事後牛兒得知富豪沒有死，羞愧地離開了。再後來富豪真的死了，牛兒再來，瓊英說父親臨終時要她嫁給牛兒，牛兒雖不答應與仇人之女結婚，但卻成了照顧瓊英的人。瓊英家失火，是牛兒不僅冒險救出瓊英，且還搶出了不少帳本和契約，使得瓊英的叔伯無法侵吞瓊英的家財，但牛兒卻死於火中。牛兒死後，瓊英說若非牛兒，她不可能獲救，更不可能保護家財，所以她就當牛兒是丈夫，終生不嫁。

本故事中有三個奇人，或者說是三個義人。第一個當然是牛兒，為報父仇矢志不渝，讓富豪恐懼且敬佩。第二個是富豪，雖然平日或有不仁小節，但對牛兒卻稱得上是容忍乃至仁義：賠償牛兒，給牛兒工作，還要將女兒嫁給牛兒，牛兒刺殺他，他也沒有計較；牛兒被冤枉入獄將被處極刑，他還去為牛兒講情，這也正是這個故事最有意思的地方：富豪既是牛兒的仇人，也是牛兒的恩人。所以，牛兒既要為父親報仇，也要為自己報恩，所以，在富豪死後，他要以死相報。

第三個義人是瓊英，牛兒是她家仇人，她並不計較；父親將她許配給牛兒，她不反對；牛兒為拯救她而犧牲，她就以牛兒的未亡人的身分為牛兒守貞，不再嫁人。這幾個人都稱得上是人間義人，也是為人的典範，有古人之風。牛兒雖然不懂得武藝，但這個故事中卻俠氣充盈，所以說這是個典型的俠義故事。

《斷頭術》（一九三七）

這是一篇讓人印象深刻的傳奇故事，講述一家五口走江湖，主業是賣栗子，副業是表演斷頭術娛人賺錢。當然也可以反過來說，他們的主業也可能是表演斷頭術，副業才是賣栗子。也就是說，這一家人賣栗子只是一個幌子，真正賺錢的生意還是表演斷頭術，故事中的婦人裝死，不就騙取了觀眾的同情心，獲得了比賣栗子多出上百倍的報酬嗎？

這個故事是武俠小說的一種，主因是作者講述了典型的江湖——即「江湖之人居之，非盜則騙，非狡則猾，目不見軒雅之人，耳不聞禮義之語，而奇技間現，有不可思議者。」看起來作者對江湖和江湖中人沒有多大好感，故事傳奇，江湖卻是真實的，江湖中人也是真實的。

《綠波紅線》（一九四二）

這是一個超短篇，或曰小小說，只有八百餘字，卻講述了一個完整的故事，且刻畫了兩三個個性鮮明的人物形象。主人公陳星槎武功不俗，能用單指洞穿巨石，有無敵之名。他自己也以為自己無敵於天下，不免驕傲自滿。

有一次過河，渡船已開，他來晚了一步，要渡船靠岸，駕船的是一個年輕姑娘，說船離岸後按規矩不能再靠岸，要陳星槎等。陳星槎大怒，要教訓小姑娘，小姑娘跳上岸，與他比試。

小姑娘父親來，向陳星槎賠禮道歉，說小姑娘不懂事。陳星槎要小姑娘磕頭一百，小姑娘怒，拿起撐船的篙子將他打倒，陳星槎不服氣，小姑娘讓他再來，並再次將他打倒。陳星槎面子盡失，無敵之名也失去了，自然懷恨在心，一心要報復，到處尋找小姑娘，一日在街上見到一個時髦女子與一小夥子挽手同行，就近一看是那個駕船小姑娘。陳星槎突然襲擊，被小姑娘拉住臂膀，陳星槎疼痛難忍，只得認輸。回去一看，骨折難治，這才懺悔，從此不再說武功。

這個故事很生動。陳星槎、小姑娘、姑娘的父親三個人的形象都很鮮明。陳星槎驕傲自滿，缺乏見識，被打敗後心懷怨怒而不甘認輸，結果自取其辱，再次自取其敗、自取其傷，可謂不到黃河心不死。小姑娘堅持船家原則，不卑不亢，不惹事可也不怕事，武功高超而不恃技凌人，真有人惹怒了她，她也會毫不客氣地教訓對方。

姑娘的父親——從他稱呼小姑娘為「息」（媳）看，他其實應該是小姑娘的公公——則是另一路人，因為飽經滄桑，寧可吃虧讓人，但他也不是無原則的忍讓，當陳星槎要姑娘向他磕頭一百時，老人家就不說話了。

陳星槎這樣不識相的傢伙實在欠揍、欠教訓，所以他就讓小姑娘教訓了這個傢伙，實在痛快。從小說的最後一段看，小姑娘有自己的丈夫或情人，有自己的日常生活和日常工作，並不是以武謀生者，更不追求武林名聲，這就更不簡單了。這個故事也有寓言性，寓言什麼，讀者當能領會。

《玉人宴》（一九四二）

這是個傳奇故事，與標準武俠小說有一定差異。只有八百餘字，短小精悍，清新可喜。說關若谷家藏玉觀音，栩栩如生，有外國商人願出資二十萬購買，關若谷不願賣。富商楊君可出資廿五萬，關若谷還是不願賣。楊君可要以家藏其他珍品交換，關若谷仍然不願意。楊君可於是設計侵吞，知道關若谷好色，就找來一個姓方的美人假扮孀婦，嫁給關若谷為妾。方美人「善笑，善盼，善逢迎，善噱，一切美人當有之美，莫不備具。」很快就獲得關若谷專寵，給她買各種飾物，並將玉觀音放在她的桌上當清供，美人以假換真，且將假物打碎，關若谷雖然心痛，但還是以人為本，反過來勸說美人不必傷心。但美人一去不返，而楊君可家突然出現了玉觀音，關若谷知道這是自己的寶物，但因沒有證據，只能徒呼奈何。

這故事也可以當武俠故事看，故事中的富商楊君可是個道地的江湖人，而所謂方美人則更是典型的江湖人，她的本領很可能經過專業訓練，包括偷梁換柱的本領，否則真玉觀音就到不了楊君可家中。說起來，關若谷其人是個受害者，他不願出賣自己心愛之物，乃是人之常情，無論對方出價多高。更可貴的是當玉觀音被打碎，他雖然心疼，但卻還是安慰美人，說明他是以人為本，並非俗氣的物奴。相比之下，楊君可這個人就有問題了，他的所作所為，實際上是巧取豪奪，用美人計欺騙關若谷，實際上是一種高級詐騙兼偷盜手段。

《騙情記》（一九四三）

這個故事旨在傳奇，寫奇情。八百餘字講述一個完整的奇情故事，讓人印象深刻。富女陸雲杏看中了私家偵探馮得天，因為並不認識，且無機會接近，就想出了一個匪夷所思的辦法來，請馮得天幫

◆念佛山人小說述評◆

念佛山人，原名許凱如，一九四二年開始發表武俠小說。提出「技擊小說」概念，影響了廣州、香港早期武俠小說創作潮流。

《八俠鬧清宮》

我看的版本是香港南風出版社版（祥記書局代理，永安印刷公司印刷），一卷本（內含三集，分別為五十八頁、五十四頁、四十九頁）。

本書講述的是滿清雍正皇帝的故事。雍正與江南八俠的恩怨故事，是武俠小說家常常講述的，在某種意義上，這已經成了武俠的「經典故事」。這個故事被不斷講述，即許多武俠小說作家都曾講述這個故事，所以，講述雍正與八俠故事不能算是「抄襲」，甚至也不能簡單地說是「模仿」，說是「重述」或最恰當。

與其他作家同題材作品相比，《八俠鬧清宮》有幾個重要的不同點。

其一，是本故事中的雍正在當皇帝之前，即四皇子胤禛（書中寫作允禛）沒有出北京，也不曾到河南嵩山少林寺學武功。他只是一直生活在北京的一個皇子而已，當然這個皇子與其他皇子不同，他更有政治謀略，或更有心計，或心機比其他皇子更為深沉。他要招聘武林奇人，並不是自己親自去招聘，而是委派翰林張廷玉——這也是個真實歷史人物——請假回鄉探親，順道去招聘的。張廷玉去山東、河南招聘武林奇人，即成了這個故事的重要內容之一，是其他書中少見的。

其二，本故事中的八俠，即了因、甘鳳池、白泰官、周潯、路民瞻、曹仁父、呂元、呂四娘等人，並非「江南八俠」，即他們並不都是活動在江南地帶，而是活動於不同的地帶。書中的周潯早早來到北京，甘鳳池、路民瞻在山東活動，了因一直在河南圓通寺修行，而曹仁父則來自四川峨嵋。進而，本故事中的八位俠客，也不是同一師門，他們每個人都有自己的師門，有些人相互認識，而有些人則並不認識，例如甘鳳池、白泰官就不認識、不熟悉曹仁父，是通過呂元才熟悉的。呂四娘與甘鳳池等人也不熟悉，很晚之後才結識的。

進而，這八位俠客也沒有全都成為胤禛的下屬，幫助胤禛的只有周潯、白泰官、路民瞻、甘鳳池等四人，以及了因的弟子雲中雁、雲中鶴。其他四俠都沒有加入雍正陣營，而曹仁父從一開始就是雍正的對頭，呂元也從未支持過胤禛。進而，了因並沒有被張廷玉勸動，與其他的作品不同，本故事中的了因從未當過胤禛的幫凶，他只是派自己的弟子前往，希望自己的弟子有一個前程而已（**當然，了因發明了「血滴子」殺人利器，交給了弟子雲中雁和雲中鶴**）。最後，書中的八俠有各自不同的身分和立場，他們最後大鬧清宮、反對雍正，也各自有各自的原因和理由。

其三，歷史上的年羹堯從來都是雍正的心腹，許多小說都把年羹堯與雍正結識的時間提前到少林寺學藝時代。而本故事中則否，一是胤禛從未在少林寺學藝，而是也沒有提及年羹堯在少林寺學藝——他的父親年遐齡是湖廣巡撫，年羹堯到少林寺學藝的可能性其實也不大。更重要的是，年羹堯在本故事中基本上是一個正面形象，他治軍嚴格、忠誠正直，卻被雍正所嫉妒和防範。這就為後來年羹堯之死埋下了伏筆，也為呂元等人為年羹堯鳴不平、報仇埋下了伏筆。

其四，與同題材小說最大的不同，還是本書的寫法。嚴格地說，本書並不像是純粹的武俠小說，尤其不像在香港流行一時的「技擊小說」，而更像是歷史小說——準確地說，應該是歷史傳奇。書中的武打場面很少，本故事共有三集，在第一集中，只有黑煞神胡升海與白泰官有過一場鬥劍——而且是鬥飛劍，即劍仙的路子，而非「拳勇」的路子，即真實武功技擊的路子。在第二集中，也只有一場曹仁父與甘鳳池、白泰官在圓明園的比拼，這場打鬥也不很長，且沒有什麼特點。在第三集的最後高潮中，即了因、甘鳳池、呂四娘等「八俠一雄」（一雄是雲中燕的特稱）進皇宮、圓明園刺殺雍正的段落，書中也沒有出現打鬥的描寫，即使有御林軍圍攻甘鳳池等人的敘述，也只是一筆帶過而已。

書中的主要故事情節，主要是歷史人物的故事，例如胤禛與張廷玉的故事，以及胤禛與各位康熙皇子的故事。這些故事大多有歷史依據，或是依據歷史推測。這部小說的「歷史感」，遠遠超過了它的「武俠特色」，展現了另一種風貌。

本書的缺點也很明顯。例如了因的修行地天目山圓覺寺，作者說是「河南天目山」——河南是否有天目山？這就是一個問題。人們所熟知的天目山，應該在浙江，而並不在河南。又如，書中說康熙命人將有關接班人的密詔，藏於「大雄寶殿」——皇宮中哪裡有什麼「大雄寶殿」？此說顯然是「正大光明殿」之誤。又如，在了因與甘鳳池等人嵩山結義之前，了因從未見過甘鳳池、呂四娘等人，自然不可能與他們同行，但黃犢卻說「七俠」與「八俠」，那時候哪裡有什麼「七俠」的概念呢？（這一概念是「江南七俠」或「江南八俠」的影響，但與本書的設計不同，因而在細節上出現了如此疏漏。）

又，本故事的敘事語言有些書生氣，也有些稚嫩。例如書中呂元與雲中雁、雲中鶴兄弟的一段對話：「呂元道：『兩位到來的原因，我也知道了。兩位這次到來，是攜備了血滴子，要想結果年大將軍性命的嗎？這是你的責任，我本來不該干預的，同時我們在年大將軍的麾下，也並不是有職守的人，不過我們現在都是個抱俠義肝腸的人，也不妨直著肝膽說話，年大將軍對於清室並無過錯，而且可說有功，應不應得處死的罪過呢？以我們的立場來說，是應該研究一下的。這不過是由於主上的心腸狹窄，嫉妒多疑，所以用這種殘酷手段施於他的身上吧。』」（第三集第二頁，香港南風出版社版，合訂本）

更大的問題是，作者似乎不大會講故事，或者說，故事講述得不大精彩，這與作者的寫作才能有關。主要缺點是，其一，眉毛鬍子一把抓。例如張廷玉為胤禎尋訪並招聘武林奇人，占了較多篇幅，其中有些故事篇幅並非主要內容，若在內行的作家筆下多半會被省略，例如在山東兗州府富翁欺負窮漢的故事，就顯得臃腫乃至冗餘，雖然是為了介紹路民瞻、甘鳳池的出場，其實沒有必要花費那麼多筆墨。

其二，是重點不夠突出，本書主要講述胤禎與眾皇子爭權故事——他尋訪招聘武林奇人的目的正在於此——但在這方面卻寫得不多，書中只寫了胤禎讓雲中雁、雲中鶴兄弟用「血滴子」殺害呂葆中，但這與皇子爭位沒有關係。書中幾乎沒有寫到胤禎參與皇子爭位故事（惟一一點，是讓白泰官篡改康熙遺詔，即將「傳位十四皇子」改為「傳位於四皇子」，但這一情節恰恰是傳統版本中經不住推敲處，且不說「于」和「於」的寫法，更重要的是康熙密詔中為何不出現皇子的名字？）甘鳳池也不過是作了「調研員」，即兩次出差調查十四皇子、年羹堯的行動表現，這種工作即便不是甘鳳池也能夠完成。所以，胤禛招聘甘鳳池等人，其實沒有多大作用，後來「狡兔死、走狗烹，飛鳥盡、良弓藏」的結局也就不是那麼令人信服。進而，胤禛——雍正——登基之後作惡，書中對這方面雖有渲染，但卻也沒有真正令人髮指的情節或場景。

◆西樵山人小說述評◆

西樵山人，生平不詳。香港新生圖書社版（陳湘記書店代理）香雪海著《靈山女劍俠》上集第十一頁正文中，出現一段廣告：「讀者注意請看華南最紅武俠小說家西樵山人先生名著《人傑三鬧峨嵋山》、《小俠白摩勒再傳》、《終南小怪乞》、《江南醉俠甘瘋子》、《小俠龍力子》、《武當七矮俠肉搏洪熙官》，以上各書，經已出版，萬人爭看，打鬥場面驚險緊張，故事離奇曲折，西樵山人先生本年度陸續有新書出版，讀者千萬注意。」[1]但我看到的幾部西樵山人小說，多為借用他人的創意衍生自己的故事，屬「寄生」作家。這也算是一種現象，也須記錄。

《小俠白摩勒再傳》

我看的版本沒有正式的版權頁，封底有「周記書社」武俠小說書目，《小俠白摩勒再傳》很可能就是這家出版社出版的。這部小說有六集，其中第一、二集為正集，標題為《小俠白摩勒再傳正集：血戰柴花山》；第三、四集為續集，標題為《小俠白摩勒再傳續集：龍力子大破五陽關》；第五、六集為大結局，標題為《小俠白摩勒再傳大結局：龍力子三打八卦樁》。三部為同一故事連續。

本書並沒有結束，白摩勒師兄弟和天山派弟子闖入吳門十八關尚無結果，戰鬥正在進行，本書的「大結局」仍然沒有結局，需要到下一部書《小俠龍力子》中才有真正的結局。所以如此，是因為作者寫作沒能按計劃進行——當年出版社出書，每集四十頁，寫滿四十頁就必須結束，由於作者拖遝敷衍，以至於到四十頁時還沒有能結束，不得不繼續寫下去（**當然要看圖書市場的情況，如果讀者歡迎就會繼續寫，如果讀者不怎麼歡迎的話，很可能就如此結束了**）——這也就是說《小俠龍力子》實際上是《小俠白摩勒再傳》的續書，是同一部書、同一故事。

《小俠白摩勒再傳》是以「西樵山人著，禪山人編」的名義，講述毛聊生小說《大俠追雲客》、《白摩勒三戲夜明珠》、《七禽掌》中主要人物白摩勒、黑摩勒、虞孝、龍力子、夜明珠及追雲客、天山老人、彭湘、車衛等人的故事。這兩部書的寫作，可謂是「借船出海」，也可以說是「寄居蟹」行為。很可能是毛聊生小說《大俠追雲客》在周記書社出版——後來才交給南風出版社——很受讀者歡迎，出版社希望毛聊生續作，但毛聊生不想炒冷飯，所以出版社就請西樵山人、禪山人來做這個工作；西樵山人很可能是一個槍手，但也可能是禪山人的化身。

《小俠白摩勒再傳》講述白摩勒在天山與夜明珠結婚後，想念師父追雲客，於是告別天山老人，帶夜明珠、黑摩勒、黃天恨等前往武當山。途中遇崆峒派耆老（**崆峒幫主**）黃公明率人攔截，要奪烏金紫寶刀，這群人武功奇高，抓獲了黃天恨，要白摩勒三個月內到鄂南吳門十八關以劍換人。於是，武當派白摩勒、黑摩勒、虞孝、龍力子和天山派弟子夜明珠、阮洪、李靜、於湘雲八人征討吳門十八關。

小說敘事語言嫺熟，故事情節完整而清晰，技擊打鬥具有可看性——作者在這部書中，也確實在技擊方式上想出了一些花招，例如白摩勒等人前往吳門十八關時受到崆峒幫重重阻擾，吳門雙怪扮演殭屍，崆峒幫眾水下弄鬼，使得前往吳門十八關的路上驚險重重；而抵達吳門十八關核心地帶如三多堂、淨業山莊等地後開始比武，作者也想出了各種各樣的辦法，例如金磚八卦陣、青竹九九樁、飛刀換掌、羅漢束香樁和掌震古燈柱等等不同方式，有單打獨鬥，有群體攻守，有暗中戲弄，也有臨場救險，使得打鬥場景的延續並不難看——當年的技擊小說，基本上是「有打就好」，所以，這部書並不難看，甚至還有續書。

此外，本書中不但出現了白摩勒、黑摩勒、虞孝、龍力子、夜明珠等熟人，還出現了彭湘、車衛、董海公（**《北派青萍劍》的主人公**）等老熟人，這也讓讀者感到親切。

但這部書編造痕跡十分明顯。首先是黃公明這一人物，說是崆峒派耆老，但卻號為「華山逸叟」——崆峒與華山完全是兩回事——而他本人卻又在鄂南吳門鎮、柴花山一代建立吳門十八關「崆峒幫」（**湖北地方建立崆峒幫是什麼道理呢**）；進而，崆峒幫與崆峒派應該完全是兩回事，若是崆峒派，那很好理解，即武林門派之間的宿怨使得崆峒與武當、天山兩派發生爭鬥；問題是，崆峒幫是一個幫會，幫會與武林門派完全是兩回事，建立幫會的目標多半是經濟性質，而不是武術專業團體，崆峒幫中的骨幹也多半與崆峒派沒有關係，而是來自五湖四海，各有門派，這些人為什麼也要與武當派、天山派為敵呢？難道僅僅是因為幫主黃公明是崆峒派的人，所以整個崆峒幫都要為幫主而捲入與武當、天山的衝突中？

進而，在白摩勒等人在武當山見追雲客時，追雲客說只要帶上龍力子就沒有問題。這也不符合追雲客這樣有江湖經驗的人的個性，若是僅僅憑白摩勒、黑摩勒、虞孝、龍力子和夜明珠五個人，怎麼可能去挑戰崆峒幫？書中不斷增添人手，例如天山派黃葉道長帶一百二十名壯丁前來，例如彭湘自動前來，例如車衛暗中幫忙，這些人加起來，才勉強應付崆峒幫。若是沒有黃葉道人、彭湘、車衛，僅憑白摩勒師兄弟和夜明珠五個人，怎麼能夠應付？這也是作者自己打自己嘴巴，也顯然是讓追雲客難堪，充分說明這個江湖老手其實沒有多少經驗，有損追雲客形象。

進而，在白摩勒進軍吳門十八關的故事中，書中也是矛盾百出。黃公明的目的究竟是什麼？如果僅僅是為了奪回烏金紥，那很好辦，抓了黃天恨，只要迫使對方以烏金紥換人即可，不必讓他們來比武；如果黃公明的目的是要「剷除」武當派、天山派精英（**如上所述，這裡存在巨大的疑問，那就是為什麼要這麼做**），那就不必與他們客氣，只要動員幫中力量全力出擊，便可隨時殲滅對方。但黃公明偏偏要講究江湖道義，讓這些人來比武，無非是為了讓讀者過癮而已。

進而，在打鬥過程中，作者也是千方百計地敷衍鋪排、拖拉延宕，目的很簡單，即是要讓打鬥進行得越久越好。書中的那些做作，都是出於這個目的。一場嚴肅的兩軍對壘，居然沒有具體規則，什麼人都可以上場，結果打鬥多場，無論勝負如何，都與大局無關。直到最後，才由少林寺金剛指太虛和尚提出三局兩勝法，可是，這時候已經臨近第六集結尾，本書顯然無法完成「大結局」。

最後，本書書名《小俠白摩勒再傳》，顯然是要以白摩勒作為主人公，可是實際上並非如此，因為這六集書中，第一、二集的副標題是《血戰柴花山》（**其實當時並無「血戰」**），第三、四、五、六集的副標題卻是《龍力子大破五陽關》和《龍力子三打八卦樁》，也就是說，副標題中是以龍力子為主人公，難怪這部書的續集乾脆不再以白摩勒為號召，乾脆取名《小俠龍力子》了。

總之，這是一部借用、拼湊、硬編的小說。在讀者，可能是「有打就好」，在編者和作者則是「能賣就行」，體現了當年武俠圖書市場的低端生態。

【注釋】

1見香雪海：《靈山女劍俠》上集第十一頁（正文內加括弧），香港，新生圖書社，無出版時間。

◆彈劍樓主小說述評◆

彈劍樓主，生平不詳。

《紅船忠烈傳》

《紅船忠烈傳》共兩集、七回。[1]講述太平天國時期，廣東紅船藝人李雲茂率眾起義故事。起義者為了相互辨識，均以紅布包頭，史稱「紅頭賊之亂」。本書開頭說，書中故事有根有據，非同面壁虛構者可比，讀者可以當小說讀，亦可當歷史看，此說仍屬小說家言，當然不能盡信。

本書從至善禪師的身世開始寫，說他是明朝宗室後裔，從小在福建少林寺出家，練成一身武藝，一心要反清復明。所以，在太平天國運動爆發時，他來到廣州，收紅船藝人李雲茂為徒，並鼓勵他率眾造反。造反的情節相對簡單，李雲茂聚眾起義似乎突如其來，一呼百應，很快就佔領了十多個州縣，並向廣州進軍。李雲茂起義後，至善禪師就不見了蹤影，攻打廣州的過程也有些難以置信。起義軍攻打廣州時，李雲茂中彈，李雲茂不治身亡，起義軍也就隨之土崩瓦解。

書中有意思的情節，是李雲茂尋找自小失散的妹妹翠娥，以及李雲茂的好友廖石心與翠娥的情感故事。李翠娥曾嫁給小販，小販被官府所害，於是她混入總督府刺殺兩廣總督葉名琛，事敗被擒，幸得至善禪師將她救出。此後與哥哥相認，參加了起義軍，並與廖石心成婚。佛山陳開見色起意，被翠娥打掉一顆門牙；翠娥懷疑陳開是奸細，廖石心迫使陳開自殺。李雲茂說廖石心太魯莽，陳開好色固然是實，但他絕不會投敵，於是在翠娥死後，廖石心也自殺了。

作者說要將紅船起義的歷史寫出，但本書的故事情節不但簡單，而且幼稚。例如，至善禪師不僅收李雲茂為徒，也收了廣州地痞包三為徒，看起來，這位武功高強的至善禪師，並沒有辨別善惡的眼光。包三拜師，從至善禪師學藝，同時又隨時準備殺害至善，以便在廣州稱王稱霸，這個人不僅人品很壞，心智也很低。作者說，這位包三後來給至善和起義軍造成了很大麻煩，但卻很快被至善以暗器打死，以至於不能自圓其說。包三的例子，足以證明作者寫作能力不大高明。

有意思的是，李雲茂等人起義時，是穿著戲裝扮演元帥、將軍，這一細節有其現實依據，因為他們是紅船藝人，有戲服行頭。為了彰顯反清復明的意志，穿戲服造反就在情理之中。作者或許沒有意識到，這一細節有重要的象徵意義：小說中所謂歷史故事，其實是一場戲；所有起義軍領袖，都不過是戲裡的角色。雖然作者竭力宣揚其事，但《紅船忠烈傳》這齣戲，實在不夠精彩。

《大刀王五・清宮戰喇嘛》

《大刀王五・清宮戰喇嘛》[2]講述大刀王五的傳奇故事。王五名王正誼，字子斌，祖籍河北滄州，是晚清北京武林的知名人物。

故事情節是：戊戌變法失敗，譚嗣同被打入天牢，大刀王五前往探視，獄卒趙敏一邊請求王五不要劫獄，一邊謊報王五要劫獄。李蓮英的遠房親戚包恭是大理寺差官，包恭向大太監李蓮英獻策，設計迷倒王五，送入李蓮英宅。王五醒來後，又被雍和宮大喇嘛呼里克仁所制，幸得神彈郭天成相救脫險。王五脫險後，約神彈郭天成、河南神刀萬秀堂一起入皇宮找李蓮英報仇，他們由地道入宮，驚醒了慈禧太后，並與呼里克仁大戰。李蓮英召來洋槍隊，刺殺李蓮英行動宣告失敗，幸而慈禧太后一向欣賞王五，赦免了入宮行刺之罪，王五等三人遂得安全出宮。

本書的特點，是傳記性與傳奇性相結合。如寫到王五的鏢局，王五不敢且不願輕易殺人，王五先後受獄卒趙敏、潑皮董二之騙等等，近乎寫實。作者對主人公王五並沒有神化，證據是，本書以《清宮戰喇嘛》為名，但王五的武功卻不敵大喇嘛呼里克仁，更不能抵擋現代洋槍。而寫到王五收藏明朝北京皇宮地道圖，由地道進入皇宮，且在皇宮地道中發現當年刺殺雍正皇帝的呂四娘、甘鳳池的遺骸，並得到寶劍、寶刀；以及慈禧太后多次宣召大刀王五，王五拒絕奉召，慈禧太后也不責怪；受刺客驚嚇後，仍赦免王五入宮行刺之罪等等，無疑都是傳奇。

本書的故事相對完整，情節內容也熱鬧好看。書中說，慈禧太后喜歡看武俠小說，對金鏢黃天霸十分欣賞，從而愛屋及烏，對王五另眼相看，這一情節既有傳奇性，讓慈禧有真切的人味，且讓王五入宮行刺故事有出人意料卻又合情合理的結局。

書中寫王五入宮刺殺李蓮英，卻絲毫沒想到要刺殺慈禧太后，這一情節設計頗有討論餘地。王五是譚嗣同的好友，贊同光緒皇帝戊戌變法，而這次百日維新被慈禧太后扼殺。光緒被囚，譚嗣同被殺，按理說，王五入皇宮應該去刺殺慈禧，而不是刺殺太監李蓮英。另一方面，作者讓王五刺殺李蓮英而不殺慈禧，也有一定的理由，李蓮英陷害王五在先，而慈禧太后與王五沒有私人仇怨。究其實，書中寫王五入宮行刺，要殺哪個人並不是重點，重點是「清宮戰喇嘛」。假如王五不是刺殺李蓮英而是要刺殺慈禧，那就不可能得到慈禧赦免而安全出宮了。

這篇作品是武俠傳奇，書中的「歷史」自然不能盡信。例如，書中說王五活到了民國八年，其後不知所蹤，實際上，王五在一九〇〇年庚子事變中就遭殺害。又如，書中說慈禧徐娘半老、風韻猶存固無不可，但說她才三十多歲，則明顯失真，一八九八年時，慈禧已經六十有三。當作傳奇看，這些就無關緊要了。

作者文筆相當老練。

【注釋】

1 我看的版本是香港娛樂出版社的影印本，共一冊。本書第三十七頁有娛樂出版社的出書廣告。

2 我看的版本是香港環球圖書雜誌出版社出版，一冊，九十一頁。出版年代不詳。書中有「話說，距今六十年，中國歷史上發生一件重大的政潮，那就是一八九八年……」，由此可推測，該作品創作於一九五八年左右。

◆薩般若小說述評◆

薩般若，生平不詳。

《美人如玉劍如虹》

我看的版本是香港藝美圖書公司版，一九五六年十二月十二日初版，一冊，十二節，一百八十五頁，定價港幣兩元。書名取自龔自珍《夜坐二首》之二中的詩句：

「萬一禪關砉然破，美人如玉劍如虹。」

《美人如玉劍如虹》講述山東游俠神箭手蕭崇真保護好官山東巡撫王曙光北上進京，途中遭遇黑風山惡盜截擊，為保護王曙光安全而與惡盜姚明瑞、招啟泰、謝祖培等人多次展開打鬥故事。蕭崇真和王曙光來到山東與直隸（今河北）接壤的吳橋地方，黑風三惡將王曙光劫走，蕭崇真邀歐陽齊、歐陽薇兄妹將王曙光救出。蕭崇真和王曙光繼續前行，在連鎮客棧中王曙光又被老闆娘洪大娘下蒙汗藥，適逢白馬溝岳佩蘭、徐珠兒母女前來找黑風三惡報仇，蕭崇真乘機將王曙光救出。

洪大娘又去找丈夫的外甥周展雄幫忙，周展雄率人到白馬溝岳佩蘭家將歐陽薇抓走；王曙光率蕭崇真、宋大嫂、歐陽齊、岳佩蘭、徐珠兒等前往周家匯，周展雄爪牙第三次將王曙光抓獲，幸而被李振清救出。周展雄投奔南霞口漢興鏢局甘漢壽，欺騙師父說白馬溝強盜岳佩蘭劫了巡撫、殺了他舅母、燒了他家，甘漢壽之子率鏢師為周展雄報仇，抓了歐陽齊、歐陽薇兄妹。後宋大嫂認出甘漢壽的妻子孟秋霞是自己的親妹妹，才澄清誤會，化解危機，王曙光得以順利進京。

這是一部非典型新派武俠小說，因為新派武俠小說的基本價值觀，是民族主義和階級鬥爭，即凡是為滿清朝廷服務者多是壞人；而凡是為官府服務的則多是鷹爪。本書偏偏講述一個山東游俠保護滿清山東巡撫進京故事，綠林中的黑風山三惡不斷攔截劫人。故事中人物的立場與新派武俠小說的通常立場相反：巡撫是好人，幫助巡撫的游俠也是好人；而與巡撫作對的黑風山三惡、洪大娘、周展雄等人則是壞人；漢興鏢局的甘漢壽、甘麟父子則是上當受騙的好人。

本書名副其實，蕭崇真在保護巡撫王曙光的過程中，不僅獲得了歐陽薇、徐珠兒兩位美人的青睞，而且獲贈青虹寶劍，正可謂美人如玉劍如虹。

本書的看點，主要是它的故事情節，即一連串的綁架劫持和一連串的拯救與冒險，故事中人善惡分明。王曙光巡撫性情耿直、堅持原則、肅清匪盜、保護一方平安，從而既得罪了綠林強盜，也讓朝廷中的某些官員看不順眼，說他「暴戾嗜殺、迫成民變」，使得乾隆皇帝將他調離山東。山東游俠蕭崇真之所以要保護王曙光，是因為王曙光曾平反他的冤案、將他無罪開釋；且知道王曙光是個正派而且造福一方的好官，所以他仗義護衛好官，這裡的蕭崇真，如同前人小說《施公案》及京劇《連環套》、《惡虎村》中的金鏢黃天霸——這也證明，這部小說的價值觀與清代小說及傳統戲劇相似，與新派小說的價值觀明顯不同。

另一方面，黑風山三惡姚明瑞、招啟泰、謝祖培之所以要劫持王曙光，是因為王曙光曾懸賞抓捕過謝祖培，並要將他處決，後被姚明瑞、招啟泰救出，從而認定王曙光巡撫為仇家。洪大娘之所以要協助黑風三惡陷害王曙光，也是因為王曙光曾懸賞其大盜丈夫洪滄海的人頭。而周展雄要與王曙光等人作對，一方面是要為舅舅洪滄海報仇，另一方面是因為曾向白馬溝徐珠兒求婚被岳佩蘭拒絕，也就是說，這個故事的情節依據充分、邏輯嚴密。

本書的另一看點，是小說中的打鬥安排。蕭崇真是山東游俠，綽號神箭手，但他的武功並非特別高，小說開頭第一戰，他居然被一個十一二歲的童子宋唯一所擊敗（劍被對方打斷），繼而又敗於歐陽齊、歐陽薇兄妹之手。蕭崇真的武功顯然也不及黑風山三惡，即姚明瑞、招啟泰、謝祖培。蕭崇真的武功並非太高，小說中的蕭崇真讓人心折的是他的俠義心腸和英勇氣概。其後的劫持與救援行動，當然都少不了打鬥，從這一點上看，這部小說有技擊小說的影響，即不斷打鬥。

小說的第三個看點，是在打鬥之外，還有姻緣故事線索，即歐陽薇看中了蕭崇真，而徐珠兒居然也看中了蕭崇真，結果兩位少女的家人都要許婚，在蕭崇真可謂是飛來豔福；進而，甘漢壽的女兒甘鳳則看中了歐陽齊，最後，在王曙光的主持下，蕭崇真和歐陽薇及徐珠兒、歐陽齊與甘鳳同日結婚。只不過，書中並沒有對男女主人公的情感加以詳細敘述，只是求婚、許婚、允婚、結婚而已，這與純粹打鬥的技擊小說有所不同，但與新派小說的情感描寫也有所區別。

書中人物形象，最突出的並非蕭崇真，也不是王曙光，更不是歐陽齊、歐陽薇兄妹，當然也不是黑風三怪，而是周大官人周展雄。此人家境優裕，喜好結交，生性好色，貪慕虛榮；從某一角度說，他講究親情，對舅舅、舅母都很好，對朋友也頗講義氣，有人求他幫忙，他能挺身而出；而從另一角度說，他其實是非不分、善惡不明、容易衝動、自以為是，易被情緒所支配。為報復岳佩蘭等人，不惜欺騙師父甘漢壽，顛倒是非，導致家破人亡，這種花心蘿蔔在現實生活中並不罕見，書中的周展雄形象也活靈活現。最後被王曙光赦免，算是他幸運。

此外，隱居的宋一銘不願捲入與黑風山強盜的衝突中，固然是因為他年紀大、孫子還小，難以出力；更重要的原因是他隱居多時，多一事不如少一事，這是許多生活中人的普遍心態。此老的行為不難理解。無獨有偶，周展雄找師父甘漢壽幫忙報仇，甘漢壽也說自己年紀大了，不願再捲入江湖衝突；但當他得知宋大嫂是妻子的姐姐，又得知兒子和弟子是在與巡撫大人作對，立即率人前去攔截，立即將弟子周展雄交給巡撫發落，並且一定要擺酒宴招待巡撫大人一行——這頓酒宴其實有向巡撫大人「謝罪」之意，希望巡撫大人不要計較他兒子的行為。甘漢壽的言語和行為，充分表現出了一個老鏢頭的職業特點和人生經驗。

本書的不足之處是，書中有明顯的人為編造痕跡，例如歐陽薇、徐珠兒與蕭崇真訂婚，實在有些匆忙；而甘鳳與歐陽齊訂婚、結婚，則更加匆忙。這種寫法，不過是作者要讓讀者開心而已。此外，書中有些情節也經不住推敲，一是歐陽兄妹既然與蕭崇真訂親，知道黑風三惡逃脫後肯定還會在前方攔截王曙光和蕭崇真，卻沒有送蕭崇真和王曙光一程，這多少是一個疏忽（也可能是作者故意安排，即讓王曙光的隨從來請救兵，增加一段故事曲折）。二是，蕭崇真在白馬溝岳佩蘭家生病，固然並非絕無可能，但仍有人為痕跡，主要目的是要讓徐珠兒有機會照顧蕭崇真、讓歐陽薇看到徐珠兒與蕭崇真在一起。

這部小說有一定的可看性，但文學成色一般。

◆梁羽生小說述評◆

梁羽生原名陳文統，在香港《大公報》工作，是香港「新派」武俠小說的開山祖師。喜歡武俠小說的人應該無人不知梁羽生。二十多年前，我曾讀過梁羽生的全部作品，此次為了寫《香港武俠小說史》，又將梁羽生武俠小說通讀了一遍，並寫了札記。有些札記很長，為了節省篇幅，此前討論較多的作品札記不收入此書中。

《龍虎鬥京華》

《龍虎鬥京華》是梁羽生的第一部武俠小說。香港太極門掌門吳公儀和白鶴派掌門陳克夫於澳門比武的第三天，《新晚報》登出即將連載武俠小說的消息，梁羽生倉促上陣，能夠寫出這樣的小說，實屬不易。小說受到讀者的歡迎，首先是與此次比武相關，觀眾與讀者熱度未減，被《龍虎鬥京華》再度點燃。

小說受歡迎的第二個原因，是《新晚報》這樣的「新派」報紙也刊登這樣的小說，讓讀者十分好奇。另一原因，是作者從山東高雞泊寫到保定府、熱河、天津、北京，祖國內地的往事，引發當年南下香港讀者的鄉愁。與此同時，也讓原來喜歡看粵派武俠小說的讀者有異樣和新奇之感，梁羽生的小說確實別有風貌。

小說受歡迎的另一原因，是梁羽生書寫義和團的歷史，這還是半個世紀之前的往事，讀者看到作者如此評價義和團，書寫義和團，也有全新的感受。

小說的筆法也是現代式的，雖然是古典故事模式，但它的語言卻是現代的。準確地說，是既古典、又現代。古典的是它保留了章回小說的回目形式，其中有不少回目可品鑒欣賞，例如第九回的回目：「燈火闌珊中年心事濃如酒，暗香浮動少女情懷總是詩」——人們在《冰河洗劍錄》中看到「中年心事濃如酒，少女情懷總是詩」的句子，以為是那部小說的首創，其實是在第一部小說中就已有這樣的回目，只是加上了燈火闌珊、暗香浮動的首碼而已。

說它的語言是現代的，不僅有心理的描寫，在談話中也可以找到：例如第八回中婁無畏對柳夢蝶說：「你只知道我曾叱吒江湖，但你卻不知道我也很軟弱。我慣於孤獨，但卻害怕孤獨。我常常害怕黑夜的到來，寧願在漫漫長夜裡坐待著黎明。我更害怕沒有音響沒有色彩的世界，在靜寂的深夜，我甚至寧願聽到虎嘯猿啼，聽到流水嗚咽。」這段話現在看來有明顯的「文藝腔」，但卻與當年粵語武俠小說截然不同。

《龍虎鬥京華》還有一個特點，那就是小說開頭的《楔子》中說，作者曾在塞外遠行，曾遇到過一個老尼姑，說她是小說中人物。這一寫法，首先暗示小說中的內容都是這個老尼姑親身經歷的「歷史事實」，打通虛構與寫實的壁壘，讓讀者覺得書中故事可信。其次，讀者在閱讀過程中熱切期待老尼姑的出現，不斷猜測作者遇到的那個老尼姑會是小說中的哪個人。這也增加了小說的閱讀樂趣。

小說中刻畫的柳劍吟、婁無畏、柳夢蝶、左含英、丁劍鳴、鍾海平、獨孤一行、雲中奇等人物形象，以及義和團領袖朱紅燈、李來中、張德成等歷史人物形象，也都有一定的藝術成就，能給人留下一定的印象。柳劍吟和丁劍鳴師兄弟的不同身世、不同個性、不同人生選擇，可謂對比分明。柳夢蝶在大師兄婁無畏和三師兄左含英之間難以抉擇，這一悲情故事，也能打動人心。

小說以一九〇〇年前後的義和團運動為歷史背景，但卻沒有正面寫義和團運動的歷史——如果那樣寫就不是武俠小說而是歷史小說了——但小說中卻也清楚地介紹了義和團運動的起因、發展和結局，同時也客觀地敘述了義和團運動中的英雄人物和複雜成分（畢竟是烏合之眾），作者對義和團的書寫並非一味貼金，而是帶有批判性眼光，對義和團隊伍中的扶清滅洋、保清滅洋、反清滅洋的不同路線選擇，也作了明確的區分。這樣的寫法不會讓讀者反感，而是能引起共鳴。

但這畢竟是作者的第一部武俠小說，實際上，也是作者的第一部小說。此前，作者從未寫過小說，也從未想到過要寫武俠小說，因而在小說的故事構想和情節安排方面，不足之處也很明顯。最重要的不足是，小說的主人公並沒有一以貫之，開頭寫柳劍吟、丁劍鳴師兄弟的不同人生選擇，但丁劍鳴在師兄弟會合不久就受傷去世（此時小說只進行到一半），以至於柳劍吟再也沒有比較對象。進而，柳劍吟在埋葬了師弟之後，就沒有太多的故事了，不久就在北京被害，小說也就失去了主人公，後兩回只能寫柳劍吟的徒弟婁無畏、左含英和女兒柳夢蝶，這三個人是小說的主人公嗎？婁無畏是小說的主人公嗎？好像是，又好像不是。

另一不足，是小說前面大篇幅書寫太極丁的掌門人與保定富戶索善餘的交往，且說索善餘與丁劍鳴交往從開始就沒安好心，即索家利用大內侍衛蒙永真、胡一鄂裝扮成採花賊，誘騙丁劍鳴成為索家的座上賓，目的是要借此分化武林。這一安排，多少有些想當然。且不說索善餘其人作為土豪劣紳，沒有這樣做的必要；就是清廷大內恐怕也不會有如此「放長線釣大魚」的眼光，這一安排，是地地道道的小說家言。

後來的故事也是如此，丁劍鳴為索家貢品保鏢到承德，被獨孤一行劫鏢。索家對丁劍鳴、柳劍吟的態度突然一百八十度大轉彎，撕破臉皮，要將柳劍吟、丁劍鳴師兄弟置於死地，這又是為什麼呢？假如要分化武林，何不繼續利用丁劍鳴這個糊塗蛋？假如索家因財物被奪而惱羞成怒，大可以向丁劍鳴索賠。花費如此大的精力和財力搞一場鴻門宴，看不出對索家有什麼實際好處。也就是說，索家的所作所為並不符合這一人物的行為邏輯，而是作者想當然。

進而，小說中的另一重要情節是岳君雄設計打死柳劍吟，這一情節可以說是小說故事中的一大關鍵。問題是：岳君雄為什麼要這麼做？如果岳君雄要推行保清滅洋政治路線，應該找義和團的真正領袖李來中、張德成或曹福田去，怎麼會找到柳劍吟這一客卿施以毒手？退一步說，即使岳君雄發現柳劍吟對保清滅洋的政治路線形成干擾，要設法消滅這個絆腳石，殺了柳劍吟也就罷了，為何還要派人到天津去殺柳劍吟的弟子左含英呢？左含英只是一個小青年，他在義和團中沒有什麼地位和影響，殺他是何道理？難道僅僅因為他是柳劍吟的弟子？柳劍吟還有其他弟子如婁無畏、楊振剛，還有女兒柳夢蝶啊，岳君雄為什麼要將柳劍吟一門或一家屠殺乾淨？他與柳劍吟最多只是路線鬥爭，而沒有滅門之恨啊。

進而，岳君雄殺害了柳劍吟，婁無畏、丁曉等太極門弟子想方設法擺下擂臺，要與岳君雄決生死、報大仇——《龍虎鬥京華》這一書名也是因此而得——但是在擂臺上你來我往，都不過是決鬥勝負，直到岳君雄親自出場與婁無畏決鬥，到最後竟然是不了了之，即岳君雄並沒有被殺，婁無畏和丁曉終究沒有為柳劍吟報仇，也沒有為義和團鋤奸，由於洋人入侵，使得這場轟轟烈烈的擂臺比武戛然而止。

從歷史情勢看，大敵當前，應該一致對外，內部爭鬥自應停止。作者這樣想、這樣寫，自然不無道理。問題是，從武俠小說的傳統和讀者的願望看，婁無畏、丁曉沒有為柳劍吟報仇，卻是一個巨大遺憾。也就是說，岳君雄沒有死，柳劍吟的故事就不能算完。但作者卻硬是完結了，不能不讓人遺憾。

讀者也可以辯護說：婁無畏、丁曉殺岳君雄為師父、師伯報仇，同時也是為義和團鋤奸，並不影響義和團的大業。更何況，此時滿清政權已經與洋人達成協議，要共同清剿義和團，讓義和團作為滿清政府無能的替罪羊。《龍虎鬥京華》中，丁曉的仇人索善餘父子、婁無畏和柳夢蝶的仇人岳君雄都沒有被殺，丁曉和婁無畏沒有報仇，這不能算是完整故事。

有意思的是，作者為丁曉報仇加寫了《草莽龍蛇傳》，在第二部小說的結尾，讓丁曉、姜鳳瓊夫婦和柳劍吟、卓不凡、馬壽山等人將逃難的索家抓住，讓索家父子為丁劍鳴之死付出生命代價。但柳劍吟的生命卻始終無人付帳。

最後，我們終於知道，作者在《楔子》中說的那個尼故，應該就是小說中心如神尼的傳人、柳劍吟的女兒柳夢蝶。作者說，三十多年前曾在塞外與她相遇，聽她講述了這段故事，作者說講故事的尼故已經很老了，她有多老？義和團進京時（一九〇〇年春）她才十九歲，作者與她相遇時當在一九二〇年代初——一九五四年的書中說是「三十多年前」——彼時柳夢蝶的年齡不過四十歲上下而已，能有多老？當然，在當年，五十歲左右就算是老人；而柳夢蝶心傷左含英之逝，很可能比同齡人顯老，作者這樣說，或許也不為過。

《草莽龍蛇傳》

這部小說是《龍虎鬥京華》的續書，主人公丁曉是丁劍鳴的兒子、柳劍吟的侄子，保定丁家太極的主要傳人：柳劍吟、丁劍鳴、婁無畏、楊振剛、丁曉等人在這部書中也都出現了。《草莽龍蛇傳》也仍然以義和團運動為歷史背景，義和團主要領導人朱紅燈、李來中、張德成、曹福田等也在這部書中出現。

本書以丁劍鳴之子丁曉為主人公。丁曉的身世和個性也有很大的創作空間，作為丁劍鳴之子，在保定武林及保定社會中本應有崇高地位，由於丁劍鳴與當弟土豪劣紳索善餘交往，而疏遠當地武林人，或者說是被當地武林人所疏遠，以至於丁曉對當地武林相當陌生。進而，由於丁曉從小在家裡練武，從小被父親的言語和想像光環所籠罩，如紈褲子弟，不通實務且不通世故，甚至沒有一個同齡朋友，孤獨地成長，與外界環境相隔絕，他的成長過程必然不會順利。

小說的開頭很有意思，索家武士郝七等人出獵，打傷老虎，梅花劍傳人姜鳳瓊將在逃的老虎打死，郝七等人硬說這隻老虎是他們的，姜鳳瓊與之爭鬥，丁曉打抱不平，顯示出丁曉的善良本性和見義勇為的個性。但郝七認識丁曉，導致姜鳳瓊誤會，所以不但不感激丁曉，反而對丁曉不屑一顧，這大大傷害了丁曉的好勝心和虛榮心，也傷害了他的自尊心。

但那時的丁曉既不曉得自己，也不曉得世故，不知道虛榮與自尊的分野，只知道被美女輕視非常生氣。知道姜鳳瓊是梅花劍的傳人，他就貿然上門說理，結果自然是被拒之門外。這樣一來，他就更加生氣了，以至於夜探姜家，引起的誤會更大、麻煩更大、羞辱也就更大。幸好遇到朱紅燈，看丁曉是個單純青年，是可造之才，決定將他引入義和團，第一步是引誘他離家出走。丁曉果然這麼幹了，結果因為對時務一竅不通，很快就被官府鷹爪把他當作匕首會的成員抓獲。朱紅燈不得不營救他，而丁曉雖然領情，但卻還不想加入義和團，而是要去河南陳家溝拜師練太極。拜師過程也是一波三折，書中的若干細節也很精彩，後來怎麼寫，就出了問題。

丁曉的個性有很大的發展空間，他的成長之路也還很長，所以應該有很好的故事可講。但作者當時還不怎麼會寫武俠小說，只能編故事，卻又不知道怎麼才能編好故事，於是只能拼湊。因為丁劍鳴的故事在《龍虎鬥京華》中已經說過大概，這裡只能就前一部書的框架輪廓作出一些補充。

丁曉在陳家溝練武有什麼故事可講？作者還沒有找到好辦法，於是只好拿鐵面書生上官瑾的故事來填充，書中有兩大段落講述上官瑾的故事，一段是講述上官瑾如何從落第秀才轉為習武，拜本村鐵匠、太平天國翼王石達開的衛士方復漢為師；五年後，方復漢又將他送到華山，拜石達開之友司空照為師，又練武五年，其後才出道江湖。第二段故事是講述上官瑾代表朱紅燈去找大刀會首領王子銘，因為上官瑾放浪不羈，被鷹爪沙鳴遠、沙守義等陷害並中毒受傷，直到朱紅燈等人來後才撥雲見日。

上官瑾的兩段故事都很精彩，問題是：未免有點喧賓奪主，讓人疑惑：這部小說的主人公到底是丁曉，還是上官瑾？

答案是：主人公是丁曉，但作者卻講不出丁曉的武藝進步、個性發展、心理成長的故事，只好拿上官瑾的故事作為填充。此說的另一證明是，在丁曉故事、上官瑾故事都沒什麼好說時，作者轉而說姜鳳瓊祖孫逃難的故事——中間還插敘姜翼賢的師弟卓不凡在捻軍中的一段經歷——作為補充。好在，作者尚能把丁曉、上官瑾、姜鳳瓊三人的故事縫合起來，那就是寫丁曉、柳劍吟隨卓不凡趕到甘肅堿泉子，拯救了姜鳳瓊祖孫和當地居民；繼而上官瑾又來報訊，說李來中要柳劍吟和丁曉回河北，其後這幾個人一起阻截索家車隊，將丁曉及保定太極門的仇人索善餘父子處死（**索善餘是驚嚇而死**），算是一個光明尾巴。

書中丁曉的故事寫得不怎麼好，丁曉和姜鳳瓊的愛情故事也寫得非常簡單。丁曉對姜鳳瓊或許算是一見鍾情、輾轉反側——他找上姜家大門、甚至夜裡去探訪，意識裡是要去「說理」，潛意識中很可能是想「談情」——姜鳳瓊對丁曉的情意如何？書中沒有多說。此後丁曉出走，姜鳳瓊逃難，再無見面的機會，而在堿泉子見面時，這兩人似乎已是一對戀人，姜翼賢在臨終之前將姜鳳瓊許配給丁曉，也不過是走過場。這對戀人的故事顯然是沒怎麼寫好。

丁曉的故事沒怎麼寫好，當然是因為作者還不大會編故事、不大會寫小說，進一步的原因恰恰是作者還受到歷史、現實的雙重束縛。歷史的束縛是，作者要寫義和團，朱紅燈、李來中、張德成等人都是歷史人物，對這些人物不能不按照歷史事實的輪廓去書寫（**對這些人及其義和團的評價則不受限制**），這也就制約了作者對丁曉故事的想像。

雖然作者並沒有把丁曉的人生故事限制在義和團的歷史發展中，而是寫他去陳家溝練陳氏太極，但又受到現實的限制，即作者對當年陳家溝的現實生活環境不怎麼熟悉，實際上作者對現實人生境況都不怎麼熟悉，無法走宮白羽的寫實路子，只能走還珠樓主的浪漫路子（**這是作者自言**），所以，丁曉的故事無法細緻，更無法深入，只能由別人的故事來填充補缺。

作者對丁曉的個性把握相對準確，如上所言，小說開頭所寫相當有意思，丁曉的紈褲性被寫得活靈活現。作者對丁劍鳴的結局也寫得很有意思，他與索家交往，是因為此人也是一個「老紈褲」，雖然他只是一個武師之子，但也像尋常的紈褲子弟一樣愛慕虛榮，實際上對人情世故所知有限，憑自己想像覺得自己是武林中的一號人物。

索家的刻意奉承，加劇了他的這一性格弱點。但在兒子丁曉離開之後，丁劍鳴的心理有所改變，不再認為自己什麼都能「搞定」，連自己的兒子都搞不定的人憑什麼繼續自我膨脹？於是，在對待梅花劍姜翼賢這件事上，他的行為有明顯的改變，即對姜老有真切同情，非但不願落井下石，反而向姜老通風報信，且希望姜老代他打聽兒子的消息。這一變化，是對丁劍鳴其人的準確把握，也是為丁劍鳴之死作鋪墊，讓丁劍鳴之死獲得讀者的同情。

到第三部書《七劍下天山》，作者終於擺脫了歷史、現實的束縛，讓自己的想像力飛翔——《白髮魔女傳》飛得更高——梁羽生小說創作才更上層樓，出現讓讀者心醉神馳的美妙風景。

《七劍下天山》

《七劍下天山》是梁羽生的成名作，也是梁羽生小說的早期代表作。此前的《龍虎鬥京華》和《草莽龍蛇傳》只是試筆之作而已。

《七劍下天山》這個書名，讓人聯想翩翩。「七劍」之說，有新舊兩個版本，老版本是晦明禪師臨終前對凌未風說，天山三位高人，即晦明禪師、白髮魔女和武當卓一航，共有八個傳人，其中只有七個人用劍，這七劍是：楊雲聰、楚昭南、凌未風、易蘭珠、飛紅巾、武瓊瑤、辛龍子（石天成雖然曾拜卓一航為師，但他沒有學劍，只學了拳法和腿法，所以不在七劍之中）。新版本就是小說結尾時作者所說，包括飛紅巾、凌未風、易蘭珠、武瓊瑤、桂仲明、張華昭、冒浣蓮。按老版本，過去的七劍，固然有楊雲聰、飛紅巾、凌未風這樣的俠義之士，也有辛龍子這樣只管練武、不問世事、有時是非不分的糊塗蟲，甚至還有楚昭南這樣貪圖富貴、背叛師門的反面人物。

按照《七劍下天山》的書名含義，既然是「下」天山，七劍應該是指這些人；後來的新七劍，只能說是「上」天山，而不能說是「下」天山。晦明禪師明知自己的徒弟楚昭南背叛了師門，且讓凌未風清理門戶，但仍然把他算作是天山七劍之一，這是一種實事求是的說法，一娘生九子，九子各不同，誰能擔保從天山上下來的劍客都是俠義道，沒有糊塗蟲和惡人？也可以這樣理解，從舊七劍到新七劍，天山子弟在大風大浪的鍛煉和淘洗中，成分越來越純，到最後全都是俠義中人，他們的故事讓後人傳誦。

如何評價《七劍下天山》？這是一個問題。問題的癥結，不僅在作者的寫法，也在於讀者的讀法。所謂「讀法」，包括兩個要點，其一，讀報紙連載是一種感受，而讀結集成書的版本（可一口氣讀完）是另一種感受，特別是小說中的某些細節缺陷，在連載時或許看不出來，或者是讀後面的故事時早忘了前面的故事，所以不會覺察到小說有太多的缺陷與不足，只覺得它十分好看。而讀結集成書時，則是另一種感受了，故事前後線索可以隨時查閱，閱讀效果和閱讀感受會與讀報紙連載版有所不同。若完全以閱讀結集成書的感受替代所有人的閱讀感受，不考慮閱讀報紙連載版的讀者的感受，很可能會有偏差，甚至有很大的偏差。

其二，所謂讀法，還有另一個考慮，那就是：應該怎樣看這部小說才合適？三十多年來，我多次閱讀這部小說，每次都有不同的感受，最近這次閱讀之後，才算是找到了一種合適的讀法。武俠小說的讀者，大多有自己的期待視野，或者叫做主觀成見，多數讀者希望從武俠故事及其情節結構角度評說一部小說，這樣的期待與評價當然沒有問題。但不是對每一部書都是有效的讀法。怎樣做才能更好地閱讀《七劍下天山》？最好是，把這部小說當作情話、詩話、童話來看。

先說情話。

《七劍下天山》是一部武俠小說，把它當作武俠小說來看，非但沒有問題，且是一種合理要求。只不過，若執著於武俠故事，或許看不出這部小說真正的妙處。這部小說的真正妙處不在武俠敘事，而是情感描寫，即情話。

《楔子》中講述的就是一段讓人感到憂傷的情愛故事。漢族劍客楊雲聰與滿族少女納蘭明慧相愛，還有了愛情的結晶即女兒寶珠（書中的易蘭珠）。但納蘭明慧不能嫁給楊雲聰，只能奉父命嫁給滿族王爺多鐸。納蘭明慧的無奈，得不到楊雲聰的諒解。在她嫁給多鐸前夕，楊雲聰突然出現，對納蘭明慧充滿怨恨，並帶走了他們的女兒。楊雲聰和納蘭明慧的愛情，是以悲劇結束的。這兩人的愛情故事，只是《七劍下天山》的「前史」，為了把這段前史說清楚，作者另寫了一部書即《塞外奇俠傳》（又名《飛紅巾》）。[1]

《七劍下天山》一書，在一定程度上說，是楊雲聰與納蘭明慧的憂傷愛情故事的「後遺症」。明顯的後遺症之一，是納蘭明慧從此失去了快樂。嫁給本族的王爺多鐸，應該是大部分本族少女的夢想，但納蘭明慧曾經滄海難為水，與多鐸的婚姻只能勉強維持。好在，多鐸對納蘭明慧是真心相愛，不因妻子心中另有他人而猜忌、嫉妒乃至家暴，但誰都能看出，他們的婚姻並不幸福。

第二個後遺症，是楊雲聰和納蘭明慧的女兒易蘭珠當年被凌未風送往天山晦明禪師處，十幾年後下山復仇，要刺殺父親的仇人多鐸。雖然第一次沒有成功刺殺多鐸，但卻刺殺了納蘭明慧，讓她更加痛苦憂傷。

知道自己的女兒要刺殺自己的丈夫，那是任何一個女性都難以承受的痛苦和悲傷。更何況，易蘭珠一刺不成，再來一次，第二次終於成功地刺殺了多鐸。書中對多鐸臨死前的描寫值得注意，作者顯然沒有認為多鐸「該死」，而是對多鐸之死賦予了明顯的同情，他對納蘭明慧的愛，讓人感動。

站在民族仇恨的立場上看，多鐸是滿族王爺，且是能征慣戰的名將，雙手沾滿漢人的血，顯然是「該死」。但在多鐸死前死後的那段故事中，作者所寫，只有多鐸對納蘭明慧的感激，這就讓人格外憂傷，站在愛情故事立場上看，多鐸顯然值得同情和尊重。這樣的描寫，顯然「溢出」了小說的思想主題。

楊雲聰和納蘭明慧愛情故事的另一個後遺症，是易蘭珠的心理傷痛。她的父母無法結合，使得她的命運與眾不同。兩歲時就被父親帶離母親，從小被父親的師父和師弟教養，對父親的「仇人」——既是民族仇敵、也是情敵——多鐸心懷不共戴天之仇，但刺殺多鐸的結果卻是讓母親墜入痛苦絕望的深淵。

易蘭珠因刺殺多鐸而被打入天牢，納蘭明慧沒法拯救，且得不到女兒的諒解，最終只好自殺身亡。母親的自殺，造成易蘭珠無法真正修復的心靈創傷，她知道，母親是被她逼死的。為了父親而逼死母親，女兒易蘭珠心靈痛苦和創傷如何能修復？唯一的辦法，是躲入天山，和同樣傷情的飛紅巾相互慰藉。

書中寫到白髮魔女、飛紅巾、易蘭珠這三代女性的青春白髮，是讓人最為震撼的一幕。順便說一句，飛紅巾哈瑪雅之所以要把易蘭珠接上山、據為自己的「拐杖」（**凌未風的評語**），是楊雲聰和納蘭明慧愛情的另一個後遺症，飛紅巾愛楊雲聰，而楊雲聰卻愛納蘭明慧，以至於飛紅巾哈瑪雅一夜白頭，躲入天山二十年，直到為了拯救楊雲聰的女兒易蘭珠才不得不下山。後被凌未風言語刺激，才起死回生，再創輝煌。

《七劍下天山》的主線，是凌未風的故事。凌未風故事有兩層，一層是他行俠故事，另一層就是他的傷情故事。《楔子》中已經寫到，他是因為挨了劉郁芳一耳光，本已決心尋死，因受大俠楊雲聰臨終託付，要他將兩歲大的易蘭珠送往天山，他才打消了尋死的念頭，開始了面目全非的別樣人生。

凌未風的故事，受到愛爾蘭作家艾捷爾・麗蓮・伏尼契小說《牛虻》的影響，主人公受女友一個耳光之後，決心離開，再見時已經面目全非，相互難以辨認。凌未風原名梁穆郎，與劉郁芳都是明朝皇裔魯王的下屬，年少的梁穆郎被人哄騙，說出了魯王舊部的聯絡地點，以至於魯王舊部被清廷官府一網打盡。年輕的劉郁芳聽說是梁穆郎洩密，不分青紅皂白地給了他一耳光。從此梁穆郎在世界上消失，凌未風重現江湖後，即便與劉郁芳再見，也不承認自己就是當年假裝投錢塘江自殺的那個人。

在並肩戰鬥的過程中，凌未風和劉郁芳同樣飽嘗了無法言明的相思之苦。直到凌未風得知楚昭南要殺他，才給劉郁芳寫血書，說自己就是她苦苦追尋的梁穆郎。然而，當凌未風終於被群雄救出，由於深愛劉郁芳的韓志邦捨身救出凌未風，這對有情人仍然不能立即成為眷屬，而是不約而同地向對方告別，相約「相忘於江湖」，希望分離的時光能夠沖淡心中的愧疚與傷痛。這個愛情故事，同樣令人神傷。

凌未風和劉郁芳的情感憂傷，一半為自己，另一半是為韓志邦。韓志邦的愛情故事，更加令人憂傷。從一開始我們就知道，天地會總舵主韓志邦暗戀魯王舊部女將劉郁芳，由於劉郁芳放不下梁穆郎，對韓志邦的愛情只能視而不見，武元英託傅青主為韓志邦向劉郁芳說媒，也同樣無濟於事。

在與凌未風、劉郁芳同行去雲南的途中，韓志邦終於黯然獨自離開。然而山不轉路轉，韓志邦與劉郁芳再次相見，埋在心底的愛情再次被點燃，而此時的劉郁芳對凌未風的愛情更加溢於言表。最終，韓志邦為救凌未風而決心犧牲自己，表明他對劉郁芳的愛情已經昇華，為劉郁芳的幸福不惜一切捨棄與犧牲。這個故事既感人，又憂傷。

書中還有一段憂傷的情感故事，那就是桂天瀾、石天成、石大娘師兄弟妹之間的亂世情仇。桂天瀾、石天成都是葉雲蓀的弟子，都喜歡他們的小師妹，即葉雲蓀的女兒——遺憾的是作者沒有寫她的芳名——葉雲蓀問女兒更喜歡誰？女兒說更喜歡脾氣火爆的石天成，於是葉雲蓀就將女兒許配給了石天成，葉雲蓀的女兒從此變成了石大娘。

他們夫妻恩愛，本來無事，奈何遭遇亂世，石天成將妻子和兒子託付給師兄桂天瀾，從此與他們失去聯繫。為了投軍，有人勸桂天瀾與石大娘結婚，正當他們舉行婚禮之際，石天成突然出現，把他們當作背情棄義的姦夫淫婦，從此勢不兩立。

石天成心地單純、頭腦簡單、性格衝動、脾氣火爆，根本不讓桂天瀾有解釋的機會，多次找桂天瀾拼命，最後終於將桂天瀾擊斃，自己也身負重傷。到這時，他才知道自己完全誤解了師兄與妻子的關係，後悔不已。這段故事具有重大的敘事意義，之所以有這樣的故事，說到底，是因為亂世，即滿清軍隊侵入中原，讓無數家庭妻離子散、家破人亡，假如不是亂世，石天成夫婦絕不會分離，也就不可能誤會師兄桂天瀾。

這段傷情故事，是對亂世悲哀的深刻揭露，也是對滿清政權的強烈控訴。這個故事有一定的想像空間，那就是，假如桂天瀾與石大娘結婚之時，石天成沒有出現，桂天瀾與石大娘會不會真的成為夫妻？可能會，也可能不會。無論會與不會，都是亂世悲歌。可以肯定的是，自從石天成出現，桂天瀾和石大娘就不可能當真成婚，而只能做掛名夫妻，以便將石大娘和石天成的兒子養大成人。此外，這段故事由石大娘和石天成兩人的回憶和講述構成，兩人的回憶構成了一個獨立的文本單元，形式新穎獨特。

石天成的愛情悲劇還有一個可怕的副產品，那就是害得他的兒子石仲明受到強烈刺激而患上「離魂症」（**是一種突發性神經症**），徹底忘記了自己是誰、從哪裡來、到哪裡去，以至於被五龍幫的奸小所利用。所以如此，是因為養父／義父桂天瀾和石大娘從未對他講過他的父親石天成，當石天成前來找師兄桂天瀾報仇時，石仲明以為對方是壞人，以至於將父親石天成打下懸崖，事後聽說被自己打下懸崖的人是自己的父親，無法承受「殺父」的心理壓力，終於成病。直到名醫傅青主和冒浣蓮帶他回到他曾生活的劍閣，見到自己的母親石大娘，尤其是知道父親並沒有被他打死，他的病情才得好轉並痊癒。為了紀念桂天瀾的恩情，並為自己的莽撞贖罪，石天成讓兒子保留「桂仲明」的名字。桂仲明的生病經歷，是小說中最為傳奇的故事，同時也是對滿清官府造成的人世悲劇的更深刻的揭露。

書中的愛情故事並不都是憂傷，例如，冒浣蓮與桂仲明，易蘭珠與張華昭，武瓊瑤與李思永，這三對戀人最終都有如意結局。只不過，他們的愛情雖然如意，但卻說不上是美滿，最典型的例子是，冒浣蓮與桂仲明新婚之際，冒浣蓮仍會情不自禁地思念遠在京城裡的納蘭容若；而納蘭容若也在遠方思念冒浣蓮。從家世身分和文化修養角度說，冒浣蓮和納蘭容若似乎更加般配，然而他們不可能成為眷屬，因為納蘭容若是滿清貴族，而冒浣蓮則是反滿抗清的義士。武瓊瑤和李思永相親相愛，但最後，李思永仍然犧牲在抗清戰場上。易蘭珠和張華昭相親相愛，但，易蘭珠是否能從逼死母親的愧疚與傷痛中走出？何時走出？我們不得而知。

再說詩話。

把《七劍下天山》當作詩話，是對這部小說的一種獨特看法。宋代人將說書、講故事稱為「說話」，將故事底本稱為「話本」。所謂「詩話」，有兩種不同的意義，一是指專門談論詩歌的著作，另一種就是帶有詩歌形式且具有詩性的說話。說《七劍下天山》是詩話，是因為，作者梁羽生的詩人氣質和詩歌才華，大大超過了他作為小說家、講故事人。而許多人喜歡梁羽生的小說（**尤其是喜歡古典詩詞的讀者**），對梁羽生小說中的詩情畫意的欣賞，超過了對故事情節的關注。

《七劍下天山》的開篇詞、結尾詞、每回的回目對聯，都有獨立審美價值。這種形式，正是古代話本的通常形式。古代說書人開場有唱，涉及詩詞；話本中同樣沿用這種形式，每回的回目用對聯形式，讓人駐足欣賞。回目聯語加上開篇詞、結尾詞，相當於在故事情節中加上了詩語標注，如一連串的珍珠。

書中出現的納蘭容若，使得這部小說的詩話內容更加豐富。納蘭容若是清代最傑出的詞人，王國維說他是「北宋以來，一人而已」，可見其詞作藝術水準之高。作者讓納蘭容若在小說中出現，正是要展開其精美的「詩話」。書中出現十多首納蘭容若的詞，分別讓納蘭容若欣賞、歌女演唱、三公主欣賞、與冒浣蓮交流。這些段落，形成了小說中美麗動人的篇章。

實際上，納蘭容若的行為、心理和形象，也都是小說中的異數，證明這部書的詩話氣質。換一個作者，或許不會在武俠小說中寫到納蘭容若這樣的人物，即便是寫到他，或許會一筆帶過，而梁羽生的這部書中對這一人物的言行心理大做文章，使得小說具有詩話氣質。

納蘭容若的出現，首先是在舞臺上主動救助受傷的張華昭，雖然明知道張華昭是參與刺殺多鐸和納蘭明慧的人，卻因納蘭明慧的祖護而另眼相看，不僅幫他掩護，而且將他帶回北京相府讓他繼續康復。其次，是當他知道冒浣蓮來京救助被關入天牢的刺客易蘭珠，他雖感到為難，結果仍然願意幫助她，將她帶入皇宮找三公主幫忙。

再次，在南疆草原，當冒浣蓮扮成牧羊女請他幫忙打聽凌未風的下落，他也不避嫌疑，打聽到楚昭南已將凌未風帶到了拉薩。最後，當通往拉薩的邊界被清兵封鎖，他故意衝入武門人群中，充當人質，以便傅青主等人通過。納蘭容若的行為，不僅具有俠氣，同時具有詩性。納蘭容若與冒浣蓮徹夜談詩的段落，是書中最動人的場景。

納蘭容若的出現，使得小說的價值判斷出現了新的維度，雖然他是滿族貴族，出身大官之家（**其父是滿清名臣納蘭明珠**），從民族、階級兩個維度說，都是反清義士的敵人，但納蘭容若作為一個個人，超出了自己的民族和階級，對反清義士充滿了同情，對自己的生活充滿了無奈與感嘆。毫無疑問，他是個好人，而且是個俠士。同時，納蘭容若親近的人，例如納蘭明慧，例如三公主，也是滿清貴族群體中的異數，讀者只能從個人角度去理解和欣賞。

最後，三公主為了盜取朱果金符而自縊，納蘭明慧也因無法救助女兒易蘭珠而自殺。納蘭容若、納蘭明慧、三公主和冒浣蓮的故事，是小說中的一條特殊的支線，這條線索可謂書中的「詩友」之會，他們的故事是本書詩話的主要內容。

再說童話。

數學家華羅庚說，武俠小說是「成年人的童話」。這話對所有的武俠小說都合適，對梁羽生小說更加合適，更是閱讀《七劍下天山》的關鍵。

作為武俠故事，《七劍下天山》中的人物行為及人物關係，顯得相當稚嫩，甚至難以按常理或常情理解消化。例如，小說第五回，韓志邦遇到一隻小鹿，「慢慢的走過去，自言自語的說道：『小鹿，小鹿，我也是個沒有朋友的人，你不嫌棄，我和你做個朋友吧。』」[2]這一細節，當然是要描寫韓志邦失戀的痛苦。

問題是，此時的韓志邦已年近不惑，且身為天地會創會總舵主，與在失戀後要與小鹿做朋友的人相距遙遠。書中所寫，很像是一個脆弱的中學生，而不像是一手創辦天地會領導群雄反清復明的英雄領袖。書中的韓志邦也確實不像個英雄領袖，竟然輕易地將天地會總舵主職位私自授予劉郁芳，即使劉郁芳的政治才幹當真比他更高，他也不能將天地會總舵主職位如此簡單地私相授受，更不會要與小鹿交朋友。若把它作為童話看，這段情節就很容易理解，韓志邦是個單純的人。

又如，小說第三回，康熙讓侍衛閣中天殺了自己的父親順治，這是令人震驚的一幕。這段故事不是歷史事實，實際上也不符合故事中的事理，但卻符合武俠小說的「童話邏輯」，因為康熙是小說中的頭號壞人，是書中反面人物的總代表，也是書中正面人物的一切苦難的根源，這樣的人做任何壞事都是「符合邏輯」的。更何況，中國歷史上的宮廷權力鬥爭向來殘酷，父子兄弟相互殘殺並不稀奇。

又如，義軍領袖李來亨派弟弟李思永去和平西王吳三桂商談共同反清事宜，凌未風和劉郁芳也同樣在尋找與吳三桂合作反清的機會，但李思永、凌未風、劉郁芳抵達平西王府之後，他們的言行卻完全不像是來尋求合作，而是針尖對麥芒，甚至勢同水火，吳三桂屬下大將保柱對凌未風等人冷眼相看，凌未風更是毫不客氣，將對方打得落花流水。李思永與吳三桂商談，也是毫不妥協，如戰場對敵，吳三桂終於忍無可忍，將李思永、凌未風和劉郁芳三人關入水牢。

從政治社交行為上看，這段情節實在不合邏輯，既然尋求合作，誰都知道應該相互理解、相互尊重、相互妥協。無論李思永、凌未風、劉郁芳等與吳三桂有多大政治目標分歧，本著「敵人的敵人就是朋友」這一實用政治原則，他們也應該暫時擱置分歧，尋求相互合作，以便求大同、存小異。但書中的李思永、凌未風卻不管這些，見到吳三桂這個漢奸就摟不住火，當場斥責，讓他難堪，結果不歡而散，來訪的談判代表立即從座上客變成階下囚。

看到這一結果，難免讓人納悶，既然如此，何必來找吳三桂？總之，他們的行為不符合正常的政治行為邏輯。若把這部書當作童話，那就沒有問題了：李思永、凌未風都是愛恨分明的人，對吳三桂這位引領清兵入關的大漢奸無法忍受，合作事宜談不攏是必然的。在童話意義上看，只有對吳三桂毫不妥協，才能證明凌未風、李思永等人的英雄氣概。

按小說欣賞與評論的正常標準看，《七劍下天山》的結構存在明顯問題，即缺乏整體性，故事中的主人公們始終在做江湖浪遊，而且是走到哪算哪，看不出他們有什麼整體計畫。實際上，讀者甚至很難說得清，究竟誰是這部小說的主人公？

若說凌未風是這部小說的主人公，書中卻沒有他的獨立故事，大多是其他人到哪裡，他就跟到哪裡。進而，他雖出現在山西五臺山、雲南昆明、四川劍閣、首都北京、回疆天山、南疆草原、西藏拉薩，但誰也不知道他到底要做什麼、如何做才能達成自己的反清目標。進而在桂仲明、冒浣蓮從雲南昆明趕往劍閣，以及桂仲明、冒浣蓮趕往北京尋找張華昭的下落，凌未風根本就沒有隨行，而他在李來亨部隊中的所作所為，小說中隻字未提。

若說桂仲明、冒浣蓮、易蘭珠是小說的主人公，或說李思永、傅青主是小說的主人公，那就更說不通。因為這些人物都只是在某個階段充當主人公，如果凌未風的故事是長線，那麼桂仲明、冒浣蓮、易蘭珠或傅青主等人就是這條線上的珍珠。這就難怪，電影人曾數次把這部小說改編搬上銀幕，總是無法獲得真正的成功。一部作品中，主人公形象不明確，更不大鮮明，如何能變成精彩的電影故事？對這個碎片化的故事，只能作碎片化的欣賞；也只有在童話意義上，書中的人物和故事才能被欣賞點讚。

即便如此，書中仍然有些漏洞。如今流行的版本是經過作者的修訂，但梁羽生小說的修訂本與金庸小說的修訂本有所不同，即便把它作為童話，其中仍然有說不通之處。例如，第七回至第九回書中，吳三桂將李思永、凌未風等打入水牢，根據保柱建議，停止供應飲食，使得李思永等餓了好多天（第七回第一四三—一四四頁）；但後來，傅青主卻出現在水牢中，理由是傅青主受吳三桂所託，到水牢中給這幾個人治病。

書中說，「過了多天，吊下去的食物，每回都剩下許多，看守的人報說，水牢裡的人似乎已病了。」（第九回第一八八頁）傅青主下水牢治病的情節，前後明顯不一致。如果吳三桂要餓他們，就不會派傅青主下去給他們治病。如果他們真的病了，吳三桂大可以將他們取上來加以囚禁。有意思的是，傅青主幫助凌未風逃出水牢，凌未風居然還將保柱帶上來，進而還讓保柱從他手中逃脫，指揮王府衛士堵截凌未風、傅青主等人。這樣做，明顯貶低了凌未風的能耐。

又如，石天成在劍閣山谷中的住處來了好幾位大內侍衛，說石天成是「反賊」，他們是前來抓捕的。問題是，此前至此刻的石天成，從來就沒有做過任何造反的事，他始終陷於個人情仇之中，一心一意地找師兄桂天瀾的麻煩，直到桂天瀾被他打死，他自己身負重傷。清廷侍衛怎麼會把他當作「反賊」？

書中的石天成、辛龍子的形象，值得作專題分析。

書中的閣中天的轉變，也值得作專題分析。

《塞外奇俠傳》

《塞外奇俠傳》的故事發生在《七劍下天山》之前，而這部書卻寫作於《七劍下天山》之後。目的是要補上《七劍下天山》的開頭《楔子》所涉及楊雲聰與納蘭明慧的愛情故事。

本書的一大看點，是主人公楊雲聰與敵酋滿清伊犁將軍納蘭秀吉的女兒納蘭明慧之間的愛情關係。他們相遇時，楊雲聰遭遇沙暴昏迷，被納蘭明慧救助，沙漠綠洲的特殊環境，納蘭明慧的美麗聰慧，讓楊雲聰情不自禁地愛上了這位敵方美女。此後戰場相遇，納蘭明慧遇險，楊雲聰拯救，兩人的情感不斷升溫。這一愛情處於重重困境中，成了本書核心看點。

首先是楊雲聰本人的內心矛盾，作為領導哈薩克牧民抗清的領袖，如何能愛上敵酋之女？其次是納蘭明慧的命運衝突，多鐸王子求婚，父母不得不答應，而她又不能背棄父母，只得痛苦妥協，獻身於楊雲聰，然後嫁給多鐸。再次是楊雲聰面臨社會壓力，楊雲聰救助納蘭明慧，是幫助了敵人，損害了當地民族部落的利益，從而讓人懷疑楊雲聰是否真心幫助他們抗清。最後，影響了楊雲聰與飛紅巾之間的關係，飛紅巾喜歡楊雲聰，並且明顯示愛，楊雲聰無法回應。楊雲聰、飛紅巾這兩位主人公的關係，只能是戰友關係，而不可能發展為情人關係，這刺激了飛紅巾，影響了抗清大業。

本書的另一看點，是飛紅巾的形象刻畫。她是回疆草原上著名美女，是讓滿清入侵者聞風喪膽的巾幗英雄。她性格果敢堅毅，有大丈夫氣，難免強悍過頭，而溫柔不足。她的第一個男友押不盧是草原上著名的歌手，卻出人意料地成了殺害唐努的幫凶、本族的叛徒。原因之一，就是他受不了飛紅巾的強勢壓迫。

押不盧臨死前申訴說：「我，押不盧，叫做是你的情人，但你動不動就用皮鞭威嚇我，事無大小，一切都要聽你的話，我哪裡像是你的情人，只是像一個卑微的僕人，而你就是我至高無上的主子。」這段話應該真實可信。由此看來，飛紅巾作為情人，可能真的不那麼讓人舒心。

這也難怪，作為南疆抗清聯盟盟主唐努的女兒，難免有些性格嬌縱；而作為武林高手白髮魔女的徒弟，更可能受師父偏執性格、火爆脾氣、「女性主義」戀愛觀的影響，也就難怪，楊雲聰可以和她合作抗敵，但無法成為她的戀人。與納蘭明慧相比，飛紅巾個性崢嶸，讓人難以親近。當然，現代女性主義者也可以為她爭辯說，押不盧是個小男人，配不上飛紅巾，而楊雲聰不敢接受飛紅巾的愛情，也可能是由於他的大男人主義思想觀念作怪。小說中最驚人的場景，是楊雲聰到天山探訪時，飛紅巾已是白髮滿頭！白髮魔女的弟子成了白髮少女，如此「宿命」延續，值得讀者深思。

本書的第三個看點，是對楚昭南形象的刻畫。他是晦明禪師的弟子、楊雲聰的師弟，卻成了師門的叛徒、滿清的鷹爪。這一設計有些出人意料，但卻並非沒有理由，誰能保證名門弟子不會走入人生歧途？楚昭南原本是個孤兒，在師門中受到師父、師兄的特別關愛，但他卻明顯地自我中心。走出師門後，雖也曾幫助飛紅巾抗擊滿清，卻把個人欲望置於抗清大業之上；一旦受到飛紅巾冷落，便毫不猶豫地離開。

楚昭南最終投身於滿清伊犁將軍府，追求榮華富貴，是他的必然選擇。由於利慾薰心，師兄弟間的情感也就逐漸淡漠，甚至退化變質。楊雲聰將他抓獲，都因兄弟情誼而不忍施以辣手，想勸他改邪歸正，但楚昭南卻一意孤行，很快逃脫。楊雲聰第二次將楚昭南抓獲，仍然不忍親手將他處決，而是交給部落酋長，以至於讓辛龍子將他救走。如果楚昭南的武功高過楊雲聰，他會怎麼對待楊雲聰？讀者不難找出答案。

《江湖三女俠》

《江湖三女俠》是《七劍下天山》的一個分支。《七劍》中的易蘭珠、武瓊瑤、武成化等人物在這部書中出現，而唐曉瀾、馮瑛都是易蘭珠的弟子。

小說從馮瑛、馮琳周歲時開始寫起，由於血滴子追蹤周青到馮廣潮家，馮廣潮的關門弟子、十六歲的唐曉瀾和剛剛周歲的馮瑛、馮琳從此開始命運的漂泊，天各一方。其中馮瑛被天山七劍之一易蘭珠所得，而馮琳則更為悲慘，從小被無極派門人鍾萬堂所收養，與年羹堯為師兄妹，繼而被薩氏雙魔搶走，在允禎府長大成人，學習了各種邪派武功，且忘卻了自己的身世和以前的記憶。

小說對馮瑛、馮琳兩人形象的設計很有創意，一是兩人長相十分相似，就連自己的母親酈練霞也分不清，久之才知道區分這兩個小姑娘唯一的方法是當她們笑的時候，一個小酒窩在左（**姐姐馮瑛**），另一個小酒窩在右（**妹妹馮琳**）。二是馮瑛的個性相對沉靜端莊（**內心其實也有衝動**），馮琳的個性則相對活潑俏皮、天不怕地不怕、敢想敢幹，看似有些邪氣，從而得罪了不少人，以至於姐姐馮瑛經常要為她背鍋。

三是兩個人的情愛故事都有傳奇性，馮瑛情感故事是小說的主線，唐曉瀾比馮瑛年長十五歲，馮瑛、馮琳周歲時，唐曉瀾已經有十六歲了。馮瑛十六歲下山時，唐曉瀾已經年過三十，論身分，唐曉瀾應該是馮瑛的叔叔，且唐曉瀾已有未婚妻楊柳青，馮瑛愛上唐曉瀾，是在不知不覺中，經過海島漂泊，兩人的情感關係更進一步，到最後已經是難解難分。但有楊柳青這個障礙，無法成為佳偶。

唐曉瀾曾因中毒而要解除與楊柳青的婚約，但楊柳青為救唐曉瀾而死，使得唐曉瀾背上了沉重的道德重負，不得不對馮瑛說此生不再娶妻。直到與楊柳青重逢，而楊柳青已嫁給酈錫九並生了女兒酈絳霞，唐曉瀾與馮瑛的情感才終於有了著落。

馮琳與李治的傳奇性在於，李治把馮琳當作馮瑛，所以從一見面開始就照顧她，馮琳個性活潑，也假裝是易蘭珠的弟子，從而與李治同行，久而久之情感漸深，到馮琳坦白自己的身分時，李治已經深深愛上了馮琳。

唐曉瀾是這部作品中的重要人物，因為他是聯繫三女俠即呂四娘、馮瑛、馮琳的核心線索。唐曉瀾是馮瑛、馮琳姐妹的「師叔」（**是她們外公的關門弟子**），又曾對呂四娘一見鍾情（**呂四娘始終將他**

當作弟弟）。作者對唐曉瀾的身世與經歷設計也費了不少心思。說他是康熙與漢族少女海棠的兒子，也即他是皇子，是允禎等人的小弟，只不過他不知道，等到他知道的時候，他的思想觀念已經清晰，人生立場已經穩固，雖不再是反清復明的中堅，卻是反抗暴政的勇士。

唐曉瀾的母親海棠與祝家澎（冷禪）的愛情故事，也讓人唏噓。清宮衛士侯三變與祝家澎等人的友情也別具一格。進而，唐曉瀾的經歷也讓人感慨，他被唐家收養（女主人是他的姨媽），唐氏夫婦被血滴子殺害；隨周青學藝不久，又被送到馮廣潮門下，馮廣潮被血滴子追殺，他又被送到楊仲英門下。在楊仲英門下練武本來是幸事，但他受到師妹楊柳青的情感壓抑。後來到易蘭珠門下學藝，易蘭珠卻不承認他是正式弟子，只能作為記名弟子，直到他再上天山，苦練絕技有所成就，易蘭珠才終於讓他列入天山門牆。

唐曉瀾的學藝經歷如此複雜，這一複雜的學藝過程也正是唐曉瀾個性成長和鍛煉的過程，成就了他的隱忍忠厚和大度堅強。

三女俠中，呂四娘的形象是《清朝野史大觀》卷十二《江南北八俠》中的呂四娘加工改造而成。她是明末大儒呂留良的孫女、呂葆中的女兒，同時又是明朝末代公主獨臂神尼的關門弟子，她反清復明的政治立場早已被其身世所確定。雍正時搜查呂留良的弟子、焚燒呂留良的著作、抓捕呂留良的家人親友，使得呂四娘對雍正及其滿清王朝的仇恨更加深刻。

小說中呂四娘的個性早已成型，年紀輕輕就有大俠風度、落落大方，把唐曉瀾視為弟弟，把唐曉瀾的愛慕引向同道之情和姐弟之親，是因為她心裡早有戀人，即父親呂葆中的弟子沈在寬。呂四娘與沈在寬的情感，也稱得上是道德倫理的典範，與眾不同的是，呂四娘這位女性是主動者、拯救者，沈在寬這位文人則是被動者、被拯救者。呂四娘與沈在寬的愛情有其動人之處，只不過，因為呂四娘的形象太過高大，不似唐曉瀾與馮瑛、李治與馮琳，乃至楊柳青與唐曉瀾的愛情那麼有人間煙火氣。沈在寬問呂四娘，他們倆何時成親，呂四娘說要等她殺了雍正之後，這一選擇當然有英雄氣概，卻也未免讓人心焦，萬一她無法完成這一復仇計畫，情事、婚事又何以堪？

小說是以滿清雍正皇帝作為第一反派，以刺殺雍正作為全書的高潮，反清復明是這部書的主題。讓人留下印象的，卻還是書中的愛情故事，除了主人公呂四娘、馮瑛、馮琳的愛情故事之外，白泰官與魚娘的愛情故事，路民瞻與山東巡撫之女李明珠的愛情故事，也都很可觀。白泰官和路民瞻都是八俠中的人物，而魚娘、李明珠則分別是海盜、高官之女，她們的愛情故事都很傳奇，且很曲折。

小說中寫得最好的人物形象，其實並非三女俠，即呂四娘、馮瑛和馮琳，而是山東老英雄鐵掌神彈楊仲英的女兒楊柳青，也即唐曉瀾的未婚妻。這一人物是驕縱獨生女的典型，因為父親楊仲英是北五省最著名的武師，從小就被嬌生慣養，有任何願望父親都會滿足，犯了任何錯誤父親都會原諒。即便是外人發現楊柳青有什麼不是，一般人看在楊仲英的面子上也會諒解她。這樣一來，楊柳青從小就養成了只知有我、不知有人的習慣，她之所謂有我，並不是理性，而是任性。

在與唐曉瀾的交往中，已經初露端倪，就在楊仲英收唐曉瀾為徒的當天，楊柳青就給這個師兄下馬威，打得唐曉瀾灰頭土臉。楊柳青的這種行為，也許是看上了唐曉瀾——事後證明也確實如此——但還是要顯一顯自己的本事，情不自禁地要占得上風。她不會想到，自己的這一行為會讓對方苦不堪言。因為是師父的女兒，唐曉瀾又十分敬重師父，當然不能得罪也不敢得罪楊柳青，但內心的感受則是另一回事了。楊柳青不知道自己的心事，所以當父親問到她對婚事有什麼想法時，她沒有概念，也沒有想法。楊柳青的身體已經成年，心智卻是幼兒。

直到鄒鳴臯帶著兒子鄒錫九前來求婚，楊柳青才不得不認真考慮自己的感情和婚事。才朦朧發現自己好像更喜歡唐曉瀾——實際上，終其一生她都愛慕唐曉瀾，只不過早期無知、中期無緣、晚期無奈而已——她竟然毫無理性、更無禮貌地將求婚者鄒錫九的胳膊折斷（鄒錫九開始時實際上是讓她），以至於鄒鳴臯差點與老友楊仲英斷交。事後，楊柳青才告訴父親：自己對唐曉瀾有興趣。

楊柳青最大的性格弱點，是恃寵而驕。即只知道自己的感受而不知道對方的感受，從而也就無法顧及對方的感受。以為只要自己對他感興趣，對方就一定對自己有興趣，而且一定要按照她的意願與自己交往。這樣一來，實際上是把唐曉瀾往外推。當唐曉瀾在她家學藝，沒有外人的情況下，這種情形或許還能維持，一旦唐曉瀾離開她家，看到外面的人事和風景，情況就不由楊柳青掌控了。

楊柳青對唐曉瀾有情，從而無法容忍唐曉瀾身邊有任何一個女子存在，她對馮瑛的態度和做法，按照楊柳青的心智水準而言，全都是必然之舉。唐曉瀾離心，馮瑛生氣，她甚至可能都不知道。她只知道要按照自己的心意行事，如果不行，她還有一個殺手鐧，那就是把父親拉出來為自己助陣，讓父親滿足自己的願望。

楊柳青最常說的一句話，是「你們不知道鐵掌神彈楊仲英嗎？他是我父親。」其實，她的武功和心智都不足以行走江湖，離開父親她就無法獨立面對自己生活中的困境。所以，被馮琳弄得灰頭土臉，那是她應有的報應，正所謂惡人自有惡人磨。唐曉瀾「中毒」無救時寫退婚書，那也是必然的選擇。

直到父親去世，她才開始有點覺醒，但對人事仍然是似懂非懂，實際上她根本就不知道如何處置她與唐曉瀾的關係。後來的故事，只是作者或命運給她安排的一條退路，即為救唐曉瀾——這是她真心的表露——而被迫落水，遇鄒鳴臯、鄒錫九父子，在鄒氏父子的照顧下恢復，於是嫁給了鄒錫九。好在鄒錫九本來就對她有情有意，而楊柳青大約也接受了點教訓，不再是那個毫無顧忌的女霸王。

鄒錫九的故事不多，但從他不多的故事中也能看出，他原本也是一個自高自大的紈褲，只不過沒有楊柳青那麼任性而已。自高自大的小公雞，遇到比自己更加蠻不講理的楞頭女，結果很可能會像鄒錫九與楊柳青這樣的婚姻模式。

本書另一個有特色的人物，是大將軍年羹堯。年羹堯是歷史人物，但這部小說中的年羹堯與歷史上的年羹堯並不是一回事。小說中的年羹堯是被作者重新塑造過，歷史上的年羹堯的父親曾是高官，自己也曾中過進士；而小說中的年羹堯的父親則是一個土豪，自己則從小就不喜歡讀書，是個徹頭徹尾的混球。

小說中的年羹堯，是作者按照自己的意圖塑造的。這個年羹堯從小就與雍正沆瀣一氣，狼狽為奸，背叛少林並揑造本空遺言只是他與雍正合作為惡的開端。在與雍正合作的過程中，他也有自己的小九九，對待馮琳就是其中的一個關鍵。雍正也喜歡馮琳，年羹堯也喜歡馮琳，他知道雍正喜歡馮琳，卻忍不住要打馮琳的主意，結果被雍正發現，從此種下惡果。年羹堯與雍正狼狽為奸，以為自己有能力與雍正周旋，卻忘記了雍正的權力比他更大，不知道雍正機心也比他更深。

在小說中，年羹堯對待自己的師父鍾萬堂的態度足以說明他不是個好人。但他對待自己的父母卻與常人沒有區別，對待馮琳也算是不錯（他想佔有她是後來的事情）。在軍隊中，他是一個有謀略且軍紀嚴格的指揮官。或許正因為他一帆風順，從而不免驕傲自滿，進而自高自大，最後自我膨脹。

說小說中年羹堯形象寫得不錯，正是指作者把年羹堯自高自大、自我膨脹的心理和行為刻畫得淋漓盡致。作為雍正的功臣，他不知道功高震主？竟然要提督富山為他站崗，又隨性地將富山處死，自己的心腹陸虎臣勸他，他竟要將陸虎臣也處死。這是他自我膨脹的開端，進而在進京之際，雍正下令士兵卸甲而無人聽從，直到年羹堯下令才得執行。這一舉動，是雍正要處死年羹堯的具體契機。

小說中的年羹堯形象，實際上是一種扁平形象，即按照壞人的模子書寫，談不上有多高明。真正高明的是，年羹堯被雍正貶為杭州城門守吏之後那一段，面對陸虎臣、方今明、弘法、馮琳等人時，年羹堯的梟雄本色及其心理病態得到充分顯現。陸虎臣想要戲弄他，他拿出皇帝所賜金牌，反而讓陸虎臣不得不對他磕頭。即便是在最為落魄的時刻，年羹堯也還在極力維護自己的面子（自尊？）；面對弘法，他似乎有點悔意，但很快就被憤怒所淹沒；面對馮琳，他也有點心動，卻被馮琳對李治的情感引燃妒火，心底深處的最後一點良知也消失在自我膨脹中。

年家老僕離開的時刻，他也曾有一刻醒悟「難道我真的錯了？」但隨即又被自大造成的情緒所淹沒。他的武功被廢，竟然還覺得自己是楚霸王項羽！要學楚霸王自刎烏江——只不過他只能頭撞城牆——可惜他連這點也不能如願，終於被韓重山、天葉散人抓回北京，讓他像狗一樣苟延殘喘。這一形象，可為自我膨脹的作惡者鑒。

年羹堯讓曾靜將他的兒子年壽帶走，是他的先見之明，當然也是作者有意設計。監視曾靜的心腹武士在年羹堯失勢後要帶他的兒子進京領賞，反應了這些「心腹」的人品作風。最終在少林寺廢墟中，唐賽花要收養年壽，並得到了唐曉瀾和馮瑛的幫助，馮瑛明確說年羹堯罪大惡極，但幼兒無罪，這是新時代的價值觀。這個年壽後來還有故事，以龍靈矯／龍三形象出現在梁羽生的多部小說中，則是小說作者的精心安排，是真正的伏流千里。

《白髮魔女傳》

《白髮魔女傳》是梁羽生最著名的小說之一，對金庸小說創作也有影響。就梁羽生的創作說，《白髮魔女傳》也是一記奇招。它基本上是一個悲劇作品，俠的悲劇、情感悲劇、歷史悲劇交織在一起，成為一幅奇異的悲劇圖畫，這在梁羽生的小說中也不多見。

《白髮魔女傳》最突出的藝術特點與成就，是它情節結構的藝術。

按說，這部小說的主人公只是一位江湖草莽中的綠林女霸主，而小說主題則只是一個悲劇愛情故事。但在梁羽生筆下，不僅江湖場景十分壯闊，寫到了武林中各層次人物，也寫到了當時川、陝等地各路「反王」，從而反映了明末農民起義風起雲湧同時魚龍混雜的真實歷史場景。令人驚異的是，小說的視野還不止於此，而是擴展到皇宮內幕，朝廷鬥爭，以及遼東抗敵的軍國大事。這樣，就使得《白髮魔女傳》這一說俠言情的小說，有了一種波瀾壯闊、真切悲沉的歷史背景，而且有十分充沛的歷史感。

小說的結構之巧，在於它以人物關係及其「放射線」組成複雜畫面。主人公練霓裳生長於草莽之間，自然與朝廷江山沒有什麼關係，然而她的戀人卓一航的祖父、父親都在朝廷為官，這一條關係線索就由江湖通往江山。因為卓一航的父親戶部侍郎卓繼賢被朝中奸黨所害，影響了卓一航的命運。所以，由此寫到朝廷之事就理所當然。

其二，練霓裳的同門師兄——她師公霍天都的弟子——岳鳴珂（**此人也是卓一航的好友**）——乃是遼東經略熊廷弼麾下參將，這一條線索當然就將遼東國防與朝廷動向串聯在一起。

其三，練霓裳的盟友王嘉胤的兒子王照希的岳父，又是北京皇宮中太子的侍衛，這又直接將小說的敘事視點轉向皇宮之中。

其四，練霓裳本人是綠林強盜，是與朝廷對立對抗的，或剿滅或招安，總是要直接或間接地與朝廷大局發生矛盾衝突（**這一點可以說是小說的正面即主要線索，練霓裳的月明寨最終果然被官兵所攻破**）。

其五，岳鳴珂在熊廷弼遇害之後，託卓一航將熊廷弼所著的《遼東論》轉交給可託之人，也就是新的朝廷柱石，這又將江湖與江山聯繫起來。最後，練霓裳等將這部書交給原遼東督帥府的一個小簽事袁崇煥，使他最終成為繼熊廷弼之後的又一遼東國防大帥。

小說的結構看起來似乎很散亂，讓人抓不住主線，但上述人物關係正是小說結構的經脈。而且他們的命運也由此而休戚相關。因為他們不論在朝還是在野，為官或是為盜，都是生活在同一歷史時代，同一種社會結構整體之中。西北內亂不平，東北外患不去，無論內外正反，都與朝廷政策密切相關。都要皇帝及其大臣負主要責任。所以，寫到皇宮朝廷，實為追根溯源，探討歷史真相，挖掘人物命運悲劇的最深刻的背景原因。

小說這樣的敘事結構，無疑使我們的視野大為開闊，使作者的創作有更為自由馳騁的廣闊天地，從而使武俠小說因這一廣闊歷史背景而提升其藝術品位。

其次，《白髮魔女傳》的突出特徵與成就，在於它創作了諸多生動鮮明的人物形象。諸如：練霓裳、卓一航、岳鳴珂、鐵飛龍、王照希、熊廷弼、朱由校（皇帝）、慕容沖……等不同階層的人物性格。

玉羅剎練霓裳的名字取得美，人也長得美，但她的性格卻是充滿野性。小說中故意寫出了她的奇異身世，自幼被父母拋棄，被母狼餵養成人，是一個「狼孩」，其野性是必然的。這一身世遭遇，可以說是她個性的基礎。

其次，她的師父凌霜華也是一位個性極強的女性，為了與丈夫霍天都爭強鬥勝，不惜離開丈夫二十年，立志要創造出可以與丈夫的武功截然相反卻威力相當的武功。有其師必有其徒，練霓裳受師父的影響，近朱者赤，潛移默化，自然會養成一種要強且任性的個性。這是她個性的核心因素。

再次，她在師父去世以後，落草為寇，做了綠林女霸主，以高深武功闖出了玉羅剎的匪號，綠林中人聞名喪膽。在這樣的草莽綠林世界之中，一般女性無論是大家閨秀或是小家碧玉都無法存身，只有像練霓裳這樣具有野性且有強大實力的女子才能適者生存。這是她性格的第三層因素，即對環境的適應性與拓展能力。

總之，小說中的練霓裳的個性，不是作者隨意賦予的，而是在特定環境中生長出來的。小說對這一人物的表現，也是非常細膩且非常精彩的。她與不同的人物相處，就表現出其性格的不同側面或不同層次。她與卓一航這樣文武雙全的公子哥兒相處時，即使她再怎麼自我克制，又怎麼能不表現出其性格的自由、自尊和野性的一面呢？與岳鳴珂相處，她顯現的是刁蠻；與熊廷弼相處，她顯現的是爽朗直率；與鐵飛龍相處，她顯現的是嬌憨；與黑道綠林相處，她顯現的是霸道殘暴；與武當派長老相處，她顯現的是潑辣任性（被對方當作是邪氣）……總之，她的性格如同自由自在的生命之流，誰也說不清到底是什麼。

她的這種性格光彩是無人能比的。她的痛苦與孤寂，也同樣無人能比。越是如此要強，對痛苦就愈敏感，孤寂感也會愈深。練霓裳的形象，是《白髮魔女傳》中最成功的藝術形象，也是梁羽生小說中最為成功的藝術形象之一。

卓一航當然不是一般公子哥兒，他不是一般的紈褲子弟，不僅文武雙全，藝業驚人，而且俠義正直、胸懷坦蕩。但他畢竟是官家子弟，且是家裡獨苗，在武當派他又是掌門弟子，在這樣的環境中長大，難免會有某種不自覺的優越感、責任感，但也可以是內心猶疑與怯弱——猶疑與怯弱很可能是優越感和責任感的副產品。在一般情境下，他所顯示出的是一派優雅大度，而在超重壓力下或在兩難選擇中，其個性的根本弱點則可能暴露無遺。在這部小說中，卓一航的形象與性格，是最具文化內涵的典型。

小說中的岳鳴珂是另外一種形象。他出身於草莽，投身於軍隊，為的並不是自己光宗耀祖或個人飛黃騰達，而是為了完成師父的囑託、俠客的抱負和平民的職責。他比卓一航顯然少了一份文秀，卻多了三分豪邁粗放。正因如此，他與貼珊瑚的關係才謹守著江湖義氣和兄妹情誼，沒有主動朝男女情愛方向努力。甚至在玉羅剎為他說媒時，他所表現出來的只是怕觸動內心情弦的習慣或固執，而待到貼珊瑚死後，又感到失去了一切的悲哀和遺憾。

小說中的鐵飛龍豪邁任性，及穆九娘的重情卻失義的作為，都寫得有分寸。王照希的瀟脫又嫉妒，熊廷弼正直而爽朗，都是活靈活現。武當五老中，除紫陽道長德高望重、心胸開闊卻不幸早逝，其他四位，黃葉、紅雲、青蓑、白石，雖本性不惡，但卻面目可憎，寫得十分真實傳神。一層是名門大派的優越感，加上名門長老的眼高於頂、貢高自慢；一層是囿於門戶之見，眼界不寬，胸懷不廣，說好是視門派榮譽高於一切，說壞則是蒙昧無知愚蠢自大。在這四位長老中，黃葉道長的老成，紅雲道長的火爆，青蓑道長的偏激，白石道長的自私打算等等，也都寫得非常細緻，各如其面。小說中白石道長想將自己的女兒嫁給本派掌門弟子卓一航，其心理及行為，在小說中有非常充分的表現。

此外，小說中大內高手慕容沖的立場轉變，也是值得玩味。

總之，《白髮魔女傳》的人物，無論主次，都得到了作者的精心描繪。尤其是小說中的正面英雄人物形象，不僅個性突出，而且人情味十足，少有理想化與概念化痕跡，在梁羽生小說中特別突出，也特別難得。

再次，《白髮魔女傳》的另一成功之處，是愛情悲劇故事的呈現。

練霓裳與卓一航的愛情悲劇，就寫得非常生動而深刻。他們之間的情感與心理，也展示得突出而充分。練霓裳與卓一航相愛，並不是一見鍾情，更不是簡單的異性相吸，她看中卓一航，實有真實而深邃的心理依據。練霓裳出身孤苦、落難草莽、身在叢林，與卓一航是生活在完全不同的兩個世界中。也正因如此，卓一航文秀儒雅、身分氣質，對練霓裳就有著超乎尋常的吸引力。不僅渴望得到這個人，且渴望得到這個世界。

她所愛正是她所缺，這既是她愛上卓一航的基礎衝動，也是他們愛情悲劇結局的根本原因。卓一航對練霓裳的愛，則是對她美麗、聰慧、尤其是對她自由自在靈動不拘的個性氣質——這也正是他所缺少的——愛慕。男女間相互愛慕，是此一個性對彼一個性的愛慕，也是此一種人生對另一種人生的愛慕，還是此一人生世界對彼一人生世界的愛慕、遐想、夢幻、追求。

其二，練霓裳與卓一航愛情的悲劇性，在小說中被詳實書寫。其中有社會因素，有命運因素，更有個性因素。就社會身分而言，他們的愛情缺乏必要的平等基礎，在講究門當戶對的古代社會中，往往很難接受他們這樣社會身分如此懸殊的男女青年相互愛戀，更難接受他們的婚姻，這是悲劇的主要成因。卓一航是官宦人家的公子，而練霓裳則是綠林女強盜，從階級觀點看，他們不但分歧，而且是對立的。

小說中對此沒有過多敘述，那是因為卓一航父母慘死、祖父心灰意冷，無人管這樁事。不過，練霓裳一出場就搶劫了卓一航祖父的錢財，而且將他老人家嚇得半死，這不可能不影響到她與卓一航的關係，小說中對此沒有多著筆墨，多少有點遺憾。更大的問題是，階級即社會身分的對立，也深刻體現在兩個人的行為習慣及個性心理之中。

小說中著重了另一種社會身分，即卓一航是武當派的掌門弟子，是名門正派的接班人，而練霓裳同樣與之截然對立，她是綠林霸主，是黑道，是邪派（羅剎即魔鬼），與白道、正派、名門水火不相容。這樣的身分對立，已經註定他們的愛情只能以悲劇收場。更何況，還有命運之手撥弄其中，玉羅剎搶劫了卓一航祖父卓仲廉，此其一。

玉羅剎大大得罪了武當五老，還將其中幾個人打傷，對武當派的面子更是極大傷害，此種梁子難以解開，此其二。

其三，白石老道還要將自己的女兒許配給卓一航，而這一主意又得到了其他幾位長老的同意或默許，因而他們必然要阻止卓一航對玉羅剎的愛。

其四，白石道長竟然為了報仇而聯合官軍滅了練霓裳的山寨——明月寨，雙方仇怨越積越深。所謂命運，究其實不過是機緣，卓一航與練霓裳的機緣實在不怎麼好。他們生活在兩個對立的世界中，還結下了一重又一重仇怨，勢必最終影響到他們的關係結局。

然而，卓一航與練霓裳的愛情悲劇，最根本的原因還是他們的個性衝突。性格即命運。性格的衝突，至少是命運的主要因素。從根本意義上說，他們相愛與相慕，不過是對人生「彼岸」的憧憬與追尋。也即對另一種人生的追求，或許他們自己也未必懂得這一點。然而，人又怎麼能夠擺脫自己的環境及環境影響，而隨心所欲地進入自己並不屬於的另一個世界呢？

環境造就個性，練霓裳主動、自尊、要強，與卓一航被動、自愛、猶疑、怯弱，在不同的心理層次上都是對立的。他倆在花前月下的絮語、情深無限的盟誓，實無法掩蓋其個性的對立與衝突。所以，當練霓裳最後一次上武當山求愛，卓一航下意識地幫自己的師叔打退練霓裳的進攻，對練霓裳的心靈傷害遠甚於其身負的傷痛。進而，卓一航拋棄一切前往天山尋找練霓裳，即使沒有何綠華引起的誤會，練霓裳既已滿頭白髮，心如死灰，又豈能重修舊好、破鏡重圓？

在《白髮魔女傳》中，白髮魔女練霓裳與卓一航的愛情悲劇，被表現得生動細膩、深刻感人。他們的初遇、再見、分離、再分離……愛情交往全過程，都有如詩歌般美麗且傷感，充滿了無奈。如卓一航所寫小令《雙調憶江南》所言：

秋夜冷，獨自對殘燈，啼笑非非誰識我，坐行夢夢盡緣君，何所慰消沉。
風卷雨，雨復捲濃心，心似欲隨風雨去，茫茫大海任浮沉，無愛亦無憎。

似這樣的深情與哀怨，優美與悲傷，在小說中處處可見。

當然，最值得欣賞的，還是練霓裳一夜白頭的情節——「白髮魔女」之名由此而得——多少語言文字也抵不過這樣一個無聲無語的細節。作者在這部小說中，堅持了按人物性格發展的現實或真實，沒有按照一般武俠小說的常規，人為地去製造大團圓的光明尾巴，使得這部小說的悲劇貫徹到底，從而小說的藝術審美價值被大大提升。

小說中還涉及到霍天都與凌霜華，鐵飛龍與穆九娘，岳鳴珂與貼珊瑚等不同人物間的愛情與婚姻悲劇。這些人的故事，也是具有很高的藝術價值的。

《萍蹤俠影錄》3

本書是一九五九年元旦至一九六〇年二月十六日在香港《大公報・小說林》上連載。是梁羽生繼《龍虎鬥京華》、《草莽龍蛇傳》、《七劍下天山》、《江湖三女俠》、《白髮魔女傳》、《塞外奇俠傳》之後的第七部長篇小說。

《萍蹤俠影》是不是梁羽生最好的小說？這很難說。因為仁者見仁、智者見智，有人喜歡《七劍下天山》的文采，有人喜歡《白髮魔女傳》的奇情悲劇，有人喜歡《雲海玉弓緣》的奇俠風流，沒準也有人喜歡《大唐游俠傳》的樸實深厚。《萍蹤俠影》是梁羽生的代表作之一，應該是沒有問題的，因為它集中體現了梁羽生小說的「傳統正格」特色。

所謂「傳統正格」特色，概括起來說是，一、在內容上，以史為綱，以奇為目，俠道情仇交織其間，構成小說的基本框架。二、在敘事上，以俠為綱，以武為目，即以俠義人物的性格展現為核心，講述精彩的故事。三、在人物形象塑造上，以大義為綱，以個性特色為目，即以表現能文能武的儒俠風度，以及能哭能歌的清奇特徵。四、在語言藝術上，回目工整，詩魄詞魂，追求優美的藝術境界。這幾點，對以後的武俠小說創作影響甚深，堪稱「正格」。梁羽生能將上述幾點貫徹到底，幾無人能及。

一、歷史與傳奇

《萍蹤俠影》與梁羽生的前幾部小說的不同之處，在於它在史與奇的結合中，進一步加大了史的分量，可以說是向歷史小說又靠近了一步。以前的幾部作品，至多是以歷史為背景，間或有歷史人物穿插其間，以造成「似真」的藝術效果。如《龍虎鬥京華》的義和團領袖，《七劍下天山》中的傅青主、康熙、順治、董小宛、都鐸、納蘭明珠和納蘭容若父子等。這些《萍蹤俠影》中也有，而且更多，書中主人公張丹楓被寫成是元末反蒙領袖、自立為王的張士誠的後代。

真正與以前的小說不同之處在於，《萍蹤俠影》不僅以歷史為背景，而且以真實的歷史事件為小說的「本事」，即以明朝皇帝及其「土木堡之變」為基本框架來展開故事。書中的明英宗朱祈鎮、宦官王振、兵部侍郎于謙，以及蒙古瓦剌部的太師也先等都是真實歷史人物；且小說中的土木堡之變、于謙擁立新君、北京九城抗敵，以及最後也先求和等，也都是真實的歷史事件。書中所寫，大致不差。

至於書中所寫的張士誠的後人張宗周做了蒙古瓦剌部的右丞相，而張宗周的兒子張丹楓又文武全才；明臣雲靖持節出使瓦剌牧馬二十年，雲靖的孫女雲蕾又與張丹楓情仇難解；雁門關總兵周健一變而為「金刀寨主」……等人與事，雖係小說家言，卻與小說中的歷史事件及人物鹽水難分，融為一體，可以說符合邏輯，寫出了歷史的「可能性」。因而，這部小說的歷史成分大大加重了。

當然不能說《萍蹤俠影》是一部歷史小說，因為它的敘事目的，終歸還是傳奇。而另一方面，這部書又不是一般性的傳奇小說，它的武俠故事又深深地植根於歷史之中，並且是通過歷史事件及其歷史人物關係來塑造書中傳奇主人公張丹楓的形象，表現其「為國為民，俠之大者」的獨特情懷，並揭示其民族主義、愛國主義的主題。這又與歷史密不可分了。所以說，《萍蹤俠影》在歷史與傳奇之間另闢天地，正如書中的前雁門關總兵周健在雁門關外明、蒙兩國交界的無人地帶立起山寨，雖係綠林寨主，兩不沾邊，但卻暗地裡心懷大義，保國安民。

說梁羽生小說及《萍蹤俠影》是「傳統正格」，要稍加解釋，不然怕引起誤會。梁羽生的所謂傳統正格，是指其堅持在歷史背景下寫武俠傳奇故事；且以俠義主題為目的，武打傳奇只是一種手段；在審美境界上追求崇高與優美的結合；在藝術風格上偏於正宗的民族文化精神。但這並不表明梁羽生的小說是傳統的照搬，即在精神上是「講經」，形式上則是「演史」。實際上，梁羽生寫小說，將歷史與傳奇相結合，除了形式上繼承《水滸傳》等俠義小說的傳統，將歷史作為小說的背景，並借歷史背景及其人物關係來構造他的傳奇故事之外，還有一點，是借（小說）以表現作者的史家之識，即對歷史作出自己的評價。

梁羽生畢竟是現代人、當代史家、「新派武俠」的鼻祖。一個「新」字，不僅指其形式與規範的變革與創新，同時也指其文化精神及思想意識的發展與進步。其中固然包括了對傳統的繼承，但這是「批判的繼承」。

有書為證。《萍蹤俠影》一開頭，就寫了明朝使節出使瓦剌，被羈押於荒寒之地，牧馬二十年——

比漢朝名臣蘇武牧羊十九年還多了一年——一、明朝皇帝似乎壓根兒就將這個人忘了，使節不歸，毫無關懷之意。二、雲靖好不容易在兒子雲澄及同門師兄的幫助下回到故土，在雁門關外沒被蒙古人害死，而在雁門關內，故國家園中，卻被自己的主人賜死。這是何等荒謬之事，簡直人神共憤！或說這是奸臣王振搗的鬼，而英宗皇帝本人卻不知道，但王振專權本身就是昏君之罪。這段小說家言，表達了作者對君主的批判，及對「忠」之大節的深刻懷疑和反省。

書中寫道：「雲靖眼睛直視，聽而不聞。這一瞬間，二十年來在胡邊所受的苦難，閃電般地在腦海之中掠過。然而這一切苦難，必起而今的痛苦，簡直算不了什麼。須知雲靖能夠支撐二十年，全在忠君一念，滿以為逃回之後，朝廷必定升官敘爵，表揚功績，哪知皇帝竟是親下詔書，將他處死，正如對一個人崇拜信仰到了極點，期望極深，忽而發現那個人就是要害死自己的人，這一種絕望的痛苦心情，世界上還有什麼可以超過？」（《楔子》）

這一幕不僅粉碎了雲靖的忠君之夢，也奠定了小說的思想基礎。後面周健總兵由官變盜，也就順理成章了。再後來英宗皇帝露面，小聰明而大昏聵，刻薄寡恩、殘酷無道的形象，尤其是後來誅殺名臣于謙，可謂罪大惡極，更說明皇帝不是什麼好東西。

更值得注意的是，書中所寫，明朝的皇帝，不僅英宗號「英」而實昏，不是什麼好東西，而其開國皇帝朱元璋更不是什麼好東西，這可以從一、誅殺功臣；二、朱元璋的故鄉安徽鳳陽「自從出了朱皇帝，十年倒有九年荒」等事實中看出。這樣，他之叛師（彭瑩玉）、殺兄（張士誠），雖係小說家的虛構，卻完全符合這一人物的性格，至少可以看出作者對此「正統皇帝，成功之王」的態度。

或謂，《萍蹤俠影》中貶朱元璋而捧張士誠，這未必是高明的史識，當然也有一定的道理。但要知道，一來這部書是寫張士誠的後人張丹楓的故事，從張丹楓的眼中看他的先人，自會摻雜個人情感的因素；二來朱成而張敗，朱為王而張成賊，這種「正史觀」，確實值得懷疑。「正史」中記載的張士誠，有多少可信之處？這當然是個史學家要深入研究的問題。至少張丹楓（**代表作者的觀點**）表現出對歷史的懷疑，是值得重視的，並非完全一廂情願而已。

三來，本書乃是傳奇故事，寫朱、張之爭，一褒一貶，為的是黑白分明，便於讀者領會（**不然怎麼說武俠小說是「成人的童話」呢**）。就算退一步，張士誠也同樣不是什麼好東西，也不能說明作者對朱元璋及明朝歷史的批判有什麼不妥，否則我們就陷入了另一種簡單化的童話之中，而失去研討和反思歷史的正確態度。

由此可見，梁羽生的傳統正格，是既反傳統的愚忠，並且揭穿皇帝的神聖外衣，還其歷史的真面目；又反正史之記，而深入歷史的內層，對「成者王侯敗者寇」的強盜邏輯予以懷疑和否定。此即梁羽生在本書中所表現出的新史學觀及其深刻史識。

上面說了《萍蹤俠影》對歷史的批判性的一面，我們再來看他在傳奇中的建設性的一面。

梁羽生寫《萍蹤俠影》，當然不是單純為了表現他的史學或史識，要是那樣，他不如乾脆去寫歷史小說。此書並非歷史小說，而是，如書的開篇詞所寫：「獨立蒼茫每悵然，恩仇一例付雲煙，斷鴻零雁剩殘篇。莫道萍蹤隨逝水，永存俠影在心田，此中心事倩誰傳？」書名《萍蹤俠影》由此而來，更重要的是，作者要借斷鴻零雁、萍蹤俠影，塑造心目中真正的大俠、同時也是真正的歷史英雄形象。

真正的歷史英雄，當然是本書主人公張丹楓。張丹楓這一人物最為難能可貴之處，是以德報怨。

且不是一般的以德報怨，而是超乎常人的想像。前文已經提及，張丹楓是張士誠的後人，即是明朝皇帝朱元璋的仇家。朱元璋建立明朝之後為保住自己的江山，連自己的心腹功臣都要誅滅，對與其搶奪江山的敵人，會採取什麼樣的手段，當不難想像。張丹楓之父張宗周逃到了蒙古，當上了右丞相，一是為了活命，即擺脫朱明王朝的追殺；二是為了復仇，即要從朱明皇帝手中奪回江山，重整張士誠後周王朝的基業。所謂「宗周」，即是為此。這就是說，張丹楓乃是張氏江山的少主，也是朱明王朝不共戴天的死敵。

可是張丹楓入關之際，正是朱明王朝的危難之時，內部君昏臣亂，奸宦當權，倒行逆勢；外部瓦剌雄兵陳邊，虎視眈眈，即將揮師南下，重圓入主中原的美夢。張士誠的後人，要報家國之仇、推翻朱明王朝、乘機復辟建國，此其時也。張宗周當年逃到蒙古，當上丞相，為的正是這一天。

而張丹楓離開生長之地，重歸祖國中原，也可以說是為此而來。因此，他之到來，一、理所當然地被江湖義士追殺，因為他是民族叛徒張宗周的兒子。二、同樣，他也自然而然地要被朱明王朝追殺，因為他是明朝死敵張士誠的後人。三、至於奸宦王振要掩飾通敵賣國的真相而派人追殺他，當然更是不難想像。四、而一旦發現他又與一宗大寶藏有關，則江湖、朝廷、民間自都要殺人奪寶。他騎了一匹照夜獅子馬已經引動了綠林的追殺，更何況比這要多千萬倍的寶貴財富？這樣一來，張丹楓與中原武林對立，與朱明王朝對立，似乎已經不可逆轉，只能走向極端了。

可是並不。張丹楓的最終選擇卻是：一、與江湖綠林化敵為友，在官兵追殺圍攻之際，他幫忙傳訊，進而深入重圍，救人厄難（**其中有大部分人正是要追殺他，甚至在官兵圍上來之後，還在與他打鬥不休，以致誤了戰機，不能逃脫，大家身陷重圍**）。二、更加難能可貴的是，當外敵入侵，昏君奸宦陷入土木堡之圍前後，他反過來，放下與朱明王朝間的新仇舊恨，而幫助朱明王朝抗敵禦侮。國難當頭之際，能放下自己的家仇，已經是不易的義舉；進而，他居然將原本為滅明復國用的千萬珍寶，獻給明朝統治者做軍餉；進而，當明英宗朱祁鎮在土木堡陷入重圍，他殺入重圍，非為乘機殺仇，亦未丟開不管，而是反過來幫朱祁鎮出主意、通消息，讓明英宗保住自己的人格，更保住大明君主的尊嚴，以為來日之計。最後，他與明朝大臣于謙相交忘年，裡應外合，又回到瓦剌都城充當明朝說客，逼也先認清形勢，看到利害，讓太師放還明朝皇帝，並與明朝簽訂和平條約。張丹楓對明王朝的這個忙，算是幫到了家。

張丹楓之所以這麼做，當然不是因為他喜歡明朝皇帝，有心捐棄世代仇怨而修和求好，更不是想要在明朝謀個一官半職。恰恰相反，他父親已是瓦剌丞相，以他的身世才華，倘若願意，在瓦剌部勢必大有作為。而他私自南下的種種行為，不僅斷絕了自己的後路，破壞了瓦剌人的大計，且與乃父的經營之道南轅北轍，甚至可能使他一家帶來死罪禍殃。張丹楓的所作所為，內違背父親，外資助仇敵，超越了世俗恩仇和一切傳統價值觀。

這一切，說穿了，即是，張丹楓意識到，自己和自己的一家，燒成了灰也還是漢人、中原人。因而，他放棄復國的夢想、背棄祖宗的家訓，乃是以天下蒼生為念，不願因自己報復家仇、爭霸江山而造成千百萬人流血犧牲的悲慘局面。進而，他幫助明朝君臣，獻計獻寶，奔波效命，則是將民族大義、國家利益、民眾生死置於個人私仇之上，求其大我而犧牲小我，為了大家而犧牲小家，為天下蒼生百姓而超越私家恩怨情仇。

這是梁羽生心中真正的民間俠士和歷史英雄。也是梁羽生所有書中第一位高標準的大俠英雄。在這俠士與英雄形象中，寄寓了作者的民族主義、愛國主義、人道主義融為一體的現代思想精神。

梁羽生之所以要寫這麼一段歷史，以及這段歷史中的這麼一個傳奇人物、這麼一段傳奇故事，無非是要表達這麼一種現代思想主題。而這一主題的基礎，在於作者意識到同時要讓作者表現出，朝廷統治國家但並不等於國家，皇帝統治民族民眾但並不等於民族民眾。這是一個很微妙的問題，古人多有不識其別者，所以書中的雲靖為之絕望而死，今人雖說應該明白，但卻要麼是知其然而不知其所以然，要麼是轉來轉去又轉回老路上去了。

朝廷常換，而國家不滅，皇帝多變而民族永存。古代人以為「普天之下莫非王土，率土之濱莫非王臣」，實是以一己之大私取代了天下之大公；不少專制君主以為「朕即國家」，則一半由於愚蠢自大，一半由於強權政治及其強盜邏輯。至於二十世紀，推翻帝制之後，還有不少統治者將反政府者當成叛國者，則其蠻橫無理及其愚蠢自大可知。《萍蹤俠影》中的張丹楓忠於自己的民族、自己的國家，而蔑視朱明王朝（**先是反對，後又幫助**），這並不矛盾。相反，能認識到這一點，並以此價值觀念行事，那才是真正的歷史英雄。

前文中所提及的梁羽生小說的「正格」，其「正」在於，他從不將單純的江湖俠士置於完成民族大義的歷史英雄之上。而他的「傳統」則表現在，梁羽生小說中的個人的武功能耐及個性情懷，一定要在民族大義、社會矛盾中加以鍾煉，表現並發揮作用才算是真正具有審美（**包括教化**）意義。這與他寫武俠小說多以歷史為據有密切關係。他不是一般的取歷史題材為己用，而是寫歷史傳奇，塑造歷史英雄，傳播歷史中的民族大義。

二、俠義與個性

梁羽生小說的傳統正格，在人物形象，尤其是主要人物形象的塑造上，容易造成某種程度的理想人格的公式化，在他的小說創作中，作者為此付出了一定的代價。他的「寧可無武，不可無俠」的正道，以及追求「為國為民，俠之大者」的正格，使其小說的主人公很容易成為空心巨人、公式大俠，進而還容易千人一面、千部一腔。

但，對此，我們也不可輕易下結論，更不可以此為是，而是要具體問題具體分析。容易如此未必一定如此，此其一；其二，梁羽生才高八斗，即便是戴著鐐銬跳舞，也比一般人跳得優美酣暢、花樣翻新；三是別以為梁羽生「頑固不化」，其實有也時常出奇制勝，使出怪招，非不能也，不為也。《萍蹤俠影》的主人公張丹楓形象，看起來似乎是一個理想人格的簡單化身，即是一種公式化的人造神，實際上，不可輕易下結論。在張丹楓形象的理想化輪廓中，卻又有真實血肉及獨特的風骨，不可不察。

首先，從整體上說，小說的故事，是在兩重矛盾衝突中來表現張丹楓這一人物的性格。一方面是我們在前文中提及的，他作為張士誠的後人，即作為一個復仇者，來到故國中原，本意在復仇兼復國，因遇非常時刻（**民族危亡，國家大難**）及非常之變（**包括回鄉、遇雲蕾和經風雨見世面而造成的情感、心理、觀念與思想態度的變化**），反過來幫助朱明王朝抗敵禦侮，保民衛國，從而使張丹楓成為真正的俠之大者。這一點，我們在前文中已經說過了。

另一面，張丹楓又是作為雲氏的仇家、雲蕾復仇的對象而出現的。這使他有了另一重身分、另一層磨難，同時也讓他有了另一種完全不同的視野與經驗，使得他的心態、思想和行為有所變化，從而展示出其形象的另一重風貌。如果說前一點是「江山之仇」，則這一點是「江湖之仇」，從而使得小說中兩種仇恨線索交織。如果說前一點表現出張丹楓「陽」的一面，即大節、大義、大公、大俠的一面；後一點則表現他的「陰」面，即個人的、隱私的、情感的一面。進而，在前一種仇恨矛盾中，張丹楓是主動的復仇者，是可以自由選擇的，而在後一矛盾中卻是被動的，因是別人復仇的對象，無法自由抉擇。有了這樣的「陰陽合一」，則張丹楓形象自然呈現出真實的血肉，並且成為一個立體，而非一紙扁平的理想化身。

對雲蕾，張丹楓陷入了尷尬的處境，矛盾極為複雜。一、雲家與張家確實有血海深仇，而此仇恨的開始，又確實是張家之罪孽，使得雲靖無辜在異域艱苦忍辱二十年之久。雖則張宗周最後轉變態度，內疚於心且敬服雲靖，頗想有所補救，奈何雲靖至死不領其情、不明其心，始終將張家視為不共戴天之仇。

二、倘若僅是如此，張丹楓或抗或避，選擇上倒也並不為難。為難的是，他與雲蕾邂逅，傾蓋如故，而後發展到相互鍾情而難以解脫，雙雙都在情仇之間痛苦不堪。想打又有情感，想避又有戀想，想愛卻又仇恨難消，真正是好不得、壞不得、打不得、避不得、哭不得、笑不得、愛不得、恨不得，矛盾重重，難以抉擇。

三、張丹楓當然不想與雲家為仇，雲蕾也慢慢覺得此仇不報也罷，兩人情意綿綿，算是渡過了一重難關。豈知雲蕾的哥哥雲重出現，將一對戀人生生拆開，要做仇家。後來雲重雖然不再把張丹楓當作生死大仇，但想讓他將自己的妹妹許配給世仇張丹楓卻是萬萬不能。更何況，就算雲重同意許婚，或者是對雲蕾與張丹楓的愛情睜一隻眼閉一隻眼，雲重和雲蕾的父親雲澄又怎能答應？雲澄在救父過程中雖然幸而未死，卻是從此傷殘，受盡折磨屈辱，怎能不把這筆賬算到張家頭上？

面對這一切，張丹楓是無能為力，身不由己，碰到這樣的難題，再大的英雄只怕也沒什麼好辦法。於是我們看到，張丹楓焦慮、痛苦、忍辱、期待、佯狂，乃至到最後真的無法自已、情不自禁地陷入癲狂之中。「難忘恩怨難忘你，只為情癡只為真」——老魔上官天野為自己寫下的這副對聯，彷彿正是張丹楓情感痛苦乃至陷入癲狂無覺的寫照。

有了這條線索，我們可以說是看到了另一個張丹楓，即無可奈何的張丹楓、孤獨無依的張丹楓。這與以前的那個胸懷遠大、義薄雲天、英雄蓋世的張丹楓簡直判若兩人。兩種張丹楓合二為一之後，一人多面，使得理想化的超級俠模，變成活生生的真人形象。「只為情癡只為真」，寫張丹楓情癡的一面，正是塑造這一人物成「真」的不二法門。作者深明此理，是以寫起來得心應手，人物也就栩栩如生了。這是一層。

另一層，更具體的，作者筆下的張丹楓，英俊瀟灑、文武全才，穿白袍、騎白馬、寶劍名駒，隻身單騎，飲酒吟詩，能歌能哭，亦俠亦狂，真不似人間俗物，更似想像中的逍遙神仙。這當然是作者心中的理想人格形象。好在，在這一外表之下，我們還是慢慢看到他火熱的心腸及其真實的人性表現。

張丹楓所以如此，當然有其獨特的來由。一、張丹楓是瓦剌丞相張宗周的兒子，出身高貴，家庭富有，教養良好，且是江南人種在北地開花，其長相、才華、氣度超群，應該並不稀奇。二、張丹楓雖不是紈褲子弟，甚至看不到任何紈褲氣息，但畢竟年輕氣盛，少年不識愁滋味，識天下英雄為無物，其瀟灑與狂傲也不稀奇。三、又何況，張丹楓既非一般武林豪士，也不是趕考的白馬書生，非但是丞相公子，且還是張士誠後周王朝的接班人——是雄心勃勃的復辟者——一心要與朱明王朝爭奪天下的堂堂少主，其做派、氣派，雄心大志溢於言表，自然格外與眾不同。

進而，張丹楓雖是身負復仇復國大任，且具有非同一般的大志雄才，但他並無歷史上王權爭霸者的那種陰險、殘忍、凶狠，而是一派才子之風，正所謂「亦狂亦俠真名士，能哭能歌邁俗流」，這就與既往正宗的霸道、王道、俠道人物拉開了一定的距離，突出了他的個人性情及性格風采。

張丹楓狂喜歌哭，任性自然，在書中有突出的表現，其性情表現，莫不自然。這有兩個意思，一是，我們知道，梁羽生個人雖然堅持傳統俠道，做正格文章，但卻具有名士風度，尤重名士理想，所以在書中要塑造這樣一位名士型的俠義英雄。二是，在寫這一名士型俠義英雄的時候，雖有明顯的理想化痕跡，但這理想卻不是一般性公式化的俠道理想，而是具有獨特人文色彩及個性基礎的人格理想。這使得張丹楓成了「這一個」，而非某種理想的簡單化身。

試想，若非張丹楓如此超凡脫俗、瀟灑出群，拿得起、放得下，至情至性、見深識廣，又怎能做得出將富可敵國的珍寶視若糞土，將君侯將相不放在眼裡，而能以蒼生為念，抑制自己的私心而去幫助累世之仇安邦定國？若不是這樣一位張丹楓，又如何能讓朱明皇帝垂首、名臣于謙喜愛敬重，讓天下英雄折服，讓美女雲蕾鍾情，讓雲澄、雲重父子放下仇恨並改變價值觀？

最後，再具體一點，讓我們抹掉一切概念痕跡，不要什麼概括，譬如我們什麼理論都不懂，什麼理論都不管，胸無成見地看待張丹楓這一人物。我們不難看到，張丹楓這位年輕人，活潑機智，心腸火熱，為人爽直，談吐幽默，有一股熱情奔放的生命活力和一種讓人欣賞的個性風采。

我們只需一件事一件事地去看，一個情境一個情境地去感受，從他第一次出現在雲蕾（以及讀者）面前，飲酒吟詩，似醒非醒，似醉非醉，似呆非呆，似傻非傻，雲蕾幫他趕走了探水的小賊，他卻將雲蕾的銀兩神不知鬼不覺地盜走，而在雲蕾尷尬之時，他卻又拋出銀兩代她結帳、使之脫困，一擲千金，讓雲蕾惱不得、謝不得……這麼一個人，當然有一種奇異的性格魅力。也只有初出江湖，毫無經驗的少女雲蕾，才會將他當成糊塗可笑的酸丁。此後的種種情景，我們不難看到，作者無不是按照張丹楓獨特的個性去作發揮，而非將某種僵化的公式去生搬硬套。限於篇幅，不能對張丹楓出場的每個情境、每個細節一一加以分析。

除了張丹楓這一形象外，小說中還著意刻畫了俠女雲蕾的形象。前文已提及，梁羽生小說中的女性形象一向寫得較好，這主要是因為作者在寫女性形象時，沒有寫男性俠士形象那樣要背著道義的包袱，而是可以放開手腳去寫女性的個性表現、情感世界及其女孩子各種各樣小性兒。

雲蕾形象的突出特徵，是單純、善良、美麗、溫柔、聰慧且具有正義感，當然也有些頑皮和小性子。小說中寫得很有層次，第一次出場時，她年方七歲，特點是單純善良，幼稚無知，怕見血、不願殺人，甚至覺得爺爺雲靖充滿仇恨與殺氣的臉色十分可怕。爺爺留給她的那張羊皮血書，成了她的噩夢及痛苦根源。十年之後，她再次登場時，突出特點是美麗如花，而又單純可愛，所以作者安排她在花叢中出場，人面鮮花彩蝶，相得益彰。妙的是她出場時，也是一身白衣白裙，一方面寫她的素潔美麗，同時也與張丹楓的衣服色調完全相同，有一對璧人之喻。

再後來，押軍餉的軍官方慶受周山民指點，到雲蕾練功的樹林中尋死，被她救下，並隨之赴匪寨，這表現了雲蕾心腸慈悲，見義勇為，同時又有初生牛犢不怕虎的勁頭，入周健與周山民父子的算計中而不自知。再後來她與張丹楓相遇，沒來由的動俠念救公子、打抱不平當保鏢，不料反被張丹楓調侃戲弄，益發表現出了雲蕾的單純、正直、可愛。

再後來，到石英莊上，被迫與石翠鳳比武訂親，雖說是迫不得已，但她一廂情願地要移花接木，卻也表現了她頑皮的一面。再後來，久歷人世風霜，熟悉江湖人事，雲蕾逐漸成熟些了，但她的單純善良卻始終未變。在任何時候，她都不喜歡多有殺傷；面對張丹楓這樣一位可喜可憎、可愛可氣的仇家心上人，雲蕾的言行舉止及心理微瀾，更是曲盡了她的個性。

雲蕾只有十七歲，正是花蕾初綻之年，一個「蕾」字，就可見作者創作時的審美態度和藝術用心。十七歲雲蕾的美麗風采，給小說增添了無限情趣，而十七歲的雲蕾所面臨的情仇衝突及其矛盾抉擇，則又使她的性格及心理變得逐漸成熟和豐實。雖然，從總體而言，她的形象沒有張丹楓形象那樣鮮明和生動，但有心的讀者還是很容易從她散佈在書中的一點又一點言行細節中，看出她獨特的性格及微妙的少女情懷。細如，她生氣撕毀女性衣衫，但卻捨不得撕那件紫衣，因為她第一次在張丹楓面前露出女性真容時，就穿著這件紫衣。再如，她明明一直在尋找自己的哥哥雲重，但真見到哥哥時，雖有八分肯定對方是哥哥，卻仍不肯乾脆相認，因為雲重對張丹楓的仇恨太過深刻且明顯，如果認了哥哥，勢必要與心上人兵戎相見，無奈之下，只能拖一時就是一時。這是梁羽生寫人的細處。

此外，小說中還寫了雲重、周健、周山民、謝天華、潮音和尚、澹台滅明、石英、張風府、于謙、脫不花、也先、英宗皇帝……等一系列人物。對此，當然不大可能一一展開分析，小說寫人的一些基本特色與成就卻不可不提。

一是，這部小說中，有不少人物有著江山、江湖兩重身分。張丹楓是張宗周丞相的兒子，更是張士誠皇帝的嫡孫；同時又是一位江湖俠士、白衣（**雙重意義上**）英雄。雲蕾是明朝大臣雲靖的孫女，又是江湖高人玄機逸士的徒孫。周健是雁門關總兵，卻又做了土匪寨主。雲重本是江湖新秀，卻又做了明朝武狀元，以及出國使節。張風府是大內第一高手，卻又出身武林，脾氣也與江湖中人相通。石英雖是不折不扣的武林豪士、獨腳大盜，卻也是如假包換的張士誠王朝的石將軍的後人。瓦剌部丞相張宗周手下的澹台將軍，又是綠林大盜上官天野的首徒。連太湖邊的村夫、村婦，原來也是非凡人物……如此等等，江山原與江湖通，同一世界，雙重身分，活動更加自如，寫起來也更加靈活多變。

二是，書中人物的善惡分野，可以說是所謂「有成分論，不唯成分論」，最終取決於個人的選擇。綠林世界中，固然有沙無忌父子那樣賣國求榮的敗類，也有金刀寨主這樣明裡為盜賊、暗中報國家的真正英雄（**他的旗幟上有日、有月，日月即明**）。官府之中，既有王振那樣的奸宦，亦有于謙那樣的忠臣。這是史實，不必多說。明朝皇宮大內三大高手中，既有張風府這樣識大體、有俠氣的英雄人物，樊忠這樣一腔正氣、以身報國的烈士，也有貫仲這樣賣友求榮、貪圖富貴的奸小。

再說瓦剌部蒙古人中，也先與阿剌就不一樣。更不一樣的是也先的女兒脫不花，因對張丹楓一心愛戀，多次使張丹楓遇難呈祥，救他性命，最後甚至不惜違抗父命，以千金之身去堵炮口，為救張丹楓而獻出自己的生命。這一人物的結局，可謂感天動地，讓人熱淚盈眶。算起來，張丹楓雖無大的虧欠，卻多少有些對不住她。最奇妙的還是，老魔頭上官天野最後的醒悟，以及蕭韻蘭最後的呼籲。這一切，不僅說明人之善惡，由自決而成，不因身居何所而如何如何；且善惡有時甚至在人的一念之間，世間毀譽常常未必真實。

三是，說到善惡一念及世間毀譽，不能不提及這部書的一個值得稱道的特點，是寫人物性格及心態的發展變化。張丹楓是一個例子。張宗周是更好的例子。由於小說開頭就寫張宗周對明朝大臣雲靖的迫害，加之他又是漢人而當了敵國丞相，難免使人懷有定見，即此人是一個大壞蛋。

而且，張宗周一開始由於對明朝懷有不共戴天之仇，家國不分，確實有賣國求存並待機報復的野心。但後來，恰恰是雲靖的不屈使他震動，而謝天華的影響（書中沒有直接寫），張丹楓的選擇，加之年紀漸大而挫折漸多，經歷漸多而故國情深，逐漸發生了心理上的深刻轉變。至小說的最後，轉變得令人信服，期待明朝使節光臨而又無顏見江東父老的矛盾心理令人同情，甚至感慨唏噓。

此外，雲重、雲蕾、雲澄等人對張丹楓及張氏父子的情感態度轉變，小說中也寫得頗有層次，尤其是雲重的轉變，寫得更加曲折艱難，而又扎實真切。再如玄機逸士、上官天野、蕭韻蘭三位當代武林絕頂高手的轉變；石翠鳳對周山民的情感，由敵意到愛意的轉變；周山民對雲蕾由愛慕到尊重；澹台鏡明對雲重由鄙夷譏誚到傾心相愛等等，無不在情節發展中自然而然地轉變、發展、深化，從而突出和豐富了人物的個性。

四是，作者時常有意要打破人們的「定見」，寫出人物性格的真實，而又創造出奇特的審美效果。上述張宗周的性格和心態的變化，就與人們的定見大不相同。老魔頭上官天野的真相揭示及態度轉變，更加出乎人們意料，而細想，卻又在情理之中，並無生硬或突兀之處。一開始的定見，只不過是因為不瞭解，或是因為人是是之、人非非之、人云亦云罷了。

再說明英宗皇帝，原以為是個大大的昏君，整個兒一條糊塗蟲，但後來卻發現他也有聰明機警的一面；原以為他是個徹頭徹尾的軟蛋，後來發現，他雖並不剛硬，卻也有識大體的一面，有時頗能硬起頭皮撐一下大明天子的門面。這就寫出了英宗的多面性、真實性，最後赴張宗周家前後的那一段描寫，堪稱妙絕。總之，這一人物的刻畫，與一般定見明顯有所不同。瓦剌太師也先的形象，雖然寫得不多，但也超出了人們的料想，對他的女兒，對張丹楓，對明朝英宗皇帝，表現出不同的情感側面，不同的情態形式。

五是，梁羽生善於在行為細節中寫人，且善於在同一場景中寫出人的不同性格。而對謝天華前往瓦剌殺張宗周十年不歸，反而當了張丹楓的師父，潮音和尚、葉盈盈、董岳三人的表現就完全不一樣。潮音魯莽，所以不容對方解釋，就要與他拼命；葉盈盈心細，因而想提前與謝天華見面，問個清楚再說；董岳智慧知人，對謝天華信任有加，知他如此，必有理由，壓根兒就不必問，也不會產生誤會。

再如石英的女兒石翠鳳比武招親，韓大海、林道安、沙無忌三位候選人，一憨直，一陰鷙，一殘暴，在一場小小的比武中表露分明。這等小人物，作者給予如此關照，並未多費筆墨，只是信手拈來罷了。這部書中人物，只要一活動，一對比，就能表現各自不同的性格，至少是表現性格的一部分。如雲蕾、石翠鳳、澹台鏡明、脫不花等幾位少女，都是獨立、有主見之人，但表現出來卻不相同。雲蕾是單純可愛，石翠鳳是癡情堅決，澹台鏡明是爽朗乾脆，脫不花稱得上是豪邁果敢。

再如大內三大高手張風府、貫仲、樊忠，看似差不多，實則不然。張風府豪爽大度、明白事理；樊忠耿介火爆、樸實忠直；貫仲則心機較深、貪心較重，最後被張丹楓誅殺，搜出了他賣友求榮的密信，他可以說是「大內鷹爪」的典型。

《萍蹤俠影》中人物較多，無法一一提及，只要讀者有心，自會「莫道萍蹤隨逝水，永存俠影在心田。」

三、結構與語言

梁羽生以及大部分武俠小說家的長篇武俠小說，結構上大多有些問題。主要是鬆散、信天游，有時甚至前後參差。這是因為，一、早期武俠小說多是在報紙上連載，每天一段不過千兒八百字，一部書往往要連載上一年甚至更長時間，這意味著要寫上這麼長時間，因而難免鬆散乃至前後不一致。二、有時候，一些作家甚至要同時寫幾部書，在不同報紙上連載，難免顧此失彼，首尾難接，只得實行拼湊之法，能信天游，游出個故事，就算是不錯。三、再往深處去說，則是，中國傳統的長篇小說（不光是武俠小說）向來有結構不嚴謹的毛病，這就難怪後來的作家有此「遺傳」。不過這個問題太大，不宜在此討論，只能點到為止。

除了上述共同原因之外，梁羽生的小說還要加上兩個原因，一是他的名士風度，對小說的整體結構安排與經營難免會不耐其煩；二是他的傳統正格的創作模式，多半不從人物性格的展開來構造小說故事情節，而是由定型的俠義觀念加上江山歷史和江湖傳奇來組合小說故事結構，短還好，長則難以自洽。所以，梁氏在《白髮魔女傳》之前的幾部書，包括名著《七劍下天山》，結構上都有毛病，頭兩部即《龍虎鬥京華》和《草莽龍蛇傳》的毛病更多也更大。

但梁羽生畢竟才高八斗，而且寫作態度應算是比較嚴肅認真，所以，他的小說結構問題，也就不能一概而論。《白髮魔女傳》之後，這方面的問題大為減輕。而這部《萍蹤俠影》，在結構上要算是相當成功了。

《萍蹤俠影》的結構特色是外鬆內緊、中心不亂、重點突出，從而複雜而有序，廣泛而緊密，多條線索交織重疊，合二為一，有如電纜。寫起來能從容流暢，看起來當然也就雜而不亂、線索分明了。具體說，就是小說的情節相對集中，一、集中到張丹楓與雲蕾這兩個人物上，這是它的縱軸。二、集中到土木堡之變這件事上，這是它的橫軸。此二人、一事組成小說的敘事核心，其他線索都屬前因後果，圍繞這一重點鋪陳，自然就會散而不亂。

說起來，小說的故事線索還是很複雜，僅是大的矛盾衝突線就有多條。諸如：一、明王朝與蒙古瓦刺部的民族衝突及戰爭。二、明王朝統治者與張士誠舊部及其後人之間的仇恨與衝突。三、明王朝內部的忠奸鬥爭，即宦官王振與名臣于謙之間的鬥爭。四、明朝官府與江湖綠林之間的矛盾衝突，包括逼官為盜，以及官府對江湖與綠林人物的圍剿。五、雲氏家族與張氏家族的矛盾衝突。六、瓦刺內部的矛盾衝突，包括太師也先與其首領、與張宗周、與瓦刺知院等勢力間的衝突。七、江湖武林間的恩怨矛盾：玄機逸士與上官天野之間的宿怨及兩大門派間的矛盾衝突……

其他的小矛盾、小衝突，那也不必說了，僅這七大矛盾衝突，在空間上涉及中原與蒙古、朝廷與江湖、官府與民間；在時間上則有眼前危機、三十年前恩怨、朱氏與張氏兩大勢力八十餘年的仇恨。看起來，真不知從哪裡開口才能說得清楚，從哪裡下手才能理得明白。

好在，這七大矛盾都與張丹楓、雲蕾二人有直接或間接關係。即，在漢蒙矛盾中，張宗周是蒙古瓦刺部的丞相，與中原漢人為敵；而張丹楓卻是回歸祖國，幫助朱明王朝抗敵禦侮。在朱、張世仇中，張丹楓當然更是有直接關係，而又有出人意料的選擇。在明朝的忠奸鬥爭中，張丹楓和雲蕾是站在忠臣于謙這一邊。在明朝官兵與江湖綠林的鬥爭中，張、雲是站在民間立場上。在張、雲兩家族的世仇中，張丹楓與雲蕾雖受直接影響、卻又相愛至深，欲超脫而不能，欲報復而不願、欲了斷而不得，於是痛苦萬分，從而成了小說中最重要的情節線索。

在瓦刺內部鬥爭中，張丹楓審時度勢，利用既有矛盾，使其互相牽制，而最終對中原有利。在玄機逸士與上官天野的宿怨中，張丹楓和雲蕾乃是同門，但後來張丹楓與上官天野卻又結成「情癡忘年交」，對宿怨的最終消除起了重要作用。如此等等，也就是說，只要抓住張丹楓與雲蕾就能抓住小說的諸多矛盾的交集核心。實際上，這也正是作者寫作的重要關節，即始終隨著張丹楓和雲蕾的行動而不斷調整鏡頭，對其進行追蹤，在正面反映張丹楓與雲蕾二人之間及兩大家族之間的情仇矛盾的同時，介入並揭示上述其他種種矛盾，最終自然而然地解決矛盾。

圍繞張丹楓、雲蕾這兩位主人公，就能找到本書結構的重點。進一步，就是圍繞明朝、瓦剌的矛盾及其土木堡之變這件「事」，小說的敘事中心就會更加清晰。若非張丹楓在土木堡之變及中原民族危難之際因深明大義而毅然改變原有立場，雲蕾就不可能對他徹底傾心。反之，若非形勢緊迫，雲重等人也就不會讓張丹楓和雲蕾萍蹤相伴，張、雲的情仇也就不可能轉向發展，與此相關的種種矛盾線索也就不會有如此這般的結局。

土木堡之變始末，不僅提供了危機及解決危機的緊迫性，從而便於傳奇人物及其傳奇活動的展開；同時也提供了小說敘事的「現在進行時」，即提供了敘事的時間基準線，讓各種時態都能夠在此找到對應依據。

張、雲二人及土木堡之變一事，形成了小說故事情節結構的基本框架。作者對其他人、其他事的敘述，或作懸念，或作伏筆，或作穿插，順手且順勢而為。這樣，小說的敘事就獲得了基本方法原則，打得開又收得攏，回溯或是前展，都能左右逢源。例如小說開頭的《楔子》一段，寫雲靖在雁門關絕望自殺，這一事件「引」出了多種矛盾線索：明蒙矛盾；張、雲二家族矛盾；朝廷忠奸矛盾；以及玄機逸士門下與上官天野門下的矛盾，等等。

這些矛盾仇怨，顯然不是一下子就能解決的，也不可能是一筆能夠說得清楚，因而正文開始之後，小說只抓住明蒙矛盾衝突這一最緊迫的故事線索，以及張丹楓、雲蕾二人相遇、相愛、相矛盾這一最基本，然而又是最具吸引力的重要線索，兩者合二為一，展開小說敘事。上官天野與玄機逸士兩大宗師及兩派之間的江湖恩怨，就變成了一個懸念。

讀者都知道且期待這一懸念的解決，只不過是時候未到，而眼前的民族矛盾及主人公的情仇更加緊迫也更加重要，江湖矛盾只能擱下不表，等待合適時機。穿插的例子，如明朝官府與綠林的矛盾衝突，官兵圍追堵截，若是平時，那是非趕盡殺絕不可，但逢民族危機關頭，這種內部衝突自然要緩解、掩蓋，乃至暫時中止。而忠奸衝突，高潮恰是土木堡之變，王振被樊忠打殺，于謙保衛北京，自然而然就結束了。

如此等等，再回頭來說江湖恩怨，前面提及的多種矛盾衝突，多屬「江山衝突」，唯玄機逸士與上官天野的恩怨屬於單純的江湖中事，在這部書中，充當懸念引線，使之保持武俠傳奇的基本特色。當其他矛盾基本得以解決，或無法推進時，作者便著手解決這一早已佈局的懸念矛盾，其中又包含了玄機逸士門下的潮音和尚對謝天華的誤解和矛盾；包含了雲蕾之父雲澄的生死之謎。最後結局及其解決方式，大大出乎人們意料。上官天野這位「老魔」，原來不過是「情癡」而已，遇到處於癲狂狀態的張丹楓的攪擾，反而使那種看似難解的「死結」出人意料地鬆開。

這種矛盾衝突的結局及真相，包括作者的處理方式，應是書中很絕的一筆。看起來有些雷聲大、雨點小，不免會使一些「好鬥」的讀者失望，但既非小說主線，而能快刀斬亂麻，意料之外又在情理之中，自當讓人拍案稱絕。

結構緊湊，敘事不拖泥帶水，是這部小說的一大特色與成就。張宗周死得其所，既緩解了張、雲兩家是世仇，又完成了他自己的心中死結。張丹楓和雲蕾有情人終成眷屬，雖不無理想色彩，但亦正是作者、讀者心中所願。張宗周既然以死相報，張丹楓又如此俠義英雄，而雲蕾又是如此一往情深，雲澄、雲重父子也就再也沒什麼理由要人為作梗而不開綠燈了。所以，書中簡化了心理過程，直接寫出了出人意料而又一直在心中期盼的團圓結局，讓人最後鬆一口氣，放下了書也放下了心。

梁羽生小說的語言之美，前文已經提及，這裡只需印證。

這也可以分為三點：一、回目聯語。二、詩詞妙語。三、敘事語言。篇幅所限，這裡只能長話短說。

梁羽生小說的回目對聯，已自成一絕，可以單獨欣賞。因為這是他的小說傳統正格的一個組成部分，也是我們傳統文化的一部分。《萍蹤俠影》的回目，名氣上雖然未必比得上《七劍下天山》及《白髮魔女傳》等書，也有不少可欣賞之處。如：

牧馬役胡邊，孤臣血盡
揚鞭歸故國，俠士心傷（**楔子**）

名士戲人間，亦狂亦俠
奇行邁俗流，能哭能歌（**第五回**）

一片血書，深仇誰可解
十分心事，無語獨思量（**第七回**）

滾滾大江流，英雄血淚
悠悠長夜夢，兒女情癡（第九回）

冰雪仙姿，長歌消俠氣
風雷手筆，一畫卷河山（第十七回）

柳色青青，離愁付湖水
烽煙處處，冒險入京華（第十九回）

虎帳鑾花，癡情締鴛譜
清秋麗影，妙語訂心盟（第廿回）

劍氣如虹，廿年真如夢
柔情似水，一笑解恩仇（第卅一回）

以上這些，大都有獨立的審美價值，值得抄下來慢慢欣賞品味。若是只急於瞭解「後事如何」，對這些回目匆匆翻過，未免可惜。

再說詩詞。這部書照例有開篇詞、結尾詞。看結尾詞《調寄清平樂》：

盈盈一笑，盡把恩了。趕上江南春未杳，春色華容相照。

昨宵苦雨連綿，今朝麗日晴天，愁緒都隨柳絮，隨風化作輕煙。

此詞雖算不上是詞中上品，即便在梁羽生書中也算不上是最好的，但仍然味道十足，值得仔細玩味。一是，它與小說結尾處張丹楓、雲蕾兩位主人公有情人終成眷屬的情景相扣，非這些話不能充分表達那種喜悅的心情。二是，它本身就清麗可喜，寫出江南春日風光，尤其是對那些長期生活在漠北的人來說，江南的美景以此語言描繪出美麗畫卷，就格外動人，餘香滿口。

今日詞人能寫出這樣的作品的不多，梁羽生正是其中翹楚。梁羽生小說中的詩詞，當然還應包括書中人物吟唱前人名作，這部書中尤其多，因為張丹楓這個主人公差不多到處都有歌唱，隨時吟誦。好在作者對那些詩詞大多作了必要詮釋，不僅合乎當時情境，也合乎當事者心境，讀者不會覺得多餘。能將這部書中的詩詞歌賦讀懂，差不多可以算是讀了半部詩詞例話。

再說敘事語言。這才是大頭。由於篇幅有限，仍然只能長話短說。梁羽生小說的敘事語言，典雅古樸、詩情畫意，又能朗朗上口，實屬難得的漢語言文字佳品。小說的開頭尤其精彩：

清寒吹角，雁門關外，朔風怒捲黃昏。

這時乃是明代正統（**明英宗年號**）三年，距離明太祖朱元璋死後，還不到四十年。

蒙古的勢力，又死灰復燃，在西北興起，其中尤以瓦剌部最為強大，逐年內侵，至正統年間，已到了雁門關外百里之地，這百里之地，遂成了明與瓦剌的緩衝地帶，也是無人地帶。西風肅殺，黃沙與落葉齊飛，落日昏黃，馬鈴與胡笳並起。在這「無人地帶」之間，這時卻有一輛驢車，從峽谷的山道上疾馳而過。

驢車後緊跟著一騎駿馬，馬上的騎客是一個身材健碩的中年漢子，背負箭囊，腰懸長劍，不時地回頭顧盼。朔風越捲越烈，風中隱隱傳來了胡馬嘶鳴與金戈交擊之聲，陡然間，只聽得一聲淒厲的長叫，馬蹄歷亂之聲漸遠漸寂，車中一個白髮蒼蒼的老者，捲起車簾，顫聲問道：「是澄兒在叫我麼？是不是他遇難了？謝俠士，你不必再顧這了，你去接應他們吧，我到這兒，死已瞑目！」

這一段開頭，寫史、寫地、寫景、寫人，簡潔有力，如史如傳，且如詩如畫。「清寒吹角，雁門關外，朔風怒捲黃昏」是優美詞句；「西風肅殺，黃沙與落葉齊飛，落日昏黃，馬鈴與胡笳並起」雖是化用前人「落霞與孤鶩齊飛，秋水共長天一色」名句，仍讓人聯想翩翩。梁羽生小說敘事語言之美，由此可見一斑。

再看小說中雲蕾出場的一段：

……再等一會，眼睛一亮，從裂縫上端窺出，已可見一線天光，不一刻，雲中白光閃發，東方天色由朦朧逐漸變紅，一輪血紅的旭日突然從霧中露了出來，彩霞滿天，與光相映，更顯得美豔無儔！不知從哪裡飛來了許多彩色的蝴蝶，群集在花樹之上，忽而又繞樹穿花，方慶雖是武夫，也覺得神怡目奪。

再過些時，陽光已射入桃林，方慶眼睛又是一亮，忽見繁花如海之中，突然多了一個少女，白色衣裙，衣袂飄飄，雅麗如仙，也不知是從哪裡來的。那少女向著陽光，彎腰伸手，做了幾個動作，突然繞樹而跑，越跑越疾，把方慶看得眼花繚亂。雖然身子局促在石隙之中，也好似要跟著她旋轉似的。

方慶正感到暈眩，那少女忽然停下步來，緩緩行了一匝，突然身形一起，跳上一棵樹梢，又從這一棵跳到那一棵，真是身如飛鳥，捷似靈猿。那少女在樹上奔騰跳躍，滿樹桃花，竟無一朵落下！方慶看得矯舌難下，心道：難道那少年所說的奇人，竟然就是這個少女！

再看時，那少女又從樹上跳下，長袖揮舞，翩翩如仙，過了些時，只見樹枝簌簌抖動，似給春風吹拂一般，樹上桃花，紛紛落下。少女一聲長笑，雙袖一捲，把落下的花朵，又捲入袖中。悠悠閒閒地倚著桃樹，美目含笑，顧盼生姿。

方慶看得呆了，心道，天下間竟有這樣美豔的少女，桃花也給她比下去了。

（第一回）

下面還有一段寫少女撲蝶於花間的，篇幅所限，不再往下抄引了。以上這段文字，美在境界，黎明時光，朝霞旭日，桃花蝴蝶，少女翩翩起舞（**是練武，但在方慶及讀者的眼裡，如舞蹈一般好看**），這是何等美麗的情景、何等美妙的意境！雲蕾如花少女，這樣出場，真如天上仙女一般，讀者自然會留下極其深刻的印象。

值得注意的還有，一、這個地方仍在雁門關附近，與我們前引的小說開頭那段，地點相同，但季節不同，前為秋天朔風怒號，此為春天桃花盛開。更主要的是情境不同，前面是寫雲靖等人倉皇逃命，北地南歸；而這一回寫的是雲蕾怡然晨練，靜谷幽芳，所以感覺大不相同。二、前一段文字有古拙之氣，這一段則基本上是現代感覺。因為前面是小說開頭，寫老翁壯士，兼及歷史滄桑；而這裡是小說的正文，寫青春少女，花蕾初綻，當然要用不同的筆墨，寫出不同感覺。三、開頭一段，是作者的客觀敘述，需概括、簡潔、節奏鏗鏘；後一段是自軍官方慶眼中寫出，是描寫，所以雅致優美，節奏舒緩。

除此之外，本書敘事語言中，寫對話、寫心理、寫吟詩、寫武打、寫千軍萬馬、寫獨影孤芳、寫塞北大漠、寫江南煙雨、寫朝廷儀式、寫江湖聚會，都有相應的一種言語，值得注意。

四、缺陷與不足

這個題目下，要說的也不少。人無完人，金無足赤，況乎一部武俠小說。但有些問題，是仁者見仁、智者見智，你說不足，人家或許讚美；你以為是缺陷，說不定有人恰恰喜歡這個。而有些問題，又說來話長，不免拖泥帶水，似不宜多寫，所以我們還是長話短說，選主要的幾點說。

要說的第一點，當然是張丹楓形象過於完美，缺乏深入的個性心理開掘和表現。具體說，如張丹楓進入雁門關後，一改初衷，原本要找朱明王朝的麻煩，報仇雪恨，後來卻獻寶獻策，奔波趨馳，這當然能表現他的廣大胸襟及俠士氣概。但細究起來，似乎缺少一環，那就是他的轉變過程及其心理動機。

另一個明顯的不足或缺陷，是謝天華赴瓦剌刺殺張宗周，卻反而成了張丹楓的師父，此事語焉不詳。讀者當然也能理解，但怎麼說，都還有些問題。如：一、謝天華如何成了張丹楓的師父──小說中要這樣寫，是要讓張丹楓與雲蕾雙劍合璧，同門師兄妹，關係更近，這可以理解，但──張丹楓是否跟澹台滅明學過武功？若沒學過，說不過去，澹台滅明那麼高的武功，又是張宗周的部下，近水樓臺，豈有不先得月的道理？若說學過了，一來澹台滅明與謝天華乃是師門之仇，此仇難解，如何解？二來書中全無交代，甚至未想到要交代張丹楓與澹台滅明及謝天華三人之間的複雜關係。這是一個漏洞。

二、張丹楓的武功，看來僅是師承謝天華一人，後來才看得彭瑩玉和尚留下的《玄功訣要》，更上層樓。我們不免遺憾：張丹楓若是學齊了上官天野、玄機逸士兩大派功夫，甚至再學蕭韻蘭的功夫（**如金庸小說中許多主人公一樣「法乎眾者得乎其上」**），豈不是更好更妙？何況這又不是什麼難事。至於與雲蕾雙劍合璧，一是仍可以用謝天華的劍術，二是不妨試一試上官天野──澹台滅明一派的劍術，看看能不能合璧？當年兩位前輩比武三日三夜，難道沒有互相影響、互相學習嗎？這當然只是我們的設想而已，多少有些一廂情願。但前一個追問卻是少不了的。

三、而且，雲重又是董岳的徒弟，這樣一來，雲重、雲蕾、張丹楓都成了師兄弟，似乎天下武功只此一家，也未免巧得過分了。梁羽生在主要人物的武功、學藝歷程方面的設計和書寫固然有不少創意，但總體說，下的功夫不如金庸那麼大，這對於好武的讀者，無疑是個遺憾。這或許與他「寧可無武，不可無俠」即重俠輕武的創作原則有關。一般情況下，當然不覺得，也看不出來，因為梁羽生的筆力畢竟非同小可，對武功描寫也頗有匠心，只是倘若像上面那樣挑剔追問，那就不免讓人看到局限與不足。

再一點，是寫張丹楓的師父謝天華和雲蕾的師父葉盈盈，有情人不能成眷屬，只因師父玄機逸士各傳了他們一套劍法，目的是為了以後「合璧」對付上官天野，但卻又不許他們互相瞭解，以至於因此而無法結合。這也未免太不合情理，甚至有些荒誕了。若是孤例，倒也罷了。但，有趣的是，老魔上官天野不許他的男徒烏蒙夫和女徒林仙韻結婚，甚至不能動情欲之念，原因是若有情欲或結婚就練不成絕世武功，這倒比玄機逸士門下的謝天華、葉盈盈的情況更合理一點。只是如此一來，上官天野門下，包括澹台滅明，以及玄機逸士門下，包括董岳、潮音和尚，全都是孤男寡女，加上他們的師父，就成兩窩光棍了。這樣做，未免有些過分。再回過頭來說謝天華和葉盈盈，當然也不是非成婚不可，但總得考慮一種更合適的說法才好。總不能搞得玄機逸士不通男女玄機，以至於同老魔上官天野沒啥區別。

其他的漏洞，比如雲蕾招親，總體上可算是一場有趣的熱鬧戲。但雲蕾這位如花少女，扮成男裝，就算年輕的張丹楓經驗不足看不出來，石英這樣的老江湖何以也看不出來？更何況替女兒招親乃是大事，豈可如此草草，甚至連來路也不明，男女也不分，就當場比武、當夜入洞房？此事匆促得過分，不能細想。再如，上官天野的二徒弟烏蒙夫第一次露面——是蒙面——似根本沒有蒙面的必要，一來誰也不認識他，二來他也不怕有誰認識他，何故弄得如此神秘兮兮？難道就因為他叫「蒙夫」，所以要蒙面？

《萍蹤俠影》結構緊湊，這是它的長處，但緊湊的另一面，是不少情節來不及展開，不少細節無法得到詳細描寫，反倒成了另一種形式的局限了。謝天華的蒙古之行來不及解釋，張丹楓的思想立場轉變來不及細說，雲蕾女扮男裝來不及分辨，雲重與雲蕾見面也來不及細說他師父董岳這些年來如何……這些都造成了小說的遺憾，甚至是漏洞。幸而大處甚佳，我們的吹毛求疵只能適可而止。

《冰川天女傳》

《冰川天女傳》是繼《白髮魔女傳》、《萍蹤俠影錄》之後又一部雄心勃勃的小說。作者要創作出超越這兩大高峰的作品，至少要創作出與這兩大高峰相匹配而且不至於遜色太多的作品。這並不是一個容易的事，作者努力為之。冰川天女是作者試圖創造可與白髮魔女形象比肩的一次實驗。白髮魔女是野孩子、女匪首、自以為是的女英雄；而冰川天女是公主、身分尊貴、住在天湖、如半人半仙。

冰川天女出場時，幾乎不食人間煙火。她曾拯救過藏女芝娜，但也只教她三天武功，並沒有把芝娜留在冰宮中；她與奪命仙子謝雲真有一定的交情，但當奪命仙子謝雲真的丈夫鐵拐仙勸她走出冰宮去拯救人間危難時，她竟立即翻臉，讓鐵拐仙離開。與此同時，尼泊爾國師和武士前來請她下山相助，她也同樣斥責對方，讓對方離開，當對方擅自進入冰宮，其待遇甚至比鐵拐仙的待遇更差。如此看來，這個冰川天女不僅不食人間煙火，簡直是有些不通情理，也不可理喻。

所以如此，與她的身分有關。她是尼泊爾公主的女兒，父親桂華生卻是中國漢人。所以她不便於且不想捲入尼泊爾與中國的爭端之中，一邊是母族，另一邊是父族，她只能保持中立立場。這是一層，還有一層是，她母親在尼泊爾首都加德滿都的日子過得並不開心，因為不想捲入尼泊爾王位之爭而不得不離開故國，來到西藏騰格里海即納木錯即天湖隱居；父親來到尼泊爾也是因為在中國時曾敗於唐曉瀾、馮瑛之手，也就是在國內留下過不愉快的記憶，所以才願意在尼泊爾、或是在西藏納木錯隱居，不想再踏足中原。

這一層故事實際上很難說清楚，尼泊爾公主之所以離開加德滿都，原因是她不想參與王位競爭，也不想看到堂兄執政時暴虐無道，如此才要離開。但這並不等於說尼泊爾讓她留下了什麼噩夢般的記憶，以至於不但自己不願意回到尼泊爾，且讓自己的女兒也不能回到尼泊爾。同樣，桂華生輸給唐曉瀾、馮瑛夫婦，也不過是一次比武中輸掉而已，就算對唐曉瀾夫婦有成見，也不至於從此不回中原故國，故國於他並沒有深仇大恨。這也同樣沒有理由要女兒不許離開冰宮——除非冰峰倒塌才能離開——如果不離開冰宮，桂冰娥幾乎沒有什麼機會與男性接觸，莫非父母要女兒獨身一輩子？

作者後來又創作了一部《冰魄寒光劍》（**原名《幽谷寒冰》**）講述這段故事，那也不過是一段中國武士贏得尼泊爾公主芳心的普通傳奇而已，對解釋冰川天女的身分背景與特殊誓言似乎沒有多大幫助。在那部書中，尼泊爾公主是國王嫡傳，而王子只是國王的侄子即公主的堂兄，王兄為了繼承王位費盡心機，甚至不惜對國王下毒，不惜陷害公主的情人桂華生，但也僅此而已。

公主有兩種選擇，一是向國王揭露王兄的陰謀，讓國王廢除王兄的繼承權，但公主華玉和丈夫桂華生都沒有這麼做。沒有這麼做的原因是她不想繼承王位，而桂華生也同樣沒有當國王或女王丈夫的野心。另一方面，桂華生與唐曉瀾夫婦也沒有什麼深仇大恨，桂華生遠遊西藏、尼泊爾，不過是要尋訪武學高人，增長自己的見識，並沒有對故國懷有仇恨。也就是說，在後一部書中，仍然找不到華玉、桂華生隱居的不得已原因（**隱居不過是他們的自主選擇**），更找不到他們不讓女兒下山的原因。

所以如此，是作者的一種安排。這種安排的真正目的，一方面是要刻畫主人公冰川天女的非凡身世和非凡形象，另一方面卻也正是要鋪墊主人公的下山之路。英俊少年唐經天來到冰宮，同樣是要勸主人公下山，桂冰娥也同樣要趕他下山，與對別人態度不同的是，她要他下山，卻又同意他翌日再上山比武；進而，比武未分勝負，她竟又答應自己下山去與對方再比武。正當此時，發生地震，冰峰真的倒塌了，終於給冰川天女下山一個重要理由，而她也從此再未回到冰宮。

冰川天女下山的原因，與其說是要與唐經天比武，不如說是被唐經天的風采所吸引。唐經天的武功人品、風度氣質、個性詩才，讓冰川天女情不自禁，尤其是唐經天為她修改對聯，表達對她的讚美和傾慕，是她從未見過也從未想到過的事，她當然會被吸引。男女間的愛情是人類的天性，冰川天女也不例外。

由於地震，冰峰倒塌，天女一度失蹤。這段空白很有意思，那一定是她認真思索自己從哪裡來、要到哪裡去的一段時間。當她再度出場時，是在多方爭奪寶瓶的衝突現場。清廷給西藏送寶瓶（用於金瓶掣籤）是歷史上的一件大事，也是這部小說中的一個重要情節。此前早已鋪墊，鐵拐仙勸天女下山是希望她奪下金瓶，以便清廷與西藏發生矛盾，不讓西藏成為清廷管轄的一部分；尼泊爾國師勸她下山，同樣是要她幫助奪瓶，同樣是不希望西藏與清廷成為一體，但這兩派的目的各有不同，前者是漢人不滿清廷，後者與尼泊爾國王的野心有關。

唐經天是第三派，即希望保住金瓶，即希望金瓶順利地送到西藏，讓西藏成為中國一部分。我們看到，冰川天女成了此次衝突中最大的變數，她的選擇成了寶瓶能否送達的最大關鍵，她的選擇與唐經天相同——她說是對唐經天題寫對聯的酬勞——這當然是她情不自禁地愛上唐經天的確切證據。實際上，這也符合她的身分，她的母親是尼泊爾公主、父親卻是中國人，她不能幫助母族去傷害父族（**同樣不能幫助父族去傷害母族**），選擇中立、順勢而為，才是她最好的選擇。

是唐經天將她拽出了冰宮，讓她從一個仙女變成了一個凡人。她的美貌仍如仙女，而她的心靈卻已認同凡俗，此後，她的現實目標，找到伯父冒川生，讓尼泊爾保持和平。這兩個目標，都被她與唐經天的情感關係所貫串；找冒川生是唐經天主動答應幫忙，而（**最後**）處理尼泊爾國王覬覦她美色及侵入西藏邊境事件，則是她主動要求唐經天幫忙。在一定程度上說，《冰川天女傳》可以說是冰川天女桂冰娥與天山少俠唐經天的愛情故事。寶瓶事件、尋找冒川生、尼泊爾邊境事件，不過是這一愛情故事的起因、發展和結局過程中的幾個重要節點。

在冰川天女和唐經天的愛情故事中，唐經天對冰川天女的愛慕始終如一，而冰川天女對唐經天也是如此，只不過中間經歷了李沁梅、鄒絳霞、金世遺等幾次波折和考驗。唐經天將冰川天女帶到天山，看到李沁梅和唐經天關係親密，桂冰娥不由自主地嫉妒難忍，鬱悶離開，既是一次波折，也是一個考驗，更是一種證明：桂冰娥若不是深愛唐經天，何至於要憤然離開？

唐經天得到鄒絳霞的照顧，並與小姑娘鄒絳霞關係親密，一方面是因為嫉妒，另一方面也是因為金世遺的嫉妒和挑撥，冰川天女再次逃離，固然是出於自尊，其實同樣是愛情的證明。至於金世遺的挑撥，以及金世遺對冰川天女的片面愛慕，則對冰川天女本人並無多大影響——因為她只是憐惜金世遺，並沒有為金世遺心動——反而是對唐經天的考驗：能否理解冰川天女對金世遺的憐惜？是對唐經天心胸情懷的小小考驗，好在，唐經天經受住了考驗，所以，冰川天女和唐經天的愛情故事，最終得到大團圓結局，這與《白髮魔女傳》大不相同。

《冰川天女傳》不如《白髮魔女傳》，不僅是因為愛情故事的結局不同，且因為冰川天女的個性相對簡單，不似白髮魔女練霓裳那樣有豐富度和深度。

《冰川天女傳》刻畫得最有特色且最讓人印象深刻的人物形象，不是冰川天女，也不是唐經天，而是毒手瘋丐金世遺，其次是陳天宇，再次是多嘴的江南。

金世遺是毒龍尊者的弟子，毒龍尊者本身就是個我行我素、亦正亦邪的人物，在師父毒龍尊者的薰陶下，自幼孤苦、少年時長期生活在孤島上的金世遺模仿師父的個性行為，並不稀奇。金世遺來到大陸後，到處找成名人物挑戰，幾乎不可理喻，變成人見人厭的怪物，得到毒手瘋丐的綽號，幾乎是必然。金世遺的這種行為，固然可以說是要為師父討回公道，也是要宣洩自己的孤憤和戾氣，實際上也符合缺少良好教養、社會化程度不高的「憤怒青年」的心理狀態和行為邏輯。也就是說，金世遺的行為固然是傳奇，傳奇背後則有充分的人性依據。

金世遺是個聰慧而敏感的青年，但在對人世的認知上充滿偏見——此種偏見一半來自觀念的演繹，一半來自憤懣情緒的推動——以至於他要挑戰武林成規，等於是要挑戰整個武林世界。由於他武功奇高、毒刺難治，再加上故意扮作瘋瘋病的模樣，使得人見人怕、人見人厭、人見人恨，他是常規世界的仇人，世界也就成了他的仇人。別人越是仇恨他，他就會得到畸形的快感，與此同時，他對世界的隔膜和仇恨也就越來越深，以至於惡性循環。

唐經天同情他，給他食物，他非但不感激，反而惡語相加，讓唐經天幾乎下不來台。若非唐經天有良好教養，肯定會與他發生尖銳衝突。好在，他遇到了冰川天女，她的美貌讓他情不自禁地被吸引，甚而為之癡迷，這是前提之一；她的憐憫之心，讓他感到溫暖（**也只能是仙女的行為才讓他有如**

此感受）；她的誠懇（沒有歧視、沒有厭煩的表情和心情）更是融化了他的心，所以，他從此情不自禁的追隨冰川天女，形成「天使與魔鬼」或「美女與野獸」的奇異景觀，也是這部小說中最精彩的篇章段落。

當冰川天女打破了金世遺毒手瘋丐的外殼，讀者很快就發現他與普通的「憤青」並沒有本質的不同：在他畸形的自尊背後，其實是深刻的自卑，以及無法為世人認可的苦楚與憤恨——直到天真無邪的李沁梅告訴他：你對別人好，別人也會對你好；你欺負別人，別人當然討厭你——金世遺的心態在慢慢改變，金世遺的人格與個性也在成長過程中。他寧死也不願接受唐經天的幫助，是因為他把唐經天視為情敵；他寧死也不願接受唐曉瀾的幫助，則是因為唐曉瀾是唐經天的父親。

最終，他還是在昏迷中接受了唐曉瀾的幫助，從而讓他感到，這個世界上果然有那種寬宏大量、仁義溫暖的人，讓金世遺的人生從此改變。在小說最後，金世遺將食物和靈丹全部留給李沁梅，在獲救後留下詩句：「不是平生慣負恩，珠峰遙望自沉吟。此生只合江湖老，愧對嫦娥一片心。」那是他重新做人的表白。

後來，作者為此人專門立傳，寫出《雲海玉弓緣》一書，正是因為金世遺這一人物有極大的人文藝術創造空間。他「改邪歸正」之路還很慢長。

小說中的陳天宇這一人物也給人留下了印象——小說就是以陳天宇的故事開頭——他對流浪復仇女芝娜一見鍾情，但當地土司的女兒桑璧伊卻一廂情願地要嫁給他，而他父親身為朝廷官員卻不敢得罪當地土司，這一情形成了小說開頭的第一大懸念。進而，他是官宦子弟，也是武林人物，這兩種身分的矛盾，讓他的難處成為小說中的另一懸念。

進而，他鍾愛的芝娜一心復仇，冰川天女的侍女幽萍對他一往情深，又成為小說的第三個重要懸念。如果把這三個懸念都詳細展開，陳天宇的故事想必會更加深入而精彩。只不過，他並不是小說的主人公，他在小說中的重要性，肯定要排在冰川天女、金世遺、唐經天之後。所以，對他的故事，只能插空書寫，對這一人物的心理和個性的刻畫也就不可能深入細緻。

說陳天宇的書僮多嘴的江南的形象讓人印象深刻，那是因為在這一人物的姓名、個性中，有陳定基、陳天宇父子的影響。這個「多嘴的江南」可能是梁羽生小說中最著名的人物之一，他會在後面的許多部作品中出現，他的兒子江海天還會成為當世第一人——當然是因他是金世遺的朋友，而江海天是金世遺的弟子。

書中龍靈矯的形象也有可說之處，他是年羹堯的兒子，年羹堯在雍正奪位過程中立下汗馬功勞，卻也因此而被天下武林痛恨；而年羹堯後來卻又被雍正處死，使得龍靈矯成為孤兒，並被四川唐家收為養子。在年羹堯的部屬勸誘之下——這段經歷在《冰魄寒光劍》的開頭有所介紹，桂華生在藏邊曾遇年羹堯部屬葛騰龍帶著年幼的唐靈（即後來的龍靈矯）——離開唐家、前往西藏。

由於他一心要為父親復仇，目標是起兵造反、推翻滿清統治，所以他化名龍靈矯進入滿清駐藏大臣福康安的幕府中，他的武功和智力都有驚人之處，也是這部小說的一大懸念和謎團。他的故事充滿傳奇色彩，如果以龍靈矯作為主人公，肯定看點很多。他在這部書中只不過是一個小配角，因無法展開而受限制，使得這一人物的個性光彩無法全部展現。

即便如此，這一人物仍然給人留下了深刻印象，尤其是當他被滿清皇帝識破身分後關入大牢，而被尼泊爾國師劫獄救走，但他堅持不與尼泊爾國師合作，即不向尼泊爾借兵以達成自己的復仇目標，表明他對個人仇恨和國家利益二者有清晰的邊界線。進而，當他聽到方今明說及其父年羹堯當年的所作所為，更加悔恨不已，從此與方雪君隱居雪山之中，讓人感慨萬端。他還會在梁羽生的作品中出現。如果要選舉梁羽生小說知名人物，此人有可能進入前五十之列。

書中的李沁梅這一人物也有可觀之處。如果說主人公桂冰娥是仙女，那麼李沁梅就是天使，純潔無瑕、天真爛漫、善良溫厚，她對金世遺的片面愛情，應該是改變金世遺人生觀念和情緒底色的關鍵因素之一。金世遺留下詩句中「愧對嫦娥一片心」是指冰川天女，還是指李沁梅？是這部小說中的一個可供爭論的話題，說是指冰川天女或李沁梅都有其道理。在《雲海玉弓緣》中，李沁梅還會出現，還會四處尋找金世遺。

《還劍奇情錄》

梁羽生先生的小說創作，常用補白、嫁接之法。如他的第二部作品《草莽龍蛇傳》即是對第一部書《龍虎鬥京華》的補白，前書中提及丁劍鳴之子丁曉離家出走，但未作展開，於是在第二部書中就專門展開丁曉離家出走故事。

又如《七劍下天山》中提及楊雲聰與飛紅巾的故事，但未作展開，於是就寫了《塞外奇俠傳》；其中還提及武當卓一航和白髮魔女練霓裳的愛情故事，於是就寫了《白髮魔女傳》——《白髮魔女傳》寫得比《七劍下天山》更好。

又如《冰川天女傳》中寫到桂華生與尼泊爾公主的戀愛，但未作展開，於是就寫了《冰魄寒光劍》（《幽谷寒冰》）作為補充；因為《冰川天女傳》中最出彩的人物其實是毒手瘋丐金世遺，於是就寫了《雲海玉弓緣》——這部書比《冰川天女傳》影響更大，品級也更高。

這部《還劍奇情錄》應該是《萍蹤俠影》的補白之作。因為《萍蹤俠影》中講述了張士誠後人（曾孫）張丹楓再度進入中原的故事，而對張宗周、張丹楓父子的師承和背景只有簡單介紹，而沒有作大量展開，尤其是對陳玄機、上官天野、蕭韻蘭這三位武林前輩的故事沒有作展開敘述，所以寫《還劍》一書。

《還劍奇情錄》中有愛情、鋤奸、奪寶、復仇等多條線索。核心人物是陳玄機，核心線索是陳玄機奉命前往賀蘭山刺殺張士誠部屬的叛徒雲舞陽。陳玄機被蕭韻蘭不斷糾纏——從書中的情形看，蕭韻蘭是對陳玄機單相思，陳玄機則試圖擺脫她的追蹤糾纏——上官天野對蕭韻蘭一往情深，而蕭韻蘭對陳玄機情深意切，於是上官天野攔住陳玄機，一定要陳玄機與蕭韻蘭訂立鴛盟，陳玄機不從（一是因為他沒有愛情，二是因為要執行刺殺雲舞陽的重任），上官天野就將陳玄機打傷，被雲舞陽的女兒雲素素所救，陳玄機對雲素素一見鍾情；沒想到雲素素竟然是雲舞陽的女兒，更沒有想到雲舞陽竟然還是陳玄機的父親！也就是說，陳玄機和雲素素乃是同父異母的兄妹，他們的愛情當然只能以悲劇收場。小說最後的氣氛，如同曹禺的戲劇名作《雷雨》，既緊張又悲沉，讓人透不過氣來。

《還劍奇情錄》的場景也很少，只有通往賀蘭山的路上、雲舞陽家、雲舞陽家附近的山林中等幾個空間，這也很像戲劇舞臺場景。作者此時寫作技法已經非常嫺熟，利用陳玄機刺殺雲舞陽這條主線「掛」上多條支線，講述一段劇情複雜而衝突激烈的精彩故事。

陳玄機、上官天野既是主人公，也是其他故事的見證人。例如陳玄機在雲舞陽家養傷時，就曾見到雲舞陽與朱元璋部下第一高手、大明王朝錦衣衛指揮使羅金峰的密談（這是雲舞陽叛變張士誠、投降仇家朱元璋的證明）；繼而又見到七修道人、蒲堅和一蒙古武士追鬥石天鐸，這段故事說明了不少重要線索：一是張士誠的孫子張宗周已經成了這支勢力的「少主」；二，張宗周少主已經在蒙古瓦剌部定居，並想要借用瓦剌部蒙古人勢力奪回張氏江山；三，七修道人等仍對張宗周盲目忠誠，但石天鐸卻不以為然，即不願支持借助蒙古人勢力的少主（那會是民族的叛徒），寧可承擔「叛主」的罪名。石天鐸來找雲舞陽，一方面是想得到對方的理解和支持，另一方面是要拿走《長江秋月圖》（藏寶圖），但石天鐸是雲舞陽的情敵，他們都愛牟寶珠，只是牟寶珠嫁給了雲舞陽，石天鐸在愛情落空後才結婚生子，結果是石天鐸被雲舞陽所殺，而七修道人和蒲堅又被大明王朝的錦衣衛所殺。

這一部分，可謂「江山風景線」部分。

另一部分是武林風景線，那就是上官天野代表其師父牟一粟來找雲舞陽索回《達摩劍譜》，說這份劍譜屬於他師父、屬於武當派；雲舞陽說他是牟獨逸的女婿，牟一粟不過是牟獨逸的侄子而已。話雖如此，但雲舞陽還是打算將這份劍譜還給上官天野，將他關入囚室中，囚室壁上刻滿了達摩劍法圖。緊接著是武當五老前來索要劍譜，繼而是半殘神丐畢凌風前來討要劍譜，先後與雲舞陽展開激烈打鬥，滿足讀者的好鬥心；同時，畢凌風向上官天野揭露了武當五老沒安好心，奪回劍譜的主要目的並非為了上官天野，而是為了讓智圓的弟子（道士）當上武當掌門人。

上官天野在此之前，曾留書給武當五老，說自己來找雲舞陽，若一年沒有消息，就請拆開這封信（為他找雲舞陽報仇）；但武當五老這麼快就來了，表明他們提前拆閱了上官天野的信，且證明了他們另有圖謀。畢凌風還揭露說，這份達摩劍譜並非牟獨逸之物，而是澹台一羽之物，原本要送給陳定方，是牟獨逸和陳定方大戰之後奪取的。這也讓上官天野對自己行為的正當性產生懷疑，從而願意拜畢凌風為師，寧可去當強盜，也不願再當武當派掌門弟子。

書中還有第三條線，那是有關反派一號主人公雲舞陽的婚姻故事。此人原是張士誠部屬，曾是陳定方的女婿（**即陳玄機母親陳雪梅的丈夫**），但卻在逃命之際將自己的妻子推下船，進而另娶牟獨逸的女兒牟寶珠。娶陳雪梅，是為了陳定方的祖傳寶劍昆吾劍；娶牟寶珠，則是為了牟獨逸手上的《達摩劍譜》。也就是說，雲舞陽的婚姻都是有功利目的，不是為了愛情。所以，他的前妻陳雪梅死裡逃生後再也不見他；而他的後妻牟寶珠見他殺害石天鐸後，也決定離家出走。

雲舞陽是另一種典型，他的目標是要成為武林第一人——這也是許多武林高手的目標或夢想——直到牟寶珠離家、雲舞陽身負重傷、知道自己命不久長時，他才徹悟前非，決定向女兒雲素素懺悔自己的「罪行」（**主要是陷害前妻陳雪梅**）。陳雪梅再次出現在雲舞陽面前，說陳玄機是他的兒子，雲舞陽更覺自己罪孽深重，終於孤獨死去。雲素素也因知道自己身世而墜崖，陳玄機此生豈能好過？

這部書中，刻畫得最好的人物形象，並不是主人公陳玄機和雲素素，而是上官天野和雲舞陽。上官天野是個年輕人，心地單純而個性執拗，但他的命運卻古怪而諷刺。他愛蕭韻蘭，蕭韻蘭卻不愛他；他決定犧牲自己的情感而成全蕭韻蘭，而陳玄機抵死也不答應，蕭韻蘭也不為此感激他。另一方面，他是武當的掌門弟子，卻無法完成師父牟一粟交代的重任（**取回達摩劍譜**），更不知道武當五老各有私心，由於性格執拗而偏激，上官天野答應拜半殘神丐畢凌風為師，此後走上人生歧途，一半是個性使然，另一半是命運所賜。

雲舞陽的形象，並非簡單的大奸大惡。他有崇高的自我期許，只是內心意志卻沒有自己所期望的那麼英雄氣概，所以在生死關頭本能地選擇了自私自利、自保性命而將妻子推入江中——將妻子推下水並不能說明他本性邪惡，而只是關鍵時刻的本能衝動——這一行為成了他內心最大的心結，時時刻刻都在折磨他。證據是，一，他為此隱居；二，他把自己現在的家佈置成先前的家；三，他最後終於向女兒作出懺悔（**只有說出來他才能解脫，才能安心去死**）。

他愛陳雪梅嗎？這是一個值得追問的問題；他將新居佈置成舊居模樣——正因如此，陳玄機在他家醒來的第一印象是像回到了自己家中——是出於對陳雪梅的愛？還是出於對陳雪梅的內疚？除了他自己，恐怕沒有人能說得清。雲舞陽有性格弱點，有自己的私心，是毫無疑問的，否則，他就不會將妻子陳雪梅推入水中，更不會在妻子死後立即去追求牟寶珠，更不會在與牟寶珠婚後冷落新妻子，不斷逼迫牟寶珠喝藥——這也是曹禺《雷雨》中的細節——他是怎樣的一個壞人呢？值得思量。

小說的弱點是，其一，對陳玄機、上官天野、蕭韻蘭三人結交的「前史」沒作交代，開頭就是蕭韻蘭糾纏陳玄機，進而是上官天野逼迫陳玄機與蕭韻蘭好，他們是如何認識的？他們之間有怎樣的交情？陳玄機是張士誠下屬共同培養的超級殺手、上官天野是武當派的掌門弟子、蕭韻蘭是綠林盟主的女兒，這三個人的身分都很特殊，是什麼原因讓他們走在一起？書中沒有交代。這是一個很大的遺憾，作者本應利用故事的間隙對他們交往的前史作出設計和交代的。

其二，對澹台一羽——畢凌風——陳定方——蕭冠英這條線索的設計，雖然清晰，但難免有些取巧。陳定方是大俠，他的記名弟子蕭冠英如何成了綠林盟主？蕭冠英最後如何出現在雲舞陽的面前？這條線索有明顯的人為痕跡。

其三，牟寶珠在雲舞陽殺了石天鐸後，決定去撫養石天鐸的後人，這一選擇多少有些意氣用事，石天鐸有妻子，牟寶珠以什麼身分去撫養石天鐸的孩子？進而，牟寶珠說是要走，卻又多次回頭，雖說是為了女兒，卻也有受作者支配的痕跡。若作者說明她對雲舞陽的愛其實沒有改變，或許會更好些。

《冰魄寒光劍》

這部作品是梁羽生小說中篇幅最短的作品之一，原名《幽谷寒冰》，是在《正午報》連載。作者有意拓展題材空間，同時又要與名作《七劍下天山》做呼應，於是就選取桂仲明、冒浣蓮之子桂華生這一主人公，講述他和尼泊爾公主華玉的一段傳奇愛情故事。更近的線索是，《冰川天女傳》的第九回中，冰川天女的侍女幽萍曾對陳天宇講述華玉和桂華生的浪漫故事（**此事的首創即第一次講述**），內容與《冰魄寒光劍》有所不同，後者是對前者的合理化，使得這個故事更為可信。

桂華生是冒川生、石廣生的弟弟——三人同父同母，但卻不同姓氏，是梁羽生小說中的一大奇觀——因為劍術比武敗於天山派唐曉瀾、馮瑛夫婦之手，決心要遊歷天下，尋訪武功高手，學習絕藝而爭回面子，所以來到藏邊地。本書的第一個看點，是對藏邊魔鬼城、魔鬼花的描寫（**魔鬼城在此後小說中還會多次出現**）。

第二個看點，是對藏靈上人與華玉爭奪冰窟寒玉——製造冰魄寒光劍的原材料——的描寫，這一描寫是為切題或點題。藏靈上人從古老傳說中獲得了這一資訊，而華玉公主則是從天竺龍葉上人（**此人可謂天下第一高人**）處獲得一冊武功秘笈中獲得線索，在冰窟中爭奪寒玉的過程本身就是一大奇觀。

第三個看點，當然是對尼泊爾公主華玉的刻畫，以及對主人公桂華生和華玉見面及情感發展歷程的敘述。華玉的出場出人意料，先是在暗中幫助麥士迦南解開穴道，次為神秘的笛聲，次為斥責尼泊爾王子及其隨從，次為與藏靈上人爭奪寒玉（與桂華生並肩作戰）。她說她叫華玉，與桂華生的名字有相似處，自然大方地稱呼桂華生為大哥哥，但當桂華生問她的身世時，她卻說有緣會相見。她與桂華生告別時，也確實對桂華生「說」（比劃手勢）了三月十五月圓時的重要資訊。華玉公主要這樣做，並非故弄玄虛，而是因為她的身分特殊，是尼泊爾公主，且正處在招駙馬階段，不宜對陌生男子說得太多；再則是因為她還要考察桂華生，看看此人是不是夠聰明機智，看看他是否與她真正有緣，所以恰到好處。這其實就是小說的主線，因為這部小說的故事，簡單說，就是華玉公主招駙馬的故事。

第四個看點，是尼泊爾王子的身分和尼泊爾的政治局勢。尼泊爾王子的身分比較特殊，他不是國王的兒子，而是國王的侄子；國王有一個女兒即華玉公主，所以在理論上，王子和公主繼承王位的可能性各占一半。公主華玉對繼承王位實際上不那麼感興趣（後來的事實也證明了這一點），但王子並不知道，他是以小人之心度君子之腹，所以不僅在外交上私自策劃非法行動，在內政上也大搞陰謀，具體說就是聯合御林軍總管和國師給國王下毒。

桂華生來到加德滿都時，國王正在生病。而桂華生恰好在酒樓上遇到了神醫巴勒，並見證了王子怕陰謀敗露而先後殺害御林軍總管、國師的行為，但因他是外人，不便插手太深，故事就有懸念。

第五個看點，是對天竺王子雅得星的敘述。雅得星王子在喜馬拉雅山上就認識了主人公桂華生，並問他討取了天山雪蓮——他並不知道雪蓮只有天山才有，還以為到喜馬拉雅山上也能找到雪蓮——

桂華生慷慨地將僅有的三朵雪蓮中的一朵相贈。這也是在側面刻畫桂華生的為人。

桂華生並不知道雅得星需要雪蓮是為了向尼泊爾公主求婚，更不知道尼泊爾公主就是自己心儀的華玉。當雅得星用桂華生的雪蓮治好國王的毒，在求婚事上已占得先機，即獲得尼泊爾國王的許婚，只是公主卻不認帳，此事才拖延下來。後來雅得星、桂華生一起追捕尼泊爾國師，被阿拉伯高手提摩達多打傷，被桂華生拯救，雅得星再次向桂華生索取雪蓮，桂華生將最後一朵雪蓮也交給了雅得星——這是對桂華生形象的重點刻畫，他的三朵雪蓮都花在了競爭對手雅得星身上——而雅得星將雪蓮交給公主（**公主為了刁難雅得星，要他去找雪蓮**），雅得星求婚事似乎將從此定局，但雅得星出人意料地說自己交上雪蓮是為桂華生求婚。這個雅得星也是誠懇之人，且有雅量高節。

第六個看點，是桂華生隨巴勒醫生出診，途中遇到天竺僧阿迦羅阻擋，並因飲用泉水而導致內力減退，龍葉上人和雅得星出現才為之解圍。這段情節首先是為桂華生的故事製造曲折，其次是再度描寫尼泊爾王子的陰險，再次是描寫龍葉上人和雅得星的崇高品德，最後是成全桂華生的內力和武功更上層樓。

第七個看點，是招駙馬的比賽繼續進行，一百二十四位選手報名，第一輪淘汰了大部分，只剩下了四十七位，第二輪淘汰了四十個，只剩下了七人。這七人分別來自不同的國家，即：波斯鄧南遮、希臘克雷斯、印度摩農、阿富汗朗納、撒麻爾罕哈巴德，尼泊爾本國武士拉汗圖和來自中國的桂華生。看起來，這是一場典型的「國際比賽」，在真實歷史上，這種可能性微乎其微，但正因如此，小說的傳奇性才能吸引人。

作者寫出了希臘王子詩人等各國王子武士的風貌。其中，波斯王子鄧南遮是桂華生的最大對手，所以在宴會上下毒，宴會下肇事，最後是邪不壓正，更重要的是所謂「波斯之虎，不敵中國之獅」，即鄧南遮比不過桂華生，這肯定讓中文讀者看了很開心，或者說，多數中文讀者都喜歡自己民族優勝的感覺。事實上，華玉公主與桂華生早已相識且有好感，這場比賽的結局早已確定。

小說的看點不少，寫得也頗精緻，但畢竟只是一個小品而已，桂華生的形象及他與尼泊爾公主戀愛的故事，都還只是停留在傳奇故事層面上。

小說中的尼泊爾王子負面形象，是作者的刻意安排。他想繼承王位，從情理上說當然可以理解，他為此做出各種小動作也不無可能，但為什麼專門與桂華生作對？為什麼不讓華玉公主有一個好歸宿？則多少有點疑問。尼泊爾王子先是幫助印度王子雅得星，後是幫助波斯王子鄧南遮與桂華生作對，這對王子繼承王位究竟有什麼好處？恐怕不是作者想像的那麼簡單。

當然，小說中需要有反派、需要有敵手，這是另一回事。桂華生自始至終都沒有揭露王子的陰謀，也使得這個故事的主題更加曖昧：既然王子是個壞人，桂華生和華玉公主為什麼不揭露他？為什麼桂華生和華玉成親後仍然讓這個壞王子繼承王位，反而是華玉公主在幾年後離開尼泊爾，住進騰格里海（納木錯）邊的冰宮裡？

《散花女俠》

《散花女俠》是《萍蹤俠影錄》的後傳，張丹楓、謝天華、玄機逸士、上官天野、蕭韻蘭、潮音和尚、張風府以及歷史人物于謙、明英宗朱祁鎮等等人物出現在這兩部書中，成為聯繫兩部書的仲介。

本書是以于謙的獨生女兒于承珠為主人公，于承珠拜張丹楓為師，同時學習張丹楓妻子雲蕾的金花暗器，所以被稱為「散花女俠」。

在《萍蹤俠影錄》中，張丹楓摒棄私家仇恨，幫助明朝官府在「土木堡之變」中的于謙，奉新皇帝登基，保衛首都北京，不給瓦剌漫天要價的機會，渡過政治難關。但政局一旦穩定，尤其是明英宗朱祁鎮復辟之後，對自己的荒唐輕率不做任何反思，更不思改革舊有制度以應對國內與國際新形勢，甚至將東海倭寇不斷騷擾當地居民的災難性事實，而是逆民心地將江山柱石于謙處死。

本書講述于承珠輾轉南北，為抗擊倭寇並反抗官府而奮鬥的故事。

《散花女俠》的敘事重點，其實是于承珠與三位男性，即西北丐幫幫主及十八省大龍頭畢擎天、官宦子弟鐵鏡心、抗倭英雄葉成林的情感故事。如果說于承珠本人的思想行為多少有些概念化痕跡，即她的言行心思表現出了超出其年齡的理想風度，但她在與畢擎天、鐵鏡心、葉成林的交往和情感互動中的表現卻相對真實且生動。借于承珠的觀察和感覺，寫出了三個不同的人物形象。

畢擎天是一位年輕的梟雄，最突出的性格特點是野心勃勃、私心膨脹、自我中心，而且手段慘酷、翻臉不認人。他的祖先畢凌虛與張丹楓的祖先張士誠、明朝開國皇帝朱元璋出於同一師門，都是彭瑩玉的弟子。當朱元璋和張士誠熱心驅逐蒙古人進而爭霸天下的時候，畢凌虛卻逍遙灑脫，超然物外，隨師父彭瑩玉雲遊四方，沒有參加爭霸天下行動。畢擎天卻反其道而行之，受個人野心推動，決心利用天下英雄和百姓對官府的不滿，達到自己爭霸天下的目的。

為此，他苦心孤詣，不斷攫取權力，向自己的野心目標攀爬。作為西北丐幫的幫主，因為冒險奪得于謙的首級，並安葬忠臣，而贏得了北方五省英雄俠士的欽佩，從而被推舉為北五省武林盟主。繼而到東海抗倭基地，他首先關心的是誰當大首領？原首領葉宗留想推舉畢擎天為大首領，只是由於鐵鏡心的堅決反對而未達成目標。但後來，他還是利用葉宗留的謙遜和義氣，當上了十八省大龍頭，成了天下英雄的最高領袖。英雄與梟雄的區別，在於英雄是以天下為己任，而梟雄則是以個人權力為目標。在畢擎天當上十八省武林大龍頭之後，並沒有從反抗官府的大局著想，而是不斷排除異己，逼迫葉宗留退隱，改編葉宗留舊部，把葉宗留的幹將葉成林及其精銳部隊推向最前沿。

更令人憤懣的是，當形勢不利時，他的第一衝動是出賣天下英雄，向官府投降，試圖以兵權換取官位，圖謀一省督撫。此人並不被官府所接受，所以最後的結局是身敗名裂，武功盡廢，人所不齒。有意思的是，于承珠早就看出了此人不可深交。主要是依據兩點，一是他對張丹楓毫無敬意，要于承珠傳言讓張丹楓為他重新繪製軍用地圖；二是他對鐵鏡心的明顯敵意（**因為鐵鏡心與于承珠關係親近**），把于承珠視為自己的禁臠。在于承珠看來，畢擎天後來的所作所為，完全是符合此人的性格與行為邏輯。

鐵鏡心是另一種情況，此人出身官宦之家，從小練武修文，自恃文武全才，因而目高於頂，看不起草莽人物。看起來謙遜守禮，與之交往則感到他傲氣逼人。此人號稱熟讀兵書，其實毫無實際戰爭經驗，只會紙上談兵。在抗倭第一線，他迫不及待地指揮義軍進攻，結果卻造成不必要的傷亡，若不是葉宗留佈局得當，他和他指揮的軍隊很可能會全軍覆沒。鐵鏡心的真正弱點，是外表剛硬，內心軟弱。

更大的弱點，是政治意識的模糊和政治立場的曖昧。他雖然混跡於抗倭義士之中，但其內心卻並不站在義軍的民間立場，而是期望在官府中獲得一官半職，希望光宗耀祖。所以，在家人王安來報說他父親被軟禁，御林軍統領婁桐蓀要他協助抓捕「欽犯」（他的師父）石驚濤時，他雖然沒有協助抓捕師父的打算，卻也以為師父入皇宮偷盜寶劍的行為不端，因而要師父將寶劍交還給官府。他的這一舉動，讓他的師父石驚濤震驚且失望，從此斷絕師徒關係。無獨有偶，當他帶著于承珠回家，婁桐蓀來訪，要他協助抓捕于承珠，他堅決拒絕；但婁桐蓀要他密告義軍組織內部情形，他就毫不猶豫地照做，這讓于承珠十分失望。

鐵鏡心對于承珠的欣賞和愛慕是誠心誠意的，否則，他就不會為了追隨于承珠而跨越千山萬水，萬里追蹤到雲南。更說明問題的是，當于承珠在鐵家不告而別，他知道于承珠怪罪他不該洩露義軍情報，為了改變他在于承珠心中的印象，居然投身於官軍，在葉成林義軍危急時刻，幫助葉成林撤出屯溪，並且公開表示，他這樣做是為了于承珠。這一表達，固然表明他是真愛于承珠，卻也說明他把個人感情置於集體事業之上。

于承珠對鐵鏡心也寄予厚望，暗自心動的次數也最多，這很容易理解，鐵鏡心出身官宦世家，與于承珠門當戶對；鐵鏡心文武全才，與于承珠也是趣味相投。唯一不確定的，是鐵鏡心是否有真正的英雄氣概？于承珠對鐵鏡心的情感態度也非常有意思，不見面時思念他，見面之後卻冷淡他。這種冷淡固然出於含蓄情意，也是有意考察對方。到最後，鐵鏡心與雲南沐國公的女兒沐燕走到了一起，看起來，他們才是天造地設的一對。值得注意的是，即便沐燕對鐵鏡心一往情深，但鐵鏡心猶心有不足，他對于承珠的愛慕始終未歇。說到底，鐵鏡心不過是一個自以為是但卻心智不成熟的大孩子，他還沒有長大。

與畢擎天、鐵鏡心相比，葉成林完全是另一種人。看起來，葉成林打扮得就像個普通莊稼漢，絲毫看不出他武功高強，更看不出他有過人的見識和心胸。只有仔細觀察，並深入瞭解，才能看出這是一個真正的俠士和英雄。他不會把個人置於集體事業之上，也不會讓個人情感影響事業大局，對自己的功勞輕描淡寫，而對他人的遭遇卻真切關懷。

最說明問題的是，葉成林對于承珠早有好感及愛慕之心，但卻將這一份愛慕深藏在內心最深處，不讓于承珠知道，更不讓這份情感影響他與于承珠、張丹楓師徒的關係。最終，于承珠發現了自己的真愛，對象就是看上去樸實平凡、實際上英華內斂的葉成林。她的選擇，也得到了張丹楓的支持，張丹楓為于承珠和葉成林舉行了訂婚禮。

關於于承珠與畢擎天、鐵鏡心、葉成林三位男友候選人的關係，書中有很精彩的表述。那是于承珠的心理活動，一是：（于承珠）「不斷將畢擎天、鐵鏡心與師父張丹楓比較，覺得師父張丹楓是碧海澄波，鐵鏡心不過是一湖死水，即使湖光瀲灩，怎麼也不及大海胸襟寬廣，而畢擎天則像高山上沖下來的瀑布，誰也不知會沖向何方。」二是：「于承珠對葉成林印象極好，覺得葉成林很像當地的大青樹，濃蔭蔽地、四季常青；而鐵鏡心卻像江南園林中的玫瑰花。」

于承珠的愛情選擇，與作者的左派立場及其意識形態有明顯關聯。左派意識形態中最突出的原則，一是知識分子要不斷「改造思想」，二是知識分子「要與工農大眾相結合」。于承珠出身於官宦之家，雖然她父親是于謙，且她從小練武，但她仍然是古代知識分子，鐵鏡心是典型的出身於官宦之家的知識分子，所以他不可愛；而葉宗留是礦工出身，葉成林是葉宗留的侄子，而且葉成林不僅打扮得像農夫，他的思想方式和價值觀念也接近於工農大眾，所以可愛。好在，書中這一意識形態痕跡雖然明顯，卻不十分生硬，讓人能夠接受。

《女帝奇英傳》

本書原名《唐宮恩怨錄》，原載《香港商報》（一九六一年七月一日至一九六二年八月六日）。實際上，《唐宮恩怨錄》這個名字要比最後確定的書名即《女帝奇英傳》更為貼切。因為這部小說的第一主人公，既非中國歷史上的第一個女皇帝武則天（所以「女帝」之傳其實並不成立），也不是武則天身邊的女書記官上官婉兒和虛構的女豪傑武玄霜（所以「奇英」之說也無法真正成立），而是唐王孫李逸。

《女帝奇英傳》這個書名很容易引起誤會，以為這部小說是寫武則天女皇的，或者說是替女皇武則天翻案之作。因為書中的女皇武則天被寫成一個英明果敢、寬厚仁慈且具有人格魅力的女皇帝——不僅上官婉兒前往京城路上的老百姓、茶館老闆等人都稱讚「如今過上了好日子」（實際上也就是稱讚武則天的英明統治勝過了此前唐高宗時），更重要的是，上官婉兒本來是要前往京城刺殺武則天為自己的祖父和父親報仇，但結果卻是被武則天的英明和魅力所感動（武則天沒有殺害她的母親，她當然感激武則天），情願留在武則天身邊當她的秘書女官。另一個例子是長孫均量的兒子長孫泰，同樣是要刺殺武則天，因在受傷後被武玄霜所救，在養傷期間被武則天的言行所感動，轉變政治立場，成了對武則天忠心耿耿的御林軍官。上官婉兒和長孫泰的轉變，說明武則天確實是英明且有魅力。

如果本書當真是以武則天為主人公，那就很難分辨：這部小說到底是歷史小說還是武俠小說。進而，如果當真以武則天為主人公，那麼對武則天的形象刻畫就不能停留在某幾個審案現場，而是必須對她的身世、經歷及其內心作更為深入的探索和敘述。作者顯然沒有這樣的準備，實際上也未必有這樣的能力對中國歷史上的第一個女皇帝作真正可靠而能傳之久遠的描繪——直到現在，也沒有見到哪個歷史學家或文學家對這一人物作出有說服力且讓人真正滿意的描繪。

至於在思想觀念上打破男尊女卑傳統，不以武則天身為女子而改唐為周事為非，在現代人而言卻並非難事。作者顯然覺得武則天很了不起，從而在小說中設計出天下老百姓對武則天稱讚不已的頌詞。這不難做到。也正因如此，作者對這個人物的寫法反而顯得過於簡單，當時的天下百姓是否真如作者所寫？值得懷疑。一是當時的老百姓恐怕沒有那麼大的興趣來關心誰當皇帝；二是當年男尊女卑的觀念恐怕仍然深入人心，老百姓恐怕不會認同武則天改唐為周。好在，作者並沒有要以武則天為主人公，這部小說不過是一部武俠小說而已，作者也沒有那麼大的野心要用一部武俠小說為武則天翻案——儘管作者筆下的武則天顯得很英明。

進而，人們很容易誤解，若本書的主人公不是武則天，那就應該是上官婉兒。因為小說就是從上官婉兒開始寫起，上官婉兒的祖父、父親都在唐朝為官，在其祖父和父親被殺時，她的家僕將年僅七歲的她帶到長孫均量家來，和長孫均量的兒子長孫泰、女兒長孫璧一起白日練武、夜裡讀書。長孫均量是武則天的反對者，是李唐王朝的絕對忠臣，在他的薰陶下，上官婉兒當然會站在自己的祖父、父親及其支持的李唐王朝一邊，即是武則天的反對者。

上官婉兒十四歲時，長孫均量被毒觀音、惡行者所傷，要去尋醫救治，讓上官婉兒進京刺殺武則天。誰知道上官婉兒在梓潼縣遇到武則天，偷聽到武則天與臣相狄仁傑說話之後，對武則天的印象大為改觀；而武則天的言行也讓她難以想像，這個女皇帝非但赦免她刺殺女皇、衝撞聖駕大罪，反而送她匕首，讓她留在其身邊監督其行為！

再則，武則天最絕的一招，是讓上官婉兒與自己的母親相見，母女重逢，從此留在皇宮之中（作者其實也說過，史書記載是上官婉兒的祖父和父親被殺後，她和她母親都被抓入宮中為奴），這種傳奇的寫法，與真實的歷史差異並不那麼大，只不過將上官婉兒從反對者到支持者的立場轉變寫得更具有傳奇性而已。

既然不是以女皇武則天為主人公，自然也就不會以上官婉兒為主人公，因為上官婉兒留在武則天身邊做了女皇秘書，為女皇起草文字，同時作詩奏樂娛樂女皇，要寫女皇就要寫她，要寫她就要寫女皇。在作者看來，上官婉兒是一個才女，十四歲時的詩就很出色（雖然算不上真正的藝術佳作），但也僅此而已。在大周朝廷及其歷史上，上官婉兒有什麼影響？實在也說不上。既然她不再是刺客，而是服服貼貼的秘書，她也就沒有多少故事可言（當然還有愛情）。

本書主人公既不是武則天，也不是上官婉兒，是不是武玄霜？按說，這很有可能，因為武則天是皇帝，上官婉兒是秘書，她們倆的身分都不適合作武俠小說的主人公——雖然作者讓長孫均量教授上官婉兒武功，但上官婉兒對武功實在興趣不大，這很符合她的身分，也符合她的實際身世——虛構人物武玄霜武功高強，身分特殊（她是武則天的內侄女），行為隱秘，很適合做小說的主人公。

問題是：若以武玄霜作為小說的主人公，那如何講述她的故事？她會有哪些故事可說？除非是武則天要利用她的武功為自己剪除政治敵手或異己，但那樣做，不僅冤屈了武玄霜（她就成了武則天的打手），同時也貶低了武則天（如果武則天是以武力手段在暗中清除異己的話），這恰恰是作者所不願寫的。作者要寫的是政治上英明而有魄力的武則天，而不是要寫利用陰謀或暗殺手段奪取權力或鞏固權力的武則天。所以，在這方面，武玄霜的作用就大大降低了。既然如此，武玄霜還有什麼故事可言——她當然同樣有愛情故事可言，這是後話。

排除了武則天、上官婉兒、武玄霜，這部書的主人公當然就是李逸了。這實際上也正是作者的構想。李逸是李淵長子李建成的孫子，唐太宗發動玄武門之變，殺害了李建成，但沒有殺戮李建成的兒子和家人，所以李逸仍然享受皇子皇孫的待遇。

李逸如何看待唐太宗？如何看待唐高宗？書中沒有提及，大約是不怎麼好寫。無論如何，那都是皇家的家事，是皇家內部權力鬥爭。唐太宗英明神武，讓唐朝江山鞏固，李逸還能有什麼不同看法？武則天改唐為周，那就是另一回事了，作為皇孫，李逸不能眼看著李唐王朝的江山斷送在這個女子手中。更重要的是，即便他想安享太平、服從武則天的統治，在武氏子弟和李氏子弟的激烈矛盾衝突中，李氏皇孫的命運如何？誰也不敢擔保。所以，李逸逃出京城，策劃造反，成為本書的主人公，是完全可能的，甚至是必然的。既然長孫均量、徐敬業、裴炎等唐朝大臣都堅決反對武則天，何況李氏的王孫李逸本人？

李逸策劃造反，有一定的群眾基礎。不僅朝中有大臣支持他們，民間也有不少人支持他們。武林盟主谷神翁就是其中典型，李逸的策劃草案是，首先當上武林盟主，利用武林的力量幫助他推翻武則天統治，恢復李唐王朝。只可惜，峨嵋金頂的武林英雄大會被武玄霜搗亂了；實際上，李逸離開武林英雄大會還不僅是因為武玄霜搗亂，而是因為他發現許多支持他的人並非心懷政治理想，而是懷有個人圖謀，即希望跟隨李逸能夠獲得功名利祿。

李逸很快就心灰意懶，逃離現場，這實際上也說明李逸實在不是一個政治家，也缺乏實際政治才幹。若是真正的政治家，如李世民那樣，肯定不會放過這樣的機會——跟隨他的人即便有自己的小九九又如何？即便這些人想要獲得功名利祿又如何？只要能夠團結一切可以團結的力量，組織起來推翻武則天的統治，豈不是皆大歡喜？

李逸選擇逃避，倒也不完全是因為他缺乏政治見識、政治謀略或政治才幹，而是他看到了武則天改唐為周後並沒有倒行逆施，並沒有造成天下大亂，並沒有讓天下百姓陷入水深火熱之中。而若此時起兵造反，為了一家一姓天下而發生爭端，是否對得住自己的良知？這才是李逸內心深處的深刻疑惑。有一個具體的例證，那就是他知道前往京城刺殺武則天的上官婉兒竟然會當武則天的秘書。

李逸逃離了群英大會，但還沒有放下對武則天的仇恨。他還要刺殺武則天，以便能用最小的代價取得最大的成果。他之刺殺武則天，不見得是要自己取而代之——如果是這樣，他就不該、也不會放棄武林盟主的身分——而是要恢復李唐王朝。可惜的是，他的刺殺行為同樣沒有成功，反而身受重傷，不得不拼死跳崖。醒來時，已在長孫均量的車中。而長孫均量也同樣身負重傷（中毒），且以為其子長孫泰必死無疑，所以長孫均量在臨死前要李逸答應照顧其女兒長孫璧——在長孫均量而言，這一要求合情合理——李逸此時也成了通緝犯（他刺殺武則天，豈能不被天下通緝？）只能帶著長孫均量的棺材遠走回疆。在回疆，李逸與長孫璧成親，生子李希敏，隱居於天山南麓，一恍就是八年。

說李逸是本書的主人公，後半部更加明顯，因為在後半部書中，主要故事情節是突厥可汗要興兵進犯中原，可汗想利用李逸的身分，把李逸培養成為他的兒皇帝。所以先抓李逸之子李希敏，再抓李逸之妻長孫璧，目的就是要逼迫李逸就範。但李逸的立場十分堅定：武則天改唐為周，那是中國的內部事務，他不能為了達到個人目標而引狼入室——在對李世民父子的態度上恐怕也是如此吧——所以在武玄霜、符不疑、谷神翁、夏侯堅、裴叔度等人的幫助下，救出了兒子，然後又救出了妻子（很遺憾妻子因懷孕服用斷魂散而無法救活）。

在武玄霜、長孫泰的勸說下，李逸終於決定回中原見一見上官婉兒（這兩人都說上官婉兒想見到他，且上官婉兒還有重大事務要與他商量）。此時，李逸對推翻武則天已經沒有什麼興趣，尤其是看到武則天成功地抵禦了突厥大軍入侵，保護了中原百姓不受戰爭之苦後，更加不想去改朝換代了。更重要的是，武則天此時已經年高，已經接受了狄仁傑的建議，決定要讓三太子李顯繼承皇位。派武玄霜來找李逸，是要他回去輔佐李顯（武則天擔心李顯才能不夠、個性軟弱）。李逸雖然不願成為李顯的輔佐，但也沒有任何理由拒絕回到祖國了。

可惜的是，李逸回到京城，恰逢太子李顯發動神龍政變，要武則天退位。而武則天則逼迫上官婉兒嫁給太子李顯，要她幫助李顯執政。此時，李逸想明白了，若是真正為李唐王朝著想、為天下百姓著想，就應該讓上官婉兒嫁給李顯、輔佐李顯，而他也應該犧牲自己的愛情。所以，在上官婉兒見他最後一面時，李逸沒有說情話，明知道上官婉兒誤解了他對武玄霜的情感，他也沒有說，而是任憑上官婉兒嫁給李顯。由於受到太平公主的雙重毒藥——書中這段故事不僅有傳奇性，而且有明顯的象徵性（李唐王朝還有一劫），太平公主權慾薰心，李逸成了不幸的犧牲者——在武玄霜最後一次探視時，李逸已經毒入膏肓，無可救藥，只能求武玄霜將他的寶劍帶給他兒子，將他兒子帶回中國。

李逸與武則天的恩怨，或者說武則天與唐王朝的恩怨——亦即作者所說的唐宮恩怨——到此為止。李逸的故事，是段悲劇故事。對主人公李逸而言，他的人生整個就是一段悲劇，不僅在政治上是悲劇，在情感上也是悲劇。

小說的主要故事線索，其實是李逸與上官婉兒、武玄霜、長孫璧三位姑娘之間的情感悲劇故事。李逸的最愛，是上官婉兒，原因有二，其一是他和上官婉兒曾經是同一立場，即都痛恨武則天改唐為周，都想要刺殺武則天或推翻武則天的統治；其二是他曾和上官婉兒同行，正逢上官婉兒情竇初開、花蕾初綻，見到了上官婉兒最美麗的時段，深刻難忘。不幸的是，上官婉兒很快就被武則天的魅力所征服，成了武則天的秘書女官，同一立場的戀人被不同的政治選擇所隔絕，雖然他們仍然心念對方，到最後也還是把對方視為此生最愛，但命運卻要讓他們分開。開頭是這樣，結尾其實還是這樣。

李逸與武玄霜的愛情，一開始是武玄霜片面的愛情。李逸是武則天的敵人，而武玄霜則是武則天的內侄女，兩人的政治立場截然不同，也不可能成為戀人或夫妻。但武玄霜對李逸卻耿耿難忘，多次救李逸的命，也使得李逸對武玄霜刮目相看。畢竟，武玄霜不是武則天，且也不是守在武則天身邊，而是相對逍遙，她對李逸的感情，不能不讓李逸怦然心動。

但這兩人的愛情，也不可能有美好如意的結局——武玄霜的師父優雲師太與尉遲炯的愛情故事，以及夏侯堅對優雲師太的單戀，可以說是武玄霜的愛情故事的一種暗示或象徵——首先是因為政治立場不同，其次是因為李逸有妻子長孫璧，最後當李逸妻子已死、政治對立已不存在時，李逸卻又身中劇毒，而且毒入膏肓。武玄霜註定只能成為李逸之友，只能成為李逸的後事執行人，只能將李逸的寶劍送給李逸的兒子，只能將李逸的兒子帶回中原，永遠做李逸兒子最親愛的姑姑。

《女帝奇英傳》有其可觀之處，但算不上是上乘之作。原因在於，一，對武則天、上官婉兒等女帝、奇英形象寫得很浮泛而膚淺，只是要為女皇鳴不平或平反昭雪，而沒有深入到歷史和人心深處去，二是對主人公李逸的故事和形象也缺乏真正震撼人心的書寫和深入刻畫。武玄霜的形象雖然特別，但也沒有特別到讓人深刻難忘的地步。

小說在時間和空間兩方面都還有錯誤。空間錯誤是，武則天改唐為周，都城是在洛陽——神都洛陽——而不在長安，但書中一直寫成長安。時間的錯誤是，李賢被逼死的時間是在六八四年，其時武則天恰好六十歲，所以在上官婉兒刺殺武則天時，她說她六十一歲（這是正確的）；問題是，十年後，武則天說她八十歲了，此時發生了神龍政變（七〇五年）——作者將李賢之死到神龍政變的二十年，寫作了小說中的十年——神龍政變發生時，上官婉兒的實際年齡已有四十六歲了，如何嫁人？上官婉兒的年齡並不是什麼了不得的事情，小說家可以自由書寫，問題是，作者總不能讓武則天十年前說自己六十一歲，十年後說自己八十歲吧？

如果沒有黃易的《日月當空》，《女帝奇英傳》還算不錯的小說，有了《日月當空》，則《女帝奇英傳》未免相形見絀。

《聯劍風雲錄》

《聯劍風雲錄》的故事分為三段，第一段講述張玉虎、龍劍虹搶劫各省貢品故事，目的是為周山民的金刀寨和葉成林、于承珠夫婦領導的東海抗倭基地籌集資金。第二段是講述金刀寨故事以及七陰教主陰蘊玉、陰秀蘭母女的遭遇，霍天都、凌雲鳳夫婦前往崑崙喬北溟處救陰秀蘭。第三段是霍天都、凌雲鳳夫婦前往南方找張丹楓對付喬北溟，遭遇陽宗海等官軍襲擊東海基地，喬北溟和管神龍結盟於嶗山，張丹楓率領正派高手殲滅邪派聯盟和官軍襲擊。三段故事都有一定的吸引力，也有正、反兩派主要人物貫穿其中，正派人物張玉虎、龍劍虹，反派人物厲抗天、喬少少，雙方頂級高手張丹楓、喬北溟都是神龍一現。

其中最好看的部分是第一部分，即龍劍虹與張玉虎打賭奪貢品，佈局驚奇，懸念迭起，讓人目不暇接。不過，這段故事，與金庸《飛狐外傳》中袁紫衣與胡斐打賭奪掌門人之位有相似之處。還有一個可分析之處，是張玉虎、龍劍虹居然將全國各省的貢品全都劫奪了，這需要極大的情報資訊網才行，傳奇故事中似乎不必考慮這些。另一個可分析之處，是張玉虎與雲南沐王府的人情關係。又，張玉虎、龍劍虹雖然是第一段故事乃至全書故事的主人公，但作者對這兩個人的個性沒有花費太多的精力，似乎只要說明他們是正派人物即可，他們的主要作用是導遊。

第一段故事中，鐵鏡心的改變是小說的敘事重點之一。要瞭解鐵鏡心這一人物，需要聯繫《散花女俠》一書。鐵鏡心是散花女俠于承珠出道江湖後遇到的三位男主人公之一，因為出生於官宦之家，因而不大看得起草莽人物，多少有些自高自大、自以為是，而且心胸也不是太寬廣。雖然于承珠對他始終有一份感情，卻也始終被她的理性所壓抑，最後也證明鐵鏡心不是于承珠的良配。

于承珠將鐵鏡心比喻為江南庭院裡的玫瑰花，雖然文武全才，但卻不能像真正的大樹那樣為人遮風擋雨。對鐵鏡心形象的描繪，可能受大陸意識形態的影響，那就是出身於官僚家庭的書生有個人主義的嫌疑，不如出身於體力勞動階級的人（例如礦工出身的葉宗留）那麼可靠可信。在《散花女俠》的最後，鐵鏡心與雲南沐公爵的女兒沐燕結為夫婦，他們詩詞唱和，也算是良配。

本書開頭，說鐵鏡心與沐燕結婚數年，雖然生活優越，但卻難免內心空虛。一方面是不能做一番大事業，另一方面是對已經嫁做他人婦的于承珠無法忘懷。老皇帝去世，新皇帝登基，各省都要送貢品恭賀，聽說有九省貢品都被劫奪，沐公爵讓女婿鐵鏡心和兒子沐璘護送貢品進京，鐵鏡心算是有了揚眉吐氣的機會。可是江湖中的實際情況與鐵鏡心的想像頗不一樣，一是鐵鏡心自恃武功超群，但實際上卻沒有自己想像的那麼高，在比他年輕的張玉虎手下竟然只十一招就敗下陣來（這很可能還是張玉虎照顧他的面子，故意在十招之後才讓他敗），而在女俠龍劍虹手下也只能走十三招。

二是他與于承珠重逢，發現于承珠非但沒有他想像的那樣落魄寂寞，相反卻是目標明確、生活充實、鬥志昂揚，比他的生活更有價值也更有生趣。

三是當他將貢品帶到北京，因為是唯一保住貢品的，且是雲南沐王府女婿，所以受到皇帝重視，被任命為御林軍副統領，但實際上他在官場也沒有他所想像的那麼容易，不僅陽宗海直接質疑他，御林軍統領剪長春、大內侍衛總管符君集等同僚也不信任他，還設法考驗他，甚至逼迫他，在這裡他沒有多少轉圜餘地，實際上也沒有他所想像的那樣具有調轉乾坤的能力。如果不是張丹楓為他設計假死逃脫之策，他就會在要不要率人抓捕于承珠這件事上進退兩難，而且原形畢露。

鐵鏡心對于承珠的傾慕始終沒有變，但也僅此而已，他對于承珠所從事的事業可以說沒有真正理解。張丹楓設計讓他假死，以免被迫去抓捕于承珠，同時也避免了在北京官場裡外不是人。鐵鏡心在起死回生之後，有不少感慨，其中也包括自我認知的改變，雖然改變不大，但總算認清了自己配不上于承珠，還是與情深款款的沐燕老老實實地生活比較靠譜。鐵鏡心的形象很有意思，可以說是當年中國大陸「知識分子改造」的武俠小說版。

霍天都與凌雲鳳的夫妻關係，是小說中另一敘事重點。霍天都和凌雲鳳（原名凌霜華）從小青梅竹馬，長大後結為夫婦，因為人生目標不同，加上個性衝突，結婚之後越走越遠。這對夫婦的故事貫穿全書，在第一段故事中，霍天都就蒙面出現在葉成林的東海基地，將自己劫奪的貢品交給葉成林，同時也希望于承珠幫助他勸他妻子凌雲鳳回心轉意、回歸天山。

第二段故事，是凌雲鳳與霍天都重逢，並參與了拯救陰秀蘭行動，此時他們已經有些貌合神離，雖然凌雲鳳也想努力經營好夫妻關係，但總是感到心有餘而力不足，霍天都當然更是如此。第三段故事中，由於霍天都透露了內功，無意中幫助喬北溟武功更上層樓，所以他與妻子凌雲鳳繼續同行去找張丹楓，雖然他和凌雲鳳一直並肩戰鬥，但最後還是黯然分手。

霍天都與凌雲鳳的主要分歧，是兩人的人生目標不同。霍天都希望成為武學宗師，目標是練成絕世劍法，能夠開宗立派，從而需要在一處無人打擾的地方靜修。而凌霜華改名凌雲鳳，透露了她的人生志向，是要在現實生活的風雨中展翅高飛，希望能兼濟天下，而不願回到天山去獨善其身。

實際上，他們夫婦之間還有一重矛盾，即霍天都有大男人主義傳統思想，而凌雲鳳的心志與個性都與傳統思想格格不入，且對傳統女性規範有很大突破。霍天都在內心深處總是把妻子當作學生、當作要自己保護的人，當作離不開自己的人；而妻子實際上有獨立人格、有自己人生理想目標、有自己的志向和追求，在武功與才智方面，凌雲鳳也在不斷進步，在張丹楓的指點下，可與丈夫霍天都並駕齊驅。霍天都對此非常不習慣，常常會不自禁地按照傳統模式要求妻子，或按照傳統心態習慣對待妻子，這實際上是他與妻子越走越遠的根本原因。

在霍天都形象描寫中，也能看出中國大陸「知識分子改造」的思想痕跡，霍天都是專家型，或者說是要走「白專道路」，是所謂「只管埋頭拉車，不管抬頭看路」一型知識專家的典型。而他的妻子凌雲鳳則是與工農大眾相結合、在實際生活與鬥爭中鍛煉成長的典型。書中對霍天都的形象描繪，分寸把握得很好，沒有把霍天都寫成壞人，而是寫他做了不少好事，只不過有點心不甘、情不願而已。凌雲鳳對丈夫的失望，讓人感慨不已。

本書的另一個看點，是七陰教主陰蘊玉的故事。在七陰教剛剛出現的時候，人們會不假思索地把這個教派及其教主當作邪魔外道，她們的行為也確實如此。七陰教也參與貢品劫奪，給張玉虎、龍劍虹添了不少麻煩，七陰教劫奪貢品的目的與張玉虎和龍劍虹截然不同，她們是為了自己，為了光大七陰教。

接下來，當厲抗天為其少主喬少少向陰蘊玉求婚時，陰蘊玉的表現有些出人意料，她非但沒有想要巴結頂尖高手喬北溟（**當然也沒有想要故意得罪他**），而是要徵求女兒本人的意見，這在古代中國，是一種相當開明的行為。繼而，當她瞭解到喬北溟讓兒子求婚，真正的目的不在乎自己的女兒，而在於《百毒真經》時，她的態度變得更加堅決。這表明，這個七陰教主其實不是人們想像的那樣不堪，並不是典型的邪派作風。

最後，當她向女兒陰秀蘭、義子萬天鵬講述自己的身世經歷時，人們對七陰教主的印象就徹底改觀了。原來這個面容醜陋、行為乖張的七陰教主，其實是一生受侮辱、受迫害的典型。小時候被父母遺棄，被師父赤霞子收養，但赤霞子竟有亂倫衝動，並且殘忍地阻止了她與萬家樹的戀愛。當她逃離師父赤霞子，拜在另一個師父姬環門下，卻又被師兄石鏡涵姦污；為讓心上人萬家樹有其幸福人生，她詐稱自己已婚，卻又被殘忍的師兄毀容。

她的一生被兩個男人徹底毀掉，但作為母親，她還是為了女兒堅強地活了下來，且成立七陰教，將更多受苦受難的女性收羅在自己的保護傘下。七陰教竟是民間婦女自救會。到最後，她身中劇毒，卻把半顆救命解毒藥留下，寧可犧牲自己也要拯救女兒的心上人，為女兒奉獻了自己的生命，如此，陰蘊玉的形象自然有更重要的意義。陰蘊玉從邪派形象轉變為正面形象，具有較大的藝術張力，讓人印象深刻，難以忘懷。

最後，龍劍虹與陰秀蘭對張玉虎的態度，是小說的敘事重點之一。龍劍虹對張玉虎，可以說是未見而鍾情，因此常常聽凌雲鳳說起小虎，張玉虎的形象早早地種在了她的心中，有意思的是，她並沒有因此去討好張玉虎，而是故意與張玉虎作對、與張玉虎打賭的方式去與張玉虎競爭。龍劍虹劫奪貢品的行為，固然是要考驗張玉虎的武功、人品、襟懷；同時也是要為自己與張玉虎的關係「定位」，她不是那種「嫁雞隨雞、嫁狗隨狗」的傳統女性，而是可以與男友／丈夫並肩戰鬥甚至可以展開競爭的女俠。

陰秀蘭對張玉虎的關係很特別，她以欺騙方式從張玉虎手中奪得貢品，卻對張玉虎這個人一見鍾情。明知張玉虎對自己沒有好感，但芳心可可，情不自禁，為此堅決拒絕了喬少少的求婚。當她知道張玉虎對龍劍虹一往情深，她雖痛苦不已，仍然初心不改。有意思的是，當張玉虎中毒，龍劍虹向七陰教主陰蘊玉求取解藥，龍劍虹已下定決心，要成全陰秀蘭的心願，即把張玉虎「讓」給陰秀蘭，這固然是談判條件，卻也是龍劍虹對張玉虎更深的愛情表現，為了拯救張玉虎，她當真是可以不惜一切。

當陰秀蘭知道龍劍虹的心思，也被這種深愛與犧牲精神所感動；而當陰秀蘭發現張玉虎對龍劍虹深情不可逆轉時，她也做出了自己的選擇，那就是退出與龍劍虹的情感競爭，把張玉虎「還」給龍劍虹。因為金刀寨主周山民夫婦有意讓陰秀蘭成為他們的兒媳，讓周志俠主動接近陰秀蘭，讓陰秀蘭的感情有所轉移，從而解決了張玉虎、龍劍虹、陰秀蘭的三角關係的死結。龍劍虹、陰秀蘭各得其所，於是皆大歡喜。

《雲海玉弓緣》

《雲海玉弓緣》是梁羽生小說創作中的一個異數。雖然也可以掛上「天山系列」的邊兒，但它的主題與人物都一改梁羽生小說的老套，出現了新風貌。

任何概括都難以盡善盡美，必有例外。這部《雲海玉弓緣》就是一個明顯例外，不似作者一貫堅持的「不可無俠」的正格，以及「為國為民」的一貫主張。《雲海玉弓緣》的歷史背景，仍然是在滿清統治的盛世，但在小說中，民族衝突的痕跡已經被大大淡化了，變得似有似無。可以忽略不計，這在梁羽生小說中是極其少見的。

小說的中心情節，是講述復仇者的故事。是純粹江湖恩怨，而不涉及家國仇恨。這也是一個異數。進而，復仇的對象固然是邪惡之徒，因而復仇彷彿也可以與伏魔聯繫起來，但是小說的復仇主人公厲勝男本人卻也是個邪氣十足的人物，至少沒什麼俠氣可言。這在梁羽生小說中，就更是一個異數了，幾乎是唯一。

這部小說中也敘述了武林中人搶奪武功秘笈的情節。但那武功秘笈是邪派秘笈，而且還有邪派勝過正派的場面——小說最後，厲勝男勝了天下第一高手唐曉瀾。小說的男主人公金世遺，人稱「毒手瘋丐」，又毒手，又發瘋，當然也是從邪路上來。小說中的正派人物，例如邙山派掌門人曹錦兒，雖然算是正派，但卻狹隘、愚蠢、自私、頑固，並沒有給人留下什麼好印象。

小說的第四回中，有這樣一段關於武功的對話：

……藏靈上人道：「尊師的武功雖然厲害，但他最多能夠消除邪派內功留給己身的禍患，他能夠將正邪兩派融會貫通，練成一種非邪非正，而又超出邪正兩派之上的內功麼？」

金世遺冷笑道：「若練到這種境界，那已經是超凡入聖，壓倒古往今來任何一位武學大師了！」

藏靈上人道：「不錯，我正是想讓你成為這樣一位古往今來無人能及的大宗師！我就知道有這樣一個人，你願意與我一同去拜他為師麼？」……

這一段關於武功的對話，藏靈上人所謂「超出正邪兩派之上的內功」，是指已經失傳三百年之久的喬北溟神功秘笈上的武功。這是小說的核心情節之一。引述這一段話的意思，是將它當作文學創作的方法論來看。前文已經說過，梁羽生小說是純粹正派的武功，而金庸小說則正是那種「非邪非正，而又超出正邪兩派之上」的超凡入聖的功夫。梁羽生在這部小說中，似乎有意要修練金庸式的武功，《雲海玉弓緣》也確實有點像金庸小說，說明梁羽生受到金庸小說的影響。

不過，這部小說恐怕還沒有達到非正非邪而超於正邪之上的境界。而只是達到了亦正亦邪、在正邪之間徘徊的水準層次。即便是這樣，在梁羽生小說創作歷程中，也是大大的異數。小說的可看性及其藝術深度已經大大提升。所謂「正派」，是指按照理想、理性、理念的路子去演繹成故事情節，完全按照正路去寫，難免流於淺薄。而若完全不考慮正路，而按照神怪傳統去寫，則又容易流於老套，而且怪誕，且同樣淺薄。只有在正邪之間，書寫人性——即「一半是天使，一半是魔鬼」——才能寫出武俠小說的新境界來。

《雲海玉弓緣》的故事情節，有搶寶、復仇，同時還有一條主線，那就是愛情。說這部小說是言情武俠小說，也無不可。

小說的言情主線，是在男主人公金世遺與厲勝男、谷之華、李沁梅三位出身與個性完全不同的少女之間的複雜情感糾葛。小說中有這樣一段：

> 金世遺……夢中見到李沁梅捧著一朵天山雪蓮，在海面山緩緩行來，大海平滑如鏡，天上美麗的彩雲好像就要覆到海上，突然間谷之華也來了，金世遺正想迎接她們，突然間那姓厲的女子也來了，海浪忽然裂開，李沁梅和谷之華都沉了下去，只留下姓厲的那個女子哈哈大笑！
>
> 金世遺一驚而醒，抬頭一看，但見群星閃爍，明月在天，已是將近三更時分了。
>
> 金世遺自笑道：「這一覺睡得好長，夢也發得荒唐！」忽然想起夢中那三個少女，李沁梅對他是一片深情。她不解世事，好像根本不知道人間的醜惡，和她在一起的時候，常常令他感到自慚形穢，也感到赤子的純真，金世遺願意像對待小妹妹一樣愛

護她。谷之華是呂四娘的弟子，金世遺尊敬呂四娘，也敬慕谷之華，雖然只是匆匆一面，已給他留下不可磨滅的印象。

谷之華見多識廣，心胸寬大，和藹可親，金世遺雖然比她年長，但卻覺得她好像是自己的姐姐一般。金世遺對任何人都敢嬉笑怒罵，放蕩不羈，唯獨在谷之華的面前，第一次見面，就令他自然而然的不敢放恣。至於那個姓厲的女子呢？奇怪得很，金世遺覺得她邪氣足，對她有說不出的厭憎，但卻又忍不住去想她，好像她是自己一個很熟悉的人一樣，甚至於在她的身上，可以看見自己過去的影子，一個人可以擺脫任何東西，卻總不能擺脫自己過去的影子。這也許就是金世遺既憎恨她，而又想念她的緣故吧。

總之，夢中這三個少女，雖然各各不同，卻都已在他的心頭占了一席位置，要不然他也不會在夢中見她們了。

以上這一段不無直露，但也十分清楚地寫出了這部小說情感糾葛的基本狀貌。同時也寫出金世遺的心理感受和情感偏向。

對天山掌門人的姨侄女李沁梅這位純潔天真的姑娘，金世遺感到自慚形穢，只有兄妹之情。而李沁梅對他卻是芳心可可，一往情深。當然，這也可以看出是青春少女的一種特有的心理現象。每個人在少女時代都會將自己的愛情夢想幻覺附著在一個異性身上，一旦夢醒，往往就再也沒有什麼痕跡，甚至會自覺得過去是莫名其妙。但無論如何，這種情感關係，無論對李沁梅還是對金世遺都很寶貴。

對谷之華和厲勝男這兩位少女可就不一樣了。小說的主幹，正是金世遺與這兩位少女間情感關係及其心理衝突的故事。打個不恰當的比方說，如果李沁梅像《紅樓夢》中的史湘雲，谷之華就像是薛寶釵，厲勝男的刁鑽古怪與林黛玉就相差彷彿了。谷之華是呂四娘的關門弟子，又是大俠谷正明的養女，是正派中的理想人格典型。厲勝男則是三百年前魔頭喬北溟的弟子厲抗天的後人，是一個為了達到自己的目的而不惜一切代價、不惜採用任何手段的女魔頭。這兩個人的道德形象天差地遠，不言而喻。

金世遺像一般人想像的那樣，愛上了谷之華。因為谷之華是理想的女性，也就是理想的情人與妻子，只要有理性的人，都會做出類似的選擇。金世遺對谷之華的愛有多深，對厲勝男的厭惡就有多大，因厲勝男總是陰魂不散地破壞金世遺與谷之華之間的關係。只是，金世遺對厲勝男越是厭惡，就越是無法擺脫她。小說《雲海玉弓緣》自始至終都是這樣，愛谷之華而無法親近，厭厲勝男卻又無法擺脫。

然而，愛谷之華和厭厲勝男竟然只是一種表面現象。如果僅僅這樣，那麼這部《雲海玉弓緣》的藝術成就就很一般了。好在，到小說最後，作者才給我們揭開金世遺的心靈秘密——這秘密連金世遺本人也不知道——那就是，他表面上愛的是谷之華，內心深處的摯愛卻是厲勝男。換句話說，他理性上選擇的是谷之華，而情感上卻是對厲勝男不知不覺一往情深。他自覺的選擇是谷之華，而不自覺的潛意識愛戀的對象卻是厲勝男。只是，他對厲勝男的愛，只有到她死後才發現，也只有到她死後，他才能承認與承受，這是一種能毀滅一切的愛。如書中所寫：

墳墓裡的厲勝男曾經是他憐憫過、恨過而又愛過的人。在她生前，他並不知道自己愛的是她，在她死後方始發覺了。他現在才知道，他以前一直以為自己愛的是谷之華，其實那是理智多於情感，那是因為他知道谷之華會是個「好妻子」，但是他對厲勝男的感情卻是不知不覺中發生的，也可以說是厲勝男那種不顧一切的強烈感情將他拉過去的。

人類的情感本就是很大程度上帶有非理性色彩，所以有人說「愛情使人盲目」。而理性對愛情的匡扶，甚而支配愛情抉擇，這對人類究竟是幸還是不幸，實在難以一言蔽之。無論如何，人類的情愛心理的奧秘，是潛藏與意識之下的非理性世界中，連主人公自己也未必能夠意識到。那麼，我們用簡單的理性尺度去衡量它們，顯然只能是管窺蠡測，難以究其竟。

如若我們換一副眼光來看待谷之華與厲勝男這兩個女性，或許會得出稍有不同的看法。在慣常的道德理性世界中，谷之華代表正，厲勝男代表邪，這是無疑的。問題是，谷之華這一形象，是否有些可敬多於可愛？她在小說中的形象，有如道德理性的化身。這在她同她的生父孟神通的矛盾中得到了充分的表現。她面對生父，主要不是以一個女兒的身分出現，而是以一個正派俠義衛道士的身分出現，她對父親的勸諫，也是本著傳統道德禮法進行的。這種行為固然可敬可佩，但未必會可親可愛。

相反，厲勝男每一件事都是為自己打算，她的言行舉止，無不帶有自私自利的邪氣或妖氣。她要找孟神通復仇，當然情有可原，但她要去找天山派掌門人唐曉瀾比武，就無論如何也難以讓人產生好感。這是典型的心理變態，是自我膨脹。她對金世遺的情感態度，也是自私到了極點，挖空心思，無所不用其極。一開始她就知道李沁梅要找金世遺、金世遺也要找李沁梅，但厲勝男卻兩面欺騙，讓他們見不到面。後又想方設法迫使金世遺陪她出海尋寶，進而在荒島上拜堂成親，明明是權宜之計，她卻對谷之華說自己是金世遺的妻子，使谷之華對金世遺產生怨恨。最後，她又故意將谷之華毒害，迫使金世遺來找她尋求解藥，而她竟又以解藥為交換條件，要脅金世遺在她臨死前與她舉行婚禮……厲勝男的自私自利是不必說的。

然而，如若我們能暫時超脫道德評價，看一看厲勝男的身世經歷，對她或許會產生同情憐憫之心。她處處爭強鬥勝，其實是一種可憐的病態。進而，如果我們看到她對金世遺的愛情心理，就不但只是同情她、憐憫她，而且會理解她、諒解她，甚至會欽佩她。她是自私自利，為了獲得金世遺而不惜一切代價，包括不惜自殘、不惜冒險、不惜讓金世遺產生反感。為了挽留金世遺，不讓金世遺去照顧受傷的谷之華，她用殘酷手段自傷兩三條經脈，這一行為固然透著邪氣，但也未嘗不是為了愛情而表現出大智大勇。

說到底，她不過一切為了復仇，而後是一切為了愛情罷了。即使做法上不無過分之處，但她其實也是有一定分寸的，例如她不去找唐曉瀾拼命，表面她對唐曉瀾與對孟神通有所區別。她雖然不斷用欺騙手段乃至不惜下毒，但卻並沒有真的殺死情敵谷之華。說到底，這樣做，只不過是縱情任性，偏執狂熱，激烈如火的性格所決定的，這種性格也未見得就是一種惡魔性格。小說的作者對這一人物形象還是充滿同情心的，這正是這部小說的一個了不起的特點。

《雲海玉弓緣》的真正成就，還是對金世遺這一人物形象的塑造。他才是亦正亦邪、非正非邪的代表。就他對谷之華與厲勝男的愛情及其矛盾抉擇而言，也是充分表現了這種性格特徵。他的天性是落拓不羈、任性狂放的，所以有「毒手瘋丐」這樣一個外號，看起來，他是憤世嫉俗而且百無禁忌。

在這部小說中，他其實已有改邪歸正的表現，對谷之華的愛就表現了他歸正的決心與選擇。因為厲勝男像是他的影子，他恰恰要擺脫這個影子，擺脫這樣的自我，擺脫這樣的生活方式。金世遺對谷之華的追求，正表明他在理性上的自覺。完全像厲勝男那樣「非理性」，是不可取的，那正是舊日的金世遺形象。所以，金世遺承認他對厲勝男的愛，並要承認與厲勝男的夫妻關係，也要等到厲勝男死後。

小說《雲海玉弓緣》最精彩的部分，正是描寫金世遺在谷之華與厲勝男這兩位女性、兩種人格、兩種人生理想、兩種價值觀和兩種生活方式的選擇，及選擇過程中的痛苦、矛盾與掙扎。金世遺的形象，是孤獨者的形象，同時也正是充滿矛盾的人性真實形象。谷之華象徵天使，厲勝男象徵魔鬼，而金世遺這個「人」則在天使與魔鬼之間做痛苦的兩難抉擇。這，才是這部小說的形而上思想主題，同時也是這部小說的藝術成就之所在。

《大唐游俠傳》

《大唐游俠傳》突出的特點之一，是它的壯闊歷史畫卷及豐富的人文景觀。

這部小說以唐玄宗時代「安史之亂」為歷史背景及其基本線索，寫到了皇帝、皇妃、宮廷衛士、朝臣、藩鎮高官等等，也寫到了綠林好漢、江湖游俠們在國家興亡之際的行為和表現。小說中的唐玄宗與楊貴妃、楊貴妃與安祿山、楊貴妃與李白……等歷史人物及其關係，及馬嵬驛之變，李白與賀知章、張旭等當朝名士、詩人、才子飲酒縱談……等場面，都寫得十分傳神，一如歷史小說般真實。同時，寫到綠林中的霸主之爭，黑道間家族之仇，又寫得活靈活現，入木三分。更妙的是，小說很容易就把江湖人物與歷史人物聯繫起來，如正面人物段珪璋大俠與安祿山有舊怨，而綠林黑道王家父子又想藉安史之亂而成為草頭王，大俠南霽雲本身就是名將郭子儀手下的一名布衣猛士。

也許這些還不算什麼。小說《大唐游俠傳》中的綠林人物，與我們所熟知的隋末歷史中的「十八路反王」聯繫起來，便使我們增加了一種特殊的認同感。如小說中的竇家五虎，當是當年反王之一竇建德的後人，而小說中新的綠林霸主王伯通、王龍客父子則正是當年王世充的後代。竇家與王家爭奪綠林霸主之位，已成世仇。當年竇建德與王世充都被李世民剿滅，正應了一句老話，成者為王、敗者為寇。竇、王兩家落草為寇，成了強盜世家，不僅合情合理，而且意味深長，不僅非常真實可信，而且對後來王伯通父子再次叛亂作反也埋下了伏筆。此處，小說中的侍衛將軍秦襄、尉遲北、宇文通等人，亦是我們所熟知的唐初名將秦瓊（叔寶）、尉遲恭（敬德）、宇文慶等人的後代，這使我們讀起來也像是看《說唐》的續傳一般親切。

小說中還將有關唐玄宗時生活的種種傳說（如李白戲弄高力士、李白與楊貴妃等）寫入小說中，進而，還將唐人傳奇作品中的人物——如空空兒等——也「化」入小說中，使我們看點豐富的唐代生活人文景觀。

也就是說，《大唐游俠傳》真正突出的特色，還不只是將歷史線索與傳奇故事寫在一起——這已是梁羽生小說的基本模式——而是在歷史與傳奇之中展示出種種生動的人文生活風俗畫卷，讓生活氣息撲面而來。既超越了歷史演繹，也超越了傳奇故事，這是一個了不起的成就。

如將《大唐游俠傳》與《七劍下天山》、《白髮魔女傳》等作品進行比較，我們就不難看到這一點。儘管那兩部作品也同樣場面壯闊，涉及江山國事與綠林紛爭，但它的內容及人文景觀卻遠沒有《大唐游俠傳》這樣豐富多彩，有人文氣息。

其次，《大唐游俠傳》恢復了游俠傳統，但其中游俠形象及其觀點又有了不少變化。

這部小說寫了段珪璋、南霽雲兩位游俠形象，他們最後在睢陽圍城之役中雙雙戰死，為國捐軀，無疑顯示了他們「俠之大者」的形象本質。比之《白髮魔女傳》及《雲海玉弓緣》等小說的主人公，自是不可同日而語。只有金庸小說《射鵰英雄傳》中的郭靖及梁羽生筆下的張丹楓等人的形象才可以與之相比。

進而，段珪璋與南霽雲的俠義立場觀點又非常之微妙。他們生在江湖，卻不參與綠林的爭端（儘管段珪璋還是綠林前霸主竇家五虎的妹夫），按慣常情況看，不幫助竇家就應幫助王家，不幫王家就應幫助竇家，但他們的立場卻很超然。另一方面，段珪璋與安祿山既有舊怨又添新仇（安祿山害死了段珪璋義弟史逸如進士），當然是與安祿山對立了。所以在安史之亂中，他們明確地站在反對安祿山的立場，但他們又與唐玄宗及其大唐王朝不是同路人。他們雖然幫助唐王朝官兵平息安史之亂，卻又有著超然於朝廷的特殊身分。南霽雲派他師弟鐵摩勒（亦是段珪璋的義侄）去保護唐玄宗，做皇帝的侍衛，但鐵摩勒的身分及其地位與秦襄、尉遲北等人並不一樣，他只是盡義務、盡匹夫之責而已，並不想以此圖謀功名富貴的晉身之階。

這些俠的作為和形象，串聯了江山和江湖兩個世界，但又在兩個世界之外超然獨立；他們的立場與觀點，不同於這兩個世界中的任何一種人，他們是游俠。小說《大唐游俠傳》正是寫出了這種身分與地位獨特、立場與觀點與眾不同的游俠形象。

大俠段珪璋和南霽雲是二十年來江湖中最著名的兩位游俠，但段珪璋在前十年走江湖、行俠仗義，而到小說開始的這十年間卻在長安城外的鄉村中隱居不出。這十年來，南霽雲在江湖中俠名大震，但他出現在小說中的身分，卻又是郭子儀將軍手下的一名布衣戰士。無論是隱士或戰士，看起來都與游俠身分不符，但正因如此，才看到游俠自由自在的本質。他們可以超然物外，當然也可以隨時積極入世，任何身分都只是他們游俠的身分表象，或是他們游俠靈魂的外衣。

進而，小說敘述的重點，並不是他們行俠故事，而是他們的人生遭遇；小說的審美目標，也不是對俠的理想人格進行概念演繹，而是要寫出兩位游俠的特殊性格及其情感世界。對段珪璋，小說中突出的是他的兒子段克邪被空空兒盜走這一段特殊遭遇中的心理表現和性格張力，這時他的俠氣與凡夫、凡父、凡人的氣質混合在一起，表現出的是人的天性與凡人的性格氣質，使他變得可親可近。對南霽雲，小說中突出的是他與女俠夏凌霜之間的愛情波折，雖然並不英雄氣短，但卻肯定兒女情長。南霽雲的形象，在這情愛故事中無疑有所深化。

小說《大唐游俠傳》的第三個突出成就，是對不同人物賦予不同的性格特徵。相近的人物寫得有層次有分寸，對比關係適度，因而襯托出人物性格更加突出。

第一組對比當然是段珪璋與南霽雲，他倆是小說的主人公。除上述段珪璋突出「父性」，而南霽雲突出兒女之情外，段珪璋長於劍術，南霽雲長於用刀；段珪璋性格比較內向，如綿裡藏針，江湖經驗也更加豐富；而南霽雲則相對外向，性格豪邁，英雄之氣逼人。段珪璋多幾分文采風流，而南霽雲多幾分草莽豪氣。

第二組人物是段珪璋夫人竇紅線和史逸如夫人盧氏，前者出身強盜世家，而又嫁給了當世大俠，多幾分豪邁，性格爽朗、熱烈、火爆；盧氏夫人出身河東大族，是書香門第富貴之家中長大，嫁給了當朝進士史逸如，所以慧質蘭心，內向堅韌，而且有政治眼光，見過大世面，也經得起大風大浪。

竇紅線在段珪璋戰死之後，自殺殉夫；而史夫人在丈夫被安祿山害死之後，自殘其面寄居在薛嵩將軍府中十多年，臥薪嚐膽，苦心孤詣，做「地下工作」，在安祿山屬下夫人群裡影響極大，最終還出謀劃策，讓安祿山死於非命，從而報了丈夫的大仇。這位盧夫人形象是真正的巾幗丈夫，是鬚眉男子所不能及。

第三組對比，是空空兒和精精兒。這是一對武功奇高的師兄弟，而且都有些恃技欺人，任性而為，有明顯的江湖邪氣。但空空兒雖傲卻不壞，雖邪但不惡，而他的師弟精精兒就完全不同了。他是傲而且壞，邪而且惡，正是他將師兄拖下水，偏偏空空兒兄弟情深，且有護短的習慣，所以這對師兄弟看起來是同流合污。但是在關鍵時刻，他們的不同還是充分地顯示出來，當精精兒要去刺殺唐玄宗時，空空兒前往阻止，並將精精兒帶走，以免造成更大的禍亂。這對師兄弟形象，是小說中最有特色和光彩的藝術形象。

第四組對比人物，是薛嵩將軍與聶鋒將軍，他們倆都是先在唐朝為官，後受安祿山節制，在安史之亂中當了叛亂者的幫凶，最後又投降唐朝、戴罪立功。這兩人還是同鄉、且有親戚關係。但他們的性格卻有鮮明差異。薛嵩是由正途出身，官當的大，野心也相對較大，俠氣則相對較小。所以在盧氏夫人落難之際，他乘人之危，想將盧夫人占為己有，直至盧夫人自毀容貌才作罷。

相比之下，聶鋒因從小有仗義江湖、行俠流浪的夢想，後雖成為將軍，但保留了更多的江湖俠氣，從一開始在段珪璋闖安祿山行館時就在暗中留了一手，放段珪璋逃走，對盧夫人及鐵摩勒的態度也與薛嵩大不一樣。這兩位將軍的形象，是小說中寫得很成功的藝術形象，不好不壞，有功有過，亦正亦邪，有官氣也有人性。作者沒有用簡單的道德標準來苛求這兩個人，所以他們顯得相對真實。

第五組人物是秦襄、尉遲北、宇文通三個侍衛，他們的身分相似，地位相近，但性格頗為不同。其中秦襄最為大度，也最有義氣，名滿朝野，頗似其祖先秦瓊；而尉遲北則火爆豪邁，剛正不阿，忠肝義膽，一如乃祖尉遲恭。也許這兩個人物正是按照乃祖的形象複製出來的。他們與一般江湖人物又不同，因為他們的身分不同，是在朝為官，又是忠良後代，所以雖無官氣卻有傲氣，有俠義之心，更有對皇帝的忠心，不似江湖人物那樣自由自在、落拓不羈。宇文通與秦襄、尉遲北兩人相比，多了幾分文秀也多了幾分野心，少了幾分豪氣也少了幾分忠誠，是一個私心較重、野心較大而心機較多的狡詐人物，所以，在陰謀叛亂且刺殺皇帝計畫敗露之後，能隨機應變，化凶為吉，反而因此立功。

第六組人物是竇氏五虎與王家父子的對比。他們都是反王的後代，都是強盜世家，且都是綠林盟主。是黑道人物，殘酷而又霸道的程度，相差不多。但竇氏五虎只想在綠林稱霸，而王氏父子竟要依附安祿山打天下，從而成為安史之亂的打手和幫凶，這就使得王氏家族在綠林中的地位和性質發生了根本性變化。他們違背了綠林的基本原則，成了黑道中的黑道，邪魔中的邪魔。

小說的這種分寸把握，是有意味的。進而，王伯通與王龍客父子，以及王龍客與王燕羽兄妹，一家兩代人也是性格各異。小說一開始，王燕羽成了屠殺竇氏五虎的劊子手，但她只是一個工具，她沒有個人野心，所以能保持較為客觀的態度和較為清醒的理性。她雖不願成為父兄的幫凶，看得見他們不幸的結局，但又始終為其父兄安危擔心、努力勸諫，最終成了向善的典型。她的父親在臨死之前也悔恨不已，因而自殺解仇。但王龍客就不一樣，此人年輕氣盛，野心膨脹，以至於完全陷入了瘋狂與蒙昧之中，走到他罪惡生命的盡頭。

他所以如此，部分原因是父親的影響，部分原因則是自己的本性，還有一部分是因為他心愛的姑娘成了南霽雲的妻子，從而妒恨不已，矢志報復。與之形成對比的是，他妹妹愛鐵摩勒，也是一廂情願，鐵摩勒成了韓芷芬的丈夫，王燕羽雖然失望傷心，但並沒有因妒生怨，更沒有因愛成仇，沒想到要去報復誰。王龍客與王燕羽的情形大致相似，由於性格氣質不同、心胸品格不同，所以做出完全不同的選擇，從而有完全不同的結局。

小說中還有一些人物形象如瘋丐衛越、酒丐車遲、俠丐皇甫嵩和他的弟弟皇甫華（這對兄弟一正一反，雖然相貌完全一樣，但心性卻天差地遠）等人物，也有鮮明的可比性。小說中的其他人物如女俠夏凌霜、小俠鐵摩勒等人的形象刻畫，也都相當成功。限於篇幅，不能一一分析舉證。

最後，要說的是，這部小說的敘事語言，一改梁羽生小說追求美雅的風格形式，變為古樸簡練，少了詩文秀氣，而多了游俠歷史的氣息。讀起來，感覺到作者減少了對形式表層的美感追求，而多了把握並表現神氣意蘊的「內力」。

小說開頭，也破例沒有開場詩詞，而是開門見山地，語言平淡樸實，節奏不緊不慢，娓娓道來，在梁羽生小說中相當少見。

最讓人嘆服的是小說最後對睢陽圍城戰爭場面的描寫，張巡、雷萬春、段珪璋、南霽雲等人在千軍萬馬的戰場上拼搏戰鬥，直至最後犧牲的壯烈場景，在作者樸實而有力度的敘述中，讓人血脈賁張，進而熱淚盈眶。梁羽生小說的敘事語言，至此已達一個新的境界。

《冰河洗劍錄》

本書是以江南的兒子、金世遺的弟子江海天為第一主人公，以馬薩兒國前國王的女兒、谷之華的弟子谷中蓮為第二主人公，由江海天的傳記和谷中蓮的身世之謎以及他們兩人之間的情感關係，完成「冰河洗劍」的主題——冰河洗劍，是指馬薩兒國和昆布蘭國之間由緊張的戰雲密佈到和平的月朗風清，由於發現兩國的國王和王后之間曾是一對戀人，後任國王與女王實際上是堂兄妹，而締結和平。

本書開頭很吸引人，一是主人公江海天被天魔教抓走，讓讀者惦記不已；二是江海天的性格與乃父江南——多嘴的江南——截然不同，主人公少年老成，是個寡言君子。在生活中，這種情況當然是可能的，因為父親愛說話，兒子沒有說話的機會，久而久之就形成了少說話的習慣；更深的原因是，父親愛說話的習慣與個性經常會受到母親和外婆的善意譏笑，江海天自然引以為戒。江海天的這種個性習慣大有深刻描繪的餘地，只可惜作者對人的個性心理把握沒有金庸那樣的洞察力和想像力，在小說中只能按照故事情節的需要而將江海天的個性發展簡單化。甚至他的武功進步也被簡單化了，金世遺固然是一個良師，他教出來的弟子肯定比一半的師父教出來的強，但江海天的武功飛躍，卻還是得益於天心石。

本書的故事情節始終有讓人繼續讀下去的吸引力。江海天被抓走的線索是中原地區現在的故事，谷中蓮的身世之謎則涉及遙遠邊塞國家馬薩兒國的過去。因為江海天與谷中蓮的師父金世遺和谷之華曾是一對戀人，江海天和谷中蓮從小就認識，從而他們之間情感如何發展、如何結局的故事即成主線。這一主線不僅涉及過去與現在、中原與西域，而且還涉及政治與權力、命運與情感。

谷中蓮的身世十分離奇。她是馬薩兒國國王的女兒，但因其母親不是皇后，甚至不是正式嬪妃，只能生活在皇宮之外，其原因是皇后善妒。再加上後來蓋溫發動宮廷政變，皇后竟被蓋溫收買利用，使得前國王的兒子、女兒流落到中原，且不斷被蓋溫派出的人追殺。由於年紀幼小，谷中蓮甚至不記得自己的身分，當然也就不知道自己究竟是誰，這就讓她的故事更加撲朔迷離。最後才知道，她是馬薩兒國的公主，她還有兩個哥哥，一個哥哥是唐努珠穆，另一個哥哥是葉沖霄。

其中葉沖霄的故事是另一段傳奇，他原是前國王的長子，卻被皇后陷害，進而又被蓋溫利用，即剝奪了他原有的身分，而給他一個偽造的身分，甚至他的姓名葉沖霄也是假的——葉沖霄本是他弟弟唐努珠穆的漢名，被蓋溫賜給了哥哥，哥哥成了國王蓋溫的義子，為了報答國王的「栽培」，他努力為國王蓋溫效力——說起來，葉沖霄的故事讓人感傷，以至於到最後才知道他的名字叫唐努章峰，這名字連他自己都不習慣，只好頂著葉沖霄的名字過了一生——唐努放棄了「葉沖霄」這個名字——葉沖霄也就成了這個哥哥的專屬名，他最後放棄王位、離開馬薩兒國，表明此人是真心懺悔，同時也可能是對人生無奈命運的看破和接受。

小說的故事主線，是江海天的成長經歷，以及他的愛情故事。他與谷中蓮青梅竹馬，兩情相悅，本來很單純。但中間卻插入了歐陽婉、華雲碧兩個姑娘，使得他的情感經歷變得曲折坎坷。歐陽婉是邪派人物歐陽仲和的女兒，她有邪氣，但還不是邪派，沒有在邪派之路上越走越遠，是因為她遇到了江海天。正派中人把她當作邪派，多少有些先入為主，是因為刻板印象。歐陽婉與江海天的關係突然轉折，是因為她遇到了葉沖霄，葉沖霄失去了王子地位、歐陽婉得不到江海天，傷心人別有懷抱，同病相憐，這兩個人走到一起不是偶然，是有深意在焉。

江海天愛情故事的第二個關鍵人物是華雲碧，由於華天風、華雲碧父女對江海天有救命之恩，華雲碧對江海天一見鍾情，江海天不忍拒絕，卻也無法說明，只能看著華雲碧為自己的單相思而徒然嘆息。當華雲碧見到谷中蓮與江海天情意深長，善良的華雲碧決定犧牲自己的情感而成全對方（這是華雲碧善良天性的一次展示）；而谷中蓮知道華雲碧的苦戀，也同樣決定犧牲自己的感情而成全情敵（她同樣是正派的姑娘），這反而讓江海天失去了主動權。有意思的是，父親江南不知道江海天與谷中蓮的情感，催促兒子去追華雲碧，使得江海天更加無法自我辯護，好在師父金世遺是過來人，深諳情感人心，讓江海天按照自己的情感意願去選擇，這給江海天吃下一顆定心丸。

直到故事的最後，江海天為救谷中蓮而來到昆布蘭國，谷中蓮仍要「成全」華雲碧而悄然退避。有意思的是，在玉玲瓏的安排下，華雲碧與雲瓊成了戀人。從而讓江海天的情感束縛得到解脫——江海天曾暗自決定，若華雲碧不能諒解他，他就不與谷中蓮結合，決心像他的師父金世遺那樣獨自過完一生——華雲碧對江海天的情感，究竟是一往情深，還是常見的浮雲初戀？

這是一個值得探討的問題：看起來，華雲碧對江海天的情感是一見鍾情且一往情深，只是因為知道江海天與谷中蓮兩情相悅而不得不退避三舍。實際上，更有可能是小姑娘情竇初開，恰好江海天出現在她的面前，於是把所有的初戀情感都投射到江海天身上，直到遇上雲瓊，才改變初衷。

有意思的是，雲瓊對谷中蓮也是如此，自從見過谷中蓮，雲瓊就情難自已，還曾委託江海天去傳遞他（雲瓊）對谷中蓮的思念之情。如此，雲瓊對谷中蓮、華雲碧對江海天的情感，成了江海天與谷中蓮情感的最大考驗，假如江海天娶了華雲碧、谷中蓮嫁給雲瓊那會如何？當然那是另一個故事。而在這個故事中，能夠看出，雲瓊對谷中蓮的愛慕，華雲碧對江海天的傾心，更像是浮雲初戀，就像無數的少年男女一樣。否則就難以解釋，她和雲瓊最終走到一起。小說最後是大團圓結局，唐努與雲璧、華雲碧和雲瓊，江海天與谷中蓮，三對青年情侶將同時在馬薩兒國舉行婚禮。

實際上還有第四對。那就是江海天的師父金世遺、谷中蓮的師父谷之華。早在《雲海玉弓緣》中，金世遺和谷之華就已是戀人，只因厲勝男利用金世遺要救谷之華之心，迫使他答應與其結成夫婦，才使得金世遺和谷之華的情感蹉跎了整整二十年。在《雲海玉弓緣》中，金世遺在厲勝男死後突然「發現」自己內心最深處實際上對厲勝男有情，同時發現自己對谷之華的情感只是理性的嚮往。

這一揭示，可以說是一個重大發現。人類的理智與情感有時候緊密糾纏，難分彼此，金世遺對自己的情感發現，可謂是作者梁羽生先生對人性認知的一個突破。但問題並不是那麼簡單，金世遺對厲勝男的情感也並不單純，假如厲勝男還活著，金世遺會不會與她心心相印？這種可能性實際上很小。金世遺對厲勝男的「情感爆發」，恰是因為對方死亡。金世遺是典型的「一半是天使，一半是魔鬼」，隨著年齡增長和心智提升，他有抑制魔鬼性、催發天使性的主觀意識，恰好谷之華在天使一極，而厲勝男在魔鬼一極，他偏向谷之華是必然的。但厲勝男為了得到金世遺而不惜以死亡為代價，讓金世遺受到極大衝擊，覺得厲勝男的情感十分難得，從而決心為她「守貞」二十年。

這一故事，包含了情感與人性的諸多秘密。在這個故事中，金世遺和谷之華都已人到中年，經歷數十年人世滄桑，兩人都已知道自己真正要什麼，都知道自己的感情和對方的感情。金世遺的繼續等待，無非是要完成一道手續，即獲得厲勝男家族的諒解，完成一個心願，以便重新開始自己的另一段人生。從後面的作品中看，我們知道金世遺和谷之華是與他們的弟子江海天和谷中蓮同一天成婚的，金世遺和谷之華的愛情故事，這才有了圓滿結局。

影響和決定金世遺情感和命運的，是厲勝男的侄子厲復生。此人帶著亮頭金毛獒來到中原，追隨天魔教主卡蘭妮，是書中的一大奇觀，也是小說故事情節及影響主人公江海天命運的一大變數。厲復生看似邪氣，實際上心地單純，只是因為先入為主，把「害死」姑姑厲勝男的金世遺當作頭號大敵，如此金世遺的弟子江海天當然也就是他的敵人。這是一個合情合理的安排，正因為他心地單純，容易想當然，也容易上當受騙，所以才會如此；同樣是因為心地單純，他也會在事實面前低下頭來，到最後反而勸金世遺去與谷之華成親。厲復生的另一亮點，是對天魔教主卡蘭妮的愛，自始至終都沒有改變，卡蘭妮讓他當副教主，一方面是因為他武功很高，更重要的原因恰是要利用他從金世遺手上奪回《喬北溟武功秘笈》，以便她獲取避免走火入魔之法。

卡蘭妮抓走江海天，其實也是為了這一目的，因為她知道江海天的父親江南與金世遺關係密切。由於卡蘭妮邪派武功的局限（練到深處有走火入魔的危險）而影響到主人公江海天的命運，這是作者安排的巧妙之處。而最後，卡蘭妮遭遇走火入魔，覺察到生命和情感遠比爭霸武林更為重要而寶貴，姻，薛嵩把薛紅線當成了聯姻求和的政治工具。唐朝的節度使，為一方軍政大員，割地而據，儼然一方諸侯，他們與朝廷的關係，不像宋代以後那樣，地方大員絕對服從中央政府，各節度使之間，亦相互征戰吞併，明目張膽地侵權擴張。魏博節度使田承嗣的軍事實力遠過於潞州節度使薛嵩，而田承嗣的三千「外宅男」（相當於今天的特種部隊）更是無人能敵。田承嗣想要吞併潞州的野心，也是路人皆知，所以薛嵩想出一個絕招，讓養女薛紅線去和田家公子聯姻，像漢代的王昭君，唐太宗時的文成公主。

小說寫到這一情節，當然不僅是為了給段克邪與史若梅的婚事設置障礙（小小段克邪根本就不在節度使薛嵩的眼裡），更是要展示當時的政治歷史風貌，揭示政治婚姻的緣由，同時刻畫薛嵩這一相當獨特的人物形象。薛嵩不是什麼壞人，但也算不上是好人，他對史若梅有養育之恩，但主要目的卻是為自己打算。官場政治的利害關係，才是他思考問題的第一要點，在軍事上他無法與田承嗣相比，只能在政治與外交上想辦法，江湖俠義之類價值於他毫無影響。因此，我們在讀《龍鳳寶釵緣》的序幕，看到段、史姻緣的第一重波折時，看到的已遠遠超出了情愛故事本身。段、史的愛情故事，包含了社會歷史、政治文化等豐富內容。

段、史姻緣的第二層波折，是兩個年輕主人公的性格衝突。

史若梅不知道自己是史若梅，對自己的真實身世一無所知，而以為自己是道道地地的薛紅線，即節度使薛嵩的女兒。這是她與段克邪的姻緣障礙的重要基礎，也是其性格衝突的前提，在她是無知，而段克邪卻以為她是有意（悔婚），這一誤會當然會成大問題。

第二層次，是他倆的身分、地位懸殊，史若梅是堂堂節度使的千金小姐，而段克邪則是出身草莽、流浪江湖的孤兒。史若梅以為自己是薛紅線，那固然不必說；即使她明白自己是史若梅，是那「盧媽」的親女兒，奈何近朱者赤、近墨者黑，她在千金閨閣中成長，小姐脾性已經養成，當然會處處表現出來（小說中也細膩地展現出來了）。她是任性的、驕縱的，自尊心很強，虛榮心也不小，所以，在第一次見段克邪闖進她的後院，她不但罵他是「小賊」，而且罵其父親（也就是她公公）為「老賊」（這是受薛嵩薰陶所致），進而還要將他「拿下」——她也是從小練武，又是千金小姐，見小賊如此無禮，自然要將對方「拿下」不可。段克邪偏偏也是一個驕傲的小公雞，日常接觸得最多的人是空空兒、師父（空空兒的師娘）、夏凌霜（南霽雲夫人），這些人無一不驕傲、無一不任性。所以，段克邪與史若梅的交往變成了交鋒，兩強相遇，只能兩敗俱傷。

第三層次，那時候他們還只有十六歲，正處在自我剛剛萌生成長、外在驕狂自大、內心敏感脆弱的時期，最大特點是容易意氣用事，格外敏感猜忌、多疑脆弱而又不會承認這種脆弱，甚至拼命要掩飾其脆弱。在這一年齡階段，常常沒事也要找事，更何況真的有事，而且是終身大事，無事且要生非，何況乎有事？遇到這種大誤會、大波折，當然無力處理，也不可能善處。別說他們不知道出了誤會，就算是知道有所誤會，也難得認錯，更不會輕易低頭，相反會拼命掩飾、努力裝著若無其事。

小說中對他們的這種矛盾心理把握得非常準確。他們之間不僅相互矛盾、性格衝突，而且各人心中的自我矛盾與衝突也接連不斷。史若梅追趕段克邪至田承嗣府上，將田承嗣的兒子抓住，本是為了幫助段克邪脫險，而段克邪卻誤以為史若梅和田公子是「手拉手站在一起」，惹得段克邪又妒又忌又悲傷。似這樣的情況隨時都可能發生，原因就在於他們尚處在青春期的個性心理。

娘產生種種誤會。直至小說最後，史朝英（有點像《雲海玉弓緣》中的厲勝男）還掌握著段克邪，直到她生下孩子、自殺身亡，才讓段克邪恢復功力、與史若梅相見並喜結良緣。

史朝英與牟世傑志同道合，氣味相投，所以他們走到一起，相互吸引，結成夫妻（既是政治聯盟，也是事業夥伴）並共同奮鬥、艱苦創業，這是必然的。小說對這兩位主人公的人物形象塑造也非常成功。他們的故事實際上喧賓奪主，成了小說的主要故事線索，也是小說題旨所在。他們聯合叛亂，處於唐王朝的官軍（由聶鋒率領）與江湖綠林俠義道的夾擊之下。

老實說，段克邪、史若梅的形象與牟世傑、史朝英的形象相比，是有些黯然失色的。段克邪與史若梅的人生目標是茫然無定的，不似牟世傑與史朝英那樣有著明確的目標且為此目標奮鬥不止。段克邪和史若梅的性格與意志是脆弱的，不若牟世傑那樣堅毅果決，也不如史朝英那樣明晰堅韌。

史朝英與段克邪的情感關係，小說中也寫得層次分明，內容豐富而感覺真實。她之所以要離開段克邪而委身於牟世傑，是因為她看到段克邪對史若梅一往情深，不可逆轉，對她史朝英則沒有多少情分可言，甚至只有厭憎。而更主要的則是她發現段克邪壓根兒就沒有（她所希望的）雄心壯志，不想圖謀霸業大舉，也沒有圖謀江湖兼江山的意志和必要的才幹。當然，小說中牟世傑與史朝英的事業是非正義事業，甚而是罪惡的事業，一方面是他們的事業會造成生靈塗炭和社會動亂，一將功成萬骨枯；另一方面他們為達目的不擇手段，甚至除了收羅江湖社會中的殘渣餘孽外，還聯合外族回紇勢力，拋棄了民族大義；再一方面也因為他們造反的「非正統」性質。這是一個事實，也是傳統心理無法接受的，綠林好漢雖然落草為寇，視王法如兒戲，但與造反起義卻有極大區別，不可同日而語。

因而，《龍鳳寶釵緣》不僅敘述了歷史社會的矛盾衝突，也展示了其中人物的文化性格及普遍性文化心態，還展示了社會文化及其價值觀念。

同《大唐游俠傳》一樣，《龍鳳寶釵緣》也將唐人傳奇作品中的人物「化」入小說之中，將「紅線盜盒」這段著名傳奇故事，變成了史若梅（薛紅線）的行為，嫁接得天衣無縫。而牟世傑則又溯源到唐人傳奇中最著名的「虬髯客」形象，至於「妙手空空」則更不必說。

《龍鳳寶釵緣》對《大唐游俠傳》中的一些人物形象，也作了進一步深化塑造。如空空兒在這部小說中，不僅終於有了情感歸宿，而且也有了人生歸宿，他已經改邪歸正了。這是鐵摩勒、段克邪等人影響的結果，同時也是他性格發展的必然趨勢。聶鋒將軍也終於與薛嵩等人分道揚鑣，告別官場，這也是他性格發展的自然結局，非係作者人為。

至於這部小說的人物塑造的成就，敘事語言的特色，在此就不多分析了。

《狂俠·天驕·魔女》

小說連載時的書名是《狂俠·天驕·魔女》，從敘事內容看，魔女柳青瑤的重要性遙遙領先，狂俠是魔女的男友，出場的次數多過天驕檀羽沖，書名似應改為《魔女·狂俠·天驕》可能更合適。不過，這並不是什麼重大問題。

魔女、狂俠、天驕的故事背景，是金、宋對峙時代，而鐵木真正在蒙古草原上進行統一戰爭，到小說結尾時，蒙古成了最重要的軍事存在，先滅西夏，再聯宋滅金，已經勢在必行。總之，這是一個亂世，人的命運自要受亂世的影響。魔女柳青瑤就是一個典型：她是金雞嶺義軍領袖——在某種意義上與《白髮魔女傳》的主人公練霓裳有點相似，甚至共用「魔女」之名——由師父公孫隱撫育並教養成人，不知道自己的父母是誰，於是故事中出現了叔叔柳元甲扮演其父的重要情節，假如柳元甲當真是她父親，而柳元甲實際上是金國的奸細，父女之間勢必存在嚴重的價值觀與人生選擇的矛盾衝突。好在這個問題以出人意料的方式解決了，柳元甲不是柳青瑤的父親，而是她的叔叔，柳青瑤的父親其實是柳元甲的哥哥柳元宗，是中原武林超一流高手，只不過因為受金國武士圍攻而致身殘，二十年隱居於寺廟中，沒有機會尋找失散的女兒。

柳青瑤故事的另一個矛盾焦點，是在狂俠華谷涵和天驕檀羽沖之間難以抉擇。這兩個人都是當時的武林才俊，武功超群，人才出眾，且都對柳青瑤有明顯的愛慕之情，而柳青瑤也對這兩個人都有好感。魔女柳青瑤的情感抉擇，成了本書故事情節的一大看點。柳青瑤很長時間都是左右為難：

「在她即將會見笑傲乾坤的前刻，武林天驕的影子，又在她心頭泛起來了。蓬萊魔女暗暗盼望：『但願笑傲乾坤與我能性情相投，他畢竟是漢人……』」（第四十三回）

最後，正是因為華谷涵「畢竟是漢人」這一民族身分，讓柳青瑤作出了抉擇。這一抉擇合情合理，狂俠與天驕在各方面都差不多，唯一差別就是天驕檀羽沖是金國貝子，而狂俠華谷涵是漢族英雄，柳青瑤與華谷涵戀愛並結合，沒有任何社會輿論，也不會有任何心理負擔。小說以華谷涵、柳青瑤婚禮作結，可謂皆大歡喜。

柳青瑤故事的第三個看點，是她對師兄公孫奇的情感態度。公孫奇是柳青瑤師父公孫隱的獨子，只是不走正道——此人形象與後來的《劍網塵絲》中的齊勒銘有相似之處，不同的是，齊勒銘故事中卻有其父親齊燕然望子成龍心切而過於嚴苛，結果適得其反的情況，而公孫奇則純粹是自己作孽——娶桑家堡主桑見田的長女桑白虹，為了奪取桑家兩大毒經秘笈，殘忍殺妻，繼而又甘心投敵，成為金國侵略者的幫凶打手，最後又強佔妻妹桑青虹，並遭到桑青虹的報復而導致走火入魔，生不如死。

柳青瑤對這個師兄的情感態度，寫得相當精細，要點是，雖然公孫奇作惡多端，但師父只有一個兒子，魔女不忍讓師父傷心，因而在她的武功勝過師兄公孫奇時，總是不忍心對他下狠手，以至於公孫奇在人生邪路上越走越遠，武功很快就超過了柳青瑤，公孫奇也愈來愈驕狂蒙昧，直到被桑青虹指引到走火入魔之後，嘗到生不如死的滋味，又被太乙和柳元甲折磨（**為了得到桑家的兩大毒功秘笈**），才開始後悔。而柳青瑤聽到師兄悔悟消息，到蒙古都城和林去將師兄拯救出來，雖然公孫奇最後還是死了，卻死的心安，而柳青瑤對師父也有個交代，總比她按照師命親手殺死師兄要好得多。

柳青瑤故事和形象的可觀之處明顯，但也有幾個明顯弱點，一是她父親在受傷之際將她放置在路邊、被公孫隱發現並教養，雖然在亂世中並不稀奇，但一個大宗師的女兒被另一個大宗師收養，戲劇性未免過於明顯。二是柳青瑤什麼時候離開公孫隱？什麼時候、因為什麼原因創建金雞嶺山寨？書中沒有交代。這是一個明顯的弱點，既然是柳青瑤故事，那麼柳青瑤的人生重要節點應該交代清楚才好。三是，柳青瑤的「魔女」外號，書中雖然作了解釋，說她對求婚者態度不好，但這一交代未免過於簡單。也就是說，書中的魔女柳青瑤自出場開始就是典型的俠女，絲毫也不像魔女，倒不如說像觀音。沒有把柳青瑤「魔女」的一面寫出來，也就無法將柳青瑤魔女——俠女——觀音的內在張力寫出來，人物形象顯得單薄。

書中的武林天驕檀羽沖形象有著特殊意義。此人作為金國貝子，卻有超群的政治視野，他並不是本族的叛徒，只是反對金主完顏亮、完顏雍黷武窮兵，因而不願與金主合作，從而被女真統治集團視為叛逆。實際上，檀羽沖的思想觀念，恰恰是真正關心本族命運，不願看到因最高統治者自我膨脹而導致民族毀滅的結局。

他的第一次出現，是在泰山保護金主完顏亮，與魔女柳青瑤大戰。只因完顏亮不可一世、熱衷侵略戰爭，檀羽沖才不願與他合作，距離越來越遠。進而在采石磯大戰中，他幫助柳青瑤等人脫險，並不是通敵，而是要讓金主完顏亮接受教訓。完顏亮在此戰中被殺，金主換成了完顏雍，國策卻未改變，檀羽沖在金國報國無門的尷尬地位也就無法改變，在金國，沒有人理解檀羽沖。這是一個非常特殊的人物形象，所以日後作者專門為他寫了一部書《武林天驕》。

武林天驕對魔女柳青瑤的情感，也是書中一個看點。他與柳青瑤不打不相識，愛慕之情愈來愈深，但因為有華谷涵的存在，檀羽沖的情感願望難以實現。其真正原因，不是華谷涵比檀羽沖更優秀，而是華谷涵與柳青瑤都是漢人，而檀羽沖是女真人，而且還是金國貝子，這一特殊身分成了檀羽沖的不利條件。

在這一三角故事中，檀羽沖的情感痛苦寫得很出色，但書中對檀羽沖沒有作深度刻畫，他是如何走上反戰道路？如何與自己的族人以及最高統治者發生矛盾衝突？有哪些矛盾衝突？這些問題，書中涉及得較少，因而檀羽沖的形象就顯得比較概念化。檀羽沖似乎都沒有意識到他與華谷涵的競爭，民族身分成了他的不利條件，這就削弱了這個失戀故事的悲情深度。好在，赫連清雲的出現，填補了檀羽沖失戀的空洞，檀羽沖與遼國貴族後裔赫連清雲成為戀人——檀羽沖似乎喜歡異族女性甚於喜歡本族的女性，這也是他的一個特點——並圓滿成婚，檀道雄、完顏長之聯手，在檀羽沖新婚之夜，用毒藥祛除了檀羽沖夫婦的內力，是書中最令人震撼的一幕，幸而華谷涵、柳青瑤將檀羽沖夫婦拯救出來，使得武林天驕檀羽沖與魔女柳青瑤、狂俠華谷涵從三角戀情變成深厚友情。

在狂俠、天驕、魔女三位主人公中，狂俠華谷涵的形象相對薄弱。雖然作者努力描寫此人的「狂態」，例如狂嘯、放歌等等，但這一人物的這種狂俠心態是如何形成的？華谷涵作為「狂俠」有過哪些驚人的表現？狂俠在心理上究竟有什麼特點？書中都沒有寫出。作者梁羽生先生是儒雅文人，對狂俠心理並不熟悉，所以難以寫出狂俠華谷涵的個性骨骼來。

自從與魔女柳青瑤訂婚後，兩人的關係從此兩情相悅、心心相印，而沒有任何矛盾衝突，這就顯得過於簡單。一個狂俠，一個魔女，這兩個人走到一起，本當有更多的矛盾、更艱難的磨合過程才是。進而，華谷涵有兩位僕人即黑白修羅，看起來很像《萍蹤俠影錄》主人公張丹楓的兩位天竺僕人黑白摩訶的翻版，在傳奇故事中，這樣的情形當然不會被質疑，但寫得卻很一般。小說最後，寫華谷涵和柳青瑤去西夏拯救黑修羅，又去和林拯救白修羅，故事情節很曲折，也很誘人，但他們與華谷涵的關係還是顯得一般。

臺灣風雲時代版將本書改名為《挑燈看劍錄》，或許是因為寫過「醉裡挑燈看劍」詞句的辛棄疾在書中有重要地位，且小說從辛棄疾的第一個上司耿京的侄子耿照開始寫。耿照是這部書中的一個重要人物，這一人物的身分及其經歷涉及，煞費苦心，實際上成了書中故事情節的一個重要樞紐。他的父親耿仲在金國為官（因為他是薊州人，一直生活在北方），卻心向南宋，實際上是自主充當南宋間諜，一是繪製金國的軍事地圖，二是調查南宋官員與金國私通的秘密，臨終時讓兒子耿照將包含上述成果的遺書送到江南，不僅成了書中的故事引線，且介紹了書中的歷史背景，同時也聯繫了江山與江湖兩大故事空間。

具體說，耿照與耿京、辛棄疾的關係，聯繫了真實歷史人物及其故事線索；耿照南下過程及其經歷，又聯繫了赫連清波、桑家堡、魔女柳青瑤等重要人物及多條重要故事線索。

耿照的衝動個性與行為，符合他的年齡與心智水準。面對悲劇命運的突襲，任何人都可能頭腦發懵且憤怒衝動。耿照懷疑姨父秦重、表妹秦弄玉出賣他母親，雖說無稽，卻並非沒有道理。除了這個親戚，此外並沒有什麼人瞭解他父親的真實身分及心裡的秘密。所以，他衝動地去找姨父秦重，在拼死打鬥中將姨父刺死，將表妹刺傷，不僅可以理解，且情有可原。

耿照受赫連清波的魅惑，對蓬萊魔女柳青瑤的誤解，同樣情有可原。不光是因為他根本就沒有什麼江湖經驗，更重要的是他當時處在家破人亡及失手殺死姨父的雙重震驚之中，根本就無法理性地觀察和思考，只能本能地與幫助他的赫連清波——她說自己叫連清波——親近，浮雲遮眼，近墨者黑。好在他遇到了柳青瑤，得到了柳青瑤的信任，並與柳青瑤的侍女珊瑚一路同行，在此後的故事中，耿照與桑青虹、珊瑚、秦弄玉等女性的關係，成為書中的重要看點。

桑青虹對耿照一見鍾情，並一廂情願地讓耿照修練桑家的「大衍八式」，是耿照人生的一大機緣，卻也是桑青虹故事的一大關鍵。桑青虹在失去耿照後，嫁給孟釗，後被公孫奇霸佔，人生被徹底扭曲。好在最後關頭，桑青虹終於見到了耿照，並且被柳青瑤等人拯救出來。

珊瑚與秦弄玉都愛耿照，當耿照視秦弄玉為敵時，珊瑚成了他最大的安慰；但當耿照明白自己對表妹秦弄玉的誤會之後，珊瑚又成了這對青梅竹馬的戀人中的第三者。所以，自尊的珊瑚主動離開——有意思的是秦弄玉也主動離開，幸而遇到知情人柳青瑤，對秦弄玉解釋了耿照和珊瑚的心思，才使得秦弄玉和耿照破鏡重圓——珊瑚出家為尼，顯然是為了成全耿照與秦弄玉，同時也因為她情感無望，但後來遇到陸勉，讓她心動不已，促成她還俗，重歸山寨，得知陸勉竟然是玳瑁的弟弟，這就讓珊瑚的情感有了歸宿，從而讓耿照與秦弄玉的關係平順轉折，可謂皆大歡喜。

由於耿照的主要身分是在南宋當軍官，輔助辛棄疾保衛南宋邊界，所以耿照的故事就沒有多少新內容，而辛棄疾更是從讀者視野中消失。

赫連清波、赫連清雲、赫連清霞三姐妹的故事，也是書中重要看點。她們的父親為遼國殉職，在戰亂中，赫連清波與母親及兩個妹妹走失，赫連清波成了金國的郡主，助紂為虐，是書中重要的反派人物。誘騙耿照，嫁給公孫奇並終於被公孫奇所害。赫連姐妹形象相似，引起重重誤會，正是故事情節的構成要素。只不過，赫連清波用劍，赫連清雲用刀，赫連清霞用笛。

更重要的是，赫連三姐妹的戀愛對象，涉及不同的社會關係，赫連清波與公孫奇，赫連清雲愛上了武林天驕檀羽沖，赫連清霞愛上了遼將後裔、反金義士耶律元宜。有意思的是，赫連清雲、赫連清霞姐妹，又與柳青瑤的父親柳元宗及華谷涵熟悉，所以，赫連三姐妹不僅是書中重要人物，同時也是書中人物關係網絡的重要組成部分。

就人物形象及故事情節設置而言，丐幫幫主尚昆陽的弟子武士敦與丐幫長老朱丹鶴的故事也非常巧妙。武士敦是漢人英雄，很早就被師父尚昆陽派往金國臥底，在采石磯之戰中，乘亂割了金主完顏亮的頭顱，待他回到丐幫，非但沒有被當作英雄，反而被當作奸細，遭到丐幫驅逐。原因是，丐幫長老朱丹鶴是金國人，很早就在丐幫臥底——性質與武士敦一樣，都是為自己的民族做間諜——唆使風火龍將武士敦當作丐幫及漢民族叛徒。丐幫選幫主這一段，故事情節相當精彩。朱丹鶴的兒子麻大哈找丐幫報仇的線索，既奇峰突起，又合情合理。

書中老一代人物，聶金鈴與太乙、明明大師的三角關係也非常重要。明明大師是金國的隱逸高人，而太乙卻熱衷於功名利祿，是書中重要反派角色。聶金鈴離開了太乙，卻被太乙苦苦糾纏；更巧的是，聶金鈴與太乙的女兒石瑛，又是柳元甲的前妻——柳元甲也是書中重要反派角色，與太乙沆瀣一氣。

書中的上官復、杜美珠、青靈師太和青靈子的四角關係，也令人唏噓。關鍵是，此一關係影響到上官寶珠的一生，她本來是上官復和杜美珠的女兒，從小被杜美珠的姐姐青靈師太收養，以至於不知道自己的生身父母是誰。若非後來相遇，上官寶珠勢必會蒙昧一生。書中上官復，很可能就是後來的小說《鳴鏑風雲錄》中與韓大維交好的那個一心復辟遼國的上官復（**在《狂俠天驕魔女》的最後，柳元宗問上官復為什麼要在金國當官，上官復說他有不得已的苦衷，很可能就是因為復辟遼國的心願無法對一般人明言**），若是這樣，上官復的四角戀故事就更加複雜了。只可惜，他們都不是《狂俠・天驕・魔女》的重要人物，他們的故事只能匆匆一筆帶過。若非如此，他們的故事，尤其是上官復的故事，大有文章。

與梁羽生大部分小說一樣，《狂俠・天驕・魔女》也遵循了通常模式：一兩個義軍山寨、三兩個游俠、多場打鬥、多人情愛線索。本書的情愛故事包括：一、柳青瑤與華谷涵。二、檀羽沖與赫連清雲。三、赫連清霞與耶律元宜。四、耿照與秦弄玉。五、珊瑚與陸勉。六、武士敦與雲紫煙。七、上官寶珠與仲少符（**在此之前，上官寶珠與朱丹鶴之子麻大哈是一對**）。八、玳瑁與李家駿。

《武林天驕》

《武林天驕》是梁羽生第三十四部武俠小說，從一九七八年五月二日至一九八二年三月九日在《香港商報》上連載了將近四年時間。是作者晚期代表作之一。

小說主人公「武林天驕」檀羽沖，在梁羽生小說《狂俠・天驕・魔女》中已經見過了。這就是那個武林天驕。這部《武林天驕》可以說是《狂俠・天驕・魔女》一書的「外傳」或「別傳」。

梁羽生的晚期作品有一個特點，就是總結前面的創作，例如《武林三絕》一書，通過其中的人物關係，差不多聯繫了梁羽生大部分小說作品。通過風鳴玉、風從龍聯繫了《風雲雷電》；上官英傑、谷靈珠聯繫的《狂俠・天驕・魔女》；華玉峰、華千岩、華千石聯繫了《大唐游俠傳》和《慧劍心魔》；凌雲鳳、霍天都聯繫了《萍蹤俠影錄》和《散花女俠》；谷靈珠的故鄉廣元及天后祠聯繫到《女帝奇英傳》；而霍天雲及其天山派則聯繫到《七劍下天山》……等系列小說。這一部作品中的人物上掛下聯，幾乎涉及到自唐到清千年歷史社會及江湖派系線索，牽連了梁羽生所創造的幾乎整個武學小說世界。

《武林天驕》也是一部總結性的作品。只不過，《武林天驕》的總結性，並不像之前的《武林三絕》那樣在表面的人物關係上面「集大成」，而是表現為思想主題的總結與提煉，當然也可以說是昇華與超越，還可以說是在更高層次上的「背反」。

首先，表現在小說的思想主題上，由明確而堅定的民族主義、愛國主義，發展到「國際主義」（應該說是進化到中華民族的大團結層次）與和平主義思想。這在梁羽生小說創作中，可以說是一個根本性轉折與昇華，是一個了不起的異數。

梁羽生不但創造了民族鬥爭故事及民族愛國主義主題的新武俠小說敘事模式，而且還堅持運用這一模式創造了一系列小說作品及一系列英雄形象。這一類故事及形象，在前文中已經充分討論過，這裡無需多說。

到《武林天驕》這部書，則由主人公的奇特身世——檀羽沖的父親是金國的貝子，母親卻是宋國抗金名將岳飛的外孫女——演化出民族融合與民族團結主題。

其次，《武林天驕》一反梁羽生小說以武功保衛祖國的敘事模式，而變為一部和平主義基調的反戰小說。在技擊之中，固然可以分出俠義一方與邪惡一方，民族戰爭也可以分出正義戰爭與非正義戰爭，以往的武俠小說正是在刀光劍影中敘述表現俠義英雄形象，在千軍萬馬的戰爭中書寫民族英雄的性格與精神。這當然是有其可取之處，不過，它的思想意義仍然局限於狹隘的民族立場與觀點，以及簡單到明顯有所偏頗的道德判斷。比之和平、反戰、民族大團結，顯然是低了一個層次，只有基於和平主義的反戰思想，才是人類的共同理想。

檀羽沖的祖父檀公直，本為金國王爺（貝勒），且還執掌兵權，由於厭惡戰爭，才辭官歸隱於盤龍山中，寧可以獵、樵之事為生。恰好與南宋名將張憲（岳飛的女婿）的家僕張炎及其義女（此女是張憲的女兒，即岳飛的外孫女）張雪波比鄰而居。張炎父女隱居於此，與檀公直父子不同，檀公直、檀道成父子是因為厭戰而自覺地隱居於此，而張炎、張雪波則是避難逃亡來到此地隱居。

檀公直和張炎都不知道對方身世，誰也沒想到，他們不僅是異族，而且還是敵國之人。由於兒女逐漸長大，很自然地讓檀道成、張雪波結為夫妻，進而生下了檀羽沖——也就是本書的主人公。小說開頭，是寫張炎發現檀公直與金國官差來往（這些官差是來請檀公直回朝廷主事，後來宋國的官差也來了，是要抓張炎、張雪波這對「逃犯」），出於狹隘的民族仇恨，張炎下毒殺害了檀公直、檀道成父子。

這一行為不僅是造成官差殺人毀家的契機（否則憑他們這些人的武功，若聯合抗敵，兩國官差都不可能得逞），很明顯，漢族的張炎，在思想境界上比不上女真族的檀公直、檀道成父子，是輸了一籌；進而，張炎不敢把南宋君臣陷害岳飛的真相告訴張雪波，而且似乎也不敢恨南宋君臣，而南宋官府偏偏不放過他們，在這種情況下，張炎的行為就顯得更加蒙昧愚蠢，與檀氏父子比，輸的就不止一籌了。如此，寫一個漢族英雄在人格和思想境界上比異族敵國中人輸掉幾籌，在梁羽生小說中——在所有大漢族主義者中——都可以說是極其少見的異數（只有金庸小說《天龍八部》中的蕭峰比所有漢族英雄都更加明智英勇）。

小說中有這樣一段——

檀公直忽道：「孩兒，你不要罵他，我只是為他可惜！」

張炎怔了一怔，說道：「你為我可惜什麼？」

檀公直道：「可惜你在岳少保生前，沒有機會受到他的教導。」

張炎冷冷說道：「我現在就是遵奉岳少保的遺訓！」

檀公直道：「你口口聲聲說是遵奉岳少保遺訓，岳少保若是泉下有知也會從棺材裡跳出來打你的耳光！」

張炎大怒道：「你死到臨頭，還敢對我侮辱！」

檀公直道：「岳少保的遺訓，叫你不分青紅皂白胡亂殺人的麼？你知不知道岳少保在朱仙鎮大捷之後，曾發過一道檄文，檄文說他將渡河收復失地，叫金國的老百姓不要附從兀術與他為敵。檄文說只須遵從他的號令，他對金人漢人都是一視同仁。在朱仙鎮大捷之前，他又曾上過一道奏章，是給宋國皇帝趙構的。他反對趙構和秦檜向金國求和，但也說明他並不反對和平，只是平等地位的媾和。可見岳少保也並非要與所有的金國人為敵，要不要我把這道奏章念給你聽？」

原來，檀公直還是受岳少保（**岳飛**）的這道奏章的影響，才最終決定辭官歸隱的，這大概讓漢人讀者心裡舒服一點。小說中為我們塑造了岳飛形象的另一面，即他不但是一位「壯志饑餐胡虜肉，笑談渴飲匈奴血」的民族抗戰英雄，同時還是一位真正的和平主義者。岳飛並不是狹隘的民族仇恨的象徵，而民族尊嚴絕不等於不分青紅皂白地濫殺無辜。

其三，小說《武林天驕》順流而下，對漢民族的民族性格及其心理進行了精彩的描述，也進行了深刻的反思。

如果說張炎的形象，已經能作為民族性格與民族心理的一種典型，我們在這一人物身上能發現漢民族的某些狹隘缺陷、魯莽的不足和盲目的仇恨，那麼，小說主人公檀羽沖在南宋都城江南臨安的遭遇就更能說明問題了。江南漢族俠義道不分青紅皂白地將有一半漢人血統的檀羽沖當成奸細，進而群起而攻之。看起來似乎只是少數壞人在挑撥離間，但顯然也有更深刻的民族心理及其集體無意識。

只有檀羽沖的母親張雪波與眾不同——她是岳飛的外孫女，不僅是岳飛血統的繼承人，也是岳飛精神的繼承人——在她臨死之前，對檀羽沖說：「我說的是報仇以外的事情，記住，你父親是金國人，你的母親是宋國人。金宋雖是敵國，你的父母卻是恩愛夫妻。」她是憑自己的真實感受和心靈直覺說這番話的，她只是一個普通女性，說不出什麼大道理，然而她的人生經歷以及心靈智慧與切身感受說出的這番話，看起來似乎矛盾，實際上值得深思。只不過，漢人俠義道中，只有一個小姑娘鍾靈秀，憑自己的感受和直覺判斷檀羽沖不是壞人。其他人都被民族仇恨蒙蔽了心智，不問是非對錯，對檀羽沖展開一次又一次圍攻。難怪檀羽沖感到極度悲憤，感慨萬千：「知我者，謂我心憂；不知我者，謂我何求。悠悠蒼天，彼何人哉！」

他到底是什麼人？其實也很簡單，只是一半是金人，一半是漢人。金國的君臣似乎一直是想請他回去，而南宋漢人君臣及江湖俠義道則不約而同地想要他的命。不管出於何種原因，不管是因為什麼目的，金國與南宋，女真人與漢人，存在著明顯的認知差異。這點差異看似不大，但一旦落到某個具體人身上，成為某個人的命運，那就具有決定性意義了。

小說的結局，是檀羽沖隱居於一半屬於金國、一半屬於南宋的翠屏山。這樣一個奇特的地理位置，似乎恰好是檀羽沖這位一半金人、一半漢人的主人公最合適的歸宿。你既可以將這個地方看作是一座山、一個國家的一分為二，也不妨將此地看成是山的兩面、兩個民族的「合二而一」。因為翠屏山本就是一座山，中國本就是一個多民族統一的國家，一分為二是暫時的，合二為一才是永恆。

其四，《武林天驕》最重要的變化，還是梁羽生敘事觀點的變化。小說的敘事觀點，不再是基於宋朝漢人立場，當然更不是基於金人立場，而是超越了民族本位，以人文主義觀點敘述這個悲劇故事。和平與反戰，不僅是一朝一代及一個民族的俠與非俠的衡量標準，而是整個人類的、人性的、人文主義的真切願望和終極理想。所以，在這部小說中，作者才故意虛構了檀羽沖這樣一個半是金人半是漢人的主人公，他的家庭悲劇及其一生的不幸遭遇全都是由於民族之間的戰爭所帶來的。

他母親說，「金宋雖是敵國，你的父母卻是恩愛夫妻。」這部小說的重心及目標，顯然不再是金國與南宋對敵的故事，而是相反，講述此種背景下一對恩愛夫妻的殘酷遭遇，以及他們的孩子在這個世界上的悲慘經歷，小說主題不言而喻。

無獨有偶，書中檀羽沖的師父也有類似經歷。耶律玄元是遼國皇帝的私生子，但他卻愛上了一個金國的姑娘，遼國被金國所滅，王子耶律玄元的戀情自然也就如同鏡花水月。耶律玄元的情人，成了現今金國大將軍完顏鑒夫人。小說中敘述這個故事，不是講述一段仇恨，而是講述有情人難成眷屬的憂傷。

檀羽沖的情感經歷也頗有深意。他先後接觸過三位少女，首先是金國兵馬大元帥完顏長之的義女赫連清波——人稱「玉面妖狐」，她應該是遼國人——幾度並肩又幾度分手，情苗滋生卻終不能如願。其次是江南漢族少女鍾靈秀，他與她相依為命、共歷生死，這位純潔美麗的姑娘最終為拯救他而捐軀，臨死之前，他對她說願意娶她為妻，但那不過是對她的臨終安慰，因為他對她的感情其實只限於兄妹之情。有意思的是，赫連清波和鍾靈秀分別屬於金國、南宋，最終都無法與檀羽沖走到底。只有第三位少女，即赫連清波的妹妹赫連清雲最終自願與檀羽沖結伴隱居於翠屏山。此女與金國、南宋都沒有什麼關係，她是個超乎民族國家之上的自由人。只是，她與他是否會成為眷屬？小說中並沒有給出明確結論。

總之，《武林天驕》中的主要人物，似都與歷史關聯。而小說中的歷史背景，只是單純的歷史背景而已。小說的主要內容，只是單純的悲劇人生故事。武功超凡的「武林天驕」，在這個故事中可以說是個徹頭徹尾的不幸者。

最後，這部小說的敘事語言形式也有變化。小說分為十六節——既不是章，也不是回——而每一節的標題再也沒有回目對聯，而只是四個字成語，顯得非常簡單明瞭，或許作者是要讓八〇年代的讀者更容易接受。

這部小說的不足，也許是由於它與《狂俠．天驕．魔女》有關，因為受到前書內容及其設定的制約，所以寫得較為局促。有許多情節都應該展開，但卻沒有展開，小說簡單得有些單薄。收筆處也略顯急促，檀羽沖的故事在本書中顯然沒有寫完——那只有到《狂俠．天驕．魔女》中去看——諸如，檀羽沖一直在尋找他的妹妹，但到最後也沒有著落，這就顯然缺少了一塊。再如，小說中對赫連清波、赫連青雲、赫連清霞三姐妹的出身經歷也交代得不夠清楚，對本書讀者而言，肯定是一個不小的遺憾。更大的遺憾是，作者似乎過於倚重主人公檀羽沖的特殊身分，只是在「巧」字上下功夫，從而整體上輕靈有餘而厚重不夠。

《武當一劍》

《武當一劍》是梁羽生最後一部武俠小說。這部小說的特別之處，一是有公案推理小說的線索，即武當派俗家高手丁雲鶴、何其武及第一長老無極道長被人暗殺，何其武的弟子耿京士、家人何亮也先後被殺，何玉燕自殺。這一連串命案都與武當派有關，有心讀者勢必始終關注這一連串謀殺案的真相。作者當然也要利用這一連串謀殺案作為懸念，始終吸引讀者的關注。

當然不能說這是一部偵探、推理小說。因為從案發到最終結案，長達十八年時間，武當派兩任掌門人無相真人和無名真人牟滄浪並沒有把偵破此案當作武當派的頭等大事來做。無相、無名兩位掌門也都沒有偵探能力，與此事關係極大的戈振軍，即不歧、耿玉京這兩人在非但沒有偵破能力，也沒有偵破權力。更重要的是，所有這些人都沒有相應的推理能力。實際上，連作者本人也沒有推理能力。

這樣說的證據是，作者雖以丁雲鶴、無極長老、何其武之死作為懸念，但對他們的死亡謎案卻沒有精心設計——也許是沒有設計能力，也許是沒有專門設計的功夫——直到最後，我們才知道，丁雲鶴、無極道人都是西門牧殺害的，而何其武則是穆盈盈殺害的。如果丁雲鶴、無極道人發現了滿洲間諜的秘密而被滿洲間諜如聾啞道人王晦聞等人策劃殺害，那還可以理解；但作者卻安排讓詐死隱身的西門牧去殺害這兩個人，他為什麼要殺這幾個人？難道僅僅是為了要嫁禍給牟滄浪？

那時候牟滄浪只是武當俗家弟子，而沒有成為武當派掌門人、接班人，他們為什麼要這樣做？更合理的設計，是丁雲鶴、無極道人、何其武三人，有兩個或兩組凶手，一組是滿洲間諜；另一組是想要嫁禍牟滄浪的西門牧，這樣才更加合理。可是作者似乎沒有這樣的功夫或能力。以至於看到最後，我們都不知道，武當派的無量道人、欽使褚千石和副欽使趙太康到底是不是滿洲奸細？到底是不是參與了丁雲鶴、無極道人和何其武的謀殺案？王晦聞是否參與了謀殺案？

本書並不是真正的偵探推理小說，所以不能按照偵探推理小說的標準衡量這部作品。只能以武俠小說的標準衡量這部作品。如果以武俠小說的標準衡量，則本書的另一個特徵就十分突出，這就是，本書與梁羽生前期、中期乃至後期的作品有所不同，即俠光晦暗。武當派與少林派是名門正派的兩大支柱，但這部書中的武當派似乎沒有多少光彩照人的俠義之士，而多自私自利心機幽暗之人。

書中的一些重要人物，如無相身邊的滿洲奸細王晦聞、覬覦掌門之位的無量道人就不必說了，即便是作者著重刻畫的無相真人的關門弟子戈振軍即不歧道人、無相親自選擇的接班人牟滄浪即無名真人、牟滄浪的兒子即後來的武當掌門人牟一羽，全都不是光明磊落之人，各藏私心，相互提防，雜念叢生。無相雖然沒有什麼私心，但他似智實愚，糊塗智短，證據之一，是滿洲奸細王晦聞在他身邊臥底三十年他竟然毫無察覺（**且不說王晦聞為什麼要扮作聾啞道人在武當山臥底**）。

證據之二，是他居然選擇牟滄浪作為武當掌門的接班人，從書中看，牟滄浪不僅風流放浪，而且德行有虧，不足以領袖群道。無相之所以選擇牟滄浪，是因為知道他的本門功夫最佳，可以對付崑崙派玄真子師徒的挑戰（**果然如此**）。這也可以看出，無相是把應付武當眼前的壓力或災禍當成了頭等大事。

證據之三，是他將嫌疑重重的戈振軍收為關門弟子，卻沒有對何其武、耿京士等謀殺案深入追查下去。戈振軍嫌疑重重，也心事重重，這是誰都可以看出的，無相卻視而不見，直到他死也沒有說出所以然，不是糊塗又是什麼？相反的證據只有一條，那就是無相在臨終之前讓耿玉京離開武當山，並交給他武功秘笈，讓他去少林寺找慧可陪他去遼東。但這一條反證，不能說明無相智慧過人，只能說明在武當山上沒有他可以真正相信的人。武當山上都沒有可以相信的人，他這個掌門人豈不是失職？

說武當山上沒有可以相信的人，或許有點過分。從小說結尾看，至少無色道人、無極道人的大弟子不波道人還是為人正派、可以相信的。問題是，無色、不波雖然為人正派，但卻耽於武功，頭腦未免簡單，無法擔當大任。這樣說的證據是，牟一羽和唐二先生設計「打死」常五娘，就將無色道人輕易騙過了。另一個證據是，在無名要耿玉京當掌門、無量真人堅決反對之際，無色、不波這兩位長老左右為難，看不清真相，觀點和立場變來變去，足可以證明他們見識有限。

作者為什麼會將武當派精英寫成這樣？這才是值得追問，更值得思索和討論的問題。作者之所以如此，是因為這樣寫更接近人性真實，如第七回回目所說「萍水孽緣難自解，江湖俠骨恐無多」，世間的自私而平庸者，占了大多數。

以不歧即戈振軍為例。他是何其武的弟子，耿京士的師兄，師父何其武把自己的獨生女兒何玉燕許配給他，但何玉燕卻與更年輕、天賦更好、個性更活潑的耿京士相愛並私奔。這對戈振軍毫無疑問是個打擊。問題是，戈振軍被風流放蕩的常五娘所誘，與之有了一夜情，進而聽信常五娘之說，以為師弟耿京士做了滿洲奸細，所以在他和何玉燕回師門的前夕攔路截殺，結果不但殺了耿京士，且殺了無辜的家人何亮，導致何玉燕在產子後立即自殺。

更大的問題是，在何其武被殺時，他明明看到了凶手的背影（面貌像他，背影像耿京士），也聽到了師父臨終遺言，但卻沒有告訴武當掌門人無相真人。之所以如此，是因為自私，深怕自己殺害師弟的秘密曝光。見師死而不救，則是因為他見凶手的武功遠高於他，怯弱怕死。但戈振軍並不是壞人，證據是，當何玉燕將剛剛生下的孩子託付給他，他毅然承諾要將孩子養大，於是委託獵戶藍靠山夫婦當孩子的養父母。戈振軍對孩子藍玉京（耿玉京）很好，做他的義父很是稱職，但做他的師父卻留有後手，在教孩子太極劍時故意增加似是而非花哨不實的招式，原因是害怕孩子知道自己的身世真相（父親是被這個義父和師父所殺）後向他報仇。

說到底，還是自私和怯弱。不敢向掌門人兼第二任師父無相真人說明真相，更不敢向藍玉京說明真相，結果只能是孤獨地承受這份內心的煎熬。險些被無量、聾啞道人所利用。無相為戈振軍取道號不歧，此人的人生與心理最大特點恰是「多歧」，這是平凡乃至平庸者的最大特點，即沒有獨立的精神意志，任憑自私本能支配，於是多歧。結果被常五娘和唐二傷害在前，被王晦聞即聾啞道人暗殺於後，窩囊死去。不歧的大半生都生活在心理的陰暗中，所以心理細節很豐富，且更加真實。

再說牟滄浪。此人是武當俗家弟子，牟家與武當派的淵源長達數百年，其祖先牟獨逸還曾擔任過武當掌門人。牟滄浪頗有俠名，但從書中卻看不到他的俠行，更看不到他的俠心。在他的婚姻家庭生活中，此人近乎偽君子：與「小五義」刻意結交，真正的原因不過是為了接近東方曉的妻妹殷明珠。與殷明珠相愛甚至生子（牟一羽），卻又不敢反抗父母包辦婚姻，不得不離開殷明珠。若僅僅如此倒也罷了，問題是，他在與父母選定的妻子結婚之後，而殷明珠也嫁給了義兄西門牧，而牟滄浪卻仍然與殷明珠保持不正當男女關係，又生了女兒西門燕。

更大的問題是，在家有妻子，又有情人的情況下，他竟與風流放蕩的常五娘打得火熱，這一切至少證明此人表裡不一。在當了武當掌門後的第一件事，就是派兒子牟一羽下山尋找藍玉京，調查藍玉京被無相指派下山的真相。無相信任他，選他做掌門，但看起來他卻不怎麼信任無相。他的所作所為，也是為了鞏固在武當派內的權位，與無量虛與委蛇，對不歧既控制又防範，除打敗崑崙派劍聖向天明的弟子東方亮之外，接任武當派掌門之後，再也看不到他的任何亮點。

當然，在聾啞道人王晦聞將他的情婦常五娘抓獲，逼迫他將掌門讓位給無量道長時，他表現的不卑不亢，一半是不願受人脅迫的剛性，一半是對權力地位的固守。在接受朝廷封號時，他突然提出要讓耿玉京擔任武當掌門人，看起來頗似出自公心，實際上未嘗不能看作是他對付王晦聞的手段，即使自己當不成掌門也不願讓對方如願；更不必說，若年紀輕輕的耿玉京當上掌門，很可能還是在他的掌控中。他對聾啞道人、無量道人組成的陰謀小集團所以容忍妥協，說到底是因為他有痛腳心病。

再說牟一羽。他是牟滄浪的兒子，武功不俗，看起來一臉正氣，實際上卻詭計多端，讓人難以看清他的真相。最典型的例子，是他與唐二先生聯手欺騙正直單純的無色道人，即讓唐二先生故意將常五娘打死，然後再將常五娘救活，讓無色以為常五娘真的死了，從而不再追究常五娘。他這樣做，當然不是為了常五娘，而是為了保護他的父親，因為他知道父親牟滄浪與常五娘曾有過不正當關係，也知道唐二先生知道常五娘與牟滄浪有染，此為一舉兩得。

牟滄浪下武當山是要找藍玉京（耿玉京），結果卻與藍水靈相遇，單純卻有敏感直覺的藍水靈很是「怕」他，這雖算不上什麼證據，但多少也能說明問題，牟一羽有些「陰」。牟一羽之所以有些陰，一方面是因為他參與了父親在武當派的權力鬥爭，凡與權力鬥爭相關的事，總是帶有某種陰森恐怖之氣；另一方面，則是因為此人對誰也不相信，對自己的父親也不真的相信，他與父親牟滄浪之間也不是坦誠相對。最大的心結是，他覺得自己的母親是因為父親不軌行為抑鬱而死，他卻又不能不處處維護自己的父親；為父親辦事，卻又無法真正信任父親，牟一羽的內心痛苦可想而知。直到最後，他才知道西門夫人才是自己的生母，西門燕竟是自己的妹妹，牟一羽的震驚不言而喻。在書中，牟一羽沒有多少俠行，當然也沒有明顯惡行，他只是一個富有心計而欠光明磊落的青年。這個青年，成了武當派繼任掌門人。

書中唯一亮色，是十六七歲少年耿玉京。他的亮色，不是因為他有超人的練武天賦與悟性，而是因為他在放棄武當掌門之後前往遼東抗清前線，並且在關鍵戰役中打傷或擊斃滿清最高領袖努爾哈赤。只不過，作者對耿玉京的形象描寫並不十分成功。一部分原因是他還是個孩子，除了練武之外似乎還未能達到心智成熟的年齡，從而還沒有成熟且明晰的人生觀和世界觀；另一部分原因，是他最後的俠行即打傷或擊斃努爾哈赤，並沒有作正面描寫，只是匆匆一筆帶過。在他前往遼東之前，我們看到的耿玉京，仍然不過是個心思簡單、性格溫和，但涉及自己的親友或利益時，也會表現出衝動情緒——如在無名推薦他當掌門時與無量道長頂嘴——的少年脾性。實際上，耿玉京雖是「武當一劍」，卻算不上是本書真正的主人公。

東方亮是書中另一個值得關注的人物。他的身分是崑崙派玄真子的徒孫、劍聖向天明的弟子，因為他有超人的武學天賦，師父培育他的目的是要他完成戰勝武當派第一高手，為師門增光。為了知己知彼，他雖然從姨媽殷明珠那裡學到了一些武當劍法（**殷明珠的劍法傳自牟滄浪**），但他還是想從武當少年耿玉京那裡學，所以他與藍玉京交往顯然有其功利目的，是別有用心。

但在他與耿玉京交往過程中，他們之間也確實產生了兄弟朋友之誼。儘管如此，他一面內心隱隱不安，另一面還是要繼續利用耿玉京。尤其是利用耿玉京將少林慧可騙到斷魂谷，繼續觀摩切磋武當劍法。此人是不是個壞人？這很難說，理由是，東方亮除了是崑崙派弟子這一身分外，還有一重更重要的身分，那就是東方曉的兒子。東方曉死於非命，他要為父親報仇。他不知道自己的殺父之仇是誰，第一嫌疑人是武當大俠牟滄浪。所以，東方亮要深入瞭解武當劍法，不僅僅是要為師門增光添彩，更重要的目的是要為自己報殺父之仇。為了這一目的，他才為達目的不擇手段。他不僅誘導和欺騙耿玉京，同時對自己也十分心狠，居然為了練劍而自宮。

由此可見，假如說東方亮性格中有什麼邪氣的話，那不是因為師門榮耀，而是因為殺父之仇。為此他真是不惜一切代價。直到最後，他才知道，自己的殺父仇人並不是牟滄浪，而是他的姨父西門牧及其後妻穆盈盈。東方亮殺了穆盈盈。

東方亮對表妹西門燕的情感態度也值得注意。他好像有些故意疏遠西門燕，原因不外是：一，他要專心練劍，練劍需要童子功，不能因兒女之情耽誤了武功進境。二，他在遇到藍水靈之後，發現藍水靈比表妹西門燕更為可愛，所以疏遠西門燕的跡象越來越明顯。三，他以為牟滄浪是殺父仇人，也知道姨媽殷明珠是牟滄浪的情人，雖然姨媽殷明珠對他確實親如母親，但他還是不願與姨媽有太深的感情關係，因為他要殺牟滄浪，所以不願意與牟滄浪的情人的女兒西門燕（**他那時還不知道西門燕居然也是牟滄浪的女兒**）有情感與婚姻關係。

總之，《武當一劍》寫出了現實中人的複雜性，再也不是單純的俠與邪。我們在武當派名家如無相真人、牟滄浪或無名真人、牟一羽、戈振軍或不歧道人、無量道人、聾啞道人乃至無色道人、不波道人等人的身上看不到單純的俠氣；而在東方亮、向天明、西門夫人、西門燕乃至西門牧、穆盈盈等人的身上所看到的也不僅僅是邪氣，同時也看到了愛心、友情和其他讓人心動的品質。

這就是說，《武當一劍》與梁羽生先生前期和中期小說有明顯不同。這不同就在於不像前期或中期小說那樣單純，而是越寫越複雜，越寫越真實，看起來也就有點越寫越晦暗。這是梁羽生心境變化、觀念變化的重要後果。此時已經進入了二十世紀八〇年代，大陸「文革」已經結束，梁羽生可以獨立思考，且隨著年齡的增加，他也很自然地將自己的人生經驗融入自己的創作之中。

本書的不足也很明顯。其一，是前文所說，有關武當派丁雲鶴、無極道人、何其武、耿京士等人的連環謀殺案的設計不十分合理，解釋也不十分令人滿意。

其二，有關「小五義」的設計和敘事也難以令人滿意，要點是，小五義中的慧可為何到少林寺當火工和尚？隱姓埋名三十餘年？七星劍客郭東來和王晦聞為什麼要隱退？為什麼這兩個漢人要當滿洲奸細？郭東來是什麼時候、由於什麼原因開始後悔自己的行為選擇，並決心要改弦更張？他為什麼要讓自己的兒子郭璞前往金陵（**小說中似乎把金陵當作了明朝都城，實際上明朝的都城早已隨永樂登基後而遷往北京，金陵被稱為南京，也就是說沒有金陵這個說法**）充當兩面間諜？郭璞在充當兩面間諜之後究竟做過什麼？郭璞即霍卜托寫給耿京士的信到底寫了些什麼？為什麼武當派中人會把這封信當作耿京士做了滿洲奸細的證據？郭璞為什麼要寫這封信給耿京士？……這些，書中都沒有給出圓滿解釋。

民族衝突中的立場選擇，一向是梁羽生小說中俠與非俠的試金石，王晦文為什麼要當漢奸？武當無量道人是不是漢奸？朝廷欽使褚千石、趙太康是不是漢奸？書中都沒有給出明確解釋，只能說作者的設計不嚴謹，敘事不周到。

最後，如果說這部書的文學品質有所提升，是以可看性的降低為代價的。文學品質的提升與可看性的降低是否成正比？或許要專門研討。

【注釋】

1《塞外奇俠傳》的故事發生在《七劍下天山》之前，但書的寫作在後。《七劍下天山》是一九五六年二月十五日開始在《大公報．小說林》連載（至一九五七年三月三十一日結束），而《塞外奇俠傳》則是一九五六年八月十八日才開始在《週末報》上連載（至一九五七年二月廿三日結束）。

2梁羽生：《七劍下天山》（上冊），第一〇三至一〇四頁，香港，天地圖書有限公司，二〇〇五年。

3這一篇文字並不是近幾年的閱讀札記，而是轉錄自我的《港臺新武俠小說五大家精品導讀》，我偷懶了，特此說明。

◆金庸小說述評◆

金庸是香港武俠小說史上最傑出的作家。

金庸，原名查良鏞（一九二四—二〇一八），浙江海寧人。中央政治學校外交系肄業，曾在上海東吳大學法學院插班學習。一九四六年入杭州《東南日報》，繼而考入上海《大公報》，一九四八年調到香港《大公報》，先後任電訊編譯、記者、編輯。一九五九年與沈寶新合作創辦《明報》，任社長。一九九三年退休。

一九五五至一九七二年間，金庸創作了十五部長、中、短篇小說。按發表時間排序為：《書劍恩仇錄》、《碧血劍》、《射鵰英雄傳》、《雪山飛狐》、《神鵰俠侶》、《飛狐外傳》、《鴛鴦刀》、《白馬嘯西風》、《倚天屠龍記》、《連城訣》、《天龍八部》、《俠客行》、《笑傲江湖》、《鹿鼎記》、《越女劍》。作者把短篇小說《越女劍》之外的十四部小說書名的第一個字編了一副對聯：「飛雪連天射白鹿，笑書神俠倚碧鴛」，為金庸迷所熟知。

金庸小說成為全球華人的最愛，首先是他有講故事的天賦。

金庸說：「我自己以為，文學的想像力是天賦的，故事的組織力也是天賦的。同樣一個故事，我向妻子、兒女、外孫兒女講述時，就比別人講得精彩動聽得多，我可以把平平無奇的一件小事，加上許多幻想而說成一件大奇事。」其弟查良鈺的回憶亦能印證，（一九四六年從外地返家時）：「每天晚上，小阿哥都給我們講故事。他的故事都是現編現講，可編得天衣無縫，講得引人入勝，常常是講到興頭上，一下子跳起來站在床上，連比畫帶模仿，手舞足蹈，有意思極了。」

最好的證明當然是其小說本身。

金庸小說的獨特之處還在於作者精益求精，再三修訂。

金庸對自己的武俠小說進行第一次大規模修訂，開始於一九七〇年代初，那正是《明報》事業的關鍵時期，即「到了七十年代，我們在內部提出了『把《明報》辦成全世界最好的中文報紙』的口號。」作為經營管理者、報紙把關人、社評言論主筆的金庸，身兼多職，其忙碌程度可想而知，仍要抽出寶貴時間專門對早已蜚聲書市的小說進行修訂，足以證明金庸對其小說作品的重視程度。

只不過，凡事過猶不及，金庸的最後一次修訂中就產生了諸多問題。例如世紀新修版《天龍八部》，作者讓段譽送走王語嫣，否定了段譽與王語嫣之間的感情，將純真聰慧的王語嫣變成了執迷不悟的蠢婦。

世間當權者的確有人將利害關係置於個人情感之上，亦有人在獲得愛情之後即不再珍惜，問題是，作者似乎忘記了，段譽既是現實中人，亦是寓言中人，對段譽故事的修訂，必須既符合現實邏輯同時也符合寓言邏輯。

在現實中，段譽要當大理國王，而在寓言中，段譽是良知先生、寬容君子，新修版中段譽對王語嫣的處置，與段譽的個性良知不符。更大問題是，如果說段正淳是情魔（欲望無度），段譽則是情聖，新修版居然將段譽與王語嫣純潔深摯的愛情，當成了佛家所謂的「心魔」，這實際上是對小說人文主題的顛覆和褻瀆。此類修訂，有狗尾續貂之嫌，有不如無。

一、成長故事

金庸武俠小說突出貢獻之一，是將西方成長故事模式引入武俠小說中。嘗試於《碧血劍》，於《射鵰英雄傳》中臻於成熟。

《射鵰英雄傳》

一、《射鵰英雄傳》即主人公郭靖的成長故事

郭靖出生在蒙古草原，草原地廣人稀，生活極其艱辛，這讓小郭靖的心智發育相對遲緩，卻也讓他有堅毅勇敢、仁厚慷慨的天性。正因為他慷慨仁厚，讓刁鑽古怪的黃蓉一見傾心，郭靖才有拜洪七公為師的機會。也正因為郭靖忠義正直，仰慕民族英雄岳飛，才會主動選擇投入保衛襄陽的戰鬥，成了為國為民的俠之大者。郭靖的人生，是性格決定命運。

看上去傻頭傻腦的郭靖，通過不懈努力而練成一流武功，無疑具有勵志性。郭靖的心智水準雖然比聰明伶俐的黃蓉有明顯差距，但他能刻苦用功，「別人練一天，我練十日」。在此過程中，其心智也在不斷開化、不斷提升。降龍十八掌顯然是為郭靖專門訂製的武功，它符合且彰顯郭靖的性格特點。

郭靖與黃蓉的愛情故事，是書中核心情節線索之一，也是書中最為動人的景觀。郭、黃愛情的最

大特點，是相互塑造、相互成全，幫助對方成長。首先是黃蓉成全了郭靖，幫助郭靖拜洪七公為師，且為郭靖擔任故國導遊和文化導師。另一方面，郭靖也塑造並成全了黃蓉，郭靖的情懷溫暖並重塑了黃蓉，郭靖的道德堅持則修訂了黃蓉的弱點，郭靖的人生理想追求也成了黃蓉的人生導航。

書中楊康的成長經歷及其個性，與郭靖形成了鮮明對比。作為金國小王爺完顏康，習慣於母親溺愛、王府生活的奢華、環境嬌寵，也習慣了自我中心和自以為是，在武功上無法與郭靖相提並論，人品更有天壤之別。幼年命運或許不由自主，但成年後認賊作父、欺騙穆念慈，則是性格決定命運。

小說中刻畫了諸多鮮明人物形象。例如江南七怪、全真七子、成吉思汗、老頑童、穆念慈、東邪黃藥師、北丐洪七公、西毒歐陽鋒、南帝一燈大師、瑛姑，乃至自負招搖的歐陽克、欺世盜名的裘千丈……刻畫出如此之多的鮮活藝術形象，是小說藝術成就的體現。

二、華山論劍寫「春秋」

《射鵰英雄傳》的構想和寫作，是金庸小說創作歷程中的一次質的飛躍。這部小說從一九五七年起在《香港商報》上連載之後，立即引起了巨大的轟動。當時香港的讀書界，大有「開談不講《射鵰傳》，縱讀詩書也枉然」之勢。作為這種轟動的直接反應，香港粵語武俠電影的大導演胡鵬在一九五八年——當時這部小說還沒有連載結束——就將這部小說搬上了銀幕，拍攝了同名電影（曹達華、容小意主演），而武俠小說的熱心讀者，則從此認定金庸是真正的「武林盟主」。

在金迷之中，常常會為金庸的哪一部小說「最好」或是「最喜歡」金庸的哪一部小說而爭得面紅耳赤。其中，認為《射鵰英雄傳》最好或最喜歡這部小說的人當不在少數，其主要原因有二，一是認為這是一部「真正的武俠小說」，因為書中主人公郭靖是一位「為國為民」的「真正的俠」；二是認為這部作品主題正確、形象鮮明、氣勢恢宏、境界高遠，豐富了武俠小說的類型，提高了武俠小說的檔次。

《射鵰英雄傳》是不是金庸小說的最佳之作且不去說它——這是個仁者見仁、智者見智的問題，但是，說這部小說是金庸小說中的一部充滿原創性的經典之作，應該是沒有異議的。

三、靖蓉之戀

郭靖與黃蓉佳偶天成，一直為金庸小說的讀者津津樂道。因為在此以前，甚至在此以後，金庸小說的主人公，都很少有像郭、黃之戀這樣幸福美滿的愛情姻緣。《書劍恩仇錄》中的陳家洛與霍青桐、香香公主姊妹的愛情，「開頭是錯，結尾還是錯」，自不必說；《碧血劍》中袁承志與夏青青雖然早已關係明確，但夏青青不斷潑醋發酸，幾無寧日，所以袁承志與「阿九妹子」的故事也就無法深入往下寫。再後面的楊過、張無忌等人，無不為自己的愛情故事搞得手忙腳亂、神魂顛倒，甚至頭破血流、九死一生。可以說，在金庸的小說中，幾乎只有郭靖與黃蓉是「金風玉露一相逢，便勝卻人間無數」。

郭靖這個既不英俊又無才華的傻小子，能讓既美麗又聰明的俏黃蓉一見如故，且傾心相愛，不能不令無數青年男性讀者妒煞！

這一切，當然是作者有意安排的。而這一安排或設計，與「靖康之路」（**即郭靖與楊康的人生之路的對比性展開**）一樣，無疑是這部小說中最重要的情節框架。對具體的敘事而言，郭黃之戀的重要性，比之靖康之別更加明顯。

首先，郭黃之戀，有利於人物形象的突出。這一點非常明顯，也非常容易理解。就像書中將郭靖與楊康處處做對比性描寫一樣，郭靖與黃蓉的形象也正是「黑白分明」。郭靖貌陋，黃蓉漂亮；郭靖愚笨，黃蓉聰明；郭靖厚道，黃蓉精怪；郭靖無知，黃蓉博學：郭靖老實，黃蓉刁鑽；郭靖純樸，黃蓉機變；郭靖一根筋，黃蓉多心眼；郭靖豪邁大度，黃蓉活潑俏皮……這樣兩個人，正是「異性相吸」，也正可謂相得益彰。

其次，郭黃之戀，一路同行，不僅是這部小說中的重要情節，也是書中最為動人的篇章。瀑布戲水，讓人心喜；太湖泛舟，使人心馳；巧拜名師，讓人心折；大海遇難，讓人心懸；煙雨樓前，令人心苦；大漠鏖兵，讓人心醉；不見伊人，令人心傷……小說中的動人情節，當然遠遠不止這些。

郭靖與黃蓉的戀愛，雖然可說是一見鍾情，兩小無猜，但也是波瀾起伏，歷經劫難。楊鐵心臨終時委託丘處機將穆念慈許配給郭靖，雖然沒有形成多大的驚險，但郭靖曾為金刀駙馬，卻幾乎徹底斷送了這對有情人的情緣和性命。桃花島主對傻小子的討厭雖然最終不過是幾場虛驚，而江南五怪的慘死在桃花島上，卻足以使郭靖因悲憤而發瘋，從而使一對有情人幾成仇敵。歐陽鋒父子的求婚，已是一種要命的波折，而郭靖為救撒麻爾罕一城百姓的性命而未向成吉思汗辭婚，則更使黃蓉誤解重重、對郭靖不能諒解……所有這一切，當然都成了小說中扣人心弦的故事，而郭靖與黃蓉經受住這些人為或命運的艱苦考驗，總是能夠化險為夷且情感不斷加深，那就更說明倆人的情緣牢不可破。

最後，也是最重要的一點，是郭靖這個傻小子的中原之行，少不了黃蓉這個導遊。這個傻小子能夠成為一代武林高手，離不開黃蓉這個導線；郭靖最後成為俠之大者，黃蓉實際上扮演了他的導師。這也就是說，自從郭靖從蒙古大漠南下，在張家口尤其是從在金都與黃蓉相遇時起，黃蓉與郭靖的關係尤其是倆人的性格互動，就已成為這部小說情節發展的最重要的推動力。對於郭靖的人生故事，黃蓉實際上還扮演了「導演」的角色。

若不是有了黃蓉，郭靖的中原之行雖不能說會寸步難行，但至少會茫然無措。聰明而又個性突出的黃蓉事實上充當了郭靖的引路人的角色。要不是她，郭靖怎能避得開黃河四鬼的追蹤？若不是她，郭靖怎麼會再一次離開六位師父，作自由的江湖漫遊？若不是因為黃蓉聰明機智、加上做得一手好菜，郭靖怎麼可能會遇到洪七公這樣曠世難逢的明師？而郭靖若非成了洪七公的弟子，他的武功、愛情、事業等各方面就不會是後來這個樣子。

當然，若不是因為黃蓉，郭靖也就不會有桃花島之行，從而不會與老頑童結拜兄弟，不會學得《九陰真經》；同樣，若非由黃蓉的指點，他也不可能找到《武穆全書》，或者，就是找到了也不會用。直至最後，到了華山論劍之時，若非黃蓉出謀劃策，郭靖既無機會、更無膽量與黃藥師、洪七公兩大絕世高手較量並各堅持打了三百招而不敗，從而完成他的「未來第一人」的隆重命名式典禮。

最重要的一點，是黃蓉充當了郭靖的文化導師。中原故國的歷史文化、名勝古蹟、詩詞文章、典章文物、風流人物等等，郭靖原本一竅不通，後隨黃蓉的教導，耳濡目染，久而久之，被故國的悠久文化所「化」。就是關於儒家經典、道德原則、價值觀念等等，也是由黃蓉隨時提起、隨時議論，而郭靖則隨時學習、隨時消化。不然，郭靖哪裡知道什麼孔子的「邦有道，不變塞焉，強者矯；邦無道，至死不變，強者矯」，[1]又哪裡知道什麼范仲淹及其「先天下之憂而憂，後天下之樂而樂」？[2]總之，沒有黃蓉的引導，郭靖的文化教養就不能脫胎換骨，他的人格精神也就不能真正形成。

也許，會有很多很多的人懷疑，像郭靖這麼個傻小子，黃蓉這樣一個又美麗又聰明的姑娘怎麼會看上他？反過來，也不能排除有較少的一些人懷疑，像黃蓉這樣一個既刁鑽又古怪的丫頭，郭靖這樣的老實人怎麼能受得了？進而，可能就有些讀者覺得，作者的這種設計，未免有些主觀武斷、濫用職權。

實際上，作者如此信手寫來，雖未必一定有多少深思熟慮，但行家出手，總是不會毫無依據地信口開河。寫郭、黃之戀的最大的根據，當然就是如上所言的「異性相吸」。這不僅是一條物理學原理，同時也是人類本性的一大規律。不僅在性別上是這樣，在性格上也常常是這樣。郭靖與黃蓉的資質和性格相差極大，恰恰是他們相互吸引、相互愛戀的最大緣由。

具體說，黃蓉之所以對郭靖一見傾心，乃是由於發現了郭靖心性異常淳厚和對她真正的關懷——讀者當記得郭靖與黃蓉在張家口第一次相遇時的情形，當時黃蓉扮成一個髒兮兮的小叫花子，郭靖對她非但沒有絲毫的歧視，反而加倍地愛護，不僅一再由著黃蓉的性子亂點菜肴，而且又贈以裘皮外衣。黃蓉又要他的汗血寶馬，郭靖竟也毫不猶豫地以此相贈，使之感動得無以復加，黃蓉這才由此對郭靖真正刮目相看，並漸漸心生愛意。

須知當時郭靖非但不知黃蓉並非乞丐，甚至也不知道她是一個姑娘，郭靖如此厚道待人，可謂天下少見。更重要的一點是，黃蓉當時的心境非常特殊，她是生父親的氣而故意離家出走，以為父親並不真心愛她。她扮成小乞丐，故意「報復」父親，有自傷自憐之心，但只能獲得更多人的白眼。郭靖與常人不同，絕不以衣貌取人，對黃蓉表示正常的親愛之心，這種情分，勢必會被黃蓉在心裡加倍地放大。

最重要的是，黃蓉這樣的女子，雖說一般會將父親當成心目中最大的英雄，以此為標準取人；但被父親「氣出家門」後，不免會覺得父親太過「薄情寡義」，從而在心理上由膩煩到逆反，勢必會把純樸厚道視為人類最重要的品質。而郭靖恰恰具備這樣的優秀品質，豈能不讓黃蓉心動？除此之外，當然不能排除聰明至極的黃蓉對老實巴交的郭靖獨具慧眼，這才情有獨鍾。

再說郭靖對黃蓉的愛情，那就簡單得多了。黃蓉是他青年時期、南下之後所交的第一個朋友，自必格外珍惜。後來「黃賢弟」忽然變成了黃賢妹，而且美貌驚人，對自己又是另眼相看，驚奇、癡迷之後，當然會情由心生。更重要的是，黃蓉是他從未見到過的江南佳麗，聰穎過人，勝自己百倍有餘，卻又對自己處處關懷，這樣的人不能使郭靖迷戀，誰還能使郭靖迷戀？最重要的是，黃蓉機靈頑皮，頗能激發郭靖的童心；她的聰明智慧，又足以使郭靖五體投地；黃蓉處處為他著想，女性天真而又母性天然，郭靖就非死心塌地地愛上她不可。後來，倆人一起多次共同經歷生死患難，就是我中有你、你中有我，越發難解難分了。

郭靖在拖雷等人的追問下，答應要娶華箏為妻。若黃蓉不是黃藥師之女，大膽而又自然地將婚姻和愛情分開，倆人勢必就此黯然分手。後來郭靖誤以為黃藥師殺了他的五位師父，決意離黃蓉而去。若非黃蓉聰明伶俐，很快就分析出事實真相，倆人也會就此情絕。而結果卻是，黃蓉對郭靖的愛恰恰因為郭靖重視然諾、重視大義更增幾分；而郭靖在事情過後，對黃蓉的感激與親愛之情當然也會更烈更深。郭黃的相遇相愛、不分不離，確實有其超乎常人之處，這才會「金風玉露一相逢，便勝卻人間無數」。

最後，還有一個小小秘密，那就是郭靖是黃蓉的「靖哥哥」，黃蓉是郭靖的「蓉兒」（蓉妹妹）。郭靖者「敬」也，蓉者「容」也，而「敬」與「容」，正是男女相愛相諧的最重要的原則或因由。郭靖有可敬之道，黃蓉能夠敬之；黃蓉有可容之德，郭靖容之。性格互補，相反相成；各有長短，相敬相容：這就是他們能夠相愛一生的最重要的原因或「秘訣」。

四、奇人之趣

《射鵰英雄傳》之所以讓人折服，主要還是由於它成功地創造了眾多奇妙無比的武林英雄人物形象。

純屬虛構的江南七怪，作為一個奇妙的武俠人物群體，早已成為一種公認的典型。而其中飛天蝙蝠柯鎮惡、妙手書生朱聰、馬王神韓寶駒、南山樵子南希仁、笑彌陀張阿生、鬧市俠隱全金發、越女劍韓小瑩，不僅各有各的職業、各有各的相貌、各有各的特長，也各有各的性格。尤其是柯鎮惡的嫉惡如仇又性情偏激、朱聰的妙手空空又滑稽風趣、韓寶駒性烈如火暴躁霹靂，南希仁惜言如金且言必有中，更是給人留下了難以忘懷的印象。

而書中的另一個武林人物群體全真七子（**與江南七怪相對**），將中國宗教史上的真實人物全真七子成功地改裝為武俠小說中奇妙的藝術形象，更要算是《射鵰英雄傳》的一絕。相信全真七子——丹陽子馬鈺、長真子譚處端、長生子劉處玄、長春子丘處機、玉陽子王處一、廣寧子郝大通、清淨散人孫不二——的聲名，會因這部武俠小說而影響擴大、廣泛流傳。尤其是其中的長春子丘處機俠義勇敢、豪邁衝動、自尊自負的鮮明形象（**與歷史當然不盡相符**），和他的大師兄丹陽子馬鈺的胸懷寬廣、平和沖虛、恬淡有道的形象，更是會長久地留在讀者的記憶中。

《射鵰英雄傳》中最富想像力和創造性的人物，當然還數「乾坤五絕」，即東邪黃藥師、西毒歐陽鋒、南帝（**一燈大師**）段智興、北丐洪七公、中神通全真教主王重陽。

其中南帝段智興、全真教主王重陽在歷史上實有其人，而東邪、西毒、北丐則是純屬虛構。進而段智興其人雖真、其事卻假；王重陽其人其事則是有真有假，卻又「死無對證」。有虛有實、虛虛實實、虛實相生，這已是作者的慣技，早已爐火純青，乾坤五絕當然就會「永垂不朽」。

小說中對乾坤五絕的刻畫，可說者很多。其中最重要的一點，就是將這幾位絕世高手的形象高度類型化。東邪、西毒，突出人物性格類型的特徵；南帝、北丐，突出人物的身分地位（職業類型）；而王重陽既然天下第一，當然就只有用「神通」名之。總之，這五大高手，名號特殊，形象鮮明，足以讓人難以忘懷。

但乾坤五絕形象的類型化，卻又不能說是絕對的簡單化和概念化。例如，其中東邪，是邪中有正，他博學多才，非文武而駁周孔，不把儒家禮教放在眼中，從一個角度看固然是「邪」，而從另一個角度去看卻又未嘗不是「正」。他我行我素，恃才傲物，甚至禍及旁人，濫殺無辜，當然是邪得厲害；但他至情至性，敬仰忠義，雲遊世外，心存高潔，卻又如君子「正人」。

再如西毒，是毒而有信。西毒歐陽鋒，以己為是，以毒為榮，但卻也有一樣好處，那就是對「信」字看得極重，因而人品雖次，卻也不失宗師風度。與郭靖賭約不得傷害黃蓉，稍有犯規，黃蓉以此譏諷於他，而他居然有些汗顏而覺無地自容，從而顯示出他的可愛或可敬的一面。僅此一面，就足以讓今日的諸多言而無信、甚至公然欺世盜名、大搞自欺欺人的大人先生汗顏，並知羞恥二字真義。

再說南帝，是尊中有卑。身為大理一國之君，何等尊貴，然而其王妃瑛姑後宮寂寞，偷情生子，使他嫉妒如狂，繼而見死不救。堂皇君主，內心有愧，不得不棄位出家，變成一燈大師，對瑛姑的情結了猶未了，人性的卑微之疵，一時尚未真正清除乾淨。

再說北丐，是卑中有尊。與南帝相反，洪七公身為乞丐，卻仗義江湖，心憂天下，是當世高人中的第一大俠。另一方面，作為乞丐的最突出的特徵，洪七公雖貴為一幫之主，卻終生改不了其貪嘴好吃的毛病。雖說曾為自己貪吃誤事而自斷一指（**他也由此變為九指神丐**），但食不厭精的欲望依然故我。

中神通王重陽性格如何？因其早早逝世，不得而知。他的故事，只存在於人們的記憶和傳說中。也許正因為他的逝世，才使得他的人格變得完美——中國人誰會說死者的壞話呢？而也正是因為他曾經奪得「天下第一」的頭銜，作者才不會讓他繼續活在世上——金庸不願意寫活在世上的「天下第一人」，此中有深意，值得後人思。

但小說中的第一奇妙之人，當還數王重陽的師弟、老頑童周伯通。

老頑童的第一奇妙之處，是他的好玩。他是一個老少咸宜的朋友，當然，老成持重或少年老成者除外。你說他是極端純樸、境界高遠、潔若水晶也好，說他是沒心沒肺，低能智障、頭腦有病也罷，老頑童最大的特點，乃是為老不尊、頑皮如童、惹是生非、無善無惡。第一次與郭靖見面，居然一見如故，不僅要教他練武，對他講古，而且還要自降兩輩與他結拜兄弟！郭靖不從，他居然號啕大哭。黃藥師將他雙腿打折並囚禁在桃花島上，他非但毫無恨意怨言，反倒玩得非常上癮，自創出兩種奇妙的武功，自己與自己打架。對黃藥師的「報復」，不過是一泡熱尿、兩堆新屎，聊博一笑。這樣的人，誰不喜歡？在這部書中，凡有老頑童的地方，就一定有歡樂與奇趣。這樣的人，誰會忘記？

除了好玩之外，老頑童形象實際上還別有深意。老頑童一生癡迷武學，是把武學與學武當成了最佳娛樂。在人類求知探秘的層面上，老頑童的存在和他的成就，無疑是一種最佳典範。孔子有言，知之者不如好之者，好之者不如樂之者。這是人類學習文化武功的共同規律，或最佳訣竅。而老頑童之於武學，恰恰是好之入迷、樂之不疲，因而，他才成為其師兄王重陽死後的天下武功第一高手。老頑童故事的依據或啟示在於，誰能像他那樣對一門技藝好之樂之，誰就能在那一門技藝領域成為第一高手；反過來說也是一樣，任何一門領域的第一流的高手，都是對此領域好之樂之之人。

然而，在「科技」領域是一回事，在「人文」領域則又是一回事。在武學上，老頑童的經歷和性格是一種正面的典範；而在文化上，老頑童的行為與個性則是一種負面的形象。老頑童性格的核心，是天真爛漫、不通世故、頑皮成性，這對於一個真正的兒童來說，當然是一種純粹的可愛品質。問題是，老頑童不是一個真正的兒童，而是一個成人，成人有此性格，就不單單是可愛那麼簡單了。老頑童性格核心之中，實際上還有一重核心，那就是：不負責任。或者說，沒有責任心。書中的他與瑛姑的故事，一般的讀者可能都會一笑置之，但若仔細看去，就當為瑛姑悲嘆。

瑛姑愛上的老頑童，是一個具有成年人的身軀而又具有兒童心智之人。在天真爛漫中做出蠢事來，需要他面對後果、承擔責任之時，他便溜之大吉。他之逃避瑛姑和段皇爺（**一燈大師**），不是因為他當真知錯悔錯，也不是他完全不通情愛之道，真正的原因是，他不願意對瑛姑負責，不願意真正地面對成人的世界。老頑童心理的真正死結是：拒絕成人！

成人的標誌，就是學會對自己、對他人、對社會負責任，而老頑童最怕的，恰恰就是負責任。責任心一起，就不再「好玩」了。所以，在整部書中，老頑童有多個為了好玩而忘卻責任的故事。直到《神鵰俠侶》一書的最後，老頑童在百歲之齡，頭髮由黑變白又由白變黑之後，經楊過力勸，才第一次主動去面對苦苦等待了他一生的瑛姑。在這一層面上，老頑童就不那麼「好玩」了。

《神鵰俠侶》

一、主人公楊過的故事絕非郭靖故事的複製品

實際上，楊過成長的方向和目標與郭靖截然不同，即不是成長為為國為民的俠之大者，而是要做自己，並努力成為最好的自己，終成為至情至性的人。《神鵰俠侶》的核心情節，是主人公楊過與其師父小龍女的戀情。

這一戀情不能被郭靖、黃蓉夫婦接受，在《禮教大防》一回中，楊過和郭靖就有直接衝突。郭靖在分別多年後再次見到楊過，心中歡喜，準備把女兒郭芙許配給楊過為妻，要繼續郭、楊兩家三代情誼。但小龍女說要做楊過的妻子，而楊過也表示要與師父小龍女在一起，無論是出於私心還是出於公義，郭靖都不能同意，兩人劍拔弩張，郭靖將楊過抓舉起來，要他認錯，否則就要將他摔死。而楊過卻說：「我沒錯，我沒做壞事！我沒有害人！」楊過的這一表白，是他的個人獨立宣言。

楊過的成長和成才，稱得上是真正的奇蹟，但這一奇蹟有堅實的心理與人性依據。楊過可能是金庸小說中最受讀者喜愛的主人公。

楊過性格最大特點，是情感真摯，愛憎鮮明，率性而為，一面是睚眥必報，另一面是知恩圖報，另一特點，是天資聰穎，感知敏銳，靈光閃爍，富有創造性。楊過性格的第三個特點，是情懷火熱，富有悲憫之心。楊過感染著與他相識的每個人，尤其是陸無雙、程英、完顏萍、公孫綠萼、郭襄等少

女。而楊過又是至情的人，對小龍女忠貞不二，至死不渝，因而讓書中所有傾心於他的姑娘，無不綺念成空。有人說「一見楊過誤終身」，這一說法只是一面，而沒有看到另一面，那就是所有與楊過相識的少女，她們的生活和心靈，全都被楊過的熱情之光點亮。

書中有兩個重要場景，一是活死人墓，一是絕情谷。這也是書中兩個意趣明顯的象徵空間：兩個場景有明顯的共通性，可以相互詮釋：活死人墓即絕情谷，絕情谷亦即活死人墓，它們的共同特徵是：絕情。絕情的背後是自戀，而自戀又與巨嬰症密切相關，也就是不懂人性、不懂自己、不懂他人，更不懂如何相愛。李莫愁是一個典型，武三通是另一個典型，絕情谷主公孫止夫婦則是一對典型，郭芙乃至老頑童等人當然也是典型，《神鵰俠侶》故事有重大啟蒙意義。

二、多情自古傷離別

《神鵰俠侶》從一九五九年五月二十日開始，在金庸一手創辦的《明報》創刊號上連載，將近三年。無論是對金庸的小說創作，或是對金庸的《明報》事業而言，《神鵰俠侶》都是一部至關重要的小說。

《明報》的創辦，相信與《射鵰英雄傳》的巨大轟動有密切的關聯。既然要創辦《明報》，自然就要有一部足以與《射鵰英雄傳》相比美的力作來吸引讀者。而吸引讀者的最佳捷徑，當然是寫作《射鵰英雄傳》的「後傳」或「續書」，讓《射鵰英雄傳》中的那些使讀者激動不已、耿耿難忘的人物再度出現，以慰廣大的「射鵰迷」的相思、渴慕之情，從而把金庸迷、尤其是「射鵰迷」全都吸引到《明報》上來。

但，這還只是問題的一個方面。還有另一方面，那就是如何寫作這部「名作後傳」，要將這部《神鵰俠侶》寫成什麼樣的書。最簡單而又最保險的方法是，繼續寫作郭靖、黃蓉的故事，使之成為前書標準的「後傳」，或者，稍微複雜但相對保險的做法是，以郭、黃的後人為主人公，但保持《射鵰英雄傳》的風格不變。最複雜也最不保險的是，改變主人公，同時也改變《射鵰英雄傳》的主題和風格。

顯然，金庸先生選擇的是第三種路線，讓《射鵰英雄傳》的「後傳」，成為一部道道地地的「新書」。這一改變，不但打破了武俠小說歷來的寫法，同時也突破了金庸本人的武俠小說創作已經取得巨大成就的固有模式，真正做到了別開生面，更上層樓，風範一變，天地寬廣。

三、活死人墓與絕情幽谷

說《神鵰俠侶》是一部言情之書，證據俯拾皆是。書中人物，莫非鍾情之人；書中故事，多是傷情之事。

要問「雁丘」何處，是活死人墓和絕情幽谷。

作為《射鵰英雄傳》的「續書」，《神鵰俠侶》最突出的創造之一，是「復活」了「乾坤五絕」中的中神通、天下第一高手王重陽，揭開了他的活死人墓的秘密，從而使得活死人墓成為小說上半部中最重要的情節結構的樞紐，同時也是書中最重要的兩大象徵性處所之一。

復活王重陽的故事，其主要的目的，是要復活王重陽與林朝英之間的一段特殊的關係。兩情相悅，且並無外力阻撓，但卻終於未能結合，成為王重陽一生的大憾，林朝英一生的大恨，也成為一段難解的人生之謎。這一段有情人不能成為眷屬的「歷史」背景，成了書中最重要的武學門派古墓派產生的具體原因。未能與王重陽結合的林朝英就是古墓派的創始人，而書中的主人公楊過、小龍女、李莫愁等人，正是古墓派的傳人，所以要追根溯源，就非要寫到古墓派不可，而要寫到古墓派，就要寫到林朝英、寫到王重陽。

《射鵰英雄傳》寫到了「乾坤五絕」，是清一色的男性，而《神鵰俠侶》中卻出現了一個林朝英。林朝英的武功修為不僅不在東邪、西毒、南帝、北丐之下，甚至也不在中神通王重陽之下。顯然，林朝英這一人物是作者在寫作《神鵰俠侶》一書時專門設計的，而這一設計，傳達出許多新的資訊。其中最重要的資訊就是，林朝英是「緣情而生」，卻又是「傷情而逝」，終其一生，都居住在王重陽建造的活死人墓中。這就解釋了為什麼林朝英這一人物沒有王重陽等人那麼出名，以至於在以前的書中沒有提及她。

關於王重陽與林朝英的故事，書中總結道：「王重陽與林朝英均是武學奇才，原是一對天造地設的佳偶。二人之間，既無或男或女的第三者引起的情海波瀾，亦無親友師弟間的仇怨糾葛。王重陽先前尚因專心起義抗金大事，無暇顧及兒女私情，但義師毀敗、枯居古墓，林朝英前來相慰，柔情高義，感人至深，其時已無好事不諧之理，卻仍落得情天長恨，一個出家做了黃冠，一個在石墓中鬱鬱以終。此中原由，丘處機等弟子固然不知，甚而王林兩人自己亦是難以解說，惟有歸之於『無緣』二字而已。卻不知無緣係『果』而非『因』，二人武功既高，自負亦甚，每當情苗漸茁，談論武學時的爭競便隨伴而生，始終互不相下，兩人一直至死，爭競之心始終不消。」[3]這當然是對本書的主題「問世間，情為何物？」的一種解釋，或一個重要的例證。

但書中的活死人墓及其古墓派的出現，除了對王重陽和林朝英的故事作追根究源的補充之外，主要作用，當然還是在於為楊過和小龍女的愛情故事提供一個處所。楊過反出全真教，惟有近在咫尺的古墓可去，於是楊過便成了小龍女的弟子，繼而成了她的愛人。進而，楊過和小龍女的故事，自然又成了王重陽與林朝英的故事的一種對照。王重陽和林朝英沒有任何外力干擾，卻始終不能成為真心愛侶，以至於咫尺天涯；而楊過和小龍女的愛情自走出古墓的那一天起就障礙重重、劫難紛紛，但他們卻鍾情不變，天涯比鄰。

兩相對照，說明情之為物，實在不可理喻，似乎沒有任何規律可言。但仔細想來，在新老兩輩人不同的情境及不同的結果之中，又分明看出當事者的主觀能動性的力量。情之得失，成也由人，敗也由人。楊過和王重陽個性不同，情感態度和行為準則也不同，其結果自然就大不相同。

與此同時，古墓一派，似有系列的「悲情效應」，楊過和小龍女的故事及其圓滿結局，只是一種「異數」；而李莫愁、陸無雙師徒，則堪稱古墓派傷情命運的「正宗」傳人。

李莫愁與陸展元的故事，真相如何，始終不得而知。我們只知道，李莫愁強求不得，因傷情而變態，因嫉妒而成魔頭。她殘忍地殺害一位姓何的老拳師一家老幼男女二十餘口，僅僅是因為這家人與她的情敵同是姓何；在沅江上連毀六十三家貨棧船行，也只是因為它們的招牌上有一個「沅」字。如果她有能耐，看來肯定會去找君王的麻煩，因為何沅君的「君」與君王的「君」也是同一個字。此人的嫉妒與瘋狂，由此可見一斑。

就像是一種傳染病似的，愛人而不被其所愛者愛，成了古墓派的一個「傳統」。李莫愁是這樣，她的徒弟（實際上也是仇家）陸無雙竟也是這樣。楊過多次挽救過陸無雙的性命，但也多次有意無意地耍弄過陸無雙的感情，甚至一直叫她是「媳婦兒」，但當陸無雙真的對楊過產生感情之時，卻發現楊過對她全無真心，因為楊過早已一心一意地愛上了他的師父小龍女。說起來，楊過對陸無雙的「欺騙」比當年陸展元對李莫愁的絕情更加令人難以忍受，但陸無雙的最終選擇卻和她的師父完全不同。這二者之間，當然又是一種對比。

小說中的絕情谷，是一個更重要的敘事寫意的處所。這裡的絕情谷、斷腸崖以及谷中的毒情花、斷腸草等等，顯然有些像《紅樓夢》中的大荒山、無稽崖、青梗（情根）峰以及太虛幻境。與太虛幻境不同的是，這部小說中的絕情谷不只是一個純粹的象徵性處所，還與小說的敘事情節緊密關聯。也就是說，絕情谷在這本書中，兼具形而下與形而上兩層次的作用和意義。

在故事情節的層面上，我們看到，從第十七回書寫到楊過與小龍女在此重逢開始，到第三十九回書楊過與小龍女再次重逢以及重出幽谷，絕情谷一地成了書中許多關鍵性情節的發展樞紐和重要場合。

首先，這是小龍女逃避之地，也是楊過的傷心之地；是楊過中毒、受傷之地，也是小龍女再度轉變與康復之地。

進而，此地還是對楊過的情感與人品意志的最嚴格的考場：楊過和小龍女都已身中情花之毒，他有一枚解藥，是給誰服？結果是送給小龍女服了。另有一枚解藥在裘千尺手中，她聲明只有楊過娶了她的女兒公孫綠萼才肯給他服下，但楊過還是不肯對小龍女負心。裘千尺再出新招，要楊過去殺了她的仇人郭靖、黃蓉夫婦，才肯給他另半枚解藥，而楊過本來就決心要殺郭靖、黃蓉夫婦報父仇，但到最後，楊過非但沒有殺了郭靖與黃蓉，反而再一次救了他們。如是，楊過自身就始終面臨著死亡的危險。

進而，眾人費盡千辛萬苦之力，才終於奪得半枚解毒靈丹，楊過只要服下就能徹底解除情花之毒，但因小龍女受傷中毒已無解藥，楊過不願獨獲生機，竟然將半枚靈丹丟下了深潭之中。而小龍女在聽到黃蓉說楊過之毒可解，只怕他不肯服藥，竟然偷偷跳下深潭，並留下十六年後在此重逢的叮囑，以便楊過能夠解毒復原、重獲生機。

最後，十六年後，楊過不見小龍女在此相會，終於跳下了崖下深潭。不料這一殉情之舉，又有意外的結局，楊過終於和小龍女在谷底相會。

楊過與小龍女在絕情谷內外所演出的這一幕相愛至深、生死不渝、綿延深廣、動人心魄的愛情故事，實令人嘆為觀止。

而絕情谷的故事卻遠不止是楊過和小龍女的故事。

這裡，曾是公孫止、裘千尺的愛情與婚姻的幸福的樂園，又是他們反目成仇、相互報復、最終雙雙葬身無名洞窟之地。這對夫妻冤家的故事，簡直使人毛骨悚然。他們是這「絕情谷」的命名者，當然也就是這絕情谷中的「絕情」的典範。其實也不是真正的絕情，而是自私的意志導引另一種私欲膨脹，從而最終扭曲並毀滅了男女間正常的情感，也正因如此，才有公孫止一心要娶小龍女以及後來所有的故事發生。

這裡，也是公孫綠萼的殉情之地。她是為救楊過而死，明知他對小龍女鍾情不變，卻還是無法抑制自己心中對他的深情及其為之犧牲的欲望。與楊過在谷中短短的相聚，成了她一生之中最為心醉的時刻，而她的犧牲，又成為絕情谷故事中最令人辛酸的篇章。她的故事，成為她父母故事的一種對比。絕情谷中，原來還是有有情人、鍾情人、重情人。

這裡，又是大魔頭李莫愁的葬身之地。直到死亡來臨，這個不幸又可怕的情魔也沒有弄清「情是何物」，她的死亡，當然就成為「絕情谷寓言」最重要的組成部分；她所背誦的詞章，當然也就成了絕情谷故事最出乎意料而又最美妙動人的主題歌。

這裡，還是楊過與程英、陸無雙的結拜之地。與公孫綠萼的殉情和李莫愁的絕望相比，程英、陸無雙的結局要算是幸福得多。只不過，這幸福是一種無可奈何的幸福，這結局也是一種無可奈何的結局。

這裡，最後居然又演出了一幕絕對出乎意料的郭襄跳崖。她不是為楊過殉情，而是要來勸楊過不死；她甚至不知道自己早已經深深地愛上了楊過，而只是情不自禁地要追隨他而去。郭襄的故事最終出現了戲劇性的轉折，然而，餘下的漫長歲月，卻又將是無盡的傷情悲歌。

這裡，正是郭家豢養多年的那一對白鵰的殉情之地。人如此多情，鵰亦如此情深；鵰如此悲壯，人更是這樣悲哀。

這裡有鵰塚，也正是那個不朽的「雁丘」。

所有這些，就形成了一個完整豐富的「絕情谷寓言」。

如此，再來解讀這絕情谷中的「情花」，自會別有一番滋味在心頭。

情花之名，當然只是一種象徵。此花給人的第一印象，是嬌豔無比：似芙蓉而更香，如山茶而增豔。此花當是人間奇蹟，花國君王見此尤物，誰能無情？於是才有這「情花」之名。

然而，進一步觀之，就能發現，此花背後暗藏無數小刺：進一步細品，就能感到此花的味道實所難言，入口甘甜，回味苦澀；美而多刺，刺能傷心：情欲方動，刺毒始發，這才是「情花」之喻。

進而，情花之果卻又十分醜陋，或青或紅，且十果九苦，或外醜內甜，或外醜內臭。美醜甜苦，沒有規律可言，唯親口嘗過方知。

最後，欲解情花毒，需服斷腸草。兩物相伴相生，相反相成，以毒攻毒、斷腸傷心，而後方能相互消解。

說到底，還是在寫「問世間，情是何物」。

與《紅樓夢》中的太虛幻境不同的是，這「絕情谷寓言」並沒有、也不是要人類徹底地絕情滅欲。絕情谷中種滿情花，自相矛盾，或者說是展示一種深刻的疑問——「情是何物？」

進而，作者以「情是何物」為小說的主題，又以《神鵰俠侶》為書名，就像絕情谷裡有情花、斷腸崖下不斷腸，處處設置疑問與懸念，在講述人物故事的同時不斷提供各式各樣不同的答案。上述所有人的故事，其實就是書中對此疑問的最好的答案。所謂「情是何物」，當然不會有一個標準的答案，因為這不僅要看人怎樣欣賞、怎樣品味，更要看此花由何人種植以及此人怎樣培育。作者在這絕情谷的故事中，已經展示了各種各樣的「情果」。

四、玉女心經與黯然銷魂掌

《神鵰俠侶》一書雖然是以描寫情感、刻畫形象為主，但其中的武功設計卻也成就斐然，大有精妙可觀且發人深省之處。

書中的武功描寫，當以主人公楊過被郭芙斬斷一臂之後，發現劍魔獨孤求敗的「劍塚」最為驚人。[5]其中妙處，當然還是金庸的獨門功夫，即將武功與人文融為一體，具有多方面的藝術價值。

楊過已經身中情花之毒，又被郭芙斬下一臂，而小龍女竟再一次離他而去，生命垂危，精神絕望。當此之際，若沒有獨孤求敗的劍塚這樣令人匪夷所思的驚人發現，不足以使楊過重新振奮精神；而若沒有獨孤求敗埋劍的啟示，和那隻老鵰的引導督促，亦不足使楊過出人意料地重返江湖。

獨孤求敗的劍塚和老鵰當然是專為主人公楊過設計的，是對楊過好心救人的一種獎勵，是對他孤苦命運的一種補償，同時也是對他的武功及其個性形象的一種引導和雕塑。「劍魔獨孤求敗既無敵於天下，乃埋劍於斯。嗚呼！群雄束手，長劍空利，不亦悲夫！」這種傲視當世、冠絕一時的氣概，便足以讓楊過又驚又羨、振奮精神，從此找到自己的奮鬥目標和精神動力。

獨孤求敗的武功究竟有多高明，屬於何門何派，書中都沒有作任何交代。在他的劍塚之中，也沒有任何拳經劍譜，只有幾柄劍、幾句話，就足以使楊過心往神馳、大開眼界，讓他深受啟發、受益終生。那幾句話是：

「凌厲剛猛，無堅不摧，弱冠前以之與河朔群雄爭鋒。」

「紫薇軟劍，三十歲前所用，誤傷義士不祥，乃棄之深谷。」

「重劍無鋒，大巧不工。四十歲前恃之橫行天下。」

「四十歲後，不滯於物，草木竹石均可為劍。自此精修，漸進於無劍勝有劍之境。」[6]

這幾句話，不僅僅是介紹了那幾柄劍的特點和作用，實際上是介紹了武功的幾種不同層次與境界。

第一層次：凌厲剛猛（**鋒利尖銳**）；

第二層次：紫薇軟劍（**靈活多變**）；

第三層次：重劍無鋒（**渾厚持重**）；

第四層次：草木竹石（**自由隨意**）；

第五層次：無形之劍（**大象無形**）。

這些其實已經不僅是武功的不同層次，而且也是人類的文化修養的不同層次，暗合中國古典哲學的精髓。

進而，這幾句話也是對練武者（大可以包括普通人）的不同年齡層次特點的一種很好的總結。

弱冠之前：凌厲之劍（少年特徵）；

三十之前：靈活之劍（青年特徵）；

四十之前：持重之劍（壯年特徵）；

四十之後：隨意之劍（中年特徵）；

自此精修：無形之劍（老年特徵）。

最後，這裡所寫，當然不僅是說劍，實際上也指出了人生不同階段的心理特徵，對一般的人生修養也同樣有一定的指導意義。作者寫此，當然不僅僅是要展示一項劍道或哲學的奇觀，同時更是要關照主人公楊過此時的精神境界和人格特徵。

具體說，楊過雖然年歲不大，但因自幼孤苦、飽經磨難，其心志特徵要比他的實際年歲蒼老十歲以上。此前的楊過，顯然是處於「紫薇軟劍」時期，即以靈活多變見長，這不光是指他學習的古墓派的靈活武功，更是指他的人格特點和心理狀態。那柄紫薇軟劍不就是因「誤傷義士」而被獨孤求敗毅然棄之深谷的嗎？而此前的楊過，也差一點點就殺了在襄陽抗敵前線的大俠郭靖！

從那隻神鵰引導楊過練習無鋒重劍開始，楊過的武功從此更上一層樓，更重要的是楊過的人格特徵也從此變得更加堅定踏實，從此不再靈活花巧，一代神鵰大俠由此真正開始成型！

要說這部小說中最突出和最重要的武功，當然還是古墓派的「玉女心經」和楊過自創的「黯然銷魂掌」。這兩套武功是為楊過、小龍女兩位主人公專門設計的，同樣，這兩套武功的妙處，也是把人物的情感、心理的奧妙，融會於武功打鬥設計之中。

先說「玉女心經」。

這是古墓派的創始人林朝英創建的一門功夫，可以說是古墓派的當家功夫。這一派的功夫古怪之處甚多，古墓派的弟子李莫愁就不會這一套功夫，小龍女在見到楊過之前也沒練會這套功夫。如果沒有楊過，這套功夫就絕對練它不成。即使有楊過，這套功夫也要經歷長時間的摸索才開始顯示出它的真面目、顯示出它的真正奧妙。

沒有楊過就練不成「玉女心經」，表面的原因是，這套武功共分三層，第一層是古墓派的入門功夫，第二層卻是要練全真派的功夫，第三層才能進入這套武功的堂奧。這在武學上當然也能找出解釋，第一層是「知己」的功夫，第二層是「知彼」的功夫，只有知己知彼，才能進入第三層，「克敵制勝」。這樣想，是基於這樣的一個判斷和推理：林朝英一定要創造一門可以克制全真派的武功。實際上，上述判斷和推理是只知其一、不知其二。

這套武功最大的古怪之處還是它的練法，那就是練到這套功夫的第三層時需要男女兩人脫光衣服，身體接觸，但又不能動情欲之念。在小說中，小龍女和楊過正是因為在古墓外練這套武功才被全真派的尹志平和趙志敬發現，受到驚嚇，以至於引發嚴重的內傷。最後，小龍女也正是因此而失身於尹志平。

這是一種什麼樣的古怪武功、古怪練功方法？一般的讀者，大約僅僅是把它當成武俠小說中常有的一種奇觀，作者怎樣胡寫，讀者便怎樣胡看。若有一些關於藏傳佛教密宗知識的人，或是看到過歡喜佛的人，不免要想，小龍女和楊過的這種古怪的練功方法或許是受到了「密宗」的影響。也就是說，這種古怪的練功方法不全是無稽之談，至少是有一定的來由或引線。

還有第三種古怪之處，那就是小龍女和楊過練成了這套武功之後，卻發現總是沒有想像中的巨大威力，兩人總是百思而不得其解。讀者不免要想，以楊過的聰明、小龍女的靈慧，都無法揭開這套武功的最終的奧妙，那就只能進一步說明這套武功真是奧妙無窮了。

這個謎，到了第十四回書中終於被作者揭開。是楊過、小龍女二人在與金輪法王的激烈打鬥的重重危機中，憑著本能和靈性突然領悟的。它的最根本的奧秘是，只有小龍女施展玉女心經、楊過施展全真劍法，相互配合，相互彌補漏洞，相互激發靈感，才能發揮這套玉女心經的最大的威力。書中寫到：

「林朝英情場失意，在古墓中鬱鬱而終。她文武全才，琴棋書畫，無所不能，最後將畢生所學盡數化在這套武功之中。她創製之時只是自抒懷抱，哪知數十年後，竟有一對情侶以之克禦強敵，卻也非她始料之所及了。」7

如是，我們就當徹底明白，所謂「玉女心經」，原是林朝英——小龍女——古墓派的「玉女心曲」。與其說這是一套武功，更不如說是一篇文章，其中重要的不是武學的道理，而是情感的奧妙；與其說是基於某種武學的判斷和推理，不如說是基於一種充滿愛戀的心靈想像。只要看看它的招式名稱就明白了：浪跡天涯／花前月下／清飲小酌／撫琴按簫／掃雪烹茶／松下對弈／池邊調鶴、小園藝菊／西窗夜話／柳蔭聯句／竹簾臨池……與其說是一些武術的招式，不如說是一些詩意生活的場景描寫，更不如說是對愛情生活的充滿詩意的想像；與其說是一種神奇的武功，不如說是一段動人的「情話」。

進而就更加簡單了，這套武功的以知己知彼為基礎，其目的並不是為了對抗，而是為了「對話」；並不是要相互對打，而是要相互配合，所以，相互試招不可能揭開它的奧妙，只有雙劍合璧才能發揮它最大的威力。招式酣暢之際，正是情意綿綿之時，這一套武功，當然就只能克敵、傷人，而不能——是不欲——制人死命了。這不是劍下留情，而是劍由情生，「玉女心經」當又一個別名，那就是「情人之劍」。其道理是這樣的：

「使這劍法的男女二人倘若不是情侶，則許多精妙之處實在難以體會；相互間心靈不能溝通，則聯劍之際是朋友則太過客氣，是尊長小輩則不免照拂仰賴；如屬夫妻同使，妙則妙矣，可是其中脈脈含情、盈盈嬌羞、若即若離、患得患失諸般心情卻又差了一層。此時楊過與小龍女互相眷戀極深，然而未結絲蘿，內心隱隱又感到前途困厄正多，當真是亦喜亦憂，亦苦亦甜，這番心意，與林朝英創製這套『王女素心劍』之意漸漸的心息相通。」8

楊過與小龍女初次以此劍法對付金輪法王，使得「酒樓上一片殺伐聲中，竟然蘊含著無限的柔情蜜意」！除了在這部書中，哪裡能夠看到這樣奇也怪哉的劍法？

再回過頭來看這套武功的名稱。明明是一套劍法，叫做「玉女素心劍」，但作者（包括武功的

「原創者」林朝英和小說的作者）卻要命名其為「玉女心經」。想一想，可不是該叫做玉女的「心經」嗎？表面上當然還是一套武功，實際上卻是在不斷敘說和展現玉女的心事、情懷、夢想及其種種不可告人的心靈隱秘。

再說「黯然銷魂掌」。

這一套掌法，是楊過在與小龍女別後，十多年來生死茫茫，從而形銷骨立，於了無生趣且百無聊賴之中創出來的，其名稱取自江淹的名作《別賦》中的「黯然銷魂者，唯別而已矣。」[9]這套功夫在武學方面的根據是，楊過博採百家之長，自己獨創一格。因為只有一臂，武功的路子必然要「與尋常武功大異」，甚至「反而故意與武學道理相反」。這既符合楊過此時的武功狀況，符合楊過一生的性格（反叛性），也符合他當時的獨特心境。

這套武功一共十七招，包括心驚肉跳、杞人憂天、無中生有、拖泥帶水、徘徊空谷、力不從心、行屍走肉、倒行逆施、廢寢忘食、孤形只影、飲恨吞聲、六神不安、窮途末路、面無人色、想入非非、呆若木雞等。[10]光是聽一聽這些招式的名稱，就足以讓人感受到黯然神傷的滋味。實際上，作者所要傳達的，也正是這種心理上的悲痛苦澀和哀傷絕望。

楊過創造這套武功，是為了打發那些了無生趣的日子。作者設計這套武功，則正是要描寫楊過在這段日子中的生態與心態：心驚肉跳、徘徊空谷、行屍走肉……難怪小郭襄第一次聽到這些名稱時，一開始是覺得好笑之極，但聽著聽著就「心下淒惻，再也笑不出來了」。相信每一個讀者也都會有像小郭襄那樣的感受。

這套武功還有一點特別之處，那就是不僅招式要與內力配合，而且能否發揮威力還要看當時的心境如何。例如楊過和小龍女一同前來解救郭襄，與金輪法王展開最後的決戰。楊過的黯然銷魂掌竟然無法發揮其巨大的威力，原因恰恰是他與小龍女已經歡聚一起，心中也就沒了那種「黯然銷魂」之意。

黯然銷魂掌發揮不出威力，楊過就打不過金輪法王。不僅救不出郭襄，連自己的命都要搭在這裡，那就意味著要與小龍女死別，這時楊過心中有了死別之意，黯然銷魂掌居然在無形之中威力倍增！[11]——這不是什麼神話，其中實際上大有道理：只有在絕望之中，才能激發出超常的生命意志和生命能量；只有在絕望之中，才會有不要命的打法；只有不要命的打法，才能夠「置於死地而後生」。這是武俠小說中從未見過的一種武功，當真稱得上是楊過的獨一的創造。不過，非要面臨生離死別，「黯然銷魂」才能發揮威力，卻又實在讓人悲傷。楊過一生連自創的一套武功都是苦澀的，非到「不如意」之際，就不能「如意」發揮！這套武功，無疑是楊過一生故事的最佳總結和最佳寫照。

《射鵰英雄傳》中的大俠郭靖憑著一套威力無比的降龍十八掌名傳後世，而《神鵰俠侶》中的楊過自然要以這套神秘莫測的黯然銷魂掌而永垂不朽了。所不同的是，其一，郭靖的降龍十八掌不是自己創造的，而是師父洪七公教的；而楊過的黯然銷魂掌則是由他一手創造，且也只有他一人專用。這不僅是說楊過的聰明才智遠在郭靖之上，其創造性成就自然也在郭靖之上，更重要的還是借這套武功的描寫，同時展露了楊過的心理特徵和精神狀態。

其二，降龍十八掌有十八招，是圓滿之數；而黯然銷魂掌則只有十七招，是畸零之數，這就更進一步點出了兩套武功的根本區別，前者是「為大眾的」（降龍之意），後者是「為自己的」（黯然之態）。進一步說，郭靖的故事是說他如何「為國為民，犧牲自我」，而楊過的故事是說他如何「至情至性，實現自我」；郭靖的故事讓人振奮，楊過的故事讓人感傷。這兩種不同的小說主題和讀者感受，恰恰存在於降龍十八掌和黯然銷魂掌的不同之中。

《倚天屠龍記》

一、張無忌是郭靖、楊過兩種個性的融合

由於讀者對張無忌有嚴重誤讀，以至於《倚天屠龍記》的價值被嚴重低估。實際上，這部小說堪稱「雲霧間的高峰」，而張無忌的個性價值及其生命光輝亦被雲遮霧障。

張無忌回歸大陸後，人生慘不堪言：父母慘烈辭世，自己又中了玄冥毒掌，從童年到少年，每天都掙扎在生死線上，讓小小年紀的張無忌對莊子思想有了超出年齡的共鳴：「生死修短，豈能強求？予惡乎知悅生之非惑邪？予惡乎知惡死非弱喪而不知歸者邪？予惡乎知夫死者不悔其始之蘄生乎？」

此事是影響張無忌個性、人生觀和世界觀的一大關鍵，因為對生命有深刻理解，從而對所有人的生命都倍加珍惜。證據是，他自修醫術，治病救人。也許是張無忌有仁愛心，天生就適合學醫；也許是在學醫的過程中，培育了仁愛心，並讓仁愛心更加強烈且更加自覺。

總之，學醫經歷塑造了張無忌精神氣質內核，即生命意識及其仁愛之心。張無忌雖沒有成為職業醫生，但他有醫者仁心，不僅醫治人類疾病，還醫治人類認知偏見。遺憾的是，很多讀者——乃至作者本人——並未理解這一點的重大價值。假如張無忌當真是沒有主見的人，他就不可能在六大名門正

派圍剿明教光明頂之戰中挺身而出，排解糾紛、彌合矛盾、平息衝突。也不可能在救助明教之後，立即投入救助六大門派的行動中。

所以如此，正是因為張無忌有獨特的生命意識、人生觀念和社會理想。張無忌懸壺濟世、拯救蒼生的偉大理想，超出了倚天屠龍事業。如果說《倚天屠龍記》有缺陷，那就是作者忽略了張無忌的醫者身分及其社會與文化價值，作者對自己的小說缺乏正確見解。

《倚天屠龍記》中主人公張無忌的成長路徑，實是「通往太極之路」。張無忌出生在冰火島，掙扎於生與死之間，徘徊在父黨與母黨、正派與邪派的邊界，命運的力量似乎要將他撕裂。張無忌奮發圖存，其目標就是要縫合裂隙，超越矛盾對立，讓生命圓滿。回歸武當山，從師爺張三丰學習太極拳、劍，張無忌的武功與人生才趨向大成，從而成了更好的自己。

所謂太極，是指天地未開、混沌未分陰陽之前的狀態，這也正是張無忌的心智及個性狀態。太極混沌，看似稚嫩簡單，卻能包蘊萬物且化生萬物，即所謂太極生兩儀、兩儀生四象、四象生八卦、八卦象萬物。所謂太極圓轉，如長江大河滔滔不絕，也正是張無忌心智的勢能。

這位好好先生，看似平庸糊塗，實際上融匯陰陽，具有極大的創生力量。世人不知太極真相，卻說張無忌個性平庸、沒有主見，其實是：不識張郎是張郎。

二、言罷喪亂意彷徨

《倚天屠龍記》於一九六一年開始在《明報》上連載，歷時兩年多才完成。一九七六年作者對此書又進行了全面的修訂。作者一直將此書作為自己唯一的一個三部曲——「射鵰三部曲」的第三部，[12]這也一直是金庸迷們的一個話題。

有很多人認為《倚天屠龍記》一書不應該算是「射鵰三部曲」之一，其理由很簡單，也很明確：

一、《射鵰英雄傳》和《神鵰俠侶》不僅書名有「鵰」、書中也有鵰，而《倚天屠龍記》的書名中沒有一個「鵰」字，書中也沒有鵰的影子，說它是「射鵰」系列，從何說起？

二、從小說的體制形式看，前兩部小說都是用四個字的回目，而《倚天屠龍記》一書的回目卻是由七個字組成，而且全部的回目形成一首柏梁體長詩（句句押韻）——這當然是作者的一種創造，儘管其中有些句子如「君子可欺之以方」（第三十八回回目）不大像詩句，但就整體而言，此種創造還是讓人嘆服。

所以，筆者就順手牽羊，將小說中的回目來一個「乾坤小挪移」，略作選擇和修飾，放到這篇評論文章之中。

三、《射鵰英雄傳》和《神鵰俠侶》說的是同一個時代的故事，而《倚天屠龍記》的時代卻已經是八九十年、近百年之後，時間相差如此之遠，如何能成其為「三部曲」？

四、前二書不僅時代和故事關係密切，人物關係更是緊密相連，而《倚天屠龍記》的時代、故事、人物則與前二者都沒有多少傳承關係，書中的主人公及其故事情節更與前者毫不搭界。無非是在《神鵰俠侶》一書的後半部分才出現的郭襄出現在了《倚天屠龍記》一書的開頭，而《倚天屠龍記》中的武當派創派宗師張三丰又曾經出現在《神鵰俠侶》一書的結尾。

僅憑這種次要人物的關聯，不足以構成三者之間的必然關係。就像《書劍恩仇錄》中的紅花會群雄曾出現在《飛狐外傳》之中，不足以證明《飛狐外傳》是《書劍恩仇錄》的「後傳」；《碧血劍》中的阿九、何鐵手、李自成等人又在《鹿鼎記》中出現，也不能說明後者是前者的「續書」。相反，認真說來，《倚天屠龍記》的開頭兩章，故意讓郭襄其人出現，看起來是緊接著《神鵰俠侶》而來，實際上對《倚天屠龍記》一書卻並無多大的意義，說郭襄、張君寶（三丰）的這種陳年舊事，對此書明顯多餘。作者是故意要製造「三部曲」的人事關係，這才在《神鵰俠侶》一書的最後「贅」出一段與前文毫無關係的關於覺遠和尚、張君寶和《九陽真經》的插曲，且又在《倚天屠龍記》的開頭「加」上了與小說正文並非緊密相關的頭兩章。很顯然，如果《倚天屠龍記》一書從第三回開始寫起，那麼這部小說的敘事的結構與節奏無疑都要緊湊得多。

另一方面，要說《倚天屠龍記》是「射鵰三部曲」之一，也無不可。理由是：

一、作者既這麼說，自然有他的用意或道理，至少有一定的參考價值。

二、我們大可在《倚天屠龍記》一書中找到「三部曲」的內在線索，那就是關於屠龍刀與倚天劍的線索。無論如何，這可以說是一部講述屠龍刀和倚天劍故事的小說，而屠龍刀、倚天劍中所藏，乃是岳飛的兵書和九陰真經的縮寫本，這就牽涉到《射鵰英雄傳》和《神鵰俠侶》兩部書中的故事、人物、線索和主題。

三、一個更重要的內在因素是，作者在構想和寫作這幾部小說的時候，不同的小說主人公的性格發展，形成了一種金庸所獨有的對比序列。郭靖與楊過的對比是一種，楊過與張無忌的對比又是一種，也就是說，後一部書的主人公性格是由前一部書的主人公性格對比而產生的。寫了郭靖這麼一個笨拙而充滿正氣的大俠，緊接著就寫一個楊過這樣的聰明而帶有邪氣的大俠；寫了楊過這樣一個自作主張、行為偏激、情緒衝動的人物形象，緊接著就寫一個張無忌這樣的缺乏主見、拖泥帶水、心慈面軟的人物形象。這樣，就展示了金庸小說創作的一種思維的規律。

總而言之，三部曲也好，不是三部曲也罷，上述三部書還是三部書，不是一部書。只不過是小說之間有某些外在的或內在的關聯，不叫做三部曲當然也不礙事，叫做三部曲又有何妨？

三、秘笈兵書此中藏

這部小說的書名為《倚天屠龍記》，書中的故事情節，也圍繞著屠龍刀、倚天劍這兩件兵器來寫。小說的第三回書《寶刀百煉生玄光》中，屠龍刀就出現了，自此以後，武林之中就更增血雨腥風，數十年間，斷斷續續，不知道有多少英雄好漢為之白白丟掉了性命。這部小說的最基本的故事線索，就是天下英雄奪寶刀。從第三回書中屠龍寶刀神秘地出現，到第三十九回書中屠龍刀、倚天劍的秘密被徹底揭開，本書的大部分內容及其故事線索都直接或間接地與此寶刀或寶劍有關。

金庸的武俠小說從來就沒有過單純的「奪寶故事」，而總是借奪寶故事的基本線索來展開其他更為豐富的歷史、社會、人生內容，這正是金庸小說的非同一般之處。這部題為《倚天屠龍記》的小說，當然絕不僅僅是一個簡單的奪寶故事。只不過，書中其他的故事線索，常常與這個基本的線索有或明或暗的關聯。最典型的是主人公張無忌的人生故事，就自始至終都無法與屠龍刀的故事分開。他的父親張翠山和他的母親殷素素的相識，就與屠龍刀的出現有關：而張翠山與殷素素的結合，也正是因為金毛獅王奪得了屠龍刀，帶著他們出海遠航，這才使得他們結合成雙，並且生下了張無忌。後來金毛獅王謝遜成了張無忌的義父，同時成了張翠山和殷素素的義兄，這樣張無忌一生的命運就更加無法與屠龍刀分開了。

張翠山和殷素素的自殺，一半原因正是不願透露謝遜的存身之地，而另一半原因是覺得對不住俞岱岩。推根究源，其實還是因為當年殷素素和她的哥哥為了那把屠龍刀而傷害了俞岱岩。再說武林中的那些人之所以要千方百計地尋找金毛獅王謝遜，一部分人固然是因為與他有血海深仇，而另一部分（更多的）人則正是為了那把被謝遜所得的屠龍寶刀。也就是說，張無忌成為孤兒，正是因為屠龍刀；他回到大陸開始就屢中奸計，成為眾人誘捕的對象，直至後來身中玄冥神掌，數年間一直徘徊在死亡的邊緣，說到底還是因為屠龍刀。

儘管張無忌本人從來就沒有要將屠龍刀據為己有之意，但他這一生卻早已「命中註定」，無法擺脫屠龍刀的糾纏。簡單地說，就是從俞岱岩開始，後來每一個接觸屠龍刀的人，都是與他有親緣關係或情緣關係的人。前面的情節已經說過，後來張無忌機緣湊巧，學了九陽神功，練了乾坤大挪移，為明教排難解厄，成了人人擁戴的明教教主，但還是無法擺脫那把屠龍刀。謝遜不僅是他的義父，同時還是明教的金毛獅王，於公於私，張無忌都非接回金毛獅王謝遜不可。而江湖上人人皆知，金毛獅王得了屠龍寶刀，有關金毛獅王的訊息也就等於是屠龍寶刀的信息。再後來，刀劍齊失，而盜刀之人，又恰恰是與張無忌有婚姻之約的周芷若……再後來的「屠獅大會」，實際上意在「屠龍（刀）」，直至小說的最後，才終於真相大白。

這部小說將屠龍刀的線索與主人公的命運緊密地聯繫在一起，當然體現了作者構思的巧妙。而更加巧妙的還是，作者對屠龍刀的線索作了正、反、合的設計和安排，從而使得這個奪寶的故事具有了情節線索之上的寓言意義。

小說情節的一大關鍵，是人們只聽說過「武林至尊，寶刀屠龍。號令天下，莫敢不從！倚天不出，誰與爭鋒？」這幾句話，但卻沒有多少人知道屠龍刀的秘密。其實人們都不知道屠龍刀「寶」在何處，大家紛紛搶奪，必欲得之而後快，只不過是衝著那不知根據何在的「武林至尊」這幾個字而來。後來我們都知道了，那屠龍刀之所以稱為「武林至尊」，是因為其中藏有抗金英雄岳飛所著的《武穆遺書》。當年的一代大俠郭靖、黃蓉夫婦，將《武穆遺書》藏在屠龍刀中，是希望後代人得到這部兵書，能夠學習岳飛的兵法，同時學習岳飛的精忠報國的精神，率領中國的英雄豪傑，發揚民族愛國精神，趕走蒙古侵略者，這才是屠龍刀能夠成為「武林至尊」，能夠「號令天下，莫敢不從」的真義。很顯然，郭靖與黃蓉夫婦的用意，是為正義，當然是「正」。

但屠龍刀的出世以及「武林至尊」的傳言，在這部小說中的實際效果，卻是適得其「反」。從一開始，由於大家都不明「號令天下」的真義，更不明「武林至尊」的真相，屠龍刀變成了一種不祥之物、禍害之源。從一開始，屠龍刀出現之處，就成為血肉橫飛之地。長白三禽也好，海沙派也罷，誰想奪刀，都沒有好下場。就是大名鼎鼎且俠肝義膽的武當大俠俞岱岩，僅僅是偶然之遇，救人心切，卻也因為這把刀而中毒、受傷、終身殘廢。

天鷹教費盡心機，奪得寶刀，然而其揚刀立威之日，卻正是風雲突變之時，金毛獅王的突然出現，強者為尊，與會者除張翠山和殷素素之外非死即傷，無一倖免。金毛獅王奪得寶刀又能如何？首先是被殷素素打瞎了眼睛，從此落下了終身殘疾；後來更是「懷璧其罪」，不僅使得張翠山夫婦為之被迫自殺，更惹來整個武林的聲討和追殺。其他如朱長齡、武烈等等，也不知道有多少人為了得到這柄寶刀而枉自送了自己的性命。

美貌姑娘周芷若遵照師父滅絕師太的遺命，欺騙了張無忌，盜得了屠龍刀和倚天劍，發現了兵書和武功秘笈，看似為峨嵋派爭得了一時的榮耀，實際上是得到了一世的罵名；看似一時揚眉吐氣天下聞名，實際上是從此愧疚於心寢食不寧。一把刀、一柄劍，使得周芷若這個原本心地善良、性格溫柔的姑娘，變成了一個權欲膨脹、行為乖戾、無情無義的害人精，最終深受其害，險些驚嚇而死，「武林至尊、號令天下」云云，真不知從何說起。

但要說屠龍刀真的是不祥之物，卻又錯了。以上先正後反，到小說的最後卻又有「否定之否定」，即由「反」到「合」。那就是，趙敏從周芷若身上盜回兵書秘笈，交給了張無忌，雖不能說是「物歸原主」，卻堪稱是得者其人。張無忌臨時學得岳飛當年的「兵困牛頭山」一節，活學活用，解了少林寺之圍，痛殲了蒙古大軍。張無忌後來又將此兵書贈給了智謀出眾且勇敢善戰的大將軍徐達——這是個真實的歷史人物、明朝的開國功臣——並對他說：「我體會這幾句話的真意，兵書是驅趕韃子之用，但若有人一旦手掌大權，竟然作威作福，以暴易暴，世間百姓受其荼毒，那麼終有一位英雄手執倚天長劍來取暴君首級。統領百萬雄兵之人縱然權傾天下，也未必便能當倚天劍之一擊。」[13]

由此，我們才能明白這部《倚天屠龍記》的主題深意，包括了上述正、反、合三個層面。

第一個層面是「正」，即俠義的傳奇。既寫「武林至尊、寶刀屠龍」的傳奇來歷，又寫「為國為民、俠之大者」的俠義傳統。

第二個層面是「反」，即寫人性特徵。屠龍寶刀即刀中的兵書當然不是什麼「不祥之物」，真正「不祥」的乃是人類的貪欲和權勢欲，那些人之所以費盡心機地爭奪寶刀，無非是衝著「寶刀屠龍」的利器和「號令天下」的權勢而來。可笑的是幾乎所有的人都不明真相，到最終卻都為之「反算了卿卿性命」。這些正是小說的基本故事情節和敘事內容，同時又有明顯的思想寓意。

第三個層面是「合」，即寫傳奇與歷史的結合，俠義和人性的結合，人類的良知和善意的結合，歷史的透視和理想的結合。所有這些「結合」，最終當然都體現在張無忌這一主人公身上，也體現在張無忌送給徐達將軍的那一段話中，同時還體現在作者對歷史所作的巧妙演繹——此後徐達果然用兵如神，連敗元軍，最後統兵北伐，直將蒙古人趕至塞外，威震漠北，建立一代功業」[14]——那屠龍刀中的兵書發揮了極大的作用，當然是「號令天下，莫敢不從」了。

這部小說的真正主題應該有兩層：既反異族侵略，也反本族暴政。由上可見，小說的作者為屠龍刀精心設計了完整的故事情節和寓言線索，但對倚天劍所花費的篇幅卻要小得多。雖說書名為《倚天屠龍記》，卻是屠龍刀「記」得多，倚天劍則相對「記」得少。

對倚天劍「記」得少的原因，或許是由於倚天劍沒有屠龍刀那樣誘人。試想，「武林至尊，寶刀屠龍。號令天下，莫敢不從」是何等的誘人，而相比之下，「倚天不出，誰與爭鋒」這兩句話的誘惑力就要小得多了——簡直是不可同日而語！

在武林人物的心目當中，倚天劍再厲害，也不過是一柄普通的利器而已，雖也可算是寶物，但犯不著拼著老命去奪取。奪劍的人既然少之又少，那麼倚天劍的故事自然也就簡而又簡了。簡單地說，這倚天劍近幾十年的歷史是這樣的：峨嵋派的孤鴻子失落寶劍，有人拾得送給了蒙古王爺；峨嵋派的滅絕師太從蒙古王爺府奪回寶劍，趙敏俘虜武林英雄後自然又得到了它；最後又是峨嵋派的新掌門人周芷若盜回了寶劍，並使刀劍皆斷，取出了刀劍中的兵書秘笈……

倚天劍的這段不算十分曲折的經歷，難道也有什麼深意嗎？實際上也是有的：最重要的關鍵，是這柄劍有「正」、有「反」，卻沒有「合」。

倚天劍之「正」，與屠龍刀一樣，都是來自郭靖、黃蓉的俠義傳統，不必多說，而倚天劍之

「反」，則是「反」得厲害。無論它在蒙古人手中，還是在峨嵋派手中，這把劍都是殺人性命、侮人尊嚴，比之屠龍刀的「不祥」是有過之而無不及。它在殘暴的蒙古統治者手中作為殺人的利器自不必說，就是在武林「正派」峨嵋掌門人的手中，也成了「反用」的凶器。

簡單地說，這把劍在滅絕師太的手中，實際上成了一種殘暴無比、屠殺生靈且趕盡殺絕的「滅絕之劍」，最突出的例子，當然就是滅絕師太用它屠殺明教之眾。還有兩個具有象徵意義的例子，一是周芷若用此劍刺傷了正在為明教與武林六大門派之間排難解紛的張無忌；二是最後周芷若從劍中找到的九陰真經的簡寫本又恰恰是「九陰白骨爪」一類的邪門武功——在《射鵰英雄傳》中，只有欺師滅祖的「黑風雙煞」陳玄風、梅超風夫婦和滅祖求榮的楊康才使用這樣的邪門武功！

所謂的無「合」，是指這柄劍斷了之後，最終也沒有被重新鍛接起來。明教銳金旗旗主吳勁草，堪稱一代鑄劍大匠，將那把屠龍刀重新鍛煉，而後接得嚴絲合縫，完好如初，而面對那把斷了的倚天劍，卻使他「想起瑞金旗前掌旗使莊錚以及本旗的數十名兄弟均是命喪此劍之下，忍不住眼淚奪眶而出」，由於他「恨此劍入骨」，當然不願意為它接續。[15] 此劍既然沒有被接續起來，「斷」而未「合」，「反」而不「復」，當然就沒有人能夠拿它去刺殺殘暴的君王了——難怪明朝的昏君、暴君如此之多。作者雖然只是寫一個精彩的娛樂傳奇故事，其中卻顯然是大有深意。

四、四女同舟何所望

說《倚天屠龍記》中對張無忌的性格完全沒有深度的描寫，當然是不符合實際的。小說中寫到的張無忌與小昭、殷離、趙敏、周芷若四個少女間的情感糾葛，就具有一定的深度。

張無忌在這四個少女之間一直徘徊不定，只好處處「隨緣」，走到哪是哪，碰到誰就是誰，幾乎成了一個笑柄。這位仁兄連自己最愛哪一個姑娘都不知道，又怎能指望他在其他的人生及社會的大局上採取任何主動、做出堅定的自我選擇？然而，正是這些，才是張無忌「出性格」的地方。

張無忌曾經有過一夢，夢見周芷若、趙敏、殷離、小昭四個姑娘都嫁給了他，且殷離浮腫的相貌也變得美了。作者寫到：這是他「在白天從來不敢轉的念頭，在睡夢中忽然都成為事實，只覺得四個姑娘人人都好，自己都捨不得和她們分離」。[16]這可以說是書中最大膽、也最巧妙的一筆。

說其大膽，是因為在此之前，金庸很少這樣寫，在此前的小說中，雖然也有圍繞男主人公的三角或四角關係，但主人公本人卻總是情感專注於一的。這種專注，既使得主人公的性格鮮明突出，同時也非常符合現代讀者的道德要求和欣賞習慣。由於現代社會的一夫一妻制早已讓人習以為常、且深入人心，這使得人類對自己的愛情心理及其愛情習慣也產生了一種普遍性的假定，那就是大家都習慣於愛情上的一對一、習慣於將愛情的專注這種社會的道德要求當成了個人的心理特徵和規律。

之所以說張無忌夢娶四美是一段巧妙之筆，那是因為第一，這種心理符合當時的風俗習慣，其時乃是元末，不論文士商賈，江湖豪客，三妻四妾實是尋常之極，單只一妻反倒罕有。[17]第二，這種心理符合當時的情境，張無忌當時正與四女同舟，因緣際會，不能不有所思、有所夢。第三，這種夢想也符合張無忌的性格，這位老兄一向是好好先生，只覺得這幾個姑娘人人皆好，而且也都對他有情有意，讓他選擇，實在太難，若能（如夢中那樣）四美齊歸，那當然是再好不過的事了。

第四，這樣的「結果」也符合情理，張無忌與這幾位姑娘各有一段因緣，有先有後，當時一一相對，當然沒有問題，但要他以一對四，那就有些招架不住。四女同舟何所望？對張無忌而言，最好當然是大家和和氣氣做一家。第五，這一段還揭示了一種真實的人性心理，一夫一妻是現代社會的一種法律規定，愛情專注是一種社會的道德要求，真實的愛情心理或情感欲望如何，卻不能由此定論。張無忌的這種四美同舟有所夢的心理，應該有更深層次的人性依據。

但，要說張無忌不知道更愛哪一個姑娘，其實也是不準確的，他後來曾對周芷若說：

「小昭離我而去，我自是十分傷心。我表妹逝世，我更是難過。你……你後來這樣，我既痛心，又深感惋惜。然而，芷若，我不能瞞你，要是我這一生再不能見到趙姑娘，我是寧可死了的好。這樣的心意，我以前對旁人從未有過。」

「芷若，我對你一向敬重，對殷家表妹心生感激，對小昭是意存憐惜，但對趙姑娘卻是……卻是銘心刻骨的相愛。」[18]這表明他已經有了明確的心理結論和情感選擇，最終面對四女，他的情感態度畢竟有所不同。這種不同，無論是在小說的情節上、在人物的性格上，還是在人物的心理上，顯然又深入了一層。

有意思的是，作者在本書的後記中卻又說：「但在他內心深處，到底愛哪一個姑娘更加多些？恐怕他自己也不知道。作者也不知道……」[19]這就把這一問題再度模糊了。

在作者看來，是由張無忌的性格拖泥帶水所致；但實際上，「作者也不知道」的是，這其實涉及到了人類情感的最深層次。只可惜，小說到此早已完結，作者不可能再寫什麼了。就是再寫，也還是武俠小說，畢竟不是言情小說，很難保證作者會花費更多的筆墨「將（張無忌的模糊）情感進行到底」。

四女同舟何所望？我們不妨換一個角度來看看。周芷若、趙敏、殷離、小昭這四個姑娘，有兩個共同點：一是她們都對張無忌有情，二是她們都長得很美。但其中殷離（蛛兒）因練習「千蛛萬毒手」臉上腫脹難看，非但不美，顯然還十分醜陋，何以也說她很「美」？這當然是有理由的。

一、張無忌遇到殷離之時是「非常時刻」，當時張無忌摔斷了腿，落難之時見到殷離，不美也美，何況當時是曾阿牛對蛛兒，當真堪稱是「天生的一對」。

二、後來張無忌知道這蛛兒原來不是別人，而是他舅舅的女兒，是他的表妹，心中的親情大可彌補對方臉上的不足。

三、更重要的一點是，不要忘記張無忌精通醫術，知道殷離的這張臉並非她的「本來面目」，即使別人看不出殷離的本來面目如何，當時大國手卻不可能看不出。所以，即使殷離在別人的眼裡是一個醜八怪，而在張無忌的眼裡也照樣是一個大美人。

進而，這四個姑娘性格各異，美態不同。小昭是溫柔體貼，殷離是執著多情，周芷若是端莊得體，趙敏則是爽朗真誠。而另一方面，對於好好先生張無忌而言，她們實在又各有各的「可怕」之處：小昭的身分可疑，小小年紀就負有特殊使命；殷離性格偏激，又練習毒辣武功，叫人感到如烈火焚身；周芷若心機深刻，非張無忌所能及之萬一；趙敏潑辣刁鑽，讓張無忌汗顏無地。如此，要讓張無忌這樣一個缺乏人生經驗而又性格拖泥帶水的人從中做出選擇，豈不是強人所難？

好在，作者手段巧妙，將張無忌所面對的這個人生的大難題處理得十分精彩，無一不是出人意料，而又無一不是讓人感嘆再三。

首先是對小昭的處理。她的身世揭露之時，也就是她的命運被決定之時。為了救張無忌的命，這個姑娘是什麼都肯幹的。對於張無忌而言，小昭若不離開中國，就非與她在一起不可。而與小昭在一起，其他人就沒「戲」了，豈不可惜？於是，小昭非走不可，惟其離開，才格外地讓人留戀和懷念，才能把最美好的印象留在人們的心裡。

其次是對殷離的處理。這個不幸的姑娘死而復生，相信所有的讀者都會為之高興且祝福。然而，作者的手段之巧還不在於傳奇之妙，更在於對殷離的「不識張郎是張郎」的心理揭示。她愛的是自己心裡記憶中的張無忌，而不是長大成人後的曾阿牛，世間最美好的愛情當然都是人類心靈的產物。殷離心中的張無忌不是真實的張無忌，這一筆實在動人心魄！而作者又輕輕鬆鬆地為張無忌解決了一道心理的難題，可謂一舉兩得。

再說周芷若，她對張無忌的愛情無可懷疑，且又是「門當戶對」兼有「父母之命」（**是義父謝遜的要求**），加之小昭走、殷離「死」、趙敏「壞」，本來是非與張無忌結合不可的。但其命運卻與她開了一個頗為殘酷的玩笑，那就是她的師父命她欺騙張無忌，使她在師命與情感之間難以抉擇。再深入一層，我們又會看到，她的結局，一半是命運，一半卻是由她的性格造成。這個姑娘權勢欲不小，也頗有政治手腕，加之性格外柔內剛，總想什麼都得到，結果自然是事與願違、真相大白，也就離張無忌越來越遠。

再說趙敏。張無忌最愛趙敏，在情節上是勢在必然，走的走了、「死」的死了（**殷離是「死」了這片心**）、「嫁」的嫁了（**周芷若可以說是「嫁」給了峨嵋派**），只剩下了趙敏。而且，在心理上，張無忌愛上趙敏，也是有充足的理由，雖不能說趙敏最為可愛，但他們之間性格互補，尤其是趙敏最為誠摯坦率，張無忌非甘心受「縛」不可。

更有一點不可不說的是，張無忌與趙敏的相愛，還具有超越民族仇恨、超越政治對抗的巨大人文價值和思想意義。這可以說是一個更高層次上的「正、反、合」——張無忌是明教教主，是天下漢人反元抗蒙的最高領袖，當然是「正」；趙敏是蒙古的郡主，是蒙古統治者的重要幫凶（**分管武林江湖），自然是「反」；而他們二人居然都沒有把民族仇恨及政治矛盾與他們之間的個人情感混為一談，在情感上超然「物外」，實屬難能可貴，他們的「合」，即使是在今天，也一樣具有讓人感動且發人深思的人文價值。張無忌能夠在江湖的正邪兩派之間謀求和合，進而還能夠在漢、蒙民族之間謀求（**個人情感的**）和合，可見他的「乾坤大挪移」的功夫的確是十分了得！

有意思的是，不知道作者是無意還是有意，在這四個姑娘中，分別寫到了兩個漢族姑娘、兩個異族姑娘——其中小昭從波斯來、趙敏是蒙古人。而這四個姑娘之間，漢族姑娘殷離與波斯聖女小昭是一種對比，漢族姑娘周芷若和蒙古郡主趙敏又是一種對比。殷離的毒辣、偏激、瘋癲，與小昭的溫柔、和順、聖潔，對比清楚；而周芷若的為掌門之位而犧牲愛情、引誘對方卻又欺騙對方，與趙敏為了愛情而糞土王侯、甘為情郎背叛家庭，更加涇渭分明。如是，漢族姑娘的不大可愛，與異族姑娘的非常可愛，也就成了一種有趣的對照。

最後，順便說一說作者的自我評價。在本書的後記中，作者說似乎並不怎麼看重書中的愛情描寫，而說「事實上，這部書情感的重點不在男女之間的愛情，而是男子與男子間的情義，武當七俠兄弟般的感情，張三豐對張翠山、謝遜對張無忌父子般的摯愛」。又說「然而，張三豐見到張翠山自刎時的悲痛，謝遜聽到張無忌死訊時的傷心，書中寫得也太膚淺了，真實人生中不是這樣的。因為那時候我還不明白。」[20]——這是實話。

二、寓言故事

在完成「射鵰三部曲」之後，金庸開始又一次創作模式變革與升級，從單純的傳奇人生成長故事，升級為人生故事＋人世寓言。一九六三年九月開始連載的《天龍八部》及其後的主要作品，在人生傳奇故事層面之上，建構了寓言空間，主人公既是現實中人，又是寓言中人。金庸小說出現了全新面貌，標誌著金庸小說創作進入新階段。

《天龍八部》

一、《天龍八部》堪稱武俠小說第一奇書

其一，書中人物形象的刻畫方式是非常態的，即以誇張、漫畫等充滿想像力的方式描繪人物形象及其心理，如段延慶、天山童姥、游坦之等人的身體與心理都非常態卻又非妖異。

其二，書中人物的心理與行為，大多有明顯病態，可謂「天龍八部病」。病因是受權欲、情欲、虛名欲、復仇欲等欲望情緒所控制，戾氣滯脹，理性匱乏、人格不完整、心理不健康。

其三，小說的突出特點，是寫出「天龍八部」式戾氣如同病毒，隨時傳染、隨地擴散，從而影響他人、毒害世界。每個人都處在特定社會關係網路中，任何人的戾氣與暴行都可能影響和改變他人的命運，甚而影響整個社會世界。書中這些人的非常態心理與行為，無論是有意或無意，都給他人帶來痛苦和災難，把人間變成了「天龍八部」式非人世界。

其四，小說《天龍八部》的超凡之處，是突破或超越了簡單的道德評價框架，專注於人性非常態的探索和書寫。這是因為作者獲得了超級思想武器，即：「佛陀認為做了壞事的人不是壞人、惡人，而是不明白真義的『無知凡夫』，由於『處於黑暗』，而不是『生性黑暗』。」例如阿紫，例如游坦之。

小說《天龍八部》視野寬廣，氣勢恢宏，從大理、北宋、大遼、西夏皇帝以及吐蕃國師鳩摩智、女真首領完顏阿骨打，到丐幫、逍遙派、星宿海乃至遍佈四面八方的三十六洞、七十二島，共同形成天龍八部世界。

小說的主人公是段譽、蕭峰和虛竹。三人身分不同，性格也不同，卻有相似的命運。

其一，他們都是惡人之子。

其二，三人自出場起就都受厄運支配，身不由己。

其三，強大而莫名的命運力量，使得三人的自我同一性被撕裂，從而經歷自我認同危機。好在還有最後一個相似點，那就是無論遭遇怎樣的厄難，都沒有失去理性和自主意志，沒有失去悲天憫人之心。最後，蕭峰、段譽和虛竹三人聯手，在少林寺，他們聯手打敗了武林中的邪惡力量；在宋國和遼國的邊境線上，他們又聯手逼迫遼國皇帝耶律洪基發誓終生不得侵犯大宋，為這塊土地上的人民贏得了持久的和平。小說的三位主人公，是天龍八部世界的拯救者。

《天龍八部》不是佛教思想演繹之書。小說探索和書寫的是人性，超度冤孽拯救世界的也是人性中的積極因素，即良知、俠義和悲憫之心。證據是，段譽雖然熟讀佛經，仍然是俗世的王子；小和尚虛竹亦因懷念「夢姑」而永遠離開了少林寺；蕭峰更是徹頭徹尾的俗世英雄。

二、非人苦海泛慈航

在金庸先生的武俠小說中，我最喜歡的作品是《天龍八部》和《鹿鼎記》兩部。恰好這兩部作品也是金庸小說中篇幅最大、連載時間最長的作品，其中《鹿鼎記》在報紙上連載了兩年零十一個月，而《天龍八部》則連載了將近四年時間：從一九六三年開始在《明報》上連載，至一九六七年才最後結束。

我曾與朋友們戲言，如果《射鵰英雄傳》、《神鵰俠侶》、《俠客行》、《笑傲江湖》等作品能夠稱為金庸小說的傑作的話，那麼《天龍八部》和《鹿鼎記》兩書就可以稱為傑作中的傑作，或者說是「絕（頂之）作」。如果要給金庸的小說「排座次」，別的作品不好說，但我一定會將這兩部「絕作」選為並列第一。如果要作進一步的比較和排列，我會將《鹿鼎記》排在第一，《天龍八部》排在第二。之所以如此，是因為，在我看來，《鹿鼎記》的文學和文化價值畢竟更勝一籌。但問題是，《鹿鼎記》實在算不上是一部常規的武俠小說，連作者也承認它更像「是歷史小說」，[21]所以，要論「真正的」武俠小說，還是要讓《天龍八部》排在第一。

三、小說的三位主人公

小說《天龍八部》的三位主人公，當然是段譽、蕭峰、虛竹。

這三個人，一個是大理的王子、一個是丐幫的幫主、一個是少林寺的和尚，看上去似乎毫不相關，但卻結拜了兄弟，三人成為一體，成就了一番江湖中的傳奇故事。後來，段譽成了大理的皇帝，蕭峰當了遼國的南院大王，虛竹和尚竟做了西夏國的駙馬，這是他們的另一重身分，就關乎天下蒼生氣運。再進一步，段譽看上去是儒生，實際上是佛子；虛竹一直在少林佛家禪寺中修行，但最後卻做了道家逍遙派的掌門人；蕭峰非佛非道，身為乞丐幫主，但最終卻實現了儒家弟子「達則兼濟天下」及「先天下之憂而憂」的人生境界！於是他們的故事，就自然而然地形成了一種「儒釋道三教合一」的哲學寓言。

這三個人，雖說是自主地結為兄弟，實際上相互之間早有上代因緣。虛竹之父玄慈乃是使得蕭氏家破人亡、徹底改變蕭峰一生命運的「帶頭大哥」；而蕭峰之父蕭遠山則恰恰正是將虛竹從其母親手中搶走，從而改變虛竹一生命運、迫使虛竹之父玄慈在天下英雄面前自曝其過，且最終自殺身亡、進而使虛竹之母葉二娘殉情自殺的「大惡人」。蕭峰曾親手打死段譽的妹妹阿朱，而虛竹的母親葉二娘則又是段譽生父段延慶的死黨。這三位主人公之間實際上有著重重恩怨糾葛，並非「自由」之身。

這三個人，一名段譽——「譽」者，名也、稱也；一名虛竹——「虛」者，假也、空也；一名喬峰——「喬」者，扮也、虛也。從他們的名字看，他們的故事、他們的形象，其實都有「名相非真相」的深刻寓意。就像那慕容博悟道出家時所言：「庶民如塵土，帝王亦如塵土。大燕不復國是空，復國亦空。」[22]

有趣的是，對於蕭遠山、慕容博等等大多數人來說，其最高的境界是「空」；但對於段譽、虛竹、蕭峰等人而言，卻又還原為「有」——絕非僅僅是「空」。虛竹本身就是和尚，但小說的作者卻讓他還俗、結婚，成為靈鷲宮的主人，惠及逍遙一派；段譽雖是真正的佛子，但卻沒有出家為僧，而是當上了大理國的皇帝，造福一方；而蕭峰最後自殺身死，但卻已經為天下太平做出了不朽的貢獻，值得天下英雄共同敬仰。

蕭峰不但是《天龍八部》中的第一英雄，實際上也是金庸所有小說中的第一大英雄，在金庸小說中，再沒有其他人具有蕭峰這樣的英雄氣概。

而這位第一大英雄，卻不是一位漢人，而是一位契丹人。

構想出蕭峰這樣一位契丹英雄的形象，首先當然是出於佛家的「眾生平等」的觀念。在佛家眼中，人與動物都屬「眾生」之列，都該「平等」，那麼寫出一位出身於遼國、生長於中原的契丹英雄，當然並非難事。中原漢人是人，契丹人也同樣是人；中原漢人中有好人、也有壞人，契丹人中有壞人、也有好人。這些，都不是什麼深奧難懂的道理，其實用不著用佛經來解說。

然而，對於武俠小說家來說，擁有這種常識觀念當然是很正常，但在寫作之中要「實現」這種觀念，或要「表現」這種常識卻實屬不易。我們都知道，武俠小說中的所謂的「愛國主義」，實際上都是指漢民族本位的愛國主義。它的基礎其實是民族主義，即任何時候都站在漢民族的立場上說話、敘事。《碧血劍》的主人公袁承志可以佩服皇太極，但絕不能去支持皇太極。《神鵰俠侶》的主人公楊過無論怎樣的偏激，作者也絕不敢讓他真的幫助蒙古人殺了郭靖，若不是他最後拯救了襄陽，又怎麼能夠再一次登上華山之巔？

《倚天屠龍記》的主人公雖然深愛趙敏，但在要推翻元朝蒙古人統治這一「原則問題」上，卻從不敢有絲毫的軟弱或讓步，作者安排趙敏背棄自己的家庭和民族，跟隨張無忌，那就心安理得得多。若非如此，只怕「愛國」的讀者就要提意見；偏激一點的人，恐怕就要因為作者公然違反武俠小說的「遊戲規則」而「拒看」。

到了《天龍八部》，作者的思想觀念終於借助佛經的名義，而有了明顯的改變。在一部描寫契丹人與漢人相互仇恨、相互敵對時代的作品中，將書中的第一大英雄設計為劃一不二的契丹人，而且讓這位契丹人的光芒蓋過了書中所有的漢人英雄，而且還讓書中的漢人英雄不由自主地喊出「喬幫主，你雖是契丹人，卻比我們這些不成器的漢人英雄萬倍！」[23]作者對自己一貫遵守的武俠小說的遊戲規則做出如此之大的改變，不能不令人佩服。

當然，蕭峰這位大英雄不僅僅比所有不成器的漢人英雄萬倍，同時也比所有不成器的契丹人英雄萬倍。蕭峰最後迫使自己的結義兄弟、遼主耶律洪基當眾發誓終其一生不再發兵南下侵宋，對契丹人的遼國，這種行為當然是一種犯上和「背叛」，但蕭峰如此，卻又顯然不是想要重新「回歸中原」，而是在宋、遼的邊境自殺殉道——這恰好正是當年他的父母因宋、遼衝突而無辜犧牲之處。這顯示出，蕭峰的英雄氣概和精神境界，的確要比宋遼兩國的英雄都要高出一籌。

簡單地說，蕭峰的行為，已經超出了民族主義、愛國主義的精神範疇，而達到了一個新的——對當時人而言——「國際主義」與「和平主義」的層次。蕭峰之死，為的不是自己的私心私利，也不是為哪一個民族、哪一個國家的利益，而是為天下蒼生的和平安寧。這也正是《天龍八部》一書的難能可貴之處，是本書思想主題之所在。

具體到蕭峰這一人物形象，最準確的概括和評價，莫過於少林寺中的那個無名老僧所言：「唯大英雄能本色」。

他的第一次出場露面，是在無錫松鶴樓上喝酒，僅僅是坐在那裡喝酒吃菜，就令滿腹惆悵的大理王子段譽為之心折！蕭峰的那一種豪邁自在的英雄氣概，無須用任何其他的言語與行為表現。

我們都知道金庸小說有一個非常明顯的特徵，那就是總要為書中的主人公專門設計一套專屬於一人的武功。就在《天龍八部》中，段譽有專門屬於他的獨門武功「凌波微步」和「六脈神劍」，虛竹亦有他的「小無相功」和「天山六陽掌」，慕容復更是有他的聞名天下的「以彼之道，還施彼身」，而唯獨蕭峰沒有獨門武功。他的武功「降龍十八掌」雖說在本書中也沒有第二個人能使，但熟讀金庸的讀者都知道，這一套武功屬於《射鵰英雄傳》的主人公郭靖。作者不為蕭峰專門設計武功的目的，是要寫蕭峰其人天生的武勇。在聚賢莊上，居然與對手使出同樣的武功，用一套再平常不過的武功「太祖長拳」將少林寺中的一流高手玄難打得無力招架。這表明，什麼樣的武功到了蕭峰的手上，都能發揮出意想不到的威力。而這一點，又正是蕭峰這位本色英雄的最好的證明。

蕭峰的英雄氣概，當然更表現在他「雖萬千人吾往矣」的那種一往無前的豪邁行為之中。最好的例子，當然就是為了阿朱而獨闖聚賢莊。明明已經知道中原的英雄好漢將要在聚賢莊集合商討對付自己之策，明知此行充滿凶險、自己沒有任何把握保得住自己的性命，但為了找到神醫薛慕華為阿朱治病，卻仍是毅然前往。蕭峰如此，只說自己是「蠻勁發作」。這就是真正的大英雄，有所不為，也有所必為，而所為的「理由」，有時甚至連自己也說不清。

還有一個例子，是在遼國南院大王父子叛亂之際，久經戰陣的皇帝耶律洪基已經絕望，但蕭峰居然真的能「在萬馬軍中取上將首級」，終於將一場大亂消於無形。而事後與阿紫說起，非但沒有自誇英雄了得，反而說「遇到危險之時，自然怕死」，又說「這叫做置之死地而後生。我倘若不衝，就非死不可。那也說不上什麼勇敢不勇敢，只不過是困獸猶鬥而已……」[24]——這些話說得真實，正是大英雄不加修飾的本色。

更加難能可貴的是，蕭峰雖然天生武勇，卻並非一介莽夫。他不僅英雄豪邁，且具有仁義慈悲之心，膽大心細。在丐幫發生重大事變之際，蕭峰的處理方式就非常講究策略，當他不知道事情的真相之際，首先是將亂事首領全冠清制服，穩住大局；發現本幫四大長老都參與作亂，按幫規應該處死，蕭峰卻自流自血代贖其罪：在徐長老和馬夫人出現之後，事情變得十分蹊蹺，他也是臨變不亂，寧肯自己受些委屈，也不願利用自己的幫主身分造成丐幫的分裂和內亂。所有這些，都是乾淨俐落，表現出一種真正的英雄風範。

蕭峰的故事，讓人想到古希臘悲劇，尤其是想到古希臘悲劇作家歐里庇得斯筆下的希波呂托斯——他因為輕慢了愛與美的女神阿芙洛蒂忒（小說中的康敏恰好像阿芙洛蒂忒那樣自負美貌），阿芙洛蒂忒以為希波呂托斯鍾情於狩獵女神阿耳忒彌斯（蕭峰和阿朱的確曾有過到塞外狩獵的計畫），從而妒火中燒，設下毒計使得希波呂托斯陷入極為不幸的命運，最後被其父親撕成了碎片（蕭峰的父親蕭遠山的所作所為差不多也將他的心靈撕成了碎片）——有意思的是，阿朱的形象也確實有些像狩獵女神阿耳忒彌斯：阿耳忒彌斯是太陽神阿波羅的姐姐，阿朱是大理王子段譽的妹妹；阿耳忒彌斯是雙胞胎之一，阿朱也恰好有個妹妹阿紫：阿耳忒彌斯愛上了獵手俄里翁，卻遭到太陽神阿波羅的嫉妒，結果阿波羅設計讓阿耳忒彌斯親手殺死了自己的情人俄里翁！而小說中的阿朱則是反其道而行之，被自己的情人蕭峰一掌打死。

一掌打死阿朱，無疑是蕭峰一生最大的傷痛，也是他一生悲劇命運的高潮。但這種悲劇命運，卻又是他的性格悲劇的必然表現。為了找到當年害死他父親母親的帶頭大哥、找到殘酷地殺死他養父養母以及授業恩師玄苦等人的「大惡人」，為了報復血海深仇，蕭峰被仇恨與嗔怒的情緒所控制，幾乎喪失了正常的理性，從而犯下一連串一生都不能自我原諒的大錯。他雖未殺譚公、譚婆，但他們卻是因他而死，正如「我不殺伯仁，伯仁因我而死」；打死阿朱，更是他親手所為。這種情緒，這種行為，既是他命運的一部分，更是他性格的一部分。其實早在聚賢莊大戰之時，蕭峰大開殺戒，雖說是為了救助阿朱、而且是迫不得已，但畢竟是違背了自己不殺一個漢人的誓言，濫殺了無辜。那時的蕭峰，就已經如猛虎、如獵豹、如豺狼——他甚至發出像狼一樣的嚎叫！

顯然，在蕭峰的英雄本性中，包含了一種豺狼之性。在受到人類正常理性控制的時候，就表現出英雄豪邁的一面；而在受到復仇情緒控制的時候，就表現為豺狼獸性的一面。俠義豪邁和「動物凶猛」，共同組成了蕭峰的英雄本色。這也正是《天龍八部》中的蕭峰形象與其他武俠小說中的主人公形象大不相同的地方。

當然，蕭峰之成為蕭峰，還在於他在打死阿朱之後，逐漸恢復了理性，仁人之心克制了他的復仇衝動：對天下蒼生的深切同情，使他獲得了少林高僧「唯大英雄能本色」的讚譽；最後，為宋、遼和平而獻身，就更是達到了人道主義精神境界的最高峰。作者對蕭峰自殺的描寫，實際上是完成了一座永恆不朽的人道主義者的英雄雕像。

虛竹的故事相對較短，也較為簡單，一言以蔽之日，是「想當和尚而不得」。而另一方面，超強的武功、掌門人的地位、真誠的友誼、美滿的婚姻等等世俗中人夢寐以求的種種「福緣」，對虛竹而言卻又是「無求而得」。這就意味著，在虛竹所經歷的簡單的故事中，有著更加深刻的人生內涵。

虛竹的故事在第四卷書中，第四卷書的回目組成的一首詞，名《洞仙歌》，詞曰：

「輸贏成敗，又爭由人算？且自逍遙沒人管。奈天昏地暗，斗轉星移，風驟緊，縹緲峰頭雲亂。紅顏彈指老，剎那芳華，夢裡真真語真幻。同一笑，到頭萬事俱空。糊塗醉，情長計短。解不了，名韁繫貪嗔。卻試問，幾時把癡心斷？」

——此詞大致可以作為虛竹故事的一種注釋。

《天龍八部》一書中，有兩段最為奇妙精巧的故事，偏偏都與這位虛竹有關。

唯一不同的是，他人都是由欲望衝動而製造冤孽，在虛竹卻是由「冤孽」而「製造」欲望。虛竹原本是一個誠心誠意的和尚，雖非得道高僧，但卻能謹守戒律。他之犯戒，乃是由於別人惡意的誘惑與「造孽」所致。阿紫出於惡作劇的本性，害他犯了葷戒；天山童姥更是了得，害得他接二連三地犯下殺戒、葷戒、酒戒、淫戒、妄語戒和自殘戒。需要說明的是，虛竹犯其他各種戒律時都是身不由己，而在犯「淫戒」時卻是情不自禁。不僅一而再、再而三地「自覺」重犯，而且從此對那位「無名無相」的「夢姑」念念不忘。

虛竹犯下各種大戒，但卻並沒有「萬劫不復」。相反，離開佛門，卻別有一番旖旎風光、一番廣闊天地。由於犯了「淫戒」，使得虛竹由「佛門」回歸「人道」，另一方面，虛竹之身成了「俗身」，但虛竹之心卻依舊是「佛心」。從而虛竹的形象，就成了另一層次上的「非人與人」的典型。

四、人類的四種欲望

說《天龍八部》一書是一部破孽化癡的巨著，是因為它充分地展示了冤孽的由來。所有的冤孽，並非來自神秘的天命、更不是來自無形的虛空，而是來自人類的欲望本身。

人類的欲望多多，書中當然沒有、也不可能一一展示，而只能是對其中幾種重要的欲望——禍害——冤孽做重點的展示。

書中的「天下四大惡人」，顯然就是其中最突出的代表。

四大惡人的創造，可以說是作者對「天龍八部」這一主題的濃縮。以「惡」字的位置排定他們的身分地位，即「惡貫滿盈」段延慶、「無惡不作」葉二娘、「凶神惡煞」岳老三、「窮凶極惡」雲中鶴，可以說是一種極具創意的「方便法門」，讓人對他們的「惡性」可以一目了然。然而，作者對此四大惡人的設計，其創意或用心絕非如此簡單。實際上，這四大惡人代表著人類的四種重要的欲望；而他們的排位先後，則代表了這四種欲望為禍造孽程度的高低。具體說：

惡貫滿盈段延慶代表的是權力的欲望，——為禍第一；

無惡不作葉二娘代表的是復仇的欲望，——為禍第二；

凶神惡煞岳老三代表的是名位的欲望，——為禍第三；

窮凶極惡雲中鶴代表的是色情的欲望，——為禍第四。

值得注意的是，段延慶的權勢欲望和他的復仇欲望是緊緊相聯繫的，換句話說，他的權勢欲望是通過復仇形式展示出來的，其為禍尤烈，他的「天下第一大惡人」的地位不可動搖。無惡不作葉二娘的復仇欲望又是和她的不能滿足的情愛欲望緊密相關，也就是說她的復仇行為實際上是她的情感變態的一種表現形式，難怪岳老三始終不能從她的手中奪得「第二惡人」的位置。可見，第一、第二兩大惡人同時具有雙重欲望，而第三、第四兩大惡人則只各具有一重欲望，所以，第一、第二惡人與第三、第四惡人實際上不在一個數量級上。

惡人之所以成為惡人，是因為他們高揚欲望的旗幟，將膨脹的欲望作不加任何限制的畸形變態的發揮，絲毫沒有把社會公約、道德規則等等放在眼裡，為一己欲望的實現而殃及池魚、甚至故意濫殺無辜。段延慶為了發洩自己的欲望而謀求天下大亂、不惜製造血雨腥風；葉二娘為了發洩心中的積鬱每天要殺死一個無辜的兒童（**實在令人髮指**）；岳老三因為別人不說他「惡」而傷人、因為別人不喊他做「岳二爺」而殺人；雲中鶴好色成性、獵色成癖、見色成狂，不擇手段、不分對象、不論場合、不知羞恥。

換取慕容家族更多的武功秘笈。鳩摩智以吐蕃高僧的身分到大理搶奪天龍寺的六脈神劍，當然會使得兩國關係變得緊張，甚而會產生嚴重的衝突。這一事件，又使得鳩摩智將大理王子帶到中原，從而也改變了段譽的命運。如果段譽為此犧牲，大理、吐蕃兩國都勢必再無寧日。慕容父子的王霸雄圖為禍之大，實在讓人不寒而慄。

而像慕容父子這樣的人到處都有，因某些人的王霸雄圖而導致血流漂杵的事情也時時在發生。書中所寫到的遼國的皇太叔兼天下兵馬大元帥耶律重元和他的兒子耶律涅魯古叛亂——此為真實的歷史事件，發生於遼道宗清寧九年（西元一〇六三年）——就是一個典型的例子。進而，書中寫到的遼國皇帝耶律洪基（即歷史上的遼道宗）一心不忘滅宋，而大宋年輕的皇帝趙煦（即歷史上的宋哲宗）則一意想用強兵攻遼，雖出於小說家言，但卻符合邏輯。所有這些，說到底，還不都是為了王霸雄圖？宋、遼成仇，雙方當權人物你爭我奪，而雙方的百姓卻是苦不堪言。遼國人在漢人的眼裡成了「遼狗」，宋國人在契丹人眼裡則成了「宋豬」，大家全都成了豬狗畜生，成了「非人」。

進而，江山社稷是這樣，江湖門派也是這樣。丐幫的八袋弟子全冠清——這人很像《倚天屠龍記》中的陳友諒——先是陰謀陷害前幫主喬峰，後又利用無知少年游坦之奪得幫主之位，進而還想要他去奪取「天下武林第一人」的桂冠，這無疑是另一種形式的王霸雄圖。

值得注意的是，在《天龍八部》一書的最後，幾乎所有的人都自覺或不自覺地破孽化癡，或以死消孽，或幡然悔悟，或出家修行，只有慕容復非但沒有任何改變，皇帝夢卻是越做越深，以至在墳頭上扮起了登基的遊戲。說他精神失常也好，說他可悲可笑也罷，總之他的王霸雄圖之心已經深入骨髓，終生再難改變。而他到小說的最後還在喃喃不休地自言自語，也表明人間的大欲並未真正的消解，因而人間的苦難和悲劇也就遠遠沒有到達盡頭。

至於血海深恨引起的濫施報復，當然也遠遠不只是葉二娘一人而已。蕭遠山的妻子無辜被殺，以致片刻間家破人亡，倘若他當時自殺身死倒也罷了，不幸的是他自殺而又未死，從此一心復仇，也就徹底地改變了自己一生的抱負和命運。倘若他只是找當年的帶頭大哥和假傳訊息的人復仇倒也罷了，問題是，他卻把自己的一腔仇怨與怒火，全都發洩到一些與雁門關事件並不直接相干的人身上，使得他罪孽深重，幾乎不可自拔，也不可原諒。殺喬三槐夫婦，殺少林寺玄苦大師，殺譚公夫婦和趙錢孫，殺單正一家老少主僕等等無辜者，甚至殺對蕭峰有恩者，而真正造成他一生悲苦的罪魁禍首，他卻一直未能找到。所有這些，與無惡不作的葉二娘早已是異曲同工。復仇的「盲目性」，在他們的故事中充分地顯示出來了。

對復仇的盲目、或者說是血海深恨導致主體情緒衝動而精神盲目的最好描寫，是對主人公蕭峰的一段描寫。他極力想要尋找的「大惡人」，原來是他的生身父親；他滿懷深恨地出手復仇，打死的卻是自己的至愛之人！其中雖有種種傳奇的巧合，但這些事件本身卻無疑具有深刻的象徵性。

與之相似的故事還有，逍遙派的天山童姥和李秋水為了爭得同門（後來是掌門）師兄弟的寵愛，自年輕時就開始相互敵對、相互陷害、相互仇恨，以至於一個童身到老不能長成正常人的身材，一個臉面破相使得美麗的容顏變得可驚可怖。更讓人哭笑不得的是，天山童姥明知師弟從來就不愛自己，卻要加倍地痛恨自己的情敵李秋水，而李秋水其實也早已失去了師兄的愛情，卻依然與天山童姥終身為敵。這種盲目的仇恨，真叫人莫名其妙，而當事者卻鬥志不休，樂此不疲。

這樣的復仇者，當然還應該包括馬王神鍾萬仇，將自己所居之地命名為「萬劫谷」，可見他懷有的行為則是一種下流行為。

風流與下流當然是不同的，不過，下流有下流的罪孽，風流卻也有風流的罪孽。段正淳見一個女人愛一個女人，儘管每一段感情都很真摯，但這些「歷時」的情感，在「共時」的生活中就會產生巨大的冤孽。冤孽之一，是使得這些女性一個個都變得瘋瘋癲癲，愛恨交織，情仇折磨，以致相互之間拼殺打鬥，爭寵成仇。甘寶寶已做了他人的妻子，但對當年的情敵仍恨恨不已；秦紅棉母女要殺王夫人、要殺刀白鳳；王夫人又派人追殺秦紅棉、甘寶寶；刀白鳳身為王妃，卻傷心離家；康敏的「情仇」就更是讓人毛骨悚然。

冤孽之二，是讓她們的子女因受到上一輩情孽的牽連而飽受情感的煎熬、亂倫的恐懼。段譽從家裡逃出，喜歡上的第一個少女鍾靈，私訂終身的少女木婉清，傾心相愛的少女王語嫣，竟然全都是他的同父異母的妹妹！段譽的另外兩個同父異母的妹妹阿朱、阿紫，幸而沒有與他產生私情。段正淳與阮星竹的這兩個女兒命運更慘，雙雙流落他鄉，一個被蕭峰打死，另一個卻成了一個邪氣深重的小惡人。說到底，這些都是段正淳的罪孽的證明。

接下來，就是冤孽的報應了，而且這些報應還都是不折不扣的「現世報」。報應之一，是段正淳的這些風流韻事人所共知，因而他的這些情人也就成了別人要脅他的「香餌」，最後秦紅棉、甘寶寶、阮星竹、王夫人等人終於被慕容復殘酷殺害，段正淳不得不殉情自殺，而刀白風又為他殉情，大家全都死於非命。報應之二，是段正淳唯一的兒子、唯一的王位繼承人段譽，卻竟又不是他的親生兒子，而是刀白鳳報復丈夫濫情而與段延慶私通的「結果」。這一報應，顯然帶有深刻的諷喻性和象徵性。

逍遙派的前掌門人與自己的師妹李秋水曾隱居於大理無量山中，做過一段不折不扣的神仙眷屬，這使得他的師姐天山童姥痛苦一生。進而，這位才華橫溢的逍遙派掌門人卻愛上了自己親手雕刻的一座雕像，以致李秋水因愛生恨，當即報復，神仙眷屬變成了人間怨偶。逍遙派的掌門人在次徒丁春秋反叛和陷害時，因得不到本門師姐、師妹的援助，不得不做了三十年的「活死人」！

更具諷刺意味的是，天山童姥對這一切固然毫不知情，李秋水對師哥的變心也是莫名其妙，而師哥本人到死也沒有明白自己當年「只愛雕像不愛真人」的奧妙——原來他不知不覺地愛上了李秋水的妹妹，本人卻始終不明真相。要不是他留給虛竹的那一幅畫被天山童姥和李秋水臨終前破譯「密碼」，識破畫像中的「真相」，世界上就再也無人能夠解釋當年的一對情侶為何分道揚鑣。

這個故事，就像是一段寓言，人們以為自己深愛某人，但始終不知內心最深處卻又另有所愛——世上的情人們當真知道自己真心所愛的是誰嗎？逍遙派中的所有的人，都不能真正得到快樂與逍遙，其原因固然是不能克制自己的欲望，更深刻的原因卻是壓根兒就不明白自己的心！

至此，我們當明白，書中所寫的這四種欲望，以及被這四種欲望所支配的形形色色的人們，之所以總是不能順利地達成自己的理想、反而為世界增加無數的冤孽，最重要的原因恰恰是由於欲望的衝動導致了自身的盲目。人類欲望的過度膨脹使得自身和他人成為「非人」，從而大多數人才都在欲海孽淵之中掙扎，冤冤相報，因果相連，始終不得超度。

而超度孽海的希望，與其說是佛經禪理的點化，不如說是出於人類自身的理性與良知。段譽、蕭峰、虛竹這三位主人公的故事，就是最好的明證。

《俠客行》

一、故事神秘精彩，寓言深刻且豐富

本書的表象，是《俠客行》中無俠客；真正的思想主題，是寓言人類蒙昧無知。書中人耳聞俠客島製造浩劫，目睹石破天身上傷疤，心思《俠客行》武功圖譜，都不過自以為是的錯覺，與事實真相天差地遠，甚至南轅北轍。俠客島上數百位武學高人，自大成狂的白自在，孤傲狂狷的謝煙客，無不在認知局限裡打轉；丁不四、史小翠、梅文馨、梅芳姑、丁瑺，全都活在一廂情願中迷失；貝海石之流更是似詐實愚，令人不齒。黑白雙劍石清、閔柔夫婦縱有俠名，在書中不過是世間蒙昧父母的典型。石破天讓人想起伏爾泰筆下的「天真漢」，引領讀者觀察體驗人類的種種蒙昧、恐懼與卑污；而他自己到最後也不知道「我是誰？」這一問題的答案，非僅限於他的身分（**百分之九十九是石清和閔柔的次子**），同時也是在追問人——我——的本質，這才是本小說最後也是最大的謎題。

二、「誰能書閣下，白首太玄經？」

《俠客行》一書創作於一九六五年，在《明報》所屬《東南亞週刊》上連載。其時，金庸的武俠小說創作技藝已經進入了爐火純青之境。金庸筆下的劍魔獨孤求敗在四十歲以後，已經不大用無鋒重劍，進入了草木竹石皆可為兵的新境界。而此時的金庸本人也正當這一年紀，剛剛寫出了《天龍八部》（**這就是他的那柄武林少有的「重劍」**），此時又寫《俠客行》，顯然是草木竹石隨意為之、飛花摘葉都能傷人了。

這部小說的書名當然是由大詩人李白的那首同名古風而來，小說的內容也與那首名詩密切相關；

不過，小說的情節並非是對李白名作的演繹和注釋，而是對這一詩作做了絕對出人意料的巧妙安排。這部小說的節奏之快、變化之多、迷霧之重、構想之巧，在金庸的作品中也屬少見。

三、真相之辨

閱讀這部小說要從前往後看，而分析這部小說卻最好是從後向前想。所以，我們就從小說最後面的關鍵處說起。所謂最關鍵處，就是俠客島上的《俠客行》武學圖譜。正是因為發現了這套武學圖譜，卻又無論如何也看它不懂、解它不開，所以龍、木兩位島主才會想到邀集天下武林高手一同來破譯其中的奧妙，這才有了俠客島十年一次的邀客之舉，也就是江湖中談虎色變的所謂「武林浩劫」。正因為有了這種十年一次的「武林浩劫」，所以長樂幫才會讓石中玉當幫主，讓他做替罪羊，並在石中玉畏難逃走之後，找到與石中玉形象相似的主人公石破天。於是，也就決定了石破天的命運，從而有了這一段離奇巧妙的故事情節。

俠客島的邀客之舉之所以被視為武林浩劫，固然是因為張三、李四兩人送請柬的方式很霸道，如果有人不去赴會就要殺其滿門；但更重要的原因，卻還是沒有人瞭解俠客島請客赴宴到底是怎麼回事。之所以沒有人明白，則是因為數十年來，所有的被邀請者居然沒有一個人回到大陸來。而所以沒有一個人回來，並不是因為他們全都像大家想像的那樣葬身於俠客島上，甚至也不是因為俠客島主多情留客，而是因為那套解不開的《俠客行》武學圖譜把大家全都迷住了。大家誰都解不開，卻又都想解開，所以就沒有一個人願意主動離開俠客島。這才使得大陸武林誤會重重，憂心忡忡，各想高招，以應付「劫難」。

直到石破天來到俠客島，才最後解開這一謎中之謎，使得俠客島及其《俠客行》武學圖譜真相大白，而這真相竟出乎所有人的意料之外。

真相是簡單到不能再簡單：石破天之所以能夠破譯《俠客行》武學圖譜，原因不過是因為他不識字。那些使數百位第一流武林高手窮數十年時間都無法破解的詩句、注釋、圖畫、蝌蚪文、白首難窮究竟的「太玄經」……原來都不過是這套精深武學圖譜的「假象」，真相卻是那些藏在文字和圖畫筆劃之中的劍形掌影、藏在蝌蚪文本「太玄經」之中的經絡圖。識字的人，一心追究字義、詩意、畫謎等等，自然就會對藏在文字和圖畫之「形」中的武功秘訣視而不見，一心追究「真相」，卻全都被假象所迷惑。而對於石破天就非常的簡單，正因為他不識字，才能對文字圖畫之中的「劍形真相」一目了然。

這不僅是一個絕對出人意料的結局，同時又是一個絕對發人深思的結局。其發人深思之處，就在於它揭示了一個人類認知究理的重要現象或重要規則：「各種牽強附會的注釋，往往會損害原作者的本意，反而造成嚴重障礙。」「大乘般若經以及龍樹的中觀之學，都極力破斥煩瑣的名相戲論，認為各種知識見解，徒然令修學者心中產生虛妄念頭，有礙見道，因此強調『無著』、『無住』、『無作』、『無願』。邪見固然不可有，正見亦不可有。《金剛經》云：『凡有所相，皆是虛妄』，『法尚應捨，何況非法』，『如來所說法，皆不可取，不可說，非法、非非法』，皆是此義。」[30]

這要分兩層說，一層是，如小說中所寫，人們往往會被表面的假象所迷惑、從而把假象當成真相；更深的一層是，真正的「道理」或智慧是不能有「相」、因而不能「著相」。不僅佛經上是這麼說，中國古代的智者也早已明白「物莫所指，指非指」的道理。西方現代語言哲學及其語言學的革命，其實也正是認識到了語言文字固然有用，但往往又會成為迷惑人類智慧的一種「所知障」。在某種意義上，任何一種知識見解，都會成為人類求「道」究「理」的障礙。所以只有像石破天那樣的人，目不識丁，心無所繫，才能開門見山，「透過現象看本質」。

有意思的是，作者在這本書的後記中又說，他在寫《俠客行》這本書的時候，對佛經「全無認識可言」，也就是說，這部小說並不是上述佛經經義的直接演繹，我們只能把它當成一種智者的寓言。石破天破譯《俠客行》，首先當然是一段精彩奇妙的傳奇故事，只有在想像中才有可能出現；其次又是一種具有普遍意義的寓言，對人類的求理與認知具有深刻的啟發意義。

在某種意義上說，《俠客行》這部小說的一個重要主題，就是關於真知與假象的矛盾衝突，人類往往易受假象的迷惑，而不求或難求真知。

那一套《俠客行》武功圖譜的破解過程，就是一個最好的例證。

而在書中，最突出的例證卻還是人們對「真假石破天」的識別——這是小說的主要故事情節，其中卻又寓意深藏。狗雜種明明不是石破天，僅僅是與石破天有幾分相似——當然長樂幫軍師貝海石就是利用這幾分相似略加「刻畫」，故意讓狗雜種「變成」石破天，以便以假充真、混淆視聽，使得狗雜種莫名其妙、惶恐莫名、真相難白——大家卻把他當成「那個」石破天！石破天的情人丁璫把他當成石破天，石破天的敵人白萬劍等雪山派人士把他當成石破天，石破天的父親母親居然也把他當成了石破天！

想一想，一個人莫名其妙地有了一個素不相識的情人，又莫名其妙地有了一群敵人，進而還莫名其妙地有了從未見面的父親母親，明明知道他們是認錯人了，但怎麼說他們都不相信，且所有的「證據」都是要弄假成真——他的肩膀上有丁璫知道的傷疤、腿上有白萬劍知道的傷疤、屁股上還有石清和閔柔知道的傷疤——而以真辨假的證據卻是一點也沒有，那是一種什麼樣的滋味？

但是反過來，這些作為情人、敵人、親人的人明明見到了只有情人、敵人、親人身上才有的傷疤，證據明顯而又確鑿；而這個情人、敵人、親人自己卻號稱自己不是他們要找的人，說他們顯然是弄錯了，而最後的結果果真證明他們是弄錯了，那麼這些人心裡又會是一種什麼樣的滋味？

於是，這個認錯情人、敵人、親人的故事，或被情人、敵人、親人認錯的故事，就只能說是一種「宿命」了。這是一種看起來好笑、體驗起來可悲、想起來可怕的宿命。而其實，這一所謂的宿命，不過是因為貝海石在狗雜種身上照葫蘆畫瓢地刻畫了三塊傷疤——這傷疤純屬人為的假象！而可悲或可怕的是，丁璫、白萬劍、石清和閔柔等這些極其聰明的人，卻全都沒有分辨假象與真相的能力！

是不是真相與假象不可分辨？其實也不是，書中就有一個無論是智力還是江湖人生經驗都無法與上述人物相比的人，就簡簡單單地分辨出了真假石破天——石中玉與狗雜種。這個人就是小姑娘阿繡。她只是用自己的一雙大眼睛在狗雜種的臉上轉了一轉，就斬釘截鐵地得出了結論：「決計不是（石中玉）」！[31]

阿繡姑娘能夠輕輕鬆鬆地發現真相，並不是因為她的智商比誰高，更不是因為她的經驗比誰足，而是因為她的方法比別人更簡單直接：那就是不光看形象、更要看人品。她發現了狗雜種與石中玉的相似，也同時發現了兩人人品的巨大差異，忠厚老實的狗雜種與伶俐狡猾的石中玉之間的性格差異，簡直不能以道里計！簡而言之，阿繡對狗雜種的「認知」，與狗雜種破譯《俠客行》的「認知」，方法上如出一轍，那就是：「透過現象看本質」。

而其他的人，包括最應該認知清楚的情人、敵人、親人，則全都被對方形象有幾分相似、身上有幾處傷疤、再加上自己有幾分先入之見所迷惑，他們所看重的全都是現象——實際上卻是假象——卻沒有人去逐一分辨狗雜種與石中玉兩人的個性、人品等「本質」（真相）有何不同！

這難道也應該歸於人類的宿命？

關於真相與假象，書中還有一個非常重要的例證，那就是整個中原大陸武林對俠客島的認知錯誤。說起來，狗雜種之所以被「製造」成石破天，原因是出於貝海石及其長樂幫眾對俠客島的無知和恐懼，而這也正是整個武林的無知和恐懼。人們對俠客島的認識無非是建立在下列幾點上：一、數十年來沒有一個武林高手從俠客島上回來過，這不僅造成人們對該島的無知，更造成對該島的恐懼。二、據說俠客島的兩位信使的請客方法很霸道，要麼掌門人接受邀請，要麼就屠殺這個幫派滿門。三、這兩位信使的武功奇高，且已經殺了不少人，據說他們要殺的人沒有誰能逃脫。於是，十年一次的俠客島請客赴宴，就自然而然地被認為是整個中原的「武林浩劫」。

始終沒有人明白真相。甚至沒有人去或想到去研究和探討真相。

其實，只要有人想到去做、又願意去做，探討俠客島請客赴宴的真相並不像一般人以為的那樣沒有可能，也遠遠不像人們想像的那樣複雜。第一，人人都知道俠客島的邀客請柬是兩塊銅牌，一為賞善牌，一為罰惡牌，這表明俠客島信使有可能罰惡，但也有可能賞善。第二，真相如何，人人都可以去調查驗證。俠客島信使是否在罰惡殺人的同時也有賞善之舉？他們所殺的究竟是些什麼人？這些人是否真的該殺？就像後來龍島主所問：「各位請仔細想一想，有哪一個名門正派或行俠仗義的幫會，是因為不接邀請銅牌而給俠客島誅滅了的？」[32]——如果有人這樣想、這麼查了，雖不能肯定就會揭露全部真相，但至少使人們認識部分真相，從而逐步消除對俠客島及其信使的無知和恐懼。

可是，始終沒有人這麼做。如是，這個故事就顯得格外意味深長了。綜合起來說，人們對俠客島的恐懼，大致有三種原因。

一種原因是江湖中人只相信強者為尊的武林規則，相信武功好的人可以隨意殺人，相信有人借「罰惡」之名殺人，不相信有人會「賞善」！所以，壓根兒就「用不著」去做任何調查驗證。

另一種原因是，江湖中人部分相信俠客島信使既會罰惡、也會賞善，但他們自覺無善可賞、有惡可罰，所以大家對俠客島信使的態度就像是面臨「末日審判」，人人作惡、人人恐懼，人人殺人、人人都可能被人殺。

最後一種原因，也是最重要的一種原因是，所有的江湖人都只是隨時尚，大家以訛傳訛，人人捕風捉影，沒有一個人能夠「睜了眼睛看」，沒有一個能夠用自己的大腦觀事實、想問題、辨真相。所以，有關俠客島的「傳說」，就輕易地變成了所有人的噩夢。現代社會學家給這種現象取了一個很有趣的名稱，叫做「鯰魚效應」，在這種魚的「社會」中，所有的魚都毫不猶豫地跟定牠們的「頭魚」，而頭魚的特徵恰恰是沒有頭腦！

四、俠客之行

《俠客行》一書不僅寫到了「俠客行」武學圖譜，寫到了武林高手的「俠客（島）之行」，同時還寫到了主人公的人生故事——這是另一種意義上的「俠客行」。

這部小說的主人公石破天形象，不僅在金庸的小說中從未有過，在其他小說作家的筆下就更是聞所未聞。——沒有辦法，我們還是只能用石破天這個名字來稱呼小說的主人公。對於這位曠世奇人，我們總不能老是稱呼他為「狗雜種」吧？誰都知道，「狗雜種」顯然不是一個正經的人名，而是一種惡意的詛咒。而小說的作者也是以石破天來稱呼主人公的，我們大可以照方抓藥。

不過，關於主人公的名字問題，需要做一番專題研究。

《俠客行》一書的主人公實際上是一個道道地地的「無名」之人。他有很多的名字，不同的人給了他不同的稱呼或命名，但卻沒有哪一個算得上是他真正的或正式的名字。

他的第一個名字是狗雜種，這是他有知以來就知道的一個名字，也是他唯一認可的名字，因為這是他的媽媽給他命名的。但我們知道，一、狗雜種這個稱呼不是一個正經的人名，而是一句罵人話，是一種詛咒；二、他的媽媽也不是他的親媽媽，因為梅芳姑至死還是一個處女，不可能是他的親媽媽。

他的第二個名字就是以貝海石為首的長樂幫眾給他的強行「命名」，稱呼他為石破天，說他是長樂幫的幫主。但我們知道，長樂幫幫主石破天實際上另有其人，那是石清和閔柔的長子、雪山派的逆徒石中玉的一個化名。如前所述，他在不斷聲明自己不是「那個」石破天，但卻沒有人信他。好在石破天這個名字只是石中玉的一個化名，除了在長樂幫中無人用它，而主人公最後又以長樂幫主的身分接了俠客島的銅牌請柬，大家就更要以石破天來稱呼他了。

他的第三個名字是丁璫的爺爺給他的命名：小傻瓜。這當然也不是一個正經的名字，而且也沒有用多久。甚至丁不三本人也沒有將這個名字當一回事，只是順口而出的一句罵人話而已。

他的第四個名字是大粽子，這也不是一個正式的命名，算是一個暫時的、形象化的命名。當時他被丁璫用麻繩捆綁成一個大粽子模樣丟到史小翠、阿繡的船上，而他又哼哼唧唧地說不出自己的名字（這時候他已經知道狗雜種這個名字不大好聽），於是丁不四等人臨時這樣叫他。

他的第五個名字就很正式了，那是雪山派掌門人白自在的夫人史小翠在離開雪山派之後另立門戶（創建自己的、專門克制雪山派的「金烏派」）時，收他為徒，給他取了一個正式的、同時也帶有要壓倒雪山派人名的名字：史億刀（專門克制雪山派高手白萬劍）。按說這倒是一個很好的名字，但一來，史小翠只不過是由於夫妻吵架才跑出來創立金烏派，顯然是出於一時的氣憤，而不是長久之計，所以金烏派、金烏派弟子及史億刀這個名字就很難說是認真的了；二來，主人公不久便被史小翠師父所棄，一個人重新流落江湖，後來又正式冒名頂替石破天接掌長樂幫主之位、準備赴俠客島臘八之宴，所以史億刀這個名字在無形中也就自然而然地作廢不用了。連給他命名的史小翠也不再較真，不再稱呼他為史億刀了，這個名字自然也做不得數，不能說是他的真名字。

到小說的最後一章，我們隱隱約約地感到，這個主人公極有可能是石清和閔柔夫婦的次子石中堅。證據是，一、梅芳姑既然還是處女，不可能是他的生母，那麼他必定另有生母。二、梅芳姑稱呼他為狗雜種，顯然對他的父母十分痛恨，而在書中梅芳姑痛恨之人顯然只有石清和閔柔夫婦。三、從書中的種種蛛絲馬跡看——例如閔柔曾經從內心裡認定石破天就是她的兒子（當時以為他是她的大兒子石中玉，卻想不到他有可能是已經「死了」的次子石中堅）——也大有可能。

但是，我們卻不能稱主人公為石中堅，原因是，一、此事因梅芳姑之死而不能得到最終的確證。二、即使是能夠根據推理而得出結論，石中堅之名也是從未被認可和使用過的，因此也就不能硬安在主人公的頭上。

所以，說到底，這個主人公實際上是一個沒有正式名字的人。

主人公石破天——我們權且這樣稱呼他——的另一個很突出的特點，是非常的無知。梅芳姑將他帶到深山老林之中，他以樹木鳥獸為鄰，以一隻黃狗為伴，從不接觸人間社會，因而也就不通世故人情。

梅芳姑叫他是狗雜種，他就以為自己是狗雜種，因為他壓根兒就不知道狗雜種不是一句好話、而是一句罵人話。他當然更不知道這個媽媽的脾氣好與不好、為什麼不好、這個媽媽是不是他的媽媽、自己是否另有生身父母、而這個媽媽實際上恨他（**和他的親生父母**）。

在與謝煙客同行之時，他甚至不知道小賊與小乞丐的區別，不知道好人與壞人究竟有何不同，不知道什麼是「講義氣」、什麼是不講義氣，不知道什麼叫聰明、什麼叫傻，更不知道什麼叫「裝傻」。

他當然也就不可能知道人間社會種種世相、江湖上風波險惡，不可能知道什麼「人心不古」、什麼「陰謀伎倆」，不可能知道人類的言語之真假、行為之善惡、人與人的關係之複雜。

他什麼都不知道。

石破天的第三個特徵是不求人。

書中的這一段故事其實也可以當成寓言來讀：那些一心想得到玄鐵令、以便求得玄鐵令的主人謝煙客應諾為他們幹一件大事的人，結果誰也沒有得到玄鐵令，反而有不少人為之白白丟掉了自己的性命；而一個無知無識的小孩，只是因為自己肚子餓得厲害，偶然從地上拾起一隻燒餅，沒想到一口咬出一個玄鐵令來，差一點將他的牙齒給崩壞了。對於小主人公石破天，這塊玄鐵令不僅是一個廢物，而且還是一種傷害人的東西——壞他的牙齒。

這正是：想得到的得不到，得到的卻不想要。

進而，那些沒有得到玄鐵令而又拼命想得到的人，當然是每個人都有求於謝煙客，每個人都有一件或更多的自己解決不了的大難題需要請謝煙客幫忙解決；而無意之中得到了玄鐵令的石破天不僅沒有什麼需要求謝煙客幫忙，而且反過來是謝煙客拼命地希望這個小傢伙早早提出一個要求來，以便早早知道自己應該承擔什麼樣的任務、應當完成怎樣的應諾，從而及早徹底解決這一問題。

而偏偏這個自稱為「狗雜種」的小傢伙硬是遲遲不提出任何要求！不僅不提出要求，而且還聲稱自己從不求人，也從不敢求人。這一段故事又變成了一個令人捧腹的喜劇：謝煙客千方百計地想誘導小傢伙求他，而小傢伙就是不開這個口。結果是謝煙客的誘導之計不僅不管用，而且反過來倒讓小傢伙對他施以恩惠，接二連三，謝煙客哭笑不得，讀者則樂得吐茶噴飯。

其實小傢伙是有事要人幫忙的，他要找媽媽，還要找阿黃，卻不知道到哪裡去找，也不知道怎樣才能找到。可是，他就是不求人！一來是不會求人，但更重要的原因則是由於平生經驗創深痛劇，致使他不敢求人，因為在他的生活之中，只要他「有求」，他的媽媽非但不是「必應」，反而是必打、必罵、必發脾氣、必傷心。他當然不懂「幹麼不求你那個嬌滴滴的小賤人去」[33]這句話是什麼意思，但久而久之，挨打挨罵的次數多了，自然就會把「狗雜種，你這一生一世，可別去求人家甚麼。人家心中想給你，你不用求，人家自然會給你；人家不肯的，你便苦苦哀求也是無用，反而惹得人家討厭」[34]這一教訓銘記心中，永不敢忘。

就是因為他不求人，不要求謝煙客什麼，後來差一點被謝煙客害死，進而在生死攸關之際被長樂幫貝海石等人搶去，形成了他一生之中的奇妙「劫數」。

後來，他終於有一次開口求人了。不過不是為了他自己，而是為了要救石中玉，他才開口求謝煙客不要殺死石中玉，並且將石中玉帶回摩天崖好好教養。

為他自己，他依然是說什麼也不求人的，而在他的一生之中，他也確實沒有為自己的事情求過什麼人。

總而言之，石破天是一個無名、無知、無求的人。

另一方面，這位主人公又可以說是無姓名但卻有實在，無知識但卻有靈性，無欲求但卻有俠義。

關於無姓名但卻又實在，這一點不用多說。無論我們稱呼他為石破天也好、狗雜種也罷，他都是一個實實在在的人，是小說的實實在在的主人公。關於無知識但卻有靈性，小說中有很多的例子。石破天不通世故，對人間社會的一切都不瞭解，顯得非常地無知；但無知僅僅是沒有知識，卻不是愚蠢笨拙。相反，石破天其人實際上非常聰明，具有一般人望塵莫及的靈性。

這一點，謝煙客很快就領教了。他雖然看起來像是一個小乞丐，但卻有一手驚人的烹調技藝；雖然沒有學過武功，但在謝煙客的指導下很快就練成了一身驚人的內功（為此差一點送了性命）。丁璫教了他幾天，他就將一套十分複雜的丁家擒拿手學會；丁不四教他武功，最後只有「雙手朝天」才能化險為夷；只是看了幾遍雪山派的人練劍，就將一套雪山劍法記住了十之五六；史婆婆教他一套金烏刀法，很快就學得像模像樣，且威力非凡……天下武林之中，有誰像石破天這樣，在如此之短的時間內能學會如此之多的武功？

石破天的超人的靈性，最突出的體現，當然還是在俠客島上的《俠客行》武功圖譜的學習之中。他沒有任何一個人指導，也沒有與任何一個人討論，就憑著自己的靈性，破譯了這套數百位一流武林高手花了數十年時間都沒有摸到門徑的神奇武學之謎。雖說是因為他不識字，才沒有像其他人一樣陷入「文字之障」，似乎全憑巧合與好運，但若是沒有超人的靈性，又怎麼可能輕而易舉地「透過現象看到本質」？

至於石破天的俠肝義膽、赤子衷腸，也是從小說一開始就顯示出來的。那時他雖然不知道俠義是什麼意思，更不認識俠義二字，但卻憑著自己的純樸本性和慈善之心，為「無錢」的謝煙客慷慨付款，為「病」中的謝煙客摘葉遮蔭，為挽救素不相識的大悲老人，居然挺身而出；為救關東四大門派的掌門人，儘管他對丁四爺爺非常害怕，但也還是一再相助；甚至見了一直把他當成對頭的雪山派高手白萬劍遇到風險，他也還是絲毫不計前嫌，不惜冒著絕大的風險而使之脫困……

俠客島信使張三、李四對他並無好感、更無好意，但他卻硬是一副火熱心腸，要與人家結拜兄弟；別人明明是假名欺人、虛偽應對，但他卻硬是憑著一腔忠厚，要與人家生死與共，最後果然是他解救了張三、李四兩人的傷毒與危難，也可以說是拯救了這兩個人的生命。

更突出的例子，還是他重回長樂幫。明明知道俠客島的風險，明明知道長樂幫另立幫主並無好意，甚至明明知道了「長樂幫主石破天」另有其人石中玉；但在俠客島信使到來之際，在長樂幫眾面臨生死關頭，在石中玉不肯擔當曾承諾的大任之時，石破天還是挺身而出，接下了那兩塊象徵著有去無回的邀客銅牌。張三、李四說到了島上也無法對他格外關照，他的回答是「那當然」。他與張三、李四的結拜，從未想到過要由此獲得任何利益，他是真心地為友情而結拜。

再一個突出的例子，是他挨了丁璫的一個耳光後，還是願意接受丁璫的安排，冒險假扮石中玉前往雪山派，進而又為雪山派接下了俠客島的請客銅牌。

最突出的例子，當然是他為了石中玉，不惜破戒開口求人。且不說他為石中玉背了多少黑鍋、負了多少罵名、經歷了多少惶恐與尷尬、受過了多少磨難和痛苦，就算是石中玉與他無緣無故、無恩無仇，他為之破戒求人，也已是衝破了天大的難關。然而天性如此，他絕對不會見死不救。

算起來，他曾施恩於謝煙客、展飛、所有的長樂幫弟子、丁璫、史小翠、阿繡、白萬劍、花萬紫、白自在、所有雪山派弟子、關東四大門派掌門人、石清、閔柔、張三、李四等書中幾乎所有的人，儘管所有的這些人，很少有人對他有所回報，但他卻從未有過要他人回報自己的念頭。

他的所作所為，全因為他天生的俠肝義膽。

這樣一個人，卻到最後都不知道「我是誰」。

石破天至終不知「我是誰」，是一個絕妙的結局。一方面，它徹底深化了這一人生悲劇故事；另一方面，它又點明並豐富了小說的寓言層面。

「我是誰」，以及「我從哪裡來，要到哪裡去」，這些問題是自古以來哲人智者所追問，而又一直沒有找到真正答案的古老問題。在這些問題中，隱含著人類對自身本性的思考、認知和追尋。所以，小說的最後一章名《我是誰》，既是石破天個人的疑問，同時又是全人類共同的疑問；既是書中人物石破天的「人問」，同時又是他的一種「天問」。

石破天這一人物，既是一個具體的、活生生的小說的主人公，同時更是一個飽含深意的「寓言人物」——他的無名、無知、無求，猶如佛子；他的有實、有靈、有義，猶如仙人。在這一意義上，所謂的「俠客之行」，完全是一種對人間世界及人類本性的寓言。因此，作者才會給這一人物以如此奇特的命名：石破天——驚！

真要挖掘石破天這一人物形象的寓言意義，我們還是要從小說的情節層面入手。在小說的結尾處，雖說石破天仍未能、而且也將永遠不能得出「我是誰」的確證，但細心的讀者恐怕早已推斷出，這個石破天恐怕就是石清和閔柔的次子石中堅。當年因妒成恨的梅芳姑殺死石中堅，沒有任何人親眼所見，石清和閔柔所見到的只不過是一個小孩子的屍體——那可以是任何一個小孩子的屍體。更符合邏輯的是，梅芳姑既要讓閔柔傷心，卻又不忍心真的殺害石清的兒子，所以來一個小小的掉包計。不然，何以梅芳姑稱此小兒為狗雜種，而每當其有所求，就憤恨交加地要他去「求你的那個嬌滴滴的小賤人」？

如果能夠證明石破天就是石中堅，也就是石中玉的親弟弟——不然兩個人怎麼會如此形似——那麼就出現了一個非常有意思的問題了：這一對親兄弟何以形象相似，而在品格上卻有天壤之別？進而，何以留在父母身邊的石中玉成了一個品格低下、任性妄為、寡廉鮮恥、卑鄙狡猾、貪生怕死的傢伙，而從小被稱為狗雜種、挨打受罵的石破天卻反而成了一位心地純樸、古道熱腸、靈氣逼人、大仁大義、至情至性的英雄？

再一個疑問，是如本文開頭所說，為什麼那麼多的武功卓越、知識淵博、經驗豐富、見識超人的天下武林各大門派的第一流高手，廢寢忘食數十年都無法揭開《俠客行》武功圖譜之謎，而石破天這麼個無知無識、無欲無求、武功不高、毫無經驗且目不識丁的武林新人，卻能在短短幾個月內將這一武功圖譜之謎全部揭開？

以上兩點，都正是這部小說情節的關鍵，同時也正是作者寓意的關鍵處。表面上看，這一切當然是出於作者的想像，石破天的成人與成才，似乎純屬偶然的巧合。但石破天與石中玉相比較，父母的溺愛不若仇家的打罵，「寶貝兒」不若「狗雜種」，進而，知識淵博不如目不識丁，見多識廣不如心地純樸。這種離奇的逆向思維，大有深意在焉。

不過，當然不能由此得出作者有「反文明」思想傾向的結論。作者所「反」的，只是父母對孩子的沒有理性、不講原則的嬌寵溺愛，而不是父母的愛子之心本身。至於石破天的成人，主要的恩惠或奧妙應該是得之於「自然」，而不是因為天天有人罵他是「狗雜種」。同樣，關於《俠客行》武功圖譜的破譯，作者所「反」的只不過是對某些文章經典的「牽強附會」，而不是反對注釋本身，更不是主張人最好是都不識字。石破天的破譯奧妙，在於他的單刀直入，去偽存真，更在於他的心地純潔，無欲無礙。

《笑傲江湖》

一、既是令狐冲人生傳奇，也是政治歷史寓言

要理解令狐冲形象的本質及其人生故事的意義，須先瞭解他的生存環境及其寓言性。令狐冲是華山弟子，華山派是五嶽聯盟的一個分支，五嶽聯盟號稱武林正派，與邪派組織日月神教看上去涇渭分明，實際上，不過是「天派」（日月神教）與「地派」（五嶽聯盟），或A方與B方，並無根本性區別。左冷禪、岳不群和東方不敗、任我行都是權力中人，都想一統江湖，同樣會剝奪個人的自由與尊嚴。五嶽聯盟首腦不許衡山派音樂家劉正風金盆洗手，日月神教則讓黃鐘公、黑白子、禿筆翁和丹青生四位藝術家充當特別獄卒。

金庸說：「令狐冲是天生的『隱士』，對權力沒有興趣。」此說也對也不對。令狐冲既是《笑傲江湖之曲》傳人，也是「獨孤九劍」的傳人，是典型的浪子：一半是隱士，一半是鬥士。《笑傲江湖》和獨孤九劍的精神，是自由精神。如此才能真正理解，令狐冲居然當了恆山派掌門，讓恆山派成為自由

人的家園。

二、人間如何得自由？

《笑傲江湖》一書最初於一九六七年至一九六九年在《明報》上連載，其時，中國大陸正在開展「無產階級文化大革命」，全國動亂。金庸先生對政治、歷史素有研究，對中國的「文化大革命」從一開始就有較為清醒的看法，這體現在他為《明報》所寫的一系列社論之中。與此同時，這一史無前例的時代背景，對金庸的武俠小說創作構思也產生了非常重要的影響。

小說《笑傲江湖》就是這一影響的產物。

三、笑傲江湖與一統江湖

上述正派與魔教的對立或對抗，實際上只不過是一種形式，也只是這部小說的一個層次。更深的一個層次，是「笑傲江湖」與「一統江湖」之間的對比與對峙，這是真正不同本性的對峙。

本書的書名為《笑傲江湖》，當是來自書中人物劉正風、曲洋臨終之前請求令狐冲留給後人的同名琴簫合奏曲譜。據劉正風和曲洋說，這部《笑傲江湖曲》是根據古人嵇康曾彈奏過的名曲《廣陵散》改編而成——傳說嵇康臨刑之前曾最後一次演奏此曲，並且說：「《廣陵散》從此絕矣！」愛琴成癡的魔教長老曲洋，偏偏不服這口氣，說什麼也不相信、更不願意那《廣陵散》佳曲古譜真的就「絕」了，發奇想而立奇願，要從嵇康之前的古墓之中發掘出《廣陵散》的曲譜。為此他一連盜挖了二十九座古墓，最後終於在東漢名人蔡邕的墓中覓得了古譜《廣陵散》。

後來與衡山派的劉正風琴簫和諧、氣味相投，由音樂同好而結成生死之交，倆人共同將古琴曲《廣陵散》改編成琴簫合奏曲《笑傲江湖曲》。也正是因為愛好音樂，且願與魔教音樂家曲洋長期共研音律，劉正風才想出了要金盆洗手、退出江湖這一招。不料五嶽劍盟的盟主左冷禪派人強行干預，不許劉正風金盆洗手，乃至劉正風家破人亡，而曲洋為了挽救劉正風的生命也身受重傷，幸而最終兩人尚能在衡山城外合奏一曲《笑傲江湖曲》。

眼見這《笑傲江湖曲》將隨劉正風與曲洋之死而「從此絕矣」，令狐冲出現，使得此曲絕處逢生，劉、曲二人也得以欣然瞑目。令狐冲最後終於不負重託，隨綠竹翁和任盈盈學習琴藝，並與任盈盈一道成了這支《笑傲江湖曲》的傳人。小說的最後一章名《曲諧》，就是寫令狐冲與任盈盈在他們的新婚之日，一吹簫、一奏琴，為前來恭賀的天下英雄演奏這支《笑傲江湖曲》。

從小說開頭劉正風金盆洗手，到小說結尾令狐冲與任盈盈琴簫合奏，這一《笑傲江湖曲》隱隱約約貫穿整部作品，堪稱這部小說的主題音樂。而這一音樂的主題，簡單地說，就是「隱士之歌」。

如前所說，這一《笑傲江湖曲》是由前人嵇康的《廣陵散》改編而來，歷史上實有嵇康其人，亦實有《廣陵散》其曲。

嵇康就是中國歷史上的一位著名的隱逸之士，《廣陵散》則是嵇康這位隱士一生最後的嘆息。嵇康是晉時人，史稱「文辭壯麗，好言老莊而尚奇任俠」，名列當時「竹林七賢」之中。竹林七賢，正是當時最著名的七位著名的隱士兼傑出的文學藝術家。嵇康風姿俊逸、博學多才，善操琴、工書畫，深受老莊導氣養性之學的影響，提出「越名教而任自然」，為人處世鋒芒畢露、憤世嫉俗，人生理想是任性而為、行雲流水。他的歸隱，直接原因固然是他與魏宗室有姻親關係，不願投靠當時已經掌權的司馬氏，但更重要的原因則是不適合於當官從政，於是就只能歸隱林泉，做了竹林賢士。但「人在江湖，身不由己」，當官的鍾會對他非常嫉妒，向司馬昭進讒，司馬昭就下令將他抓來殺了。嵇康臨刑之時撫琴一曲，就是著名的《廣陵散》，從此成為千古絕響。

《廣陵散》又名《廣陵止息》，全曲共分小序、大序、正聲、亂聲、後序五大部分，連開指共四十五段，是中國古代篇幅最長的琴曲之一。曾有人根據曲譜各段的標題推測，這曲《廣陵散》有可能是《琴操》中所記的《聶政刺韓王曲》，表明此曲大有可能源於俠義古風。但到了嵇康的手中，俠風已然深藏於隱逸之中，這支曲子也就成了「俠隱之曲」了。

其實，就算《廣陵散》依然是「俠士之曲」，經過劉正風和曲洋的改編，它也就成了隱士之曲。畢竟《笑傲江湖曲》與當年的《廣陵散》雖然一脈相承：但卻已改頭換面了。劉正風為此曲而金盆洗手，就是對此曲主題的最好詮釋。

而令狐冲與任盈盈的奮鬥目標，也正是希望有一天能夠真正地笑傲江湖。後來令狐冲不再當恆山派的掌門人，而任盈盈也將日月神教教主之位交給了向問天，這才有他們二人的「曲諧」之樂，天下江湖才有了和平之幸。

在某種意義上，這支《笑傲江湖曲》當然又是一支「和平之曲」。首先是因為它不再是單獨的琴曲，而是琴簫合奏曲，此曲的基礎及其目標，都在於琴簫的和諧。其次，此曲的作者，一位是正派中的高手，一位是魔教中的長老，一正一邪，居然由琴簫而知心意，由音樂而明境界，繼而又共同作曲而拋開恩仇，最終為藝術的高潔理想而超越武林之中的正派邪教之別。進而，此曲的傳人，令狐冲是華山派的弟子、後任恆山派的掌門人，任盈盈是日月神教的公主、又繼承了教主之位，這二人比之劉正風與曲洋顯然又「高」了一級，但仍然是「一正一邪」的合奏、和諧，其中隱含的和平之意，不言自明。

最後，也是最重要的一點，就是這支《笑傲江湖曲》的根本精神，無非「自由」二字。所謂人生快意、笑傲江湖，首要的條件或是首要的標誌，就是無拘無礙、身心自由。當年的嵇康、阮籍也好，後代的劉正風、曲洋也好，再後來的令狐冲、任盈盈也好，都是一樣。他們之所以要退出江湖，想當隱士，無非是想獲得更多的精神上的自由；他們之所以能夠超越世間恩怨，化對抗為和諧，無非是讀懂了對方心靈中的自由的精神。

自由的精神，也正是古今隱士真正共同的理想目標。

可是，對於江湖中人而言，尤其是對於一個傳統社會而言，這種個人的自由精神，從來就不是、也一直沒有可能是社會傳統的主流精神。正如這曲《笑傲江湖曲》一樣，顯然是曲高和寡，知音寥寥，沒有多少人能夠聽懂，更沒有幾個人能以自己的心靈乃至生命之力來演奏。

衡山派似乎是一個喜歡音樂的劍派，劉正風是此道高手，而其掌門人「瀟湘夜雨」莫大先生也正是以「琴中藏劍，劍發琴音」而著稱於江湖。但這一對師兄師弟，卻說什麼也走不到一條路上去。究其原因，似乎僅僅是由於對音樂的理解有所不同。在劉正風、曲洋的眼裡，莫大先生「奏琴往而不復，曲調又是儘量往哀傷的路上走。好詩好詞講究樂而不淫，哀而不傷，好曲子何嘗不是如此？我一聽到他的胡琴，就想避而遠之」，而且「所奏胡琴一味凄苦，引人下淚，未免也太俗氣，脫不了市井的味兒」。[35]

再進一步，所謂的「俗氣」、「市井味兒」，其實恰恰來源於莫大先生的「琴中藏劍，劍發琴音」，琴是琴，劍是劍，其功能目的各有不同。莫大先生既想以劍「兼濟天下」，又想以琴「獨善其身」，想要政治、藝術兩不誤，終究會在琴音中帶有政治的「俗氣」，而在政治的劍術中又帶有藝術的癡想。結果是，劉正風對他敬而遠之、避之不及；而他又不得不對道不同不相為謀的嵩山掌門兼五嶽盟主左冷禪躲躲藏藏、始終不敢正面相對。由此，莫大先生成了這部書中一個非常特殊的人物。

書中還有一段非常有趣的情節，就是林平之的外祖父金刀王元霸一家人以武功實力成一方之霸，對琴簫音樂一竅不通，居然將令狐冲身上的《笑傲江湖》的曲譜，當成了林平之家的「辟邪劍法」的劍譜。說起來，金刀王元霸一家也算不上是什麼壞人，只不過，他們是只懂得刀劍，不懂得琴簫；只懂得霸道江湖，如何能懂得笑傲江湖？因而才不聽令狐冲作出的解釋，硬將琴簫曲譜當成刀劍秘笈。要說令狐冲的師父岳不群乃是知書君子，應該懂得曲譜與劍譜的區別，但他偏偏不發一言，於是這一段傳奇的情節，也就格外意味深長。

真正與「笑傲江湖」樂曲形成鮮明對照的，當然是「千秋萬載，一統江湖」的口號。日月神教中經常數十人、數百人、乃至數萬人一起將這一口號喊得震天響，足以淹沒任何高明的琴簫合奏。如前文所言，左冷禪、岳不群等人雖然沒有要其屬下喊出這一口號，只不過是時機未到，但早已心嚮往之。如是，「一統江湖」的口號，實際上也就成了整個江湖、整個時代的「最強音」。

按理說，「千秋萬載，一統江湖」的口號是如此的直露粗俗，與美妙的音樂不能同日而語。但這一口號經過左冷禪等「正派」人士的巧妙包裝，帶有「正義」性質，自然就動聽得很。進而經過岳不群這樣的「君子」作進一步的美化演繹，使得這一口號又具有「拯救天下黎民於水火之間」的道德內涵，那就更是光芒四射，可以堂而皇之地超越一切音樂、一切藝術、一切人的自由精神了！說起來，這正是中國政治歷史之謎或歷史文化之謎的謎底。《笑傲江湖》一書，也就是對這一政治歷史現象的「寫實性」的描繪，而書中的《笑傲江湖》的主題，則只是這種歷史文化現實中的一種理想的歌吟。

四、人在江湖，身不由己

人在江湖，身不由己，是這部小說更深一層的思想主題。

小說開頭的第一章，寫的是福州福威鏢局的滅門慘禍。儘管福威鏢局的總鏢頭林震南為人圓滑、做事謹慎，遵「三分靠武功、七分靠面子」的「生意經」辦事，誰也不敢得罪，但卻沒想到有一天還是禍從天降。表面上似乎是因為福威鏢局的少總鏢頭林平之路見不平、拔刀相助，殺了公然調戲婦女的青城派掌門人余滄海的兒子而引起的，這是第一層的身不由己。進而，我們看到，青城派大舉入閩，乃是有備而來，原因是要為青城派的上一代掌門人報仇雪恥——青城派的上代掌門人長青子曾經敗在福威鏢局創始人林遠圖的劍下——也就是說，即使林子之沒有殺死余滄海的兒子，福威鏢局也逃不脫這一滅門之禍，這是第二層的身不由己。

再進一層，余滄海率領青城派門徒大舉入閩、滅了福威鏢局，不僅是為其子報仇，也不僅是為其師雪恥，實際上還有更深刻的原因，那就是要強奪林家祖傳的《辟邪劍譜》。懷璧其罪，才是林家及其福威鏢局滅門之禍的真正根由，這是第三層的身不由己了。最後，我們又知道，林平之拔刀相助的那個新來的酒店女郎，其實也不是什麼民間弱女，而是華山派掌門人岳不群的獨生千金。余滄海螳螂捕蟬，岳不群黃雀在後，江湖中暗流洶湧，林家的滅門之禍只不過是它的第一個漩渦，真正的原動力，還在於江湖強人一統江湖的野心膨脹，這才是第四層、也是所有人身不由己最深刻的原因。

小說這樣開頭，不僅非常驚險，也非常的精彩，為小說的「人在江湖、身不由己」的主題創造了一個十分巧妙、又十分深刻的「破題話柄」。

接下來，就是寫衡山派的高手劉正風要金盆洗手，實際的目的當然是要退隱林泉，好好地研習音樂；但為了要掩入耳目，他竟然花錢買官、自污其名。按說劉正風的這一不得已的舉動應該能夠順利完成，卻又遭到了五嶽聯盟盟主左冷禪的反對和強阻。原因是，劉正風與魔教長老曲洋的交往被左盟主知道，因而他的金盆洗手被認為是一項不利於五嶽劍盟的陰謀。最後，不但劉正風一家為之家破人亡，且曲洋和劉正風本人也為之雙雙斃命。這一慘劇，就更是對「人在江湖、身不由己」這一主題最好的注釋。

「劉正風事件」至少有三點值得注意。第一，是劉正風與曲洋的私下交往何以會被遠在嵩山的左盟主知道？要麼是左冷禪在衡山派中有臥底，要麼就是收買了衡山派的人做眼線。總之，劉正風這樣級別的高手，生活在左盟主的監視之下，雖然不知不覺，實際上早已是身不由己。

第二，劉正風與曲洋的交往，按說也不是什麼了不得的罪過，不過是在一起研習音樂而已。雖說五嶽劍盟與日月神教世代為仇，但集體歸集體，個人歸個人；（**集體的**）敵對歸敵對，（**個人的**）友情歸友情；（**對抗的**）歷史歸歷史，（**共處的**）現實歸現實；政治歸政治，藝術歸藝術，何以一定要劉正風殺了曲洋才能作罷？這正體現在這樣的傳統社會中的一種奇妙的思維方式或思維邏輯，簡單地說，恰恰就是不區分集體與個人、敵對與友情、歷史與現實、政治與藝術！這種邏輯的依據就是：集體的利益高於一切。敵對的情勢高於一切。政治的要求高於一切。一旦捲入其中，當然就身不由己。

第三，按說，即使是劉正風的做法違背了政治規則，但他金盆洗手，明確表示退出江湖，從此不再過問江湖中事，這總可以了吧？再退一步說，就算劉正風要退出江湖、且不願殺死自己的好友曲洋乃是罪不可免，那麼將他抓住審判，甚至將他處死也就是了，何以要抓住他的家人，以他家人的生命相要脅，甚至將他們全都殘酷地殺害？實際上，這正是傳統中國政治的常規原則，是專制體制的必然表現，是政治鬥爭的必然結果。

這當然是一種慘無人道、滅絕人性的表現。實際上，這也正是我們的文化傳統長期忽視人性、不講人道的必然結果。年輕一輩的讀者，對此或許覺得有些不可思議，會認為左盟主的這種做法純屬作者的虛構；但稍微年長的讀者就不會這麼看、更不會這麼想了，歷史上比這些更加不講人道和滅絕人性的事情就曾大規模地發生過。

今天的年輕讀者當然會想，如果是在正常的環境下，嵇康大可以做他愛做的事，他可以做詩人、畫家、音樂家、鐵匠或酒徒，可以過他的自由自在、無拘無束的日子。而年長且懂得些歷史、又有些記性的讀者，必然懂得，嵇康正是偏偏生活在一個非常不幸的時代，在那樣一個黑暗的社會中，就連隱居避世也不可得。在專制暴君和跟隨暴君的政治狂人或卑鄙小人看來，嵇康不是什麼藝術家、哲學家或自食其力的人，而是牛鬼蛇神。

無獨有偶，想退隱而不可得的不僅是嵇康，也不僅是衡山派的劉正風，日月神教中的梅莊四友黃鐘公、黑白子、禿筆翁、丹青生的遭遇即是證明。

這四個人當真是洞中無歲月、久隱忘其名，在杭州西湖之畔的梅莊之中，過著悠閒自在的日子，連自己的姓名也不用了。黃鐘公自然是愛音樂，黑白子當然是愛圍棋，禿筆翁乃是書法家之別號，丹青生則是美術家之自稱。作者以其好而取其號、以其號而代其名，當然是為了讓讀者能夠對他們的愛好一目了然，進而，未嘗不可以說，是借琴、棋、書、畫而泛指藝術門類，借黃鐘公、黑白子、禿筆翁、丹青生之名號而泛指一切藝術家、一切愛好藝術的人們、一切知識分子。

這四個人的故事，可以借黃鐘公臨死前的一席話加以說明：

「我四兄弟身入日月神教，本意是在江湖上行俠仗義，好好做一番事業。但任教主性子暴躁，威福自用，我四兄弟早萌退志。東方教主接任之後，寵信奸佞，鋤除教中老兄弟。我四人更是心灰意懶，討此差事，一來得以遠離黑木崖，不必與人勾心鬥角，二來閒居西湖，琴書遣懷。」[36]

這也就是說，梅莊四友也曾經像多數武林正派人士一樣，希望能夠在江湖上行俠仗義，或乾脆說是像傳統中國文人一樣，也曾希望自己「達則兼濟天下」。迫於無奈，才萌生退隱之心，希望能夠「窮則獨善其身」，作了日月神教東方教主麾下的特別監獄的獄卒，過了十二年相對平靜安寧的日子。但他們最終還是沒有逃脫身不由己的命運，正因為對琴棋書畫愛好入癡，因而對權力鬥爭的陰謀陷阱毫無察覺，以致被關押十二年之久的前教主任我行脫困而去，並很快就捲土重來，展開了大規模的奪權鬥爭。

任我行留給黃鐘公等人的選擇只有兩條，一是背叛東方不敗，一心一意地做任我行復辟的走卒；二是死路一條，而且會死得苦不堪言。任我行的知識分子政策是，能為己所用者留，不能為己所用者死。而為其所用，首先是要服一顆「三屍腦神丸」，表示永遠效忠於他，那當然是要以犧牲個人的尊嚴、利益、愛好、個性和自由為代價。否則，教主就不會發給解藥，而不按時服下解藥，據說就會求生不得、求死不能、豬狗不如——當然，就是服了解藥，也只不過是「猶如豬狗」而已。

最後，黃鐘公選擇了死，禿筆翁和丹青生選擇了服藥當豬狗，而黑白子因為內力盡失，竟是想當豬狗而不可得！

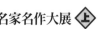

在這樣一個社會中，誰能獲得真正的快樂和幸福？

只要武林中有人想要「千秋萬載，一統江湖」，只要江湖上存在門派之爭，只要門派中存在權力之爭，所有的人都會「人在江湖，身不由己」。無心於政治權力的劉正風、曲洋、梅莊四友等藝術家已然如此，想求獻身於藝術而不可得；林震南、林平之、余滄海和木高峰等人已不知不覺地捲入其中，復仇欲望與權力欲望難解難分；方證大師、沖虛道長、定閒師太、莫大先生這些名門大派的掌門人自不必說，需要日夜為江湖情勢而苦心積慮；就是東方不敗、左冷禪、任我行、岳不群等想要「一統江湖」的野心家們，又哪裡真的有幸福與快樂可言？

或許，只有令狐冲是一個幸運的例外。而這一例外的形成，除了他學會了舉世無匹的獨孤九劍，最主要的原因，恐怕還是出於幸運的巧合與偶然。

要想使更多的人獲得自由與幸福，其真正的必然之道，當然只能是實行民主體制。而民主體制的第一步，就是要逐步消滅強權政治，讓任我行、左冷禪、岳不群等人的「千秋萬載，一統江湖」的野心和夢想無法實現，進而消除滋生這種野心和夢想的土壤。

其實，這一觀點，對於任何現代人來說都可謂是一種常識，算不上什麼深刻的思想。然而只要有任我行、左冷禪、岳不群這樣的人存在，甚至只要有封不平、玉璣子、玉音子或賈布這樣的人存在，要將這一「常識」變為現實，卻遠非我們想像的那樣簡單。

《鹿鼎記》

一、是「反武俠小說」，也是歷史文化寓言

文字獄是這部小說敘事的邏輯起點，主人公韋小寶飛黃騰達至一等鹿鼎公，其中經過則是小說的

故事主幹，思想主題是：黃鐘毀棄、瓦釜雷鳴。

有意思的是，韋小寶來到皇宮之初，以為這裡是一所妓院，這一聯想構成了寓言的基礎。進而，韋小寶不僅在皇宮中得康熙之寵，在其他社會團體中，也如魚得水。例如：他是江洋大盜茅十八的好友和兄弟；是反清組織天地會總舵主陳近南的弟子、天地會青木堂堂主；是前明公主獨臂神尼的弟子；是神龍教的白龍使；還是西藏喇嘛桑結、蒙古準噶爾王子噶爾丹的結義兄弟。他曾擔任少林寺的「高僧」，還曾揚威異域，在俄羅斯發動政變，成為俄羅斯公主的情人，並被封為俄羅斯伯爵。無人能比韋小寶，他是中國歷史文化的「通解」。

推薦良將趙良棟，可謂「慧眼識英雄」——韋小寶直覺到官場逆定律：沒真本領者喜歡拍馬屁，不拍馬屁者必有真本領。趙良棟應驗了「韋小寶定律」。小說中，顧炎武、黃宗羲、呂留良、查繼佐四位傑出的文人學者和思想家竟連袂勸說韋小寶取康熙而代之，做漢人的皇帝。最後，母親韋春芳告訴他，他的父親有可能滿、漢、回、蒙、藏等五大民族中的任何一個人。無不說明，《鹿鼎記》既是傳奇故事，又是文化寓言；韋小寶既是傳奇主人公，也是文化解密者。

二、武俠反諷與文化反思

《鹿鼎記》從一九六九年十月廿四日至一九七二年九月廿三日在《明報》上連載，是金庸寫作的最後一部長篇武俠小說，也是金庸作品中最具思想深度和文化價值的一部小說。

在這部書的修訂版後記中，作者寫道：「《鹿鼎記》和我以前的武俠小說完全不同，那是故意的。一個作者不應當總是重複自己的風格與形式，要盡可能的嘗試一些新的創造。」[37]每構思一部小說新作，總是要力圖在風格與形式上盡可能地做到與以前的作品有所不同，這正是金庸的武俠小說創作取得輝煌成就的一大「秘訣」。

《鹿鼎記》的確與以前的武俠小說「完全不同」，不僅與金庸本人以前的所有武俠小說作品完全不同，而且也與以前所有的中國武俠小說作品完全不同。這種不同，通俗地說，就在於《鹿鼎記》非武、非俠、非史、非奇，一改以前武俠小說的風格與形式；而其根本要點，則在於它對於以前的武俠世界進行了徹底的「價值顛覆」。

非武、非俠比較容易理解，是說《鹿鼎記》這部書的重點不是描寫武功和俠義，至少，它的主人公韋小寶就不像以前所有的武俠小說主人公那樣，以超卓的武功和非凡的俠義為基本特徵。至於非史、非奇，作者在本書的後記中說，「《鹿鼎記》已經不太像武俠小說，毋寧說是歷史小說」。[38] 實際上，這部小說既不是通常意義上的武俠小說，也不是通常意義上的歷史小說，毋寧說它是對通常意義上的武俠傳奇與歷史紀錄的雙重反諷。

在某種意義上，金庸的《鹿鼎記》一書可與塞凡提斯的經典巨著《唐吉訶德》相提並論，無論是其創作觀念、風格形式，還是其藝術價值、文化意義，這兩部書都值得一比。[39]

順便說一句，在寫完《鹿鼎記》之後，金庸就徹底封筆，不再寫作武俠小說。此事成為廣大金庸小說迷的一大憾事，甚至成為一大疑案：為什麼金庸先生正當盛年、且在其創作高峰期就突然封刀罷筆？其中最主要的原因，就在這部《鹿鼎記》不僅已經創造了一個難以逾越的高峰，而且更重要的是從一般的武俠小說寫到了這部「反武俠小說」。作者在這樣的「自我顛覆」之後，如何還能再寫？

三、《鹿鼎記》的意義與讀法

《鹿鼎記》當然不是一部一般意義上的歷史小說，因為歷史上並無小說的主人公韋小寶其人。而歷史上實有的人物，如順治、康熙、吳三桂、李自成、鰲拜、康親王傑書、索額圖、明珠、顧炎武、黃宗羲、呂留良、查繼佐、鄭克塽、陳永華（近南）、施琅、桑結喇嘛、葛爾丹王子……也都未必是這部小說中所寫的那個樣子。順治當然沒有在五臺山出家，康熙也未必有書中所寫的那樣天縱英明，索額圖未必比別的官員更加貪婪，明珠也未必比別的官員更會拍馬屁。

小說中寫這些人物，主要是作為主人公韋小寶的陪襯。也就是說，必須按照傳奇的規則——想像／虛構、象徵、寓言——去讀解小說。重要的不是小說中的人物是否在歷史中存在過，而是這些人物存在的「可能性」——如作者所言：「在康熙時代的中國，有韋小寶那樣的人物並不是不可能的」。[40]康熙、索額圖、明珠、顧炎武等歷史人物，在這部小說中也只是一種「可能性人物」，這樣才能與韋小寶生活於同一世界，進而當然也就能與茅十八等所有的虛構人物處於同一世界。在某種意義上，這一世界是為韋小寶一人而存在。

但在另一意義上，韋小寶卻又恰恰是為這一世界而存在。

韋小寶逢凶化吉的喜劇故事和遇難呈祥的人生傳奇，不光是為了讀者的一樂，顯然還有著更深的意義。在這個世界上，韋小寶之所以能夠「海闊憑魚躍，天高任鳥飛」，一方面當然是因為韋小寶神通廣大，但另一方面則恰恰是因為這個世界的「海」是這樣的海、「天」是這樣的天。換句話說，韋小寶在這個世界上生存著、而且快樂著，是因為他的思想行為暗合了這一世界的內在遊戲規則。

明確地說，韋小寶的故事牽涉到中國的社會體制、文化傳統和國民性特徵。

先說社會體制。韋小寶之所以能在這個世界中飛黃騰達，最主要的原因，當然是由於他是康熙的朋友。而康熙是皇帝，皇帝是至高無上的，大家都是做皇上委派的官、吃皇上恩賜的飯，皇帝的權力不受任何制約。例如韋小寶，皇帝說他是太監他就是太監，皇帝說他不是太監他就不是太監。在這一體制之中，當官的最大訣竅，就是揣摩上意，大家都要拍皇帝的馬屁，看皇帝的眼色行事。韋小寶既然是皇帝的朋友，最接近皇帝，當然也就成了朝廷中的第一紅人，大家要想拍皇帝的馬屁，就非得先拍韋小寶的馬屁不可。索額圖、康親王、吳應熊、明珠、多隆等人之所以千方百計地接近韋小寶、討好韋小寶，目的無非是為自己的升官發財找最好的捷徑。

因為韋小寶是皇帝的朋友，他辦起事來自然也就非常地方便，立功當然也就在情理之中。而越是這樣，他就越是會得到皇帝的寵信，如此形成一種「良性循環」。甚至皇帝要送韋小寶到少林寺進修，少林寺的方丈非但不能不聽——皇帝可以管到少林寺這種宗教聖地，這當然也是中國特色，叫做「普天之下，莫非王土；率土之濱，莫非王臣」——而且還要安排韋小寶一個合適的身分（**也就是合適的職務、地位**）。

更妙的是，像晦聰方丈、澄觀禪師這樣修養深厚、技藝高超的人，對韋小寶不僅關懷備至，言聽計從，而且居然還對韋小寶的「道行」佩服得五體投地！原因何在？因為韋小寶是「上面派來的人」！既然「天子聖明」，那麼聖明天子派來的人自然也就不會差，少林寺的和尚也就非由衷佩服不可。這樣，韋小寶辦起事來豈非事半功倍？

更有說服力的是，韋小寶到臺灣當代理行政官員，上任的第一天就貪污了上百萬兩銀子，而韋小寶離任之際，卻得到了全臺灣島人民的由衷敬意和盛大禮送。原因何在？當然不是因為臺灣人喜歡貪官，而是韋小寶為臺灣人「辦實事」。一是他說服皇帝不要放棄臺灣，二是他「除董塑陳」（**即把董夫人的塑像拆掉，將陳近南的塑像樹立在鄭成功的身旁**），合乎民意。

韋小寶放手索賄、膽大妄為，最根本的原因還是他與康熙是好朋友。這個社會是一個沒有規則的社會，如果有，那也只有一條規則，那就是皇權大於一切，誰最接近皇權，誰就是最大的獲益者。只要有人為大家辦一點實事，老百姓就感懷不已，當他是青天大老爺，貪污一點，自然就變成了可以容忍的小節。

韋小寶有了康熙皇帝這把保護傘，等於是有一張「至尊寶」，必然會「四海通吃」——康熙封韋小寶為「一等通吃伯」，雖不無戲謔的成分，但卻也是一種奇而至真的寓言。

再說韋小寶傳奇與中國文化傳統。韋小寶不僅在宮廷、官場吃得開，在社會上也能如魚得水。他在反清復明、專門與康熙朝廷作對的天地會中當青木堂堂主當得很好，在神龍教中出任白龍使兼五龍令主居然也能維持很長一段時間，其中當然有更深刻的原因。

這原因，說穿了，就是中國的社會雖然分成了不同的層次、結成了不同的集團，但全社會的文化傳統卻是一個。就像韋小寶在妓院中所玩的把戲居然在宮廷中也能應驗如神一樣，韋小寶在官場和宮廷中所玩的把戲，在其他的社會階層或社會集團中當然也能圜轉如意——這是本書的一大發現。

韋小寶之所以能當上天地會的堂主，看起來是因為他殺了鰲拜，實質上是天地會中權力鬥爭相持不下的妥協產物。倘若不是由韋小寶來當這個堂主，那麼青木堂就勢必要為誰來當堂主而分裂成若干派別，從此沒有寧日。陳近南不愧為當世英雄，見機處事，富有創造性，不僅讓韋小寶當上了堂主，而且還收韋小寶為徒。這樣不僅使得青木堂中群雄不再有權力紛爭，而且韋小寶成了陳總舵主的徒弟，誰還敢與他爭鬥？雖說陳近南是為了讓韋小寶當堂主才收他為徒，不是故意要讓自己的徒弟當堂主，但是，在天地會這樣的組織中，總舵主的徒弟要當堂主，其他人又有什麼話說？

說到權力鬥爭，不僅青木堂中是這樣，天地會中是這樣，天地會的上司臺灣鄭王府中也是這樣，在更大的範圍內也還是這樣。天地會與雲南沐王府的爭鬥，說是為了擁護唐王還是擁護桂王，實際上還不是為了權力鬥爭？當世英雄陳近南沒有死在康熙的手中，也沒有死在沐王府武士的手中，而是死在了自己的少主鄭克塽的手中，說到底，還不是因為陳近南沒有支持鄭克塽而是支持他的哥哥？——書中沒有寫明，陳近南之所以支持鄭克塽的哥哥，是因為那是他的女婿；而馮錫範之所以對鄭克塽忠心耿耿，恰恰因為馮錫範是他的岳父。

韋小寶在神龍教中居然也能化險為夷，原因更是簡單，那就是千穿萬穿、馬屁不穿，蓋因為韋小寶的馬屁功夫十分了得之故也。韋小寶的馬屁功夫在朝廷上用得著，在神龍教中也同樣用得著。

這就是說，雖然在政治上，康熙王朝、天地會、神龍教各不相同，但在文化傳統上，三者卻有明顯的相近、相通甚至相同之處。韋小寶的「三十六術」不僅在朝廷和官場大有用武之地，且在反朝廷、反官府的天地會和神龍教中也同樣大有用武之地。原因是，只要是中國人的組織，就會有中國人特有的組織原則、工作作風、社會風尚、文化傳統，而韋小寶就能通吃。

再說中國人的國民性。韋小寶的性格，就是中國的國民性的最佳典型。在中國文學史上，我還沒有看到任何一個人物形象，在揭示中國人的國民性的真實性、豐富性、深刻性等方面可以與韋小寶的形象相比。塑造出韋小寶這一人物形象，當然就是《鹿鼎記》一書最突出的藝術成就。

韋小寶的性格是中國文化的產物，當然就會在中國文化圈內大行其道。他的性格，自然也就是這一文化圈的環境產物，是國民性的集中表現。

韋小寶無往而不利，正如當代大詩人北島所說：

卑鄙是卑鄙者的通行證，

高尚是高尚者的墓誌銘。

既然韋小寶能夠四海通吃、通行無阻，首先當然是因為他是一個卑鄙者；其次呢，也正是因為這個社會、這個文化傳統、這種文化環境有著可以讓卑鄙者通行無阻的廣闊空間。那麼，這又是一種什麼樣的文化空間呢？在這樣的環境中生長出來的韋小寶是如此，那麼在同樣的環境空間生長出來的其他人又如何？中國人的國民性如何，可以由此推知。當然最直接的方法，還是從韋小寶的身上探究，因為他是最成功的典型。

韋小寶無疑是中國社會及其華人文化圈的一種黏合劑，但與此同時，他也是一種最厲害的腐蝕劑。不見得社會中的每一個人都像韋小寶這樣卑鄙無恥，但有韋小寶這樣的人存在、而且得勢，那麼這個社會的風氣、環境和文化傳統就決計好不了。

如前所述，韋小寶這一人物形象卻又是為中國文化及其國民性本質、真相而設計的。這樣，我們就非常容易理解小說的最後，為什麼作者要「論證」韋小寶的血統和身分了——

韋小寶「告老還鄉」之後，回到揚州，終於搞清了有關自己身分的兩大線索：一是，韋小寶出世之前，韋春芳正在當紅之際，所接待的嫖客之中不僅有漢人，也有滿、蒙、回、藏等各族人，也就是說，韋小寶有可能是滿、漢、蒙、回、藏五大民族中任何一族人；另一條線索是，韋春芳雖是下賤的妓女，但卻仍有愛國的情操，「堅持不接待外國洋人」，[41]也就是說，韋小寶可以肯定是一個「純種中國人」。這兩條重要訊息，對我們要進行的韋小寶的遺傳學研究，顯然具有極為重要的參考價值，而對於我們的寓言學研究，其意義就更加明顯，不用我多說，大家都會明白的。

在《鹿鼎記》一書中，無論韋小寶遇到或做出什麼樣的事情我都不會吃驚，它本就是一部傳奇之書。但，當我看到小說的最後一回書中寫到顧炎武、黃宗羲、呂留良、查繼佐四大當世名儒居然連袂來勸韋小寶做皇帝，不禁瞠目結舌，然後又差一點將桌子上的玻璃拍破！

這才真是叫構思精妙、異想天開！

恐怕有不少讀者會百思而不得其解，為什麼這四大名儒（**這四個人都是真實的歷史名人**），要勸韋小寶做皇帝？

這有三解，其中的每一解都關乎中國歷史、文化、國民性。

第一解，是因為這樣做比較方便於「反清復明」事業。書中的顧炎武等人已經說了，韋小寶是天地會總舵主的徒弟，又是康熙的好友，要取康熙而代之最為方便，勢必登高一呼，就應者雲集。漢族英雄的反清復明事業，居然在韋小寶的一念之中就能決定成敗。

一、這充分地說明了漢族人做事的方法訣竅，是最喜歡投機取巧，最喜歡用最小最小的代價，獲取最大最大的利益。二、又說明漢族人做事是只講形式、不講實效。韋小寶是漢人（**這其實也只是一種假定而已**），他當了皇帝就算「反清復明」是成功了，不管韋小寶會是怎樣的一種烏七八糟的皇帝，當然就更不會管康熙是怎樣的一種——相對而言——好皇帝。三、這還說明，漢人做事，說起來頭頭是道，但做起來其實根本不講道德，教韋小寶去殺康熙這位好朋友、好兄弟，連韋小寶這種真小人都不肯做的事情，顧炎武這些君子卻堂而皇之地勸他去做，這是什麼「道德觀念」，又是什麼「人文精神」？

第二解，顧炎武等人勸韋小寶做皇帝，原來居然還有充分的歷史學的依據，那就是歷朝歷代的皇帝差不多都是大大小小的流氓，從漢高祖開始，直至明朝的開國皇帝朱元璋，都是比韋小寶厲害得多的大流氓、大混蛋。這一點，韋小寶當然不懂，但顧炎武等大學者卻是非常明白，他們要勸韋小寶當皇帝的理由也就非常的充分。這又說明什麼呢？一、中國的歷史遠不是人們想像的那樣堂皇，歷史書上對歷代皇帝有多少「雄才大略」的讚譽，但其本質卻並非如此。二、中國人對皇帝的態度也遠不是表面上的那樣尊重，表面上誰見到皇帝都要高呼萬歲、謝主隆恩、高唱「天子聖明」，但內心裡卻照樣認為皇帝不是個東西、而是個流氓。中國文化、禮儀的虛偽，由此可見一斑。

第三解，顧炎武等人都是當世大儒，不僅學問精深，而且品德高尚，但他們卻不能想出中國歷史的更好的出路，更不敢設計出自己能夠直接從政——當總統之類——的政治體制，在舊的體制之中他們當然對自己當皇帝一事想都不敢去想，所以只有勸韋小寶當皇帝。他們只能做韋小寶的高參，做「帝王師」，但說得不好聽一點，實際上就是做皇帝的臣子、做他的忠實走卒。

這一段書，是對中國（傳統）知識分子的觀念、性格、命運及其局限的最好的說明。中國的知識分子的最高理想，就是做帝王師。所謂不為良相，便為良醫，固然是因為禮教如此，傳統如此，但也是因為在傳統的薰陶之下，中國的知識分子早已失去了自己的大腦，更重要的是早已失去了自己獨立或自立的脊梁。連顧炎武這樣的偉大的人物都是如此，其他的小儒更何足道哉?!而正因為真正的知識分子不能、也不敢發揮自己應有的作用，這個社會、這個文化環境、這個文化傳統，就成了韋小寶這樣的小人的天下。

更妙的是，韋小寶卻還不想當這個皇帝，他是一來怕死（要造反作亂當然就要冒殺頭的危險），二來怕苦（韋小寶知道當皇帝是一件很累很累的事情）。所以，顧炎武等人沒有改變歷史的進程，韋小寶也不想改變這一歷史的現實，因而到小說的最後，什麼都沒有改變。中國人的命運一向如此：想造反、想當皇帝的畢竟是極少數；遇上明君，是小民的福氣；遇上暴君，是小民的不幸。不到萬不得已，歷史就這樣的「發展」下去、繼續下去……

這，就是《鹿鼎記》的思想主題的最深處。

三、創新嘗試

金庸小說並非每部都是頂級佳作。例如，小說《書劍恩仇錄》、《碧血劍》、《雪山飛狐》、《飛狐外傳》、《鴛鴦刀》、《白馬嘯西風》、《連城訣》、《越女劍》等作品，就不如其他作品。這也符合金庸本人的總結，即：「長篇比中篇短篇好些，後期的比前期的好些。」

如何看待上述作品？是一個問題。在我看來，上述作品雖未達到頂級佳作水準，但卻不可輕忽。如果把上述作品當作「小說實驗」或「創新嘗試」看，就可見其意義非凡。金庸說：「一個作者不應當總是重複自己的風格與形式，要盡可能的嘗試一些新的創造。」金庸小說確實是既不重複他人，也不重複自己。

把一些小說標注「創新嘗試」，並非故意為那些品質稍次的作品開脫，而是想提示幾點：

一，這些創新實驗作品，是篇幅較短的作品，便於新方法與新形式實驗嘗試。

二，這些作品大多在《明報》以外的報刊上發表（《**白馬嘯西風**》例外），作者沒有敷衍，而是作創新嘗試。

三，金庸小說的創新嘗試貫穿其創作始終，若無創新嘗試，就沒有那些高峰之作。以下分別說。

九當家是九命豹子衛春華，形象英俊，做事心細，打鬥起來卻不顧性命；

十當家是駝子章進，天生殘疾，性格偏激，身殘力大：

十一當家是文泰來的夫人駱冰，美貌如花，笑顏動人，溫柔爽朗；

十二當家與前者又形成對照，乃是鬼見愁石雙英，面無表情，人見人怕：

十三當家是銅頭鱷魚蔣四根，兵器是鐵槳，開口是粵語：

十四當家是金笛秀才余魚同，年少英俊，文采風流，金笛為兵，性格外露。

一部小說中，能夠把一個幫會中的「群雄」寫得形象分明，只要提起名號、兵器就能知曉其人形象，甚至能夠知其大致性格，這在武俠小說中當然就是一種很了不起的成就。

小說中的人物形象，除了上述人等，還有不少可說之人，例如紅花會的兩位最主要的俠道友人鐵膽周仲英、綿裡針陸菲青，僅從他們不同的兵器和各自的獨門功夫，就能明白這兩人的性格恰恰相反，周仲英鐵膽剛猛，陸菲青綿裡藏針。

再如書中的若干女性形象，霍青桐翠羽黃衫，武功謀略俱佳，巾幗不讓鬚眉；香香公主白衣素面，美如天仙，心地純潔，什麼都不懂。其他如李沅芷之刁蠻任性卻又一往情深，周綺莽撞憨直，駱冰柔中帶剛，無不給人留下鮮明美好的印象。尤其值得一提的是，身材高大、性格憨直的大姑娘周綺偏偏與身材矮小、心智過人的徐天宏成為一對恩愛情侶，當真是「異性相吸、相反相成」的典範，既讓人忍俊不禁，又叫人浮想聯翩。

當然，上述人物形象，多半都是些類型形象。寫出這些形象，雖然在武俠小說中要算難能可貴，但在小說敘事藝術中卻不能說具有多高多高的藝術成就。原因是，這些人物大多性格扁平，個性遠遠不夠豐滿，更談不上有多少深刻的人文內涵。尤其是書中主要人物形象的刻畫，如陳家洛、霍青桐、香香公主等人，就多少有些令人失望。用套話說，書中狀陳家洛之義似偽，寫霍青桐之智近妖，而描繪香香公主的天真純潔又未免近乎智障或低能。總之一句話，這些主人公形象大多缺乏必要的性格內涵和心理深度。

為什麼會成這樣？當然值得研究。最重要的原因，應該是武俠小說模式的局限。嚴格地說，應該是作者仍受到一般武俠小說的模式與概念的局限。所謂武俠小說的模式與概念的局限，是指武俠小說常常善惡對立、好壞清楚、黑白分明，尤其是書中的主要人物，常常是俠、義、善等等概念的直接演繹，形成了一套特有的人物形象模式，或者不如說是一種概念化的老套。在這一模式或老套中，實在很難指望書中的主人公形象如陳家洛等人有多大的人文內涵。他的出身、武功、身分、地位、人品等等，都是已經被規定好了的，須成為正義和善良的概念化身。這樣，除了對人物進行大致的忠、義、智、愚、莽、細等等類型分類，就很難對人物進行真正的個性化描寫了。

在對反面人物的描寫中，也同樣存在這種情況。書中對反面人物乾隆、張召重等人的描寫，存在明顯的人為痕跡，也就是說，作者一定是故意要把這兩個人物寫得這樣明顯的壞。

在最後搶奪香香公主、尤其是企圖毒殺陳家洛及紅花會群雄之前，很難說乾隆是一個多麼壞的人。一個典型的例子，是當他得知自己有可能是陳世倌的兒子這一消息之時，居然會偷偷祭拜陳世倌夫婦，而且還為他們修建海神夫婦廟，其孝心可嘉。再一個例子是當他以東方耳的化名與陳家洛第一次見面之時，表現得也很有氣度：知道陳家洛是他的弟弟時，也很講兄弟之情。他要扣留文泰來，不希望自己的身世之謎向外透露，實際上也是情有可原。當然他秘密處死小時候的奶媽，則多少顯得有些殘酷。不過，作為一個封建帝王，這點殘酷實在是小菜一碟。

而到最後，硬要逼迫香香公主做自己的小老婆，尤其是明知香香公主是自己弟弟的情人的時候還要堅持這樣做，甚至以此作為反滿復漢的一個先決條件，就很下作了。如果他是一個具有反滿復漢的雄心大志的人，就不會為一個香香公主而花費心思：如果他不是一個具有雄心大志的人，那麼他這樣做就明顯是欺騙、因而顯得下作了。至於最後借賜酒宴的機會，企圖一舉殲滅親弟弟陳家洛在內的紅花會群雄，顯然是作者硬要把這個人物寫得很壞。

實際上，僅僅是搶奪弟弟的情人，再加上企圖殺死弟弟及其紅花會組織的重要成員，對於一個封建帝王來說，也算不得多麼特殊的壞。唐玄宗就曾強奪過自己的兒媳楊貴妃，而唐太宗則為了搶班奪權而殺死了自己的哥哥、弟弟及其死黨。乾隆做的這些事情都是有先例的，而唐太宗、唐玄宗都沒有因此而被看成是歷史上的壞皇帝。人間的爭寵奪愛、爭權奪利，所在多多，且越是位高權大，就越是激烈殘酷。

如果能夠寫出人性的弱點，當能做出有深度的文章——後來的金庸小說就做到了這一點——而《書劍恩仇錄》卻沒有做出有深度的文章來，最主要的原因就是，作者要把乾隆寫成一個壞皇帝，寫成一個反面角色。小說中完全回避了乾隆在得知自己是漢人之子以後，在心理上有何種矛盾衝突，等於是剝奪了這一人物被認知和理解的機會，從而抹煞了這一人物的個性特徵。

與乾隆形象的描寫稍有不同的是，書中對張召重這一人物的描寫，一開始很有風度，也很有氣派，有一定的英雄氣概，而且相當自信，老成持重。對李沅芷、對余魚同，都很講同門情誼；對紅花會群雄，也不過是食君之祿、忠君之事，始終未以官府之勢壓人；就是受紅花會挑唆設計而與老鏢頭王維揚決鬥，一開始也是規規矩矩地按照武林規矩辦，這就很了不起了。在此之前，張召重這一人物在個人品質上，沒有看到多少壞的東西。而在與王維揚決鬥之後，便急轉直下，暗算王維揚在先，逼死師兄馬真在後，最後居然要與跳到狼群中救他的另一師兄陸菲青同歸於盡，越來越卑鄙下流了。

這一人物的性格轉變，有明顯的裂縫，前後簡直判若兩人。為何會這樣？只因作者有一個未必站得住腳的假定：那就是凡是為官府效力的人都不是好東西。張召重想升官發財，所以就是壞人。為了寫出張召重的壞，非要讓他暗害自己的師兄不可。其實，事情哪有這樣簡單？

總之，作者是為了武俠小說通常所需要的善惡對立、好壞分明，而將複雜的人性過度地簡單化了。這樣，書中的人物形象，自然就不能不受到重大影響。如果按一般的武俠小說的標準要求，當然沒有問題；但如果要按文學藝術的標準來看，那就未免太簡單了。

不過，《書劍恩仇錄》中也有令人驚喜的人物形象，那就是金笛秀才余魚同。這位年輕俊俏的秀才哥，從一出場就給人留下了深刻的印象。他的那根既用於吹奏音樂、又用於對敵打鬥的金笛，是他的飛揚外露、自信風流、浮躁飄逸性格的最好寫照。無論是吹奏還是打鬥，那根金笛都是金光閃閃，招人眼目。

且看余魚同自報家門：「在下行不改姓，坐不改名，姓余名魚同。余者，人未之余。魚者，混水摸魚之魚也。同者，君子和而不同之同，非破銅爛鐵之銅也。在下是紅花會中一個小腳色，坐的是第十四把交椅。」[42]這一自我介紹，可見其性格之一斑。他是那麼的自信，那麼的神采飛揚；但考慮到面對的是官府捕頭，而余魚同幹的卻是造反作亂的大事，尤其是余魚同又擔任紅花會中聯絡各方的地下聯絡員的要職，他如此自我炫耀，未免太過浮躁輕飄了。然而，這正是余魚同的性格。而李沅芷這一官家嬌小姐，恰恰最愛這種風流氣度。

余魚同之所以這樣自我張揚，當然不是做給他還不認識的李沅芷大姑娘看的，也不是做給官府捕頭看的，而是做給他單戀的對象駱冰看的。如果不是在駱冰的面前，余魚同再輕浮，也不至於如此沒有鬥爭經驗，如此不講鬥爭策略，而表演給毫無情趣可言的官府捕頭看。而在駱冰面前，這位苦苦相思的余魚同實在是情不自禁，要展現自己的才子風流。

後來我們才知道，余魚同對駱冰早就一見鍾情，而駱冰那時早已是文泰來的妻子。余魚同對駱冰的苦苦思戀，被他自己講述得感人至深。而他以為自己既比文泰來年輕、又比他俊俏、更比他多才，駱冰就一定會愛上他，或者說駱冰應該愛他、而不應該愛文泰來，則又被證明，完全是他的一廂情願。如此，余魚同的性格又深了一層。

進而，余魚同居然會乘駱冰心力交瘁之際，偷偷擁抱親吻駱冰。須知一般的人如此行為尚且會讓人不齒，何況余魚同還是紅花會中的俠義英雄？紅花會中的英雄對一般的婦女也不能這麼幹，又何況駱冰還是余魚同結義兄弟的妻子？按照一般的武俠小說的邏輯，余魚同這樣幹，是滑入了墮落變質的泥坑之中了。因為只有壞人才會這麼幹，幹這種壞事的人自然也就是壞人。

然而，令人驚訝的是，作者沒有把余魚同寫成一個壞人，而是寫成了一個犯了大錯誤的好人。這就打破了一般武俠小說人物類型描寫的常規，使得余魚同的形象真正按照人性的邏輯書寫。為了這種難以自禁、然而又因違反倫理道德非得自禁不可的愛情，余魚同付出了慘痛的代價。先是躲著不與群雄見面，後是為救文泰來而奮不顧身、以至於燒傷了他俊俏的面容：然而「革面」或許很難，「洗心」

更是談何容易！為此他甚至出家做和尚，以便做到「你不愛、我便休」。李沅芷那樣苦苦追求，也不能稍減他對於駱冰的深深愛戀，和這種愛戀所帶來的心理的重負。直到最後，在真正的生死關頭，他當著眾兄弟之面對文泰來親口懺悔，且得到了文泰來、駱冰的寬容諒解，才得以重新做人。

余魚同的故事雖然不是小說的主幹，但卻最為新穎獨特、最為曲折動人、且最具人文深度。余魚同的形象，是《書劍恩仇錄》一書中刻畫得最為成功的藝術形象，也是這部小說的最突出的藝術成就之所在。

四、娛樂與悲劇

《書劍恩仇錄》的寫作，當然是以娛樂消遣為主要目的。但與一般的武俠小說不同的是，這部書沒有採取通常的大團圓的結局。儘管陳家洛武功蓋世，紅花會英雄雲集，但最終也沒有達成反滿復漢的政治目的。他們不僅沒有勸得乾隆真心實意地採取政變行動，而當乾隆反過來要一舉滅絕紅花會群雄之際，陳家洛等人也沒有如願將乾隆這位大仇家殺死。進而，陳家洛不僅在政治上完全失敗了，在個人情感生活中也完全失敗了，香香公主自殺身亡，陳家洛變得一無所有。在武俠小說中，這無疑是一種出人意料的結局。

這一結局，主要是由於受到歷史事實的限制。因為乾隆皇帝並不是漢人陳世倌的兒子，所以也就不可能有什麼反滿復漢的舉動；歷史上的乾隆皇帝自稱「十全老人」，以耄耋之年壽終正寢，當然也沒有被紅花會或其他任何人所殺。對此，作者不可能做出有別於歷史事實的大改動。也就是說，書中虛構的陳家洛及其紅花會最終非以失敗而告終不可。在這方面，小說的悲劇結局，早已被歷史事實所註定。

不過，值得注意的是，假如作者不願意讓陳家洛及其紅花會的轟轟烈烈的故事以悲劇結尾，應該有很多辦法補救。尤其是對陳家洛這一主人公，補救的辦法更多。至少至少，可以給他以愛情上的滿足或安慰。但作者顯然沒有這樣做。小說《書劍恩仇錄》的結局，是悲壯、悲愴（對於紅花會整體而言）而又悲哀（對於陳家洛的情感心理而言）。他曾為了香香公主而失去了霍青桐，又為了乾隆的大業而失去了香香公主。最後乾隆反目成仇，陳家洛就失去了一切。這樣的結局，不僅符合歷史的真實，而且顯然比一般的大團圓結尾要發人深省得多。作品以這樣的悲劇結局，需要作者有超越常規的見識，更需要作者有超越常規的勇氣。

不難想到，作者從一開始就是把陳家洛設計成了一個悲劇形象。無論如何，他也很難逃脫自己的悲劇命運。他的出生、成長和追求，看起來一帆風順且光彩奪目，實際上始終沒有逃脫悲劇命運的籠罩，或者說只不過是他的命運悲劇的具體展示。當他的母親徐潮生被迫離開青梅竹馬的戀人于萬亭而嫁給她並不愛的陳世倌時，陳家洛的悲劇命運就已經開始了，他成了一樁悲劇婚姻的結晶。

也就是說，他的出生，就是一個悲劇性錯誤。可是，徐潮生不能不嫁給陳世倌；而陳世倌又是一個替滿洲皇帝服務的大官，以致他們的大兒子被王子允禎（即後來的雍正皇帝）調換也不敢言明、更不能明言。這使得陳家洛的命運更加盤根錯節。進而，如果他的母親忘卻自己的悲劇愛情，而忠實於自己的不幸的婚姻，讓陳家洛繼續乃父陳世倌的官宦事業，或許陳家洛的命運悲劇猶可避免；但徐潮生讓陳家洛追隨于萬亭亡命江湖，最終使得大倌（乾隆）與三倌（陳家洛）兄弟相殘，顯然是錯上加錯，悲劇的結局就更加不可挽回了。

在前文中，我們曾說到過陳家洛這一形象由於受到武俠觀念模式的局限，因而沒有人們所期待的那樣有個性，對陳家洛的個性悲劇開掘得很不夠。這固然是事實，也是一種遺憾。陳家洛在父親立場與母親立場之間，在得意江山與亡命江湖之間，在民族大義與個人功業之間，以及最終在恢復大計與個人愛情之間所作出的選擇，顯然都太過簡單。小說中對前幾種選擇，甚至都沒有提及，彷彿這些重大的矛盾衝突對陳家洛其人而言都不存在，或者早就輕而易舉地解決了。所以，從總體而言，陳家洛這一人物形象實在缺乏其應有的豐富人文內涵。

不過，在陳家洛與霍青桐、香香公主的關係上，作者卻有意無意間寫到了陳家洛其人的內心怯弱及其性格悲劇。

無論是與霍青桐之間的贈書貽劍種深情，還是與香香公主之間採蓮護鹿成佳偶，採取主動的都是女方，而不是陳家洛。是霍青桐向陳家洛贈劍以表達愛意，又是香香公主主動「偎郎」，陳家洛在這兩次愛情中都是被動的，是被選擇者，而非主動選擇者。或許有人會為之辯護說，這與男女主人公的不同民族生活習慣有關，但從中是否能夠隱隱約約地看出陳家洛的性格中的某些特徵呢？

進而，在與霍青桐的關係之中，作者不願意讓陳家洛背上忘情負義的罪名，而讓李沅芷女扮男裝，使陳家洛亂喝飛醋，進而逐漸疏遠，最終為陳家洛的移情別戀開脫。但這也未免太過簡單了。李沅芷女扮男裝真的能夠長期蒙混陳家洛？霍青桐暗示在先，余魚同解釋在後，以陳家洛的聰明機智，怎麼可能長期不明真相？

真正合理的解釋是，霍青桐英姿颯爽，且又智計過人，其豪邁灑脫，使得陳家洛自慚形穢，從而對她又愛又懼、又敬又愧。霍青桐這一「女丈夫」，使得陳家洛這個「小男人」從內心深處感到難以消受。而不懂武功、不通世故、把陳家洛當成天下第一大英雄的香香公主就不同了，不僅僅是因為她有天仙之貌，更主要的是因為她能製造「大丈夫」的烏托邦，滿足陳家洛的小心眼和虛榮心。而最終的結果是，陳家洛這個「大丈夫」不僅沒有拯救香香公主這個「小女人」，反而正是他把香香公主推向火坑。而且，倒是香香公主這個「小女人」，以自己的犧牲提醒並間接拯救了陳家洛這個「大丈夫」！其中，應能看到陳家洛性格的悲劇。

只不過，作者對此未能完全自覺，所以陳家洛的悲劇性格始終就只能是模模糊糊。如果說對於陳家洛的悲劇性格的描寫，作者是在有意無意之間，那麼，小說中所涉及的紅花會這一漢人英雄群體與回疆木卓倫部這一少數民族英雄群體的對比，就更是在無意間完成的了。

如果我們稍加注意，就會發現，漢人的紅花會群體與回疆木卓倫部之間，不僅存在一種相互聯合、團結互助的關係，同時實際上也存在一種無形的對比關係。雖說書中的主要故事情節都是寫紅花會的，而且，紅花會自始至終都是對木卓倫部提供幫助和恩惠；但論及給人的印象，卻是木卓倫部更加英雄豪邁、可歌可泣、永垂不朽。

僅是木卓倫的女兒翠羽黃衫霍青桐一個人，就足以使紅花會眾英雄黯然失色。論領導才幹，紅花會的總舵主陳家洛比不上霍青桐；論軍事才能，紅花會的「武諸葛」徐天宏比霍青桐更是相差太遠。紅花會眾英雄的武功、氣勢比之木卓倫部當然要厲害得多，但紅花會最終實際上卻是一事無成。

簡而言之，漢族的英雄們，自始至終都不過是在投機取巧，想利用陳家洛與乾隆的親兄弟關係，搞一場輕輕鬆鬆、本小利大、實際上不過是自欺欺人的宮廷政變，就算是完成了反滿復漢的民族大業。而木卓倫部則是旗幟鮮明地寫出了「抗暴應戰，神必佑我」八個字，雖似簡單，但卻直接而且誠實，真正豪氣沖天。

最終的結果是，木卓倫部被乾隆的軍隊剿滅，全部壯烈犧牲；而紅花會群雄則受損較小，全部豹隱回疆。兩相比較，不禁讓人想到一位中國現代詩人的如下詩句：

有的人活著，
他已經死了；
有的人死了，
他還活著。

不過，這種比較及其結論，顯然不是小說作者的原意，而只是筆者的一種「讀解」。是與不是，讀者不妨自己去看。

《碧血劍》

一、它是「小說敘事實驗」

證據是金庸說：「《碧血劍》的真正主角其實是袁崇煥，其次是金蛇郎君，兩個在書中沒有正式出場的人物。」此書可能受希區考克電影《蝴蝶夢》啟發，即死者陰影始終影響現實中人。

《碧血劍》成功刻畫了金蛇郎君夏雪宜的形象。在不同人物的回憶和講述中，夏雪宜形象截然不同，在穆人清口裡，他是邪門外道；在焦公禮口中，他是大俠和恩人；在溫儀口裡，他是不朽情人；

在溫氏五老口裡，他是可怕惡棍；何紅藥口裡，他是情感騙子。他到底是怎樣的一個人？需讀者從眾人口述歷史片斷去拼貼和分析。

金蛇郎君夏雪宜正是這部小說中最具複雜度的藝術典型。然而，作者試圖以此方式塑造歷史人物袁崇煥，卻不成功，所以作者後來不得不專門寫《袁崇煥評傳》來彌補這一缺憾。

二、英魂碧血，長城悲歌

《碧血劍》是金庸的第二部長篇小說，於一九五六—一九五七年在《香港商報》上連載。連載結束後曾先後兩次修改，增加了五分之一左右的篇幅，作者說，修訂的心力，在這部書上付出最多。在「金庸作品集」中，《碧血劍》一書之後還附有一部歷史人物傳記《袁崇煥評傳》，作為對《碧血劍》一書的補充。原因是，作者交代說，《碧血劍》這部書的第一主人公應該是從未出場的袁崇煥這一歷史人物，其次是另一個從未出場的人物金蛇郎君夏雪宜，就是說袁承志、夏青青兩人只不過是（**作者設想中的**）「導遊」。作者說，袁承志的性格沒有寫好（**因為沒有當他是主人公**），但袁崇煥的形象也沒有寫出來，所以才要附上一部專門為之寫的《袁崇煥評傳》。[43]

這麼說，是不是很容易把人搞糊塗？但無論如何，這對於想要認真研讀金庸小說的人，都是一個非常重要的消息。至於對作者的後記創作相信多少，對《袁崇煥評傳》看與不看，那就仁者見仁、智者見智了。

三、傳奇與歷史

《碧血劍》這部小說，誇張地說，是敘述了明朝末年明、清、闖（**或大順**）三種政治勢力相互衝突及其歷史的「新三國演義」。不過，作者倒沒有要寫「新三國演義」的雄心，只不過是借袁承志的復仇，把明帝崇禎、清酋皇太極帶到了我們的眼前，讓我們對這兩個知名的歷史人物看上了一眼。如此匆匆一瞥，雖然作者依據一般的歷史事實，對這兩個歷史人物作出了簡明扼要的評價和描繪，但這兩個人物畢竟沒有成為書中的主要人物，所以這部書也就不是真正的「新三國演義」。

值得注意的是小說中對李自成這一歷史人物的描寫，受到了一些學者、評論家的好評。受到好評的原因，是金庸在小說中對這一著名的歷史人物形象，作了相對真實、一分為二的粗線條的描繪。既寫到了李自成的英雄的一面，又寫到了他的草莽的一面；既對起義軍表示深切的同情，又對起義軍的流寇作風進行了如實的描述；既對農民起義的性質及其必然性做了充分的說明，又對李自成及其起義軍的歷史悲劇作了簡要但深刻的揭露。

當李自成志得意滿地進入明朝的皇宮，在明朝太子面前袒露脊背上的條條傷痕之時，這種英雄氣概讓人心折。然而不久卻又因為陳圓圓的出現而醜態百出，顯示出沒有政治遠見、更無遠大政治抱負或歷史責任感的一面。這一場景中的李自成形象，雖說近乎漫畫，但卻形神兼備，力透紙背，讓人難忘。

要說，這樣描寫李自成形象，不見得有多深的哲學深度，也不是多麼了不得的藝術成就，但依然讓人激動，以至於對此作出好評，真正的原因不過是，這種寫法打破了中國傳統中的「好人全都是好，壞人全都是壞」的簡單的認知模式或思想方法。進而，說穿了，是因為人們對一部名為《李自成》的嚴肅的歷史小說有些失望和不滿，從而對《碧血劍》中的李自成形象就更覺寶貴，進行不無誇張的大肆表揚。

實際上，歷史小說《李自成》與武俠小說《碧血劍》文類不同，且對李自成的形象描寫又有工筆重彩、精雕細刻與線條勾勒、漫畫誇張的明顯區別，二者很難進行公平的比較。但是，小說《李自成》中的主人公形象太過拔高、以至於接近後世理想中的共產黨員，不如《碧血劍》中的李自成那樣優缺點分明，恐怕正是一般評論者所注重和依據的根本要點。何以一部「嚴肅小說」中的人物形象反而不如一部「通俗小說」？這正是中國文學歷史的怪現象，引起了人們的諸多評說。

《碧血劍》一書的一個很了不起的地方，是寫到了「嗟乎興聖主，亦復苦生民」（第十九回回目），寫到了如同元人小曲中所唱的「興，百姓苦；亡，百姓苦」的中國歷史的大悲哀。

崇禎皇帝固然不是真正對國家、民族、人民負責任的君王，而李自成同樣也不是對民族、國家、人民負責任的領袖。崇禎殺了袁崇煥，李自成同樣逼死了李岩。更說明問題的，也許還是小說的開頭和結尾出現的海外渤泥國學子張朝唐的遭遇：在小說的開頭他遇上的是明朝的官兵，把良民當成強盜；而在小說的結尾處，他遇上的是李自成的義軍，還是把良民當成強盜。亂世的官軍和潰退的義軍，不僅都如強盜，而且還要誣人為盜，甚至逼人為盜。這兩個前後呼應的小小場景，成了中國大歷史的某種深刻的象徵。

這種描寫，在歷史學家的眼裡，也許太過平常，稱不上有任何新的創見；而出現在武俠小說中，以傳奇的形式寫來，在武俠小說讀者的眼裡，當然是非常的了不起，也顯然是一種對武俠小說的深化和創新。

四、正派與邪派

值得注意的是，《碧血劍》比之《書劍恩仇錄》有一個明顯的改觀或者說是進步，那就是對人物的正邪之分，不似原先那樣死板教條。因而這部書中的一些人物形象，要比前一部書中的人物形象鮮活得多，也要有意思得多。

第一突出的，當然是書中未出場的金蛇郎君這一人物了。誰也說不清，這一人物是一個主要人物還是次要人物。更重要的是，誰也說不清，他是正派人物還是邪門人物。在不同人物的眼裡，金蛇郎君有著截然不同的形象；在不同人物的心上，夏雪宜有著截然不同的分量和價值。這樣一個分不清是正是邪的人物形象，顯然又具有較深的人文內涵，要理解這一人物，必須從他的人生遭遇的整體上看，更要從人性的本質上看。

金蛇郎君夏雪宜的女兒、袁承志的女友夏青青的形象，也是一個非常獨特、相當成功的藝術形象。這個人當然遠遠沒有霍青桐、香香公主那麼可愛，但卻要比她們更有人文深度。可能有許多讀者不會喜歡這個人，但卻不能不承認，這個人確實有性格、有內涵。她的最突出的特點有二，一是膽大妄為，也敢作敢為，二是嫉妒成性，簡直不可理喻。

這種個性的形成，須得從她的成長環境中去求得理解。她是一個有家的孤女，是一個自卑的公主，一個遭人白眼的寵兒，又是一個強盜世家的忠臣兼叛逆；是魔鬼群中的天使，也是天使群中的魔女。在她的身上，流著溫儀和金蛇郎君的混血。長時間的歧視與嬌慣，早已扭曲了她的心理，對袁承志的一往情深和內心深處強烈的自卑，更使她變得嫉妒敏感乃至不可理喻。

夏青青是正是邪？同樣是誰也說不清楚。與正人在一起她就是正中之正，而與邪徒在一起她便是邪中之邪。她的名言——也是她的處世哲學——是愛誰就聽誰的，不管是對是錯。她的性格，顯然可正可邪，是天使與魔鬼的混合體。

書中對華山派師徒數代人物的形象描寫，也常有出人意料的精彩之筆。例如老掌門人穆人清的形象，雖未濃墨重彩，卻也清新宜人。安大娘介紹說穆人清性格古怪，清高自傲，似乎也是不可理喻：不聽他的話固然不行，太聽他的話又不為他所喜歡。但袁承志真正見到穆人清——也是讀者第一次見到穆人清——時，卻發現，這是一個非常幽默大度、和藹可親的老人。為何有此變化？書中將穆人清此時的心理寫得絲縷分明，穆人清的老祖父情懷，讓袁承志感到溫暖，也讓讀者生發人生感嘆。

穆人清的性格是如此的清高，而他的大徒弟黃真卻偏偏又是如此的「世俗」，師父不苟言笑，黃真卻沒有正經。黃真聰明機智，黃真的徒弟崔希敏卻偏偏頭腦簡單。黃真、崔希敏師徒在一起，總是有令人噴飯的精彩細節。

寫得最好的，當然還是對歸辛樹夫婦及其徒弟的描寫。穆人清關心天下大事，一生仗義行俠於江山與江湖之間，而他的二徒弟歸辛樹卻只知埋頭練武，不管青天黃天。兒子病了，就更是無心關注其他的一切。由於歸辛樹沉默寡言、待人嚴厲，所以他的徒弟梅劍和反而成了狂妄之徒；由於歸二娘縱情護短，孫仲君便成了「飛天魔女」。所有這些，無不出人意料。不僅是寫出了這一門派中一些重要人物的不同個性，同時也寫出了穆人清——歸辛樹、歸二娘——梅劍和、孫仲君師徒三代人格形象的巨大落差。

華山派當然是一個武林正派，但卻出現了歸辛樹夫婦這樣的不問武林正邪的人，進而出現了梅劍和、孫仲君這樣的恃才傲物、甚至仗勢欺人的霸道人物。在焦公禮、閔子華的衝突事件中，梅劍和、孫仲君扮演的角色，與當年金蛇郎君對此事的所作所為，顯然都是名實相反。邪派人幹正事，正派人幹邪事，寧不讓人深思再三、感慨再三？

如果說書中對華山派中人物的描寫並未簡單從事，不從概念出發，寫出具體人物及其行為的正邪對錯，是道出了武林門派的事實真相，那麼，書中對五毒教中人物何鐵手、何紅藥的形象描寫，就更加入木三分、前所未見了。何紅藥的形象讓人恐懼，她的行為讓人厭惡，而她的不幸遭遇卻又讓人同情，她最後的結局則只能讓人目瞪口呆。這是一個前所未有（**在後來的金庸小說中卻形成了一個形象系列**）的「情魔」形象，對此，實在難以確立簡單的對錯是非。小說中寫出的，是人性和人類情感的扭曲和病變。

與其姑姑何紅藥相比，五毒教教主何鐵手的性格改變就更加出乎意料，讓人匪夷所思。她是莫名其妙而又一往情深地愛上了女扮男裝的夏青青，才不顧一切地做出出人意料的選擇，以至於教中眾叛親離，最終失去了教主的地位。於是她不得不以教主之尊而拜袁承志為師。是為了暫時避難？是為了進一步親近夏青青？還是對袁承志另有所圖？或是所有的因素都有一些？書中並未詳細描寫。但一個不可更改的事實是，何鐵手變成了何惕守，五毒教主變成了華山派弟子，邪派首領變成了正派學徒，演出了深刻的易理意象，世間人事實在變化多端。何鐵手的由邪變正，與孫仲君的正中有邪，形成了鮮明的對照。金庸筆下的江湖武林，絕非一般人想像的那樣黑白分明，更不是固定不變。

所有這些，是因為沒有歷史事實的羈絆，作者能夠作自由的想像和發揮，從而自由地寫出人間傳奇，人性百態，讓讀者大飽眼福。而何謂小說的主線、何謂小說的副線，作者的設計與操作之間顯然有很大的矛盾。

《雪山飛狐》

一、敘事形式新穎而複雜

小說中有兩種時態，即一是現在進行時故事，即乾隆四十五年三月十五日這天的故事；二是過去時態故事，即胡、苗、范、田四個家族的百年恩怨。書中有四個故事，一是胡苗范田百年恩怨的起源；二是二十七年前胡一刀和苗人鳳滄州大戰；三是剛剛過去不久的天龍門內訌醜聞；四個是小說頭尾的現在進行時故事，書中人物各有追求，有復仇、有奪寶、有陰謀，還有愛情。

過去的故事並非作者敘述，而是由書中人物寶樹和尚（閻基）、苗若蘭、平阿四、陶百歲，以及陶子安、殷吉、阮士中、劉元鶴等人分別講述。更讓人驚訝的是，這些人的敘述各不相同，真相撲朔迷離，如日本電影大師黑澤明的《羅生門》。小說中「羅生門」的建構，正是《雪山飛狐》創新嘗試的確切證明。

二、一日長於百年

《雪山飛狐》是金庸的十二部長篇武俠小說中最短的一部，只有十五萬字左右。於一九五九年在《新晚報》連載，後經過修訂，重新發表於《明報晚報》。據作者在這本書的修訂版的後記中說，原書十分之六七的句子都已經改過了。此外，這部小說還有英文譯本曾在紐約出版的雙月刊《Bridge》（《橋》）上發表」，[44]這應該是金庸小說最早的英文譯本了。

金庸小說之所以能夠取得非同一般的成就，重要的原因之一，就是他總是自覺地、不斷地對武俠小說作多方面的探索，不斷地想要出奇、創新、求變。在《碧血劍》中就想要以兩個早已逝世的人作為小說敘事的主人公，在這部《雪山飛狐》中又試驗一種「眾人紛紛說往事」的奇特的小說敘事形式。《雪山飛狐》一書結構的奇巧，在金庸的小說中也算是十分突出的。這部小說的形式與技巧方面的成就，可與現代純文學小說相提並論。

每當看到《雪山飛狐》，我總是情不自禁地想起前蘇聯著名作家艾特馬托夫的小說名作《一日長於百年》。儘管兩部書的敘事內容毫不相干，敘事形式實際上也迥然有別，但在藝術構想方面，尤其是在哲學意蘊方面，兩書卻有明顯的共通之處。

三、財富與情感

《雪山飛狐》的「一日」故事中，有一段重要的情節，是寫寶樹、劉元鶴等率領天龍門人尋得李自成的大寶藏，使得小說的內容更加豐富多彩。

看起來，這一情節似乎只是在小說的結尾處突然出現，實際上，作者從一開始對此就有精心的安排。劉元鶴知道寶刀、藏寶圖的秘密，他的出現，顯然不是純粹的助拳。寶樹把天龍門人及其寶刀強拉到玉筆山莊，當然不是吃飽了撐的，顯然有他的奪寶用心。而玉筆山莊蓋在這個地方，正是因為其莊主杜希孟早有尋寶的企圖。唯一不知情的倒恰恰是擁有寶刀（**藏寶圖的一部分**）的天龍門人，這實在是對私欲膨脹的天龍門人的最大反諷。

這一寶藏，在書中還有更重要的敘事意義。首先是關係到苗人鳳和田歸農父親的死因，他們是進入藏寶窟之後相互刺殺而死，而他們的後輩卻將他們的死因歸於胡一刀，這無論是對胡、苗、范、田的百年恩怨，還是對二十七年前的滄州比武，都事關重大。

與此同時，還有另外一條重要的線索，那就是這一寶藏早就被胡一刀發現，進而成為胡一刀夫婦鍾情恩愛的最重要的見證。當女方提出寶藏和（愛）人二者只能取其一的時候，胡一刀哈哈大笑說，就是有十萬個寶藏也不及一個心愛之人，世上最寶貴之物，乃是兩心相悅的真正情愛，絕非價值連城的寶藏。[45]這種珍惜情感、糞土金錢的選擇，成了書中又一重要的主題。

不過，平心而論，或許是因為篇幅所限，或許是因為這部小說的主題所限，書中對這一大寶藏的描寫，算不上十分的成功。原因之一，是作者沒有圍繞這一大寶藏來寫，闖王的寶藏只是作為書中的一條副線來寫的。如果把闖王的寶藏作為中心，寫胡、苗、范、田四家族的後人圍繞是繼承闖王的遺志（將寶藏財富用以推翻清王朝的大業），還是貪圖寶藏財富以滿足個人私欲而起爭鬥，以致恩怨百年，那就會大不一樣了。

當然，如果那樣寫，就是另外一部書了。按照現在的寫法，寶藏在小說的情節中位置尷尬，一是四家族爭奪寶藏的爭鬥始終不很明確，二是反而因此出現了不少漏洞（這樣一個大寶藏，苗、范、田三衛士怎麼可能不知道？如果他們不知道，苗人鳳和田歸農的父親又怎麼能找到？杜希孟又從何處得知有這樣一個大寶藏？），三是田歸農等人對大寶藏的貪婪之心、圖謀之舉寫得也不夠明確、更不夠深刻。

再說胡一刀夫婦找到寶藏後，未來的胡夫人提出「二者只能得其一」的難題，作為對意中人情感和人品的考驗固無不可，但以不能對不住表哥為由則顯然說不過去，證據是她始終也沒有把這一大寶藏的秘密告訴他的表哥杜希孟。胡一刀不重寶藏重美人（或重感情）、不要寶藏要美人的選擇，當然令人佩服，但「二者必居其一」的前提根本不存在，胡一刀大可借此寶藏幹一番事業。即使不幹推翻滿清王朝的大事，也可以用以救濟貧民。

在胡一刀的故事中，財富與情感的衝突實際上不能真正成立。當然，這一故事由胡斐對苗若蘭說，其中除了對自己父母的由衷敬佩之外，還有藉以表達自己感情的目的。書中對此也只是一筆帶過，作者沒有時間或精力對此深思熟慮，因而只能如此理想化、概念化地寫上一句。

說到情感的描寫，《雪山飛狐》也算不上十分成功，原因是來不及充分展開。胡斐見苗若蘭，兩人一見鍾情倒也罷了，但吟詩對答卻未免讓人肉麻。其後的發展過於迅速，只能是理想化的交代罷了。要說感情寫得出人意料而且有內涵的，當推田歸農對苗人鳳妻子的引誘以及最後的結局（**遺憾的是書中對此語焉不詳**），其次是田歸農的女兒田清文與陶子安、曹雲奇的三角關係，不是一般的情感三角，而是性、情感、婚姻（**婚約**）本身的複雜矛盾。但，同樣遺憾的是，書中對此當然也不可能有太多的篇幅來展開。

《雪山飛狐》一書最絕的設計或構想，是胡、苗的衝突。二十七年前是胡一刀與苗人鳳在滄州打鬥，不死不休；二十七年後的今天又是胡一刀的兒子與苗人鳳打鬥，生死未卜。這一構想的妙處有二：一是好人與好人、大俠與大俠之間的打鬥，更加發人深省；二是小說最後胡斐的那一刀不知是否砍了下去小說就已結束，絕對是武俠小說中從未有過、出人意料、也發人深思的結尾。胡斐的那一刀是不是會砍下去？等於是給廣大讀者出了一道永久的、沒有標準答案的思考題，不同的讀者當會作出不同的回答。這不僅是讓讀者參與小說的創作，實際上也是讓讀者積極展開對人生和命運的深刻思考。

胡斐愛上苗人鳳的女兒苗若蘭，本身就是一種恩怨兩難的選擇。雖似一般武俠小說的老套，但在金庸的筆下，卻未嘗不能化腐朽為神奇。最後，苗人鳳硬要拉著胡斐比武，要置他於死地，且不給他任何解釋的機會，其中當包含更為複雜的心理動機。除了眼見胡斐對苗若蘭「行為不軌」、怒氣衝天之外，也當還有一個傷情之人對女兒與胡斐之間產生親密情感的本能的嫉妒、反感、甚至厭惡——苗人鳳從來就不是一個真正懂得男歡女愛的人，這正是他比不上胡一刀的地方。那麼，他會不會對胡一刀的兒子產生更強烈的本能嫉妒呢？遺憾的是，所有這些，作者都來不及細細交代，小說就匆匆結束了。好在，小說是以胡斐的那一刀不知是否砍下的懸念結尾，如上所述，這將是對人間情感最嚴肅的考驗。於是，小說也就有了最深刻、最絕妙的一筆。

四、漏洞與疑惑

小說《雪山飛狐》的某些缺陷已如上述。此外，在一些小小細節方面，還有明顯的缺陷或漏洞。

例如，天龍門在哪裡？當然應該在遼東，因為小說一開始就寫明曹雲奇是「遼東天龍門北宗新接任的掌門人」。[46]問題是，後來出現一張胡斐送給天龍門人的條子，上書「天龍諸公，駕臨遼東，來時乘馬，歸時御風」，而天龍北宗的高手阮士中卻還解釋說：「哼，他說咱們都要死在遼東，變成他鄉之鬼，魂魄飄飄蕩蕩的乘風回去。」[47]這就令人不解了，天龍門（**北宗**）既然叫「遼東天龍門」，他們在遼東辦事，何以叫做「駕臨遼東」？更何以死在遼東就是做「他鄉之鬼」？

再如，劉元鶴是不是大內十八高手之一？應該是的，因為他曾向眾人說過這樣一段話：「有一日，賽總管邀了我們十八個侍衛到總管府去吃晚飯。這十八個人哪，外邊朋友送我們一個外號，叫做大內十八高手……」[48]可是，到了後來，有七名大內高手到了玉筆山莊參加對苗人鳳的圍捕，而其餘的十一名大內高手則被苗人鳳所殺，[49]加起來正好是十八名，但卻沒有劉元鶴在內（**劉元鶴此時正在**

大寶藏中）。那麼，劉元鶴究竟是不是大內十八高手之一呢？這就成了一個疑問。事實上，恐怕是一個漏洞，作者在交代大內高手下落時，把劉元鶴這位大內高手忘了算進去。

如果細讀此書，考慮到情節及人物性格的邏輯，就會發現小說中還有不少的疑問。

第一個疑問，當年的飛天狐狸為何不與他的三位結義兄弟苗、范、田說明情況？他是有機會也有義務說明這一重要情況的。胡、苗、范、田不僅同為李自成的衛士，而且情同手足，進而，苗、范、田三人對李自成顯然依舊忠心耿耿，否則也不會來刺殺吳三桂、不會來找飛天狐狸的麻煩、不會對飛天狐狸如此失望和憤怒了，那麼，有關李自成的消息，何以不及早通知他們呢？

第二個疑問，飛天狐狸的兒子為父親報仇，能夠決定過一年才對他們動手，最後逼得他們自殺，顯然是告訴了他們真實的情況，苗、范、田三人才會因羞愧而自殺的。當著那麼多的客人，他們也許不好說明李自成沒有死這一重大情況，但他們完全可以告訴後人，他們自殺是完全自願的，與飛天狐狸及其後人無關。他們甚至可以說明，他們對飛天狐狸的做法是完全錯誤的。這樣，就可以避免胡家與苗、范、田三家後人的百年仇怨。

第三個疑問，到了胡一刀、苗人鳳這一代，百年的仇怨已經算不上什麼了。真正的問題是，苗人鳳和田歸農的父親是怎樣死的？是不是胡一刀所殺？胡一刀明明知道真相，何以不對苗人鳳直接說出這一真相？就算范幫主和田歸農兩人會無理取鬧，但胡一刀曾單獨與苗人鳳同榻而眠，明明有機會與苗人鳳當面說清，用不著要一個素不相識的鄉村醫生閻基去傳這樣重要的話，雖然作者再三做出這樣或那樣的解釋，恐怕都難以合乎情理。

第四個疑問，胡一刀與苗人鳳比武，兩人在伯仲之間，但胡一刀一夜奔波六百里、殺了八卦刀商劍鳴，一夜沒睡，還能與苗人鳳打得不相上下，是否合乎情理？尤其是，苗人鳳自信「打遍天下無敵手」，卻不敢輕易去找商劍鳴報仇，而胡一刀越俎代庖，做成了此事，豈不是如同兒戲？豈不是傷了苗人鳳的面子？更何況，胡一刀這樣做，看上去似乎俠義為懷、具有英雄氣概，問題是，苗人鳳並非沒有報復此仇的能力，胡一刀明明也知道，那麼，這種俠義舉動就要大打折扣了，甚至不無邀功買好之嫌。

第五個疑問，是金刀陶百歲明明在二十七年前見過閻基，而且還讓閻基去代他在胡一刀、苗人鳳的兵器上塗毒。閻基的長相與「風度」又很特殊，應該一見難忘，如胡斐的恩人平四叔那樣一見到了閻基就認出來了，何以陶百歲在第一次見到寶樹和尚的時候卻絲毫也不認識此人？完全沒有反應倒也罷了，但陶百歲卻把閻基當成了敵方的幫手。

第六個疑問，是關於藏寶圖的。大內侍衛劉元鶴是知道苗若蘭頭上的金釵裡有藏寶圖的人，也是唯一知道怎麼打開藏寶圖的人，他怎麼會在講故事的時候輕易地將這個秘密說出來？須知此時劉元鶴大人在這裡勢單力孤，他怎麼會如此狂妄？更何況他還遭遇過寶樹和尚（閻基）的老鷹抓小雞似的窘境。

第七個疑問，也是最大的一個疑問，就是關於李自成的藏寶之地。李自成一生從未到過遼東長白山一帶，且李自成最後正是敗於從遼東來的清兵之手，何以李自成會讓手下將自己的金銀財寶埋到遼東去？埋到敵人的老家去，那不是開玩笑嗎？何況，那時候山海關一帶早已成為軍事要地，大量的金銀財寶怎麼能運出關外？顯然是作者為了敘事巧合，而讓李自成軍隊的藏寶之地變到了遼東。雖說是無巧不成書，但如此不合情理的巧合，顯然只能是弄巧成拙。

《飛狐外傳》

一、《飛狐外傳》是又一次小說創新實驗

證據是，作者再講胡斐故事，重塑胡斐形象，且對此有明確設計。作者說：「我企圖在本書中寫一個急人之難，行俠仗義的俠士。」「在本書中，我想給胡斐增加一些要求，要他『不為美色所動，不為哀懇所動，不為面子所動。』」這一主題先行的創作實驗，對小說創作是弊大於利，因作者要寫「真正的俠」，易將小說人物變成概念化演繹。

好在金庸技藝高超，即使有種種束縛，《飛狐外傳》仍然相當好看。原因之一，是故事並非單線發展，而是多條線索交織。在小說故事主線即胡斐追殺鳳天南的核心情節之外，還有多條副線同時進行。原因之二，是小說塑造胡斐俠義形象，並不是一味拔高，而是寫出胡斐江湖經驗不足，或受人矇騙，或好心辦壞事。原因之三，這部小說更吸引人的內容，其實不是說俠，而是言情。尤其值得注意的是，這部小說中的男女情感，是清一色的悲情故事。

二、「真正俠士」有何為？

《飛狐外傳》是《雪山飛狐》的「前傳」，寫作卻在其後，是金庸先生於一九六〇年至一九六一年間專為自己新創辦的《武俠與歷史》雜誌而作。說是前傳，實際上仍是兩部書，不僅主題風格完全不同，而且書中的一些情節線索也不盡嚴絲合縫。

《雪山飛狐》說胡斐以前沒有見過苗人鳳，而在《飛狐外傳》中胡斐卻救過苗人鳳父女；前書說胡

斐在見到苗若蘭之前的情感生活是一張白紙，而外傳中，胡斐對袁紫衣早已情深意長，程靈素則又對胡斐至死不渝。

作者之所以要在《雪山飛狐》之後又寫一部《飛狐外傳》，原因很簡單，說是因為《雪山飛狐》的敘事內容畢竟百年長於一日，胡一刀的形象超過了胡斐，而《飛狐外傳》則是專為「飛狐」胡斐作傳。另外，按照作者在這部書的修訂版「後記」中所說，鑒於武俠小說中真正寫俠士的其實並不多，大多數主角的所作所為，主要是武而不是俠，所以作者在這部書中想要寫一個真正急人之難、行俠仗義的俠士。[50]這樣寫效果如何？恐怕會仁者見仁、智者見智。

《鴛鴦刀》

一、又一次創新實驗

是作者的又一次創新實驗，目標是嘗試功夫喜劇。以生動幽默的喜劇語言，刻畫滑稽可笑的喜劇人物，講述令人忍俊不禁的喜劇情節。武俠傳奇故事不過是一種遊戲，既如此，為何不能用幽默態度、詼諧方式，創造喜劇故事？日後作者創作出光芒萬丈的幽默喜劇傑作《鹿鼎記》，《鴛鴦刀》的創新實驗功不可沒。

二、功夫正在喜劇中

《鴛鴦刀》是一部中篇小說。一九六一年在《明報》上連載。其時金庸之名如日中天，他的小說創作也處於第一個高峰期，正在進行各種不同的風格試驗。《雪山飛狐》是一種，《鴛鴦刀》又是一種，篇幅和寫法都不相同。

《鴛鴦刀》原是一部電影小說，但不知何故，似乎沒有被拍成電影，電影電視導演對這部作品的改編似乎也興趣不大。反倒是《射鵰英雄傳》一類壓根兒就沒有考慮電影改編的長篇小說，一直受到電影、電視導演的青睞。也許世事就是這樣，常常有心栽花花不發，無意插柳柳成蔭。

在金庸的小說中，《鴛鴦刀》等幾部篇幅較短的小說知名度較小。金庸自己也說過，他的小說，後期的比前期的好些，篇幅長的比篇幅短的好些。既然金大俠本人都這樣說，大家也就這樣信了。理由很簡單，一般都認為金庸的小說具有大胸襟、大氣勢、大境界，是大手筆，自然需要大篇幅來呈現。所以，在金迷聚會中，談論《鴛鴦刀》比較少，一般的研究文章對這部小說也較少提及。

《白馬嘯西風》

一、不同選擇，更發人深思

與《鴛鴦刀》是同年的作品，樣式風格截然不同，《白馬嘯西風》是傷情故事。足以說明作者是有意嘗試小說的不同寫法。有人曾說過，你愛她，她不愛你；他愛你，你不愛他；兩情相悅，卻不長久。書中史仲俊、李文秀、華輝（瓦爾拉齊）、馬家駿等人的愛情莫不如此，只不過，每個人根據自己的心性做出了不同選擇，讓人感慨，更發人深思。

二、天下有情入迷宮

《白馬嘯西風》也是一部中篇小說，於一九六一年在《明報》上連載，也是以搶寶開頭。不同的是，這部小說中人們所搶之寶，不是具體的寶物，而是一幅藏寶圖；這部小說不再是喜劇，而是一部悲劇作品；小說的風格不再是幽默，而是充滿了感傷。與《鴛鴦刀》相比，《白馬嘯西風》完全是另一種風貌，是金庸小說的另一種筆墨、另一種追求。

一個作家能夠寫出如此不同風格的作品，就像一個武林高人能夠施展不同流派的武功，是作者的藝術才華的證明。在不長的時間裡做如此風格大異的探索，也證明了金庸小說創作追求，確實非一般的武俠小說作家可與之相提並論。

有些金迷朋友說，金庸小說中沒有以女俠為主人公的作品，顯然是不對的。這部《白馬嘯西風》和後來的《越女劍》，就是以女俠作為主人公的，只不過，《白馬嘯西風》中的李文秀的故事，的確與通常的武俠故事大不相同。

《連城訣》

一、拜金主義的寓言

又一次小說創新實驗。實驗目標，是要把主人公的人生傳奇故事，建構成具有普遍意義的人世寓言。小說的思想主題，顯然是對「拜金主義」的憂思和批判。「拜金主義」具有普遍性，在商業繁榮的香港尤為突出。小說中因奪寶中毒而瘋狂的人群，正是拜金主義的寓言。

小說原名《素心人》，此一書名也有深刻寓意。主人公狄雲即素心人，讓人想起法國啟蒙思想家伏爾泰筆下的「老實人」，狄雲不僅是蒙冤的傳奇主人公，同時也是人間觀察者和現實見證人，觀察並見證人性的貪婪與卑污。

二、拔劍四顧心茫然

作者在這部書的修訂本後記中寫得很明白，這部小說寫於一九六三年，那時《明報》和新加坡《南洋商報》合辦一本隨報附送的《東南亞週刊》，這部小說就是為那個週刊而寫的，書名當時叫做《素心劍》。51

這一篇後記，為我們提供了非常重要的資訊，對於我們很好地理解這部作品大有幫助。簡單地說，這部小說其實包含了兩個故事，一是「素心劍」的故事，即狄雲蒙冤的故事；一是「連城訣」的故事，即眾人奪寶的故事。作者巧妙地將這兩個故事融合在一起了，所以，這部小說名叫《素心劍》，也叫《連城訣》。

《越女劍》

一、越女神劍的傳奇

《越女劍》是根據《卅三劍客圖》的第一幅畫《趙處女》創作的。作者寫這篇小說，固然是要為新創刊的《明報晚報》撐檯面，卻也創造了「為圖插文」的先河。《趙處女》曾被多種文獻記載，金庸的《越女劍》是「故事新編」，此是小說創新實驗的又一證明。

小說篇幅不到兩萬字，卻寫了越國勾踐滅吳的歷史，越女神劍的傳奇，以及阿青對范蠡、范蠡對西施的情感故事。在短篇幅內講述這麼多內容，體現了作者精煉成熟的敘事藝術技巧。

二、最後一劍風情無限

這是金庸小說中最短的一部作品，也是寫得最晚的一部作品，[52]恐怕還是相對名氣最小的一篇作品。它之名氣小，主要當然是因為金庸先生本人編定的作品目錄「索引」——「飛雪連天射白鹿，笑書神俠倚碧鴛」這副對聯中沒有它的名字。同時也因為短小，不能獨立成書，只能附在其他的作品之後，不少的金庸迷甚至很長的時間都沒有看到過這篇小說。

《越女劍》寫於一九七〇年初，是為《明報晚報》而作。當時《明報晚報》剛剛創刊，急需吸引讀者，以便在報業市場上打開銷路，金庸本人當然就義不容辭。恰好金庸先生有一部清代版畫大師任渭長的版畫集《卅三劍客圖》，一直愛不釋手。為小說畫插圖，古今中外早已屢見不鮮；而為圖畫「插」寫小說，則從來就沒有聽說過。金庸先生早就想要做一件創舉，為這部《卅三劍客圖》的每一幅圖「插」一篇短篇小說。這篇《越女劍》就是《卅三劍客圖》「插小說」的第一篇，不過也是最後一篇[53]——此後金庸先生就再也沒有寫過任何新的武俠小說。由此可見，這篇《越女劍》在金庸小說創作歷程中具有非常獨特、也非常重要的意義。

就其來源而言，《越女劍》是一篇道道地地的故事新編。「越女與劍道」的故事，見於《吳越春秋》、《藝文類聚》、《劍俠傳》（**其中稱越女為「趙處女」**）、《東周列國志》（**第八十一回**）等古代典籍和歷史小說。但在金庸的筆下，這一古老的故事卻已脫胎換骨，成了一個短篇武俠小說的精品。

【注釋】

1 見北京三聯書店版《射鵰英雄傳》第四七四頁。
2 見北京三聯書店版《射鵰英雄傳》第九八〇頁。
3 見北京三聯書店版《神鵰俠侶》第二四三—二四四頁。
4 見北京三聯書店版《神鵰俠侶》第三十八頁。
5 見北京三聯書店版《神鵰俠侶》第九九六—九九九頁。
6 見北京三聯書店版《神鵰俠侶》第九九八—九九九頁。
7 見北京三聯書店版《神鵰俠侶》第五三二頁。
8 見北京三聯書店版《神鵰俠侶》第五三一頁。
9 見北京三聯書店版《神鵰俠侶》第一三三一頁。
10 見北京三聯書店版《神鵰俠侶》第一三三〇—一三三四頁。前四招是楊過施展出來的，後十三招是楊過說出來的。但楊過說「後十三招」其實只有十二招（見一三三四頁），也就是說，前文中說這一套掌法共有一十七招，但作者在書中卻只寫了十六招。
11 見北京三聯書店版《神鵰俠侶》第一五二二頁。
12 見《倚天屠龍記》後記，北京三聯書店版第一五九三頁。
13 見北京三聯書店版《倚天屠龍記》第一五六二頁。
14 見北京三聯書店版《倚天屠龍記》第一五六二頁。
15 見北京三聯書店版《倚天屠龍記》第一五三八—一五三九頁。
16 見北京三聯書店版《倚天屠龍記》第一一四五頁。
17 見北京三聯書店版《倚天屠龍記》第一五七六頁。
18 見北京三聯書店版《倚天屠龍記》第一五七七頁。
19 見《倚天屠龍記》後記，北京三聯書店版第一五九三頁。
20 見《倚天屠龍記》後記，北京三聯書店版第一五九四頁。
21 見《鹿鼎記》後記，北京三聯書店版第一九八九頁。

22 見北京三聯書店版《天龍八部》第一六九六頁。
23 見北京三聯書店版《天龍八部》第一九六七頁。
24 見北京三聯書店版《天龍八部》第一〇五六頁。
25 見北京三聯書店版《天龍八部》第一二〇四頁。
26 見北京三聯書店版《天龍八部》第一二四〇頁。
27 見北京三聯書店版《天龍八部》第一六〇二頁。
28 見北京三聯書店版《天龍八部》第一七七三頁。
29 見北京三聯書店版《天龍八部》第一七九六頁。
30 見《俠客行》後記，北京三聯書店版第六三三頁。
31 見北京三聯書店版《俠客行》第二七二頁。
32 見北京三聯書店版《俠客行》第五八四頁。
33 見北京三聯書店版《俠客行》第六十六頁。
34 見北京三聯書店版《俠客行》第六十五—六十六頁。
35 見北京三聯書店版《笑傲江湖》第二五七頁。
36 見北京三聯書店版《笑傲江湖》第八五二頁。
37 見《鹿鼎記》後記，北京三聯書店版第一九八九頁。
38 見《鹿鼎記》後記，北京三聯書店版第一九八九頁。
39 參見拙著《〈堂吉訶德〉與〈鹿鼎記〉比較初論》，收入《孤獨之俠》或《金庸小說散論》集中。
40 見《鹿鼎記》後記，北京三聯書店版第一九九〇頁。
41 見北京三聯書店版《鹿鼎記》第一九七九頁。
42 見北京三聯書店一九九四年版《書劍恩仇錄》上冊第五十二頁。本書所引小說原文都根據同一版本，下同不注。
43 見北京三聯書店版《碧血劍》下冊第八二八頁。
44 見北京三聯書店版《雪山飛狐》後記，第二二九頁。
45 見北京三聯書店版《雪山飛狐》第二一〇頁。

46見北京三聯書店版《雪山飛狐》第六頁。
47見北京三聯書店版《雪山飛狐》第一八三頁。
48見北京三聯書店版《雪山飛狐》第一五八頁。
49見北京三聯書店版《雪山飛狐》第一九二—一九三頁。
50見北京三聯書店版《飛狐外傳》第七二五頁。
51見《連城訣》後記，北京三聯書店版第三九八頁。
52也有人認為《鹿鼎記》才是金庸的最後一部小說，因為《鹿鼎記》直到一九七二年才連載結束，而《越女劍》則是一九七〇年創作和發表的。只不過，若按開始創作的時間說，《鹿鼎記》開始於一九六九年，在《越女劍》之前，所以，說《越女劍》是金庸的最後一部小說當沒有問題。
53金庸完成《越女劍》後，對《卅三劍客圖》未繼續作「插小說」實驗，只是作了卅三篇說明文字，於一九七〇年一月至二月陸續刊載於《明報晚報》。參見金庸先生為《卅三劍客圖》所寫的說明文字序言，附錄在《俠客行》後，北京三聯書店版七〇一—七〇二頁。

◆龍乘風小說述評◆

龍乘風，原名陳劍光（一九五二—），原籍廣東興寧縣，生於香港。一九七八年開始武俠小說創作，與黃鷹、西門丁並稱「香港三劍客」。

《雪刀浪子》

此是「雪刀浪子」系列第一篇，有明顯模仿古龍痕跡。證據一，是文體形式。如小說開頭：

如果有人要將世人劃分成兩類，那麼世界上只有下列兩種人。
一種是聰明人。
而另一種，就是笨蛋。
在武林中，聰明的人很多，但笨人卻更多。
而且，有種人看來聰明絕頂，其實卻是個如假包換的大笨蛋。

證據二，是書中主角雪刀浪子龍城璧，顯然是模仿古龍筆下的楚留香、陸小鳳。年輕英俊，氣度瀟灑，武功高絕，智力過人，俠氣充盈，情懷溫暖。

小說開頭，寫長安城外十里的小長安風鈴閣酒家中，一天之內，有數人用自己的拳頭、大腿、鼻子付酒賬。這一驚人奇聞，與楚留香故事《血海飄香》開頭水上接連漂來屍體的傳奇性不遑多讓。更難能可貴的是，作者能自圓其說，當我們知道千魔盟副盟主諸葛拜的真實身分是天竺第十三魔教殘宗宗主時，自會明白，這些人之所以這麼做，是要自殘軀體，以便加入殘宗，學習高深武藝。

小說主線，是龍城璧、許簌之奉武林盟主東方無憂之命，去殺千魔盟盟主西門飄。西門飄是絕情帝主，與火雲敵東方無憂齊名，並稱「中原雙帝」。龍城璧邀請殺手司馬血加盟，共同對付西門飄。讀者都以為西門飄是第一反派，對付他也確實險阻重重，不料西門飄被殺後，發現西門飄身後還有更可怕的敵人，那就是千魔盟副盟主，誰也不知道他是什麼人。少林寺千蒼大師用司馬血的碧血劍殺了西門飄，說司馬血曾襲擊他，司馬血就是千魔盟副盟主。

這就為小說設置了一個極大懸念：龍城璧欣賞且信任的司馬血是不是千魔盟的副盟主？司馬血、許簌之失蹤，龍城璧到醫谷尋找許簌之，才逐漸揭開謎底，司馬血當然不是千魔盟副盟主，那個假扮少林寺千蒼大師的人才是，此人名叫諸葛拜，三十年前被魔神雙鶴繆平、孫明柳打敗後就不見蹤影，成為天竺殘宗宗主後返回中原復仇並爭霸，加入千魔盟，打傷火雲帝東方無憂，殺絕情帝主西門飄，殺魔鶴繆平、神鶴孫明柳復仇。當諸葛拜率人全面進攻武林盟主東方無憂的火雲宮並試圖一統江湖時，龍城璧等人趕到，擊斃諸葛拜，確保武林正道平安。

故事情節處處都有懸疑，例如，在小長安喝酒的那些武林人為何紛紛自殘？衛空空為何要殺東方無憂的好友殷世淵？任月嫦為何竟要龍城璧去殺自己的丈夫西門飄？司馬血究竟是不是千魔盟副盟主？千蒼大師究竟是什麼人？龍城璧為什麼要發誓將司馬血送入地獄？東方無憂是否真的內功全失？所有這些，不僅是確保情節曲折，引人入勝，而入情入理，最後給讀者帶來驚喜。

小說採取了蒙太奇手法，不僅句子簡潔，故事段落精煉，可滿足讀者快節奏閱讀需求。小說敘事略顯稚嫩，若干句子模仿古龍，只得其形而缺少其神。

小說中，西門飄問龍城璧：是否就是近十年來江湖上最有名氣的雪刀浪子？這表明，這部小說開始時，「雪刀浪子」出道已近十年，早已名聞武林。

小說中出現了「偷腦袋大俠」衛空空、殺手司馬血、醫谷谷主許竅之——龍城璧團隊的核心成員已經聚齊。

「雪刀浪子」之《最後七擊》

《最後七擊》[1]實際上是個復仇故事，只不過被爭霸故事所掩蓋。這樣，故事就有了不同層次，大大增加了故事的曲折性和複雜度。

第一層次是武林爭霸故事，即公爵堡霍八太爺霍驚山與五鵬山莊主人彭獨公勢不兩立，相互爭鬥，並最後大決戰中兩敗俱傷，雙雙殞命。武林爭霸是武俠小說中常有的故事模式。《最後七擊》的出色安排，一是五鵬山莊的三莊主秦起鵬、四莊主燕如鵬的叛變，造成了五鵬山莊的內部分裂。秦起鵬、燕如鵬的叛變，一方面是受權欲誘惑，想要對彭獨公取而代之；另一方面是，他們受不了彭獨公的權勢壓迫，於是起了叛逆之意。

這樣的事在江湖中並不鮮見。鮮見的是，彭獨公居然諒解了秦起鵬、燕如鵬，按照門規，門主要赦免屬下的叛逆之罪，必須自斷一臂或自挖一隻眼，彭獨公這樣做了，為了燕如鵬、秦起鵬，他分別自斷一臂、自挖一隻眼。彭獨公這樣做，一方面是為了兄弟義氣；另一方面則是為了對付公爵堡，要團結一切可以團結的力量。由此可見彭獨公的梟雄本色。這個故事的另一個出色的安排，是彭獨公讓他的族人彭季霖假裝叛變，最後卻成了埋伏在公爵堡陣營中的一個鐵桿臥底，這是故事中最出人意料的情節。霍八太爺和彭獨公的爭霸，其實是武林黑吃黑，說不上誰是俠義、誰是邪惡。只因為殺手之王司馬血、雪刀浪子龍城璧都站在彭獨公一邊，讀者才會站在彭獨公一邊。

故事的另一個層次，是青年劍客段飛鷹復仇。這是故事的另一條線索。小說開頭是從段飛鷹殺鹿谷劍叟蕭伏。段飛鷹之所以找蕭伏，是想試試自己的武功程度，因為蕭伏是唯一能從霍八太爺劍下逃生的人。段飛鷹的真正目的，是要殺公爵堡堡主霍八太爺。原因很簡單，因為霍八太爺殺了魔拐劍王段南，是段飛鷹的殺父之仇。

段飛鷹復仇有出色的安排，其一，是段飛鷹揚言要殺彭獨公。凡是與彭獨公及其五鵬山莊作對的人，都是公爵堡的盟友，從而讓段飛鷹有機會接近霍八太爺。其二，當彭獨公以為段飛鷹是自己的盟友時，段飛鷹卻出人意料地殺了彭獨公。彭獨公並不是段飛鷹的仇人，段飛鷹為什麼要殺他？一方面，段飛鷹其人被仇恨所控制，仇視一切武林人，心理有些變態；另一方面，段飛鷹在復仇的同時，也有要以殺人成名的潛意識，實際上還有些自我膨脹。小說開頭，他殺了早已棄劍歸隱的蕭伏，就足以說明段飛鷹的變態和自我膨脹。

這個故事的最驚人之處，是它的第三層次，仍然是個復仇故事。不過，不是段飛鷹報復父仇，而是魔拐劍王的妻子鳳琴娘子報復夫仇，仇人不僅是霍八太爺，還包括霍八太爺的親生兒子段飛鷹！故事的真相是，段飛鷹並不是段南的兒子，而是霍八太爺的兒子。鳳琴娘子劫持了仇人霍八太爺的兒子，將他養育成人，教他武功，命他復仇，而復仇的對象竟是這個復仇主人公的生身之父。無論是霍八太爺殺了段飛鷹，還是段飛鷹殺了霍八太爺，都是骨肉相殘。鳳琴娘子的復仇策劃，讓人毛骨悚然。霍八太爺被龍城璧打敗之前，早已心理崩潰，因為他殺了自己唯一的兒子段飛鷹。爭霸故事以這種方式結束，出乎所有人的意料之外。

這個故事的不足之處，是對龍城璧和司馬血的安排有些尷尬。龍城璧之所以出現在這個故事中，是因為他的長輩與彭獨公有交情，因此他要站在彭獨公一邊。然而彭獨公並不是真正的俠義之人，龍城璧幫助彭獨公也就不是為了公義，而是因為私情。進而，龍城璧要幫助彭獨公，但卻眼睜睜地看著段飛鷹重傷了彭獨公卻無法拯救，假如龍城璧沒有想到段飛鷹要殺彭獨公，那麼龍城璧的智慧就有明顯的局限，與龍城璧的神奇形象不符。假如龍城璧眼見段飛鷹重傷彭獨公而慢了一步，則說明龍城璧在下意識中不想拯救彭獨公，如此豈不是與他的初衷相悖？

「雪刀浪子」之《熊族風雲》

《熊族風雲》[2]講述熊族內部權力鬥爭故事。老熊王的王位由誰繼承？成了熊族內部爭鬥的導火線。黑熊王魏天桓、白熊王夏侯真、小熊等人都覬覦王位，但老熊王卻有意將王位傳給熊族出身的九幻刀神呼延黑，本書故事由此展開。作者不是從老熊王的傳位開始寫起，而是從老熊王的好友葉大孤之子葉一郎被追殺寫起。這就讓故事情節撲朔迷離，作者有意造成一種錯覺，即老熊王將熊王璽交給了葉大孤，葉大孤死，於是世間知道熊王璽的人就只有葉一郎，因為他是葉大孤的兒子。於是葉一郎被追殺。

司馬血、龍城璧等人出現，不僅沒有揭開真相，反而將故事情節引向了另一條岔路，即葉一郎並不知道熊王璽的下落，只有熊王的唯一弟子小熊知道，於是尋找小熊，人們以為，小熊多半是熊族王位的合法繼承人。但最後結局出人意料，不僅派人追殺葉一郎、龍城璧、司馬血的黑熊王、白熊王不是合法繼承人，而老熊王的弟子小熊也不是合法繼承人，相反，小熊乃是七色地獄的主人，且是傷害老熊王的凶手！故事的核心，是司馬血、龍城璧早就知道內情，但他們故意不說出真相，目的是要找到傷害老熊王的凶手小熊。因為熊王璽早已在他們手上，他們尋找小熊，並不是為了尋找熊王璽，而是要找小熊討回公道。

本書故事多處出人意料。其一，老熊王只有一個弟子，即小熊，老熊王的任何事情小熊都知道，熊王璽的事他勢必也知道，看起來，小熊應該是熊族王位繼承人。但結果卻並非如此，小熊非但不是老熊王選中的繼承人，恰恰是傷害老熊王的元凶，且是七色地獄的創始人和主持人。

其二，誰也沒有想到，老熊王選中的接班人，居然是在武林中惡名昭著的九幻刀魔呼延黑。沒有人知道，呼延黑居然也是熊族的一員；更沒有人知道，九幻刀魔過去雖然邪惡，但卻早已向善，並且由九幻刀魔變成了九幻刀神。

其三，在權力鬥爭中，最早露出邪惡面目的黑熊王魏天桓和白熊王夏侯真，只是兩個過渡性人物，而並不是本故事的反派主人公。黑熊王與白熊王合作，並非同心同德，而是相互算計，一旦有機會就會相互殘殺。最終，黑熊王魏天桓被白熊王殺害，而白熊王竟是七色地獄的一個堂主。

書中有不少神奇之處，如魔湖七絕義氣凜然，為報答葉大孤救命之恩，明知道武功不足，但仍然勇敢地追隨葉一郎面對刀劍叢林，視死如歸。但魔湖教主人卻不顧江湖道義，竟然投身於七色地獄，甘當邪惡地獄的區區堂主。又如，酒中雙劍沈必醉和俞飛瀑，竟然藏身於酒甕之中。

本書的不足之處，是寫得有點隨意，以至於故事情節前後有些不一致。典型例證是，九幻刀神呼延黑要為其弟子黃河十四鬼報仇，找到殺害十四鬼的丁文飄，恰好司馬血、龍城璧也找到丁家，結果呼延黑與司馬血、龍城璧有一場大戰，呼延黑還受了傷。在此時，完全看不出司馬血、龍城璧與呼延黑之間有任何默契。但後來，作者卻說，司馬血、龍城璧早已知道老熊王有意將熊王璽交給呼延黑。這就前後矛盾。

矛盾點之二，作者借龍城璧之口說，呼延黑早已棄惡從善，但從呼延黑找丁文飄為作惡多端的黃河十四鬼報仇的情節看，呼延黑並沒有向善的跡象。若不是司馬血、龍城璧恰好在場，丁文飄只怕早已被呼延黑所殺。

龍城璧、司馬血、衛空空、許竅之等人在本故事中發揮的作用不大。按理說，老熊王既然臨終託付龍城璧、司馬血等人為他清理門戶，總應該交代：一，老熊王與龍城璧等人是什麼關係？憑什麼如此相信龍城璧等人？龍城璧等人又為何義不容辭地為老熊王及其熊族的繼承人一事奔波冒險？二，龍城璧等人在接受託付任務後，如何與熊族出身的九幻刀神呼延黑聯繫？他們是否將熊王璽交給了呼延黑？如果沒有將熊王璽交給他，那麼為什麼不及早將熊王璽交給他？

「雪刀浪子」之《五絕追魂殺》

《無絕追魂殺》[3]講述武林爭霸及奪寶故事。小說從湘北神刀堡、八義樓、萬鼎鏢局先後被毀滅開始說起，是為爭霸故事佈局。毀滅上述三個幫派的元凶，是湘北武林的另一霸主獅王山莊，而獅王山莊則是無敵門的湘北分舵所在地。不僅如此，獅王山莊還要雇傭殺手去殺無辜的萬鼎鏢局總鏢頭軒轅機，為的是嫁禍於人，同時騙取司馬血等人的信任。與爭霸故事相關的，是奪寶故事——說奪寶故事可能有些不準確，準確地說，是無敵門想換取《無絕追魂殺》秘笈第五卷，但擁有這一秘笈的西方羅剎宮有一個規矩，即只有飛駝族的長老或勇士才有資格進行交易。所以，無敵門主不得不誘騙龍城璧與美女鮑天冰成親。龍城璧被飛駝族當作勇士，只要與鮑天冰結婚，鮑天冰就可以勇士的寡婦資格交易。換言之，只要舉行了婚禮，即使龍城璧被殺，也不會影響無敵門與羅剎宮的這筆交易。

說起來，無敵門主也算是機關算盡，先是以拜雄的解藥換取龍城璧與鮑天冰見面；繼而是以唐竹權的生死換取龍城璧允諾與鮑天冰結婚；最後則是以軒轅機的生命脅迫龍城璧遵守與鮑天冰舉行婚禮的允諾。只可惜，人算不如天算，唐竹權及時洞察了無敵門的真實圖謀，唐老人、司馬血、衛空空和拜雄等人則徹底打碎了無敵門主的如意算盤，無敵門主機關算盡，最後白白送掉了自己的生命。

小說中頗有些看點。其一，是獅王山莊主人老獅雇傭屠手去殺萬鼎鏢局總鏢頭軒轅機，說他是「偽君子」，不僅是要嫁禍軒轅機，更重要的目標是故意混淆視聽，迷惑武林中人。有意思的是，老獅明知屠手並非真正的屠手，而是由司馬血偽裝，他非但不加揭露，反而假模假式地將錯就錯，預付司馬血五萬兩銀票。更有意思的是，司馬血也是將計就計，用老獅的錢辦自己的事，以至於讓老獅賠了夫人又折兵，最終被無敵門嚴懲。

其二，鮑天冰雇傭殺手臉上一刀、夏侯國浩去殺龍城璧，卻說是要他們去殺黃金鵬，看起來是巧妙欺騙，卻被證明是自欺欺人。誰也沒有想到，無敵門多次要殺龍城璧，真正目的是要他與美女鮑天冰結婚。

其三，當年曾爭奪武林盟主的吳鐵魂，失意之後竟隱居於駱駝城，變身為以書畫自娛、以縫紉謀生的秀才吳草山。若說他是個懦夫，他卻又為保護好友軒轅機奉獻了生命，寧死也不交代軒轅機的藏身之處。無獨有偶，吳鐵魂的書僮阿畸，感吳鐵魂養育與教導之恩，雖然身體有缺陷，武功也不高，卻仍發誓要為吳鐵魂報仇。更難得的是，他居然說到做到，出人意料地刺殺了無敵門刑堂堂主鮑天冰。

其四，獅王山莊總管高人鶴，既是老獅的弟子，也是老獅的義子，一向深得老獅的信任，竟然為無敵門立功心切，毫不猶豫地殺害自己的師父兼義父。他的行為，不僅被正道武林人所不齒，就連無敵門刑堂堂主鮑天冰也很鄙視。高人鶴的結局，是被刑堂堂主處死。這個高人鶴，稱得上是世間涼薄的典型。

小說的不足之處是，無敵門副門主彭無絕的投降和自殺顯得過於簡單，如同兒戲。門主讓他率人去抓唐竹權，要他率三十名武士，他卻只帶六名武功較低者前去，結果被龍城璧一刀斬殺，根本無法完成任務。他說他要投降，其原因，竟然是十日前曾夢見無敵門的末日。如果說他投降是為了保命倒也罷了，問題是，他投降後卻又自殺。死也不怕的彭無絕，為何要如此？作者沒有給出合理解釋。

小說的另一小漏洞，是唐老人的出現。書中所寫的駱駝城是在蘭州西北，而唐老人的家在中國東南杭州，相隔數千里。龍城璧與鮑天冰將要結婚的消息，如何在三天內傳到杭州？而唐老人如何在三天內從杭州趕到蘭州？

小說最大的漏洞，是無敵門逼迫龍城璧與鮑天冰結婚的秘密原因，竟然被唐竹權說破。這一安排，未免過於簡單隨意。唐竹權練習無絕指法來自羅刹宮，固然容易產生有關聯想，但他如何能推測出無敵門主想要交易的秘密？這個秘密，若是由飛駝族長暨駱駝城城主拜雄說出，或由龍城璧推測出，或是由拜雄和龍城璧、司馬血、唐竹權、衛空空等人討論出，顯然會更令人信服。此外，書中還有一個人物彭五絕，他應該是更合適的揭秘人選，因為他叫彭五絕，練習的武功或許也與此有關，何況他還是無敵門副門主，是這一陰謀的知情人；更何況他最後還主動投降，正好可以說出關鍵秘密。哪怕是出於對刑堂堂主鮑天冰的嫉恨而說出秘密，也比較合情合理。作者隨想隨寫，未免有些思慮不周。

「雪刀浪子」之《唐門風暴》

《唐門風暴》[4]講述四川唐門爭權故事。唐門是武林世家，且是一個大家族，林子大了什麼鳥兒都有，唐門同樣良莠不齊，出現唐智這樣的野心家，以及唐正邦、唐散這樣的作亂分子，也就並不稀奇。唐智的武功很高，智謀過人，自我期許更高，以為自己應該是唐門領袖。但唐門沒有選他為掌門人，所以心懷不滿，於是創立罪惡門，進而爭霸江湖，繼而乘勢回到唐門爭權。為此，他將平安谷變成了罪惡谷，不僅靠醇酒美人賭場積蓄金錢，而且還培養了大批殺手。只不過人算不如天算，唐門還有唐愚、唐箭這樣的人，杭州唐門還有唐老人、唐竹權，江湖上更有龍城璧、司馬血、許竅之、衛空這樣的人，唐智的野心無法實現。

這個故事並不是從四川唐門開始寫起，而是從與唐門看似毫無關係的罪惡谷開始寫。有個叫水貓的人到罪惡谷雇傭九大殺手，結果九大殺手被人殺害，且每個人都死於自己擅長的武功，這令罪惡谷主沙不惡大為震驚。而九大殺手被殺事件，也成了罪惡谷被剷除的先聲。罪惡谷中有谷主沙不惡，以及獨孤一、杜舵、仇鐵軍、方溪這樣的高手，還有訓練有素的大群殺手，結果被逐一剷除。唐箭化名水貓，唐愚化名貓殼，來到罪惡谷，顯然是專門針對罪惡谷而來。直到作者交代他們的真實身分，讀者才知道他們是四川唐門中人，而罪惡谷與罪惡門有關，罪惡門的門主唐智也是唐門中人。如此，唐門風暴首先從罪惡谷開始。

本故事的一個看點，是書中人物的名字很有意思。例如，罪惡谷主的名字偏偏叫沙不惡，由此可以推斷，唐智其實不智，唐愚其實不愚。唐智不智，典型例證是，他居然率領殺手劫奪醫谷中的草藥，一來這些草藥對醫谷意義重大，但對罪惡門卻無實際意義；二來惹怒醫谷谷主許竅之，勢必引來許竅之的朋友龍城璧、司馬血等人。在罪惡門勢力不足以敵對杭州唐門及其朋友之際，唐智貿然行動，結果一敗塗地，顯然是不智。典型例證之二，唐智創建罪惡門，以罪惡相標榜，對邪惡之徒固然有其號召力，但如何保證邪惡之徒的團隊精神，卻是一個問題。書中的唐散夫婦顯然並非善類，明裡為唐智守據點，暗地裡卻為自己積蓄力量。唐智發現其不軌，卻在大敵當前時起內訌，看似智謀過人，實質是不智。

唐愚是另一種人。看似混沌蒙昧，實際上卻有自己的主見。寧可做自由自在的浪子，也不願捲入唐門權力鬥爭漩渦。唐愚的外號是虎紋天王，卻化名貓殼，固然是為了隱藏身分真相，卻也透露出此人放浪不羈。雖然我行我素，但在唐門遭遇內部危機時，卻會毫不猶豫地挺身而出，維護唐門的道統與聲譽。說唐愚不愚，典型例證是，他與唐箭上演一齣雙簧，即由水貓唐箭雇凶去殺貓殼唐愚，輕而易舉地除掉了罪惡谷九大殺手，讓罪惡谷主沙不惡措手不及，並鏟平罪惡谷。

這個故事的不足之處是，龍城璧雖然在罪惡谷殺了杜舵，繼而在杭州殺了罪惡門主唐智，但此人在這個故事中的作用顯然沒有讀者期待的那麼大。龍城璧在故事中既非主謀，更非領袖，只不過是作為一個超級武功高手而已。龍城璧的朋友們，如司馬血、衛空空、許簌之乃至唐竹權，也都類型化，例行公事。

「雪刀浪子」之《醫谷驚魂》

《醫谷驚魂》[5]由兩條故事線索組成。主線索是海魔教主賀譽率領海魔船進攻蝴蝶城和醫谷，所以書名為《醫谷驚魂》。副線索是殺手白無浪找蝴蝶城主趙天爵報仇，先殺其情人，後殺其本人。故事從副線開始，小說開頭即出現「三十七月二十四日，狗。三十八月初五，羊。三十八月十二日，黑芝麻。三十九月初九，趙天爵。」這是幾行讓人莫名其妙的文字，包含兩個隱秘：其一，所謂「三十七月」及「三十九月」，實際上是指「第三十七個月」和「第三十九個月」。因白無浪發誓要在四十個月內殺掉仇人趙天爵，所以才有這樣奇妙的記錄。

其二，所謂「狗」，是指趙天爵屬下殺手飛天狗；所謂「羊」，是指趙天爵屬下殺手鐵羊道長；所謂「黑芝麻」，是趙天爵的同門師妹兼秘密情人的外號。白無浪找趙天爵報仇之際，恰逢海魔教大舉進攻蝴蝶城，使得蝴蝶城主趙天爵兩面受敵。尤其是，白無浪調查出方家集百掌鏢局總鏢頭辛一刀有個私生子，於是以此脅迫辛一刀出人意料地向其盟友趙天爵反戈一擊，趙天爵殺了辛一刀，最後還是死於白無浪之手。

本故事的主線是海魔教進攻蝴蝶城和醫谷。海魔教主的這一行動，並不是要爭霸江湖，而是要找醫谷報仇洩憤。之所以如此，是教主賀譽暗戀武林妖女冷碧橋，而醫谷中的神醫卻拒絕救治。如此，這個《醫谷驚魂》故事，就顯得與眾不同。

梟雄爭霸江湖的故事很多，作者龍乘風就寫過不少此類故事。這個故事中的反派主人公賀譽雖然也是一個梟雄，但在其暗戀對象冷碧橋中毒癱瘓之後，絕望之清轉化成滿腔怒火，不僅要毀滅不願救治冷碧橋的醫谷，毀滅與之作對的蝴蝶城，而且還要將海魔五教也一起毀滅。因為冷碧橋死了，所以賀譽了無生趣；進而，因為賀譽了無生趣，所以就要將敵我雙飛一起毀滅。賀譽顯然喪心病狂。

《醫谷驚魂》中，還有第三條故事線索，那就是萍姑與時九公的愛情。萍姑與時九公兩情相悅，但萍姑的父親慕容飛叟卻不同意自己的女兒嫁給時九公。個性耿介偏激的時九公發誓，寧可終生不娶，也不會娶萍姑為妻。即使慕容飛叟已死，他也不再與萍姑聯絡。但萍姑對時九公不能忘情，散盡家財，而後隱居在時九公居住的醫谷附近。直到海魔教毒秀才聶武奪殺了萍姑，時九公才意識到萍姑對自己一往情深，意識到自己失去萍姑後的錐心之痛，因而他寧可被毒秀才殺死，也不願放棄萍姑的遺體。這個淒涼的愛情故事，讓人感慨唏噓。

《醫谷驚魂》寫得很好看，不僅是因為將爭霸、復仇、愛情等線索交織起來，也因為全書採取了蒙太奇結構，鏡頭不斷轉換，節奏很快，場景很多，細節也很豐富。更重要的原因，當是書中人物大多很出奇，潛鯨幫副幫主沙一殺化名勤伯，彭大鷹和彭小鷹父子，海魔教三仙堂的三位矮個子堂主，以及海魔教刑堂堂主桑七星，獨立殺手白無浪，方家集百掌鏢局總鏢頭宰一刀……每個人都很出奇。更不必說，小說開頭不久，海魔教將一艘大船開到了陸地上的蝴蝶城。

相比之下，龍城璧、司馬血、唐竹權、許竅之、衛空空等人的形象，卻不見得格外出彩，與其他作品中沒有多大區別。在本故事中，龍城璧雖仍然起到了關鍵性作用，即上了海魔船，破壞了海魔教主的圖謀，但從根本上說，龍城璧的這種作用，無非是替作者解決問題，亦即是作者召之即來的作戰工具。

「雪刀浪子」之《追擊九重霄》

《追擊九重霄》[6]講述奪寶故事。西域高那族的當權信物百馬圖落入飛貂鎮馬家大屋主人馬象行手中，高那族富商達米波出價一百萬兩黃金尋找百馬圖。馬象行並不知道這幅圖畫如此值錢，反倒因此遭受無妄之災。為了保護家人，他將家人送往九重霄，那裡是他的好友莊帥的城堡。馬象行並不知道，給他帶來無妄之災的，正是他的好友莊帥。莊帥知道這幅百馬圖在馬象行手中，便出價五十萬兩黃金，讓地獄鏢局出面奪取百馬圖。若不是龍城璧、唐竹權、司馬血、衛空空、唐老人等人幫忙，馬象行及其家人的遭遇將不堪設想。

這個故事中，有兩個人物值得注意。一是馬象行，傳說中，因為他的妻子擅自率人去地獄鏢局鬧事，使得他精心培育的十二殺手喪失了八位，於是他殺了自己的妻子花翠碧。實際情況卻與傳說大相徑庭，真相是，花翠碧的同父異母妹妹、地獄鏢局的殺手花如珠殺害了姐姐花翠碧的生母，花翠碧當然要找妹妹花如珠討還公道。不料花如珠對姐姐施放了蝕骨腐屍針，讓花翠碧生不如死，馬象行無法為妻子解毒，不得不用極端手段解除妻子的痛苦。實際上，馬象行對妻子、家人、朋友都滿懷真情，寧可自己去死，也不願讓家人受苦。不幸的是，他的親友中，既有毒如蛇蠍的姨妹花如珠，更有貪心卑劣的莊帥。

值得特別注意的第二個人，就是馬象行的好友莊帥。莊帥在九重霄上建城堡，在武林中名聲不顯，但卻懷有貪心和野心。因為貪財，他毫不猶豫地出價雇傭地獄鏢局去殺自己的好友馬象行；因為野心，他竟讓地獄鏢局總鏢頭黑心刀向絕去殺自己的同門師兄風流魔斧霍一笑。只可惜，小說中對這個人的處理太簡單，出場未久，就被司馬血、唐老人揭露真相，立即自殺身亡。這樣的人是否如此脆弱、是否會自殺？恐怕是一個疑問。

這個故事最大不足，就是寫得太過隨意，也太過簡單，有明顯的概念化。向絕號稱黑心刀，他的師父是黑心老祖，他的弟子是黑心五毒，三代人居然都以「黑心」為招牌，與其說是因為他們故意挑戰世俗價值，不如說是作者故作驚人之語。類似現象也出現在《唐門風暴》中，唐門叛逆唐智創建了罪惡門，並將平安谷命名為罪惡谷。一是以「黑心」自居，組織名稱為「地獄鏢局」；一則以「罪惡」標榜，組織名稱竟是令人咋舌的「罪惡門」，世間是否有人會如此？

本書的概念化傾向，也表現在對花如珠這一人物的刻畫中。此人美貌如花，毒如蛇蠍，可謂是傳奇小說中常見的妖女或魔女典型的複製品。她殺害了自己的嫡母即姐姐花翠碧的生母，又用毒針傷害了姐姐花翠碧，這種行為雖說不是絕對不可能，但問題是：她為什麼要這麼做？此人號稱花老大，是地獄鏢局的超級殺手，這當然有可能。同樣的問題是：她為什麼要加入地獄鏢局？

像其他雪刀浪子小說一樣，龍城璧及其友人衛空空、司馬血及唐竹權等，在這個故事中所起的作用不能說不大，但他們起作用的方式卻只限於作為打鬥超人或工具。司馬血和衛空空是如何知道莊帥出賣朋友馬象行的秘密的？書中就根本沒有說及他們的調查過程。書中的主要篇幅，都是在描述緊張而神秘的打鬥過程。這幾個人的形象與個性雖然各有不同，但在系列故事中卻沒有任何變化。

「雪刀浪子」之《血洗黃金船》

《血洗黃金船》[7]可以說是一股情欲引發的血案。故事的核心是，杭州唐老人曾將女兒唐竹君許配人家，以彩玉雙獅球為信物。但男方早喪，彩玉雙獅球長期下落不明，最後落在了蘇不波手上。黃金船主人秦四公子覬覦唐竹君美色，出價黃金十萬兩購買彩玉雙獅球。蘇不波拒絕出售，但他的朋友山西太陽城主百里焰、蜀北臥雲樓主人高天横、海南三大劍客之首彭雨詩、孤鶴道人等發了貪心，殺了蘇不波，奪了彩玉雙獅球賣給了秦四公子。秦四公子拿著彩玉雙獅球去向唐老人求婚。知道唐竹君深愛龍城璧，於是讓自己的寵姬岑蜜兒設陷阱誣陷龍城璧。

與此同時，秦四公子還看上了另一個美人，即珠璣山莊三小姐薛惜瑤，薛惜瑤愛衛空空，於是設計殺死薛萬鈞，陷害衛空空。秦四公子的計策不可謂不好，但事與願違，讓唐老人看出了秦四公子的真面目，唐老人爽約拒婚。於是秦四公子將所有對手都請上了黃金船，試圖炸死所有敵人。結果是，機關算盡太聰明，反送了卿卿性命。唐老人出人意料地率人前來，龍城璧殺了目空一切的秦四公子。

小說以復仇故事開頭，講述青年劍客蘇少蒼為報父仇，約戰蜀北臥雲樓主高天橫，高天橫卻約了幾位同案，讓蘇少蒼陷入重圍。同案翁白頭讓蘇少蒼主動跳下懸崖，暗中以三萬兩銀子請司馬血在懸崖下救人。司馬血救了重傷的蘇少蒼，但在找到倒楣大夫不久，蘇少蒼就失蹤了。小說的故事情節曲折迷離，讀者根本就不知道蘇少蒼與故事主幹究竟有什麼關係。直到丐幫三袋弟子丁黑狗找到龍城璧，說殺手屠夫劫持了唐竹君，要龍城璧前往談判。龍城璧落入岑蜜兒的桃色陷阱，被唐老人、岑老夫子當作淫賊，才出現故事主幹的頭緒。

秦四公子出現，作者才挑明整個故事的輪廓，即所有故事都與秦四公子有關。即便如此，讀者仍無法猜測故事的發展，想不到秦四公子會用炸藥，更想不到秦四公子以船中之船離開，當然也想不到唐老人會率援兵趕來，讓秦四公子的圖謀徹底落空。

秦四公子當然是這個故事的最大看點。儘管秦四公子出場不多，但他乘坐黃金轎第一次出現時，就給人留下足夠深刻的印象。他是黃金船主人，擁有無數黃金，足夠收買所有能夠收買的人，黃金幫勢力足以傲視群雄。秦四公子也因此而自我膨脹，以為黃金最多的人，不僅是權勢最大的人，且是能耐最大的人。所以他不可一世，覺得自己要什麼都應該得到，也可以得到。

秦四公子乘坐黃金轎，已是一種明顯的自我表徵；而讓侏儒巨無霸、大力神魔抬轎子，則是另一重自我表徵——侏儒襯托下的秦四公子必然顯得更加高大偉岸。秦四公子看上了江湖第一美人唐竹君、第二美人薛惜瑤，他就想方設法得到這兩大美人。秦四公子非但不屑去問唐竹君、薛惜瑤是否愛他、是否願意嫁給他；甚至也不屑於尊重唐竹君的父親唐老人以及薛惜瑤的家族珠璣山莊主人，他只會像單純的動物那樣，為了獲得異性，以為只需設法將唐竹君心儀的龍城璧、薛惜瑤心儀的衛空空排除。秦四公子以為，只需要兩種手段，要麼收買、要麼誅殺，即可達成所有欲望。

故事中的岑蜜兒形象值得注意。岑蜜兒是秦四公子的寵姬，知道秦四公子看上了唐竹君，非但不會打翻醋缸，反而願意犧牲色相去將唐竹君的愛侶龍城璧誘入陷阱。為了討好秦四公子，岑蜜兒不惜一切犧牲。更典型的例證是，秦四公子在黃金船上裝滿炸藥，試圖將所有敵人一舉消滅，岑蜜兒居然願意做點燃炸藥的人。或許有人認為，岑蜜兒對秦四公子千依百順，是迷戀秦四公子的黃金；但這無法解釋岑蜜兒為什麼甘願為秦四公子點燃炸藥、犧牲自己。更好的解釋應該是，岑蜜兒對秦四公子無限迷戀，把秦四公子當作神。這一心理值得研究分析。

故事中還有兩個人物值得注意。一是撲滅火把的侏儒巨無霸，誰也沒有想到，保護黃金船上所有正派人士性命的人，不僅有龍城璧，而且有巨無霸。巨無霸之所以如此，是因為秦四公子沒有將他帶上金鷗船，而只帶走了他的夥伴大力神魔，這讓他很生氣，不惜一切代價也要破壞秦四公子的圖謀。之所以如此，固然是因為愛惜自己的生命，同時也是嫉妒大力神魔的幸運，對主子秦四公子極度不滿。

書中的另一個人物，是江南名俠翁白頭。他是蘇不波的好友，卻參與了殺害蘇不波的陰謀。當蘇不波的兒子蘇少蒼為父報仇時，他卻暗中請司馬血等在懸崖之下拯救蘇少蒼。最終，司馬血阻止了蘇少蒼向翁白頭報仇，對蘇少蒼解釋說，翁白頭參加圍攻蘇不波行動是迫不得已，其實根本沒有出力。這一解釋雖不是十分圓滿，卻也顯示了作者對人的複雜性、人性的複雜性的關注。

本故事的不足，仍然是將故事情節構想置於人物個性之上。使得龍城璧、司馬血、衛空空等人在小說中的作用受到明顯局限，也就是說，故事中需要這幾個人物出現就讓他們出現，而不是從這幾個人物的身分與個性出發書寫故事。這個故事的真正主幹，是秦四公子與龍城璧及唐竹君、衛空空及薛惜瑤等人的五角戀矛盾，但龍城璧卻似乎對此一無所知，直到落入陷阱；衛空空雖然知道自己受到陷害，但書中沒有留出任何篇幅書寫他的主動行為，更沒有寫出衛空空的主動行為對這個故事的關鍵性影響。雖然秦四公子要炸船的消息，是衛空空從其閨蜜小鴿子楊水晶那裡探得，但那不過是作者想怎麼寫就怎麼寫，否則不會不解釋，小鴿子楊水晶是如何上了黃金船，而黃金船上的人卻對她毫無防範。

「雪刀浪子」之《將帥風雲》

《將帥風雲》[8]這個書名，當源自琥珀宮老夫人邀約新主段雄河在將帥台下決戰。按照這一線索，命名為《將帥台風雲》或許更為合適。作者採用《將帥風雲》，可能還有一重考慮，那就是琥珀宮總侍衛隊長段雄河與總管林晚塘之間的衝突，可以解釋為琥珀宮的將帥衝突——如果說是「將相風雲」，或許更為準確。

這篇小說的故事情節分為四個段落。開頭是鬼王幫主率眾追殺林晚塘，眼見林晚塘難以倖免，殺手白無浪突然出現，殺了鬼王幫主駱九爺。由於不知道駱九爺、林晚塘、白無浪的身分，這段開頭故事神神秘秘，頗為誘人。

第二段是白無浪和龍城璧保護林晚塘到醫谷就醫，中途遭遇攔截，讀者瞭解到琥珀宮的歷史，知道了段雄河有林晚塘矛盾衝突。由於段雄河對龍城璧也下了必殺令，龍城璧等人的命運就成了更大的懸念。

第三段是林晚塘死前對龍城璧說「我想你去死……」，使得懸念成謎，直到翩翩公子陸青雲告訴龍城璧，說琥珀宮老夫人在死水湖畔隱居，才終於揭開了這個謎。但當龍城璧等人擺脫鐵蚊隊殺手的堵截，趕到死水湖，並沒有見到老夫人，只見到一個留言，即「十二月初一，將帥台下見。」最後一段是將帥台下的大決戰：段雄河收買了一大批邪派高手，欲稱霸武林；而唐老人等也及時趕到，與段雄河針鋒相對，最後段雄河被殺，琥珀宮光復。

作為一個故事看，這部小說有吸引人的魅力，前半部打打殺殺加神神秘秘，後半部緊緊張張加轟轟烈烈，中間再加友情、背叛和出人意料的佈局，是龍乘風小說的標準配方。白無浪是林晚塘的朋友，當他聽到林晚塘被追殺，立即從隱居地趕來，為了救助危難中的友人而不惜重出江湖，這一行為頗令人感動。

段雄河是另一種人，即背叛者的代表，作為琥珀宮老夫人的表弟，深得琥珀宮老主人的信任，竟然殺了老主人，並要對老夫人的勢力趕盡殺絕，可謂背叛者的典型。只要武林中有人圖謀稱霸，龍城璧、唐竹權等人就會及時出現，力挽狂瀾，這已經是雪刀浪子系列故事的標準模式。喜歡雪刀浪子的讀者，當會趨之若鶩。

好看的故事未必耐看。本書有明顯的不足之處，最主要的不足，是有關老夫人的描寫。書中說她與丈夫相互「不咬弦」，並為此離開琥珀宮，另外覓地隱居。問題是，直到小說結束，我們也不知道這對夫婦之間究竟發生了什麼。

琥珀宮主婦同時又是獨鶴仙築的花鶴仙婆梅姥姥，是這部書中最出人意料的佈局，這一奇思妙想，或許是出自作者的靈機一動。梅姥姥是段雄河的死黨，一直在段雄河身邊，為段雄河衝鋒陷陣，圍堵白無浪及林晚塘就是她的弟子率人進行的。但在最後將帥台決戰時，梅姥姥對段雄河發動突然襲擊，將段雄河置於死地，宣布她就是老夫人。這一佈局雖好，但仍有明顯漏洞，一是段雄河既然是老夫人的表弟，對這位表姐應該非常熟悉，表姐老夫人以梅姥姥的身分出現在他身邊，如何會長期不識廬山真面目？更何況，書中甚至沒有說梅姥姥曾經易容或戴人皮面具。二是，林晚塘是老夫人的弟子，老夫人為何對中毒的林晚塘見死不救，反而要給一心拯救林晚塘的龍城璧送一個「烏龜王八」的字條？從小說中看，這個梅姥姥或老夫人並沒有如此明顯的幽默感。

小說中的龍城璧、唐竹權等人仍然是招之即來、來之能戰、戰之能勝，作者寫起來固然輕鬆如意，讀者看起來及想起來有時候卻不那麼容易接受。

「雪刀浪子」之《風流殺手俏嬌娃》

《風流殺手俏嬌娃》[9]的書名很吸引人。內容也確實與風流殺手及俏嬌娃有關，書中的風流殺手是李藏珍，俏嬌娃則有兩個，一是妓女疊鳳，一是無雙堡千金上官芳舞。風流殺手李藏珍與這兩個俏嬌娃的關係，經歷了從互信到互仇，再到互相合作的過程。尤其是李藏珍與上官芳舞，小說開頭，是上官芳舞出錢讓李藏珍去殺鐵琴郎，李藏珍照做了。但司馬血告訴李藏珍，他殺錯了人，鐵琴郎並不是他以為的那種人，而是一個無辜者。

李藏珍雖然是個殺手，但與司馬血一樣，有其殺人的原則，那就是不殺無辜的人。但李藏珍是人，是人就會犯錯，他聽信不假道人的證詞，接受上官芳舞的雇傭，錯殺了鐵琴郎，犯下了大錯。因為不假道人已死，出現在李藏珍面前的是假道人，他的證詞當然也就不能相信。李藏珍之所以相信，部分原因是不假道人從不說謊，更重要的原因則是因為俏嬌娃上官芳舞的魅力。更複雜的是，上官芳舞之所以如此，並不是她本人對鐵琴郎有什麼怨恨，只不過是受天南魔帝西門烏雲的指使。西門烏雲之所以要害鐵琴郎，則是想要借此打擊老敵手羅浮五聖中的天龍七指勞鄂公。

直到小說的後半部，讀者才知道，這個風流殺手俏嬌娃的故事，背後還有故事，那就是天南魔帝西門烏雲要稱霸武林，首先要消滅勁敵羅浮五聖，其次是要消滅與羅浮五聖有關的人。而在後一個故事中，幫助羅浮五聖的龍城璧、唐竹權、唐老人和司馬血等人，才是真正的主人公。而被天南魔帝西門烏雲脅迫的無雙堡主上官潛武及上官芳舞等人，不過是被他們所利用的工具。李藏珍既知上官芳舞的處境，自然不會責怪她，相反，在受飛仙三煞圍攻時，為救助上官芳舞，居然當真自斷右臂。他的這一舉動，不愧為風流殺手之名，也是對人間「風流」二字最讓人心動的詮釋。好在，李藏珍斷了右臂，還有左臂，且他的左手劍比右手劍更加厲害，因而在最後他用左手劍聯手龍城璧誅殺了罪魁禍首西門烏雲。李藏珍的形象給人留下了深刻印象。

俏嬌娃疊鳳為了替哥哥報仇，可謂竭盡了全力。她把當妓女賺來的錢，全部都投入了請殺手為哥哥報仇的目標上。只不過，她只有感情，而缺乏理性，明知哥哥姦淫婦女、無惡不作、死有餘辜，但她仍然要殺司馬血為哥哥報仇。此舉雖然有些盲目，但誰又敢說她的行為不可原諒？到最後，她花盡了所有的錢財，她也花盡了所有心力，仍然無法達成目標，只得出家為尼，讓人感慨唏噓。

俏嬌娃上官芳舞的命運並不比疊鳳好。作為無雙堡的長公主，上官芳舞得天獨厚，既美貌，又聰明，為萬眾矚目，但卻不由自主地被捲入天南魔帝西門烏雲的野心和陰謀中。她和哥哥的努力，仍無法保證哥哥上官潛武的生命安全，而她本人最終也死於西門烏雲之手。她受不得李藏珍的憐憫和同情，因為這種憐憫和同情有傷她的自尊，但到最後才發現，李藏珍的愛憐正是她此生唯一的收穫。

銀琴公子的形象也值得一說。小說開頭就是他與鐵琴郎的決鬥，決鬥的原因是他心愛的女子嫁給了鐵琴郎。他已經殺了鐵琴郎的妻子即他的心上人，決鬥的目標則是要殺鐵琴郎。旁觀者都知道，銀琴公子對心上人只是一廂情願，女主人公對他的印象是「俗不可耐」，而他卻堅定地認為這個女子應該嫁給他，而不應該嫁給鐵琴郎。他無法理解自己看中的人怎麼會看中別人，這正是問題的關鍵所在，他這樣的有錢人，能瞭解自己的欲望，卻無法理解他人的選擇。

這篇小說的弱點，一是沒有交代無雙堡上官潛武、上官芳舞兄妹受天南魔帝脅迫的原因。對於這個故事而言，缺少這一筆，無疑是個漏洞。另一不足，則是龍城璧等人從何得知羅浮五聖中毒散功消息？

「雪刀浪子」之《初戰會群雄》

《初戰會群雄》[10]並不是正宗的雪刀浪子故事，而是講述雪刀浪子龍城璧的兒子龍玉郎初次行走江湖的經歷。龍城璧結婚後即息影江湖，二十年後，兒子龍玉郎長大成人，龍城璧將兒子「踢」出了家門，讓他到江湖中去歷練。龍玉郎帶著父親龍城璧的風雪之刀，長相也與龍城璧相似，他會遭遇什麼？自然成為懸念。

作者可能想借雪刀浪子的巨大影響力而延續其創作影響，也可能是想創造下一代英雄故事，即

「雪刀小俠」龍玉郎的品牌。龍玉郎的形象很可愛，因為他年輕、英俊、有教養、武功高強、心智過人，且有父親龍城璧一樣的俠義心腸。龍城璧與舅舅唐竹權、伯伯司馬血相遇，是書中的一大看點；而龍玉郎回憶龍城璧的教誨，包括解釋為什麼他的娘親不喜歡舅舅喝酒、說粗話，以及如何面對武功強敵、如何面對江湖風險等等，雖一絲一縷的片斷，無不讓人感到溫暖親切。龍玉郎的點滴回憶，對雪刀浪子迷而言，可謂是一連串可愛的彩蛋。

龍玉郎行走江湖，本無既定目標，來到洛陽，也不過是順道而已。本書的主要故事情節，是趙蓉芝與曾百全、郭情山、常樂安等人之間的恩怨情仇。

聽說司馬血在郭情山的賭場中，要與郭情山賭鼻子，龍玉郎十分關切，於是展開調查。賭博削鼻子的原因，直到很晚才揭曉，那是因為惡霸二代郭情山覬覦大力鷹爪門掌門人趙恆蒼的女兒趙蓉芝的美色，但趙蓉芝心有所屬，對郭情山不假辭色。郭情山得知趙蓉芝的心上人是曾百全，且知曾百全有一隻漂亮的鼻子，於是綁架了曾百全的朋友，逼迫曾百全削鼻子救人，從而釜底抽薪，讓曾百全不敢亦不願再見趙蓉芝，也讓郭情山得償所願，娶了美女趙蓉芝為妻。司馬血就是聽到郭情山曾殘酷地逼迫曾百全削鼻，才要與郭情山賭博削鼻子，雖然賭場上被老奸巨猾的郭萬祿阻止，但到最後，司馬血終於還是削掉了郭情山的鼻子。司馬血終於為證明了「削人之鼻，人亦削之」的世間公道。

實際上，削鼻子情節，也是一種心理隱喻。郭情山為何在結婚數月之後，就變得酗酒且家暴？通常理解為郭情山就是這種人，酗酒與家暴就是他的真面目，社交場上的溫文爾雅，只不過是他的假面具。這種解釋當然不無道理。但也可以從另一角度解釋，那就是趙蓉芝被迫與郭情山結婚，心不甘、情不願，只不過是不想讓父親失望或生氣，婚後雖然謹守婦道，卻無法表現出新婚妻子應有的熱情，更無法向丈夫郭情山奉獻愛心，因為她真正深愛的人是曾百全。

郭情山知道妻子身屬自己、心屬他人，當然會嫉妒攻心，於是酗酒，於是家暴。也可以說，郭情山酗酒、家暴，與「鼻子」即「面子」有關：堂堂郭情山，娶了妻子身卻得不到妻子的心，無疑是一種無法宣洩的憤懣。郭情山這樣的人，不可能換位思維，不可能考慮自己的行為是奪人所愛，只會考慮自己的鼻子／面子過不去，無法宣洩的憤懣很快就會化為酗酒、化為家暴，從而引發後面的故事。

後面的故事，就是常樂安聽到趙蓉芝哭泣，看到郭情山家暴，毫不猶豫地將趙蓉芝救出苦海，藏匿在古堡中。於是，趙蓉芝失蹤了。常樂安愛上了趙蓉芝，但趙蓉芝愛的是曾百全，嫁的是郭情山，身心有雙重束縛，使得常樂安無法獲得安樂。於是常樂安變得鬱鬱寡歡，甚至瘋瘋癲癲。到最後，龍玉郎說服了曾百全，讓他鼓起勇氣面對心上人，常樂安雖然嫉妒，卻做出了明智選擇，那就是讓心愛的趙蓉芝與她心愛的曾百全在一起。於是，常樂安完成了更了不起的俠義之舉。他將趙蓉芝從郭府救出，固然是一種俠義行為；而他克制自己的私欲，成就趙蓉芝的愛情，則是一種更偉大的俠義行為。常樂安的形象，讓人印象深刻。

曾百全與趙蓉芝的愛情，經歷了常人無法想像的考驗。郭情山逼迫曾百全削掉了自己的鼻子，讓他不敢面對心上人，從而不得不詐死。為了朋友之義，犧牲了自己的愛情。而他的自我犧牲，卻將趙蓉芝推向了苦海，嫁給郭情山，卻被郭情山因嫉妒而家暴。最後，還是年輕的龍玉郎說服了曾百全，讓他鼓起勇氣面對趙蓉芝。趙蓉芝也接受了沒有鼻子卻有勇敢俠義和堅貞愛心的曾百全。所以，龍玉郎的說服，不僅拯救了曾百全，也拯救了趙蓉芝，更成全了他們的愛情。

書中還有一個人物形象不可忽視，那就是趙蓉芝的父親趙恆蒼。作為一派掌門，卻喜歡賭博，因為賭博欠下賭債；因為賭債而結識郭萬祿、郭情山父子，並落入這對父子的陷阱中，不得不將自己的女兒許配給郭情山。當時他並不知道，他的這一行為，不僅將自己的女兒送入苦海，同時也將自己送上刀山。當他得知女兒失蹤，開始還在生女兒的氣，後來終於明白女兒失蹤的真實原因，於是他自己也開始失蹤。只不過，他的舉動被郭氏父子知曉，結果成了郭氏父子威脅趙蓉芝的工具，威脅不成，即死於非命。此人的故事，可為賭徒之戒。

本書的不足，是《初戰會群雄》這一書名有些名不副實。書中只有唐竹權、司馬血、梁大夫、常樂安、方金粉、曾百全等寥寥數人，說「群雄」有些過。其次，龍玉郎介入趙蓉芝和曾百全、郭情山、常樂安的情感故事，身分有些尷尬，而他的知識、能力也多少有些不足；作為主人公，他也無法充分發揮作用。

《黃金戰袍》

《黃金戰袍》[11]講述連環寨七坡十三府老大刀王府主人葛玉霜追殺謝人拳，尋找黃金戰袍的故事。謝人拳是個殺手，十二年前，受雇殺了連環寨老寨主單源。寨主的黃金戰袍從此失蹤，以至於連環寨十二年來都沒有寨主，只有老大。葛老大動員連環寨七坡十三府全力追殺謝人拳，羽重樓是謝人拳的朋友，他們就抓羽重樓逼問謝人拳消息。只不過，葛玉霜要追殺謝人拳是真，找黃金戰袍卻是假。因為黃金戰袍早就在他的手中，他竊取了黃金戰袍，只有殺了謝人拳，才能名正言順地穿上黃金戰袍，成為連環寨的新一任寨主。

小說從羽重樓醉酒被俘開始寫，他因失戀加失敗而沮喪、醉酒，醒來時卻在美女雷櫻櫻的床上，經受了雷二娘的美色誘惑，又經過玩命大師的死亡威脅，逃脫了連環寨險地，卻又落入鴛鴦大盜手中，經歷傳奇，吸引力十足。

這個故事的關鍵人物並不是羽重樓，而是鴛鴦大盜歸去也和皇甫水仙夫婦。這對夫婦有兩個變數，一個變數是，當人們以為這對夫婦抓捕羽重樓，多半是要逼問羽重樓找到謝人拳，奪取黃金戰袍，破解其中秘密獲利，沒想到鴛鴦大盜夫婦竟是謝人拳的師兄和師姐，他們找謝人拳的目的不是奪寶，而是幫忙。另一個變數是，鴛鴦大盜固然是大盜，卻也是俠盜，不僅經常將偷搶來的財富送給貧窮的人，而且關注武林正邪消長，決心幫助謝人拳，打敗葛玉霜，改變連環寨。

這個故事的另一個看點，是羽重樓和邪狼阿石之間的關係，兩個人本來是朋友，但卻愛上了同一個姑娘，即琳玲。偏偏琳玲在這對好友間難以選擇，羽重樓和阿石只能決鬥解決問題。朋友變成了情敵，而羽重樓偏偏被阿石打敗，對於一個出身於蘇州武林世家的青年劍客來說，這可是極為沉重的打擊。

書中的變數是，這兩個人雖然成了情敵，卻仍然是朋友。當阿石得到琳玲之後，深感對不住羽重樓；而當羽重樓看到阿石被宗笑歡殺害時，再也沒有了情敵間的怨恨，只有為朋友復仇的決心，於是拼死挑戰武功高過他的宗笑歡，最後和琳玲聯手殺了宗笑歡。通過這一情節，我們看到羽重樓、阿石這對朋友的真正品質。

書中還有一個重要看點，那就是連環寨的歷史。兩百三十年前，血臉魔侯率領十二魔王幫橫行江湖，中原武林無人能敵。是突然興起的連環寨有生力量消滅了十二魔王幫，為中原武林立下赫赫戰功。此後多年，連環寨也是武林正義的維護者。但經歷了百年滄桑，連環寨的作風發生了很大變化，逐漸變成了罪惡淵藪。連環寨由正轉邪，讓中原武林人無比遺憾，但也無可奈何。此次鴛鴦大盜幫助謝人拳戰勝連環寨刀王府老大葛玉霜，別出心裁地讓羽重樓當上連環寨寨主，而鴛鴦大盜夫婦成為連環寨護法，使得連環寨掌握在正派人手中，因而由邪轉正。連環寨由正轉邪、由邪轉正的歷史，充分表明任何事物都會變化，變化在於人為。

小說的不足之處，是對黃金戰袍線索設計尚不夠周密。葛玉霜及連環寨十三府要追殺謝人拳，這不難理解，因為謝人拳殺害了連環寨前寨主單源，連環寨的人當然要復仇。問題是，葛玉霜為什麼要說黃金戰袍也被謝人拳拿走了？正如鴛鴦大盜所言，謝人拳是個殺手，但卻不是小偷。武林中人大約也知道這一點，葛玉霜為什麼要說謝人拳偷走了黃金戰袍呢？為什麼還要編造黃金戰袍中有秘密的謊言？

或許，葛玉霜是想借武林中人覬覦黃金戰袍中秘密的欲望，儘快尋找到謝人拳。但這不能解釋，葛玉霜為什麼不乾脆直接穿上黃金戰袍，當上連環寨的寨主，然後再去尋找謝人拳，為老寨主報仇？進而，葛玉霜成為連環寨老大，不僅因為他武功超群，更因為他心機過人，而且消息靈通，既然如此，為什麼在隨時可以掌握鴛鴦大盜等人行蹤消息時，不動員七坡十三府的力量對付鴛鴦大盜等人，而只是帶幾十人前往狼堡，以至於全部被殲？小說如此結尾，顯然過於簡單。

《獵刀奇俠》

《獵刀奇俠》[12]是講述獵刀的第四代傳人司馬縱橫的故事。作者有一個構想，在雪刀浪子龍城璧故事之外，再創一個獵刀奇俠故事系列。正如雪刀浪子有一個團隊，獵刀奇俠也有一個團隊，成員包括鐵鳳師、郝世傑等人。在這個故事系列中，辣手大俠鐵鳳師的重要性逐漸超過了獵刀奇俠司馬縱橫。這可能是作者沒有想到的。在這個故事中，卻還沒有鐵鳳師這個人。

這個故事講述司馬縱橫作為獵刀奇俠的成名之作，那就是參與消滅黑白教、七煞幫兩大邪派組織。這兩派之間也相互衝突，因為他們有共同目標，那就是要稱霸武林。尤其是黑白教，在教主陸浮萍的率領下，野心勃勃，不可一世。黑白閻王已死，但陸浮萍學得黑白閻王的武功，繼承了黑白閻王的遺志和遺風。七煞教則有所不同，其中骨幹大多出自千槍門，千槍門被郝世傑消滅，剩餘骨幹便在辛沱主持下創建了七煞教，不僅要找郝世傑報仇，更要爭霸武林。

本故事分為前後兩個部分，前一部分是司馬縱橫受騙並受傷，獵刀也被他拋入黑底湖中，黑白教、七煞幫先後將黑底湖列為禁地，相互拼殺。後一部分金箭幫主葉天印拯救了九玄洞，段獨腿治好了司馬縱橫，水丐海千里在黑底湖中找到了獵刀，並將獵刀交給司馬縱橫，於是他們聯手，先滅七煞幫，後滅黑白教。

這個故事最大看點，是小說開頭，年輕的司馬縱橫上當受騙和任性使氣恣逞意氣。司馬縱橫要行俠仗義，首要目標是黑白教中的陸浮萍，於是他與方板聯手，讓方板用絕情刀引誘陸浮萍上鉤，陸浮萍果然來了。說在城裡比武驚世駭俗，要換一個地方，陸浮萍選擇了黑底湖畔，司馬縱橫以為是臨時隨機選擇，其實是陸浮萍早已設下的陷阱。

這裡不僅有投放毒蛋的八名黑白教武士，更有方板這個臥底——司馬縱橫以為方板是自己盟友，卻不知方板也是黑白教中人。雖然司馬縱橫將八名投毒武士的雙手斬斷，顯示出驚人的武功，但結果卻出人意料，司馬縱橫要從陸浮萍手下救出方板，但方板卻乘機在他背上打入幾支毒針。司馬縱橫中毒，不是陸浮萍、方板對手，只好將獵刀拋入湖中，自己也投水而遁。這一段故事的要點，是敘述司馬縱橫缺乏江湖經驗，此時他還非常年輕，不過廿一歲。

接下來的故事也很有意思。被九玄洞主郝世傑和雲雙雙所救，司馬縱橫當然非常感激，雲雙雙對他說，黑白教正懸賞五千兩黃金尋找司馬縱橫的屍體。雲雙雙開玩笑說，可惜他還活著（**否則可以拿他遺體去換取賞金**），還說五千兩黃金可不是小數目。司馬縱橫也開玩笑地說，那麼何不乾脆將他捏死？沒想到，這一說，讓雲雙雙非常生氣，不僅當場打了司馬縱橫一個耳光，而且此後多日都不來看司馬縱橫。不僅不來看司馬縱橫，對師父郝世傑、師兄焦四四、高六六、侯八八等也是不理不睬，成了九玄洞小世界的一大問題。

郝世傑讓司馬縱橫去見雲雙雙，意思是要他去向雲雙雙賠禮，哄好這個嬌縱的小公主。但司馬縱橫求見卻被雲雙雙拒絕，惹得這個年輕人心頭火起，用酒罈砸雲雙雙的閨樓。這下可真把雲雙雙惹火了，拿著雙劍要找司馬縱橫拼命。而司馬縱橫竟不躲避，更不還手。結果是，司馬縱橫差點死在雲雙雙劍下。

這段故事，生動展現了年輕男女間的磨合過程，對雲雙雙而言，她自己開玩笑，卻聽不懂或不能容忍司馬縱橫開玩笑，於是打耳光、不理人、生悶氣，嬌縱個性顯露無遺。對司馬縱橫而言，面對救命恩人，自然心懷感激，但卻忍不住逞意氣，下意識想要教訓乃至征服異性。雲雙雙拿劍刺人，固然是因為生氣，也預測對方有能力躲避，所以全力出擊；司馬縱橫面對對方刁蠻，還以為對方只是開開玩笑，不會當真刺殺。這對青年男女都還不會閱讀異性的心思，於是司馬縱橫毒上加傷，生命垂危，為意氣用事付出代價。換個角度看，這也是青年異性間的情感遊戲，只不過，這種遊戲風險不小。

此外，小說中郝世傑的幾個弟子的名字很有意思。一個叫焦四四、一個叫高六六、一個叫侯八八，還有一個叫雲雙雙。都是數目字，且都是偶數。郝世傑對弟子做稀奇古怪的命名，卻將寵物黑豹命名為無敵，為什麼要這樣做？看起來，這樣的玩笑似乎完全不符合郝世傑的身分與個性，但若考慮到焦四四、高六六、侯八八這幾個人的心智水準，就不難明白郝世傑為何要如此命名。簡單說，這幾個人都是渾人，心智水準有限，只能有容易記且好玩的名字。書中對焦四四、高六六的描述，已經充分證明了這一點。侯八八似乎稍好些，但也好得有限。若再追問，堂堂武林隱逸高手為何會收這樣心智低下的弟子？答案可能是：不是郝世傑故意要收這樣的弟子，而是這些可憐的孩子遇到了好心人。

小說的不足之處是，有些地方不周全。例如，郝世傑所殺的最後一人是刀客陸絕，陸絕是誰？郝世傑在殺了陸絕之後為什麼會立即歸隱？作者提出這一疑問，但卻始終沒有下文。進而，書中丐幫長老聞雄曾問陸浮萍，「陸絕是你的什麼人」，陸浮萍臉色大變，[13]但最終也沒有說出個所以然，作者可能忘了這一樁。又如，雲雙雙究竟是郝世傑的女兒，或僅僅是她的女弟子？若是郝世傑的女兒，為什麼郝世傑姓郝，而雲雙雙姓雲？若僅僅是他的女弟子，為何小說最後又說「身為岳丈大人的郝世傑又焉能不醉呢」。[14]

《鐵鳳師》

《鐵鳳師》[15]是個短篇小說，主人公當然是鐵鳳師。鐵鳳師故事系列，是作者在雪刀浪子龍城璧成為品牌之後，試圖創造的另一品牌。與連城璧身邊有司馬血、唐竹權、衛空空等人組成的「連城璧團隊」一樣，鐵鳳師也有自己的團隊，隊員包括獵刀殺手司馬縱橫、九玄洞主怪刀神翁郝世傑等。

這個故事講述八指魔教試圖稱霸江湖，而鐵鳳師、郝世傑、司馬縱橫等俠客與之對抗。故事情節的內核，有多層包裹。一是八指魔教的歷史變故。八指神魔創建的八指魔教，雖然以「魔」為名，卻無邪魔之實，與正派武林和平共處。二是，自從八指神魔逝世，指定女弟子杜鸞為其接班人，八指魔教就變成邪派組織，與正派武林為敵，一心稱霸江湖。

這一變故的原因，是杜鸞嫁給了富二代顧玉鵬。顧玉鵬一直追求杜鸞，杜鸞對顧玉鵬一直不屑一顧，但當顧玉鵬在賭場上輸光了家產，杜鸞卻出人意料地嫁給了顧玉鵬。三是，顧玉鵬並不是人們以為的那種老實人，而杜鸞也不是人們以為的那種喪心病狂的魔女。真正的秘密是，顧玉鵬娶得杜鸞，是因為他給杜鸞的母親下毒，逼迫杜鸞嫁給自己。也就是說，不是杜鸞掌控顧玉鵬，而是顧玉鵬掌控了杜鸞。進而，顧玉鵬賭博輸光家產，只不過是掩人耳目地做財產轉移，他將這些財產用來收買各門派人士，把他們變成叛徒和臥底，為八指魔教稱霸江湖的目標服務。

這篇小說的成功之處，在於刻畫出辣手大俠鐵鳳師的形象。這一形象，與雪刀浪子龍城璧截然不同，鐵鳳師雖然也是浪子，但卻非常「辣手」。鐵鳳師不僅武功高強，且有一張利口，常常將敵手氣得發瘋。例一，鐵鳳師對八指魔教的殺手說：「你們明知不是我的對手，何以還甘心替杜老婆子賣命？」[16]他認識八指魔教教主杜鑾，知道杜鑾年齡不大，卻稱她為「杜老婆子」，不僅是發洩其心中不滿，而且是要讓敵方意外且發愣。

例二，鐵鳳師罵毒魔堂堂主湯慶刀：「你算是什麼東西，也配與我鐵某談『賞臉』這兩個字？」[17]這是故意要氣對方，以便讓對方發怒，從而在打鬥時有機可乘。例三，鐵鳳師對魔教供奉極樂道人說：「雖然你看來像個道人，但聲音卻像個太監，而背後的四個女人，卻像是鴇母帶著的婊子。」[18]這段話當然是故意傷人，目的是激怒對方，製造殺機。

書中鐵鳳師的形象，不僅利口傷人，更有縝密的心思和過人的洞察力。例如面對木頭城城主皇甫義，他雖然沒有識破對方的易容術（原因可能是他對皇甫義沒那麼熟悉），但卻從他對付司空情的一招武功中，迅速看出此人武功與皇甫義有差異，進而推測出這個皇甫義不是真正的皇甫義。

鐵鳳師的機智還表現在，他趕到顧玉鵬和司馬縱橫打鬥現場，並沒有兩個打一個，而是在一旁喊了一聲「殺」，為司馬縱橫製造殺機。這一聲「殺」可不簡單，並不是用獅子吼之類震懾對方，而是告訴顧玉鵬：鐵鳳師來了。顧玉鵬曾囑咐司空情，誰敢釋放鐵鳳師就殺無赦，如今鐵鳳師已獲自由，顯然是出現了變故，如此，他自然會心神不安，而這點不安，對司馬縱橫這樣的殺手而言，就是最好的刺殺機會，很可能是唯一的機會。

鐵鳳師不僅利口，也不僅機智過人，更突出的特點當然是他的俠義心腸。書中郝世傑中了魔教毒針，只有魔教才會有解藥，顧玉鵬（假皇甫義）要他束手就擒，他就照做了。為了換取解藥拯救同伴，鐵鳳師不惜冒險、不怕犧牲。進而，鐵鳳師在木頭城的所作所為，本身就是仗義行俠，不惜冒險犧牲；更不必說，當他看到杜鑾冒險釋放自己，就立即改變了對她的成見，溫柔以待。

杜鑾很蠻，如武俠版的「野蠻女友」，但她畢竟是個單純少女，根本不是顧玉鵬這類野心家兼陰謀家的敵手，所以，當顧玉鵬給她母親下毒，她就只能落入顧玉鵬的掌控之中。好在，她並沒有變成魔女，更沒有忘卻對鐵鳳師的情感，無論冒多大風險都要釋放鐵鳳師。這一行為，不僅解放了鐵鳳師，也從此改變了她的命運。

書中還有一個人物值得一提，那就是杜鑾的母親。此人雖然沒有正式露面，只是在作者敘述中提及，但卻事關杜鑾的命運。杜鑾之所以嫁給顧玉鵬，並且被顧玉鵬所掌控，原因就是因為這位母親，若非顧玉鵬給她下毒，並以此要脅杜鑾，杜鑾當然不可能嫁給顧玉鵬。而這位母親惜命，以至於杜鑾長期被顧玉鵬所控制。怕死是人類天性，無可非議，而這位母親在最後終於自殺身亡，以自己的生命換取女兒杜鑾的自由，這一犧牲精神仍然讓人感動，這是位了不起的母親。

《勾魂金燕》

《勾魂金燕》[19]是個短篇，開頭寫得很精彩，青年劍客葉梧秋離開師門為父親報仇，來到朋友老吉和他師父怪和尚居住的破廟，沒有見到老吉，卻見到了受傷的殺人桃。殺人桃暗示老吉要強姦她，葉梧秋信任老吉，不相信殺人桃。殺人桃突然襲擊，葉梧秋不得不點了她的穴道，盤問為何要襲擊他。盤問還沒有開始，神蟒大仙荊天纏、唐不懼、非梅大師三個武功高手就進入了古廟中，這三人都有俠義名聲，可謂武林敗類的剋星。葉梧秋有口難言，既不是他們的對手，也無法獨自脫逃，危急時刻，怪和尚突然現身，他相信葉梧秋，從而與非梅大師動手。這一情節極具吸引力，只可惜後面的故事情節卻不如開頭設計的那麼精彩。

從整體看，《勾魂金燕》故事的核心情節，應該是英雄幫的覆滅。理由是，其一，葉梧秋的殺父仇人是關怒等人，他們正是英雄幫中高手。其二，本書主人公勾魂金燕林靜靜也是英雄幫的高級領導人。其三，葉梧秋的好友老吉，正是受到勾魂金燕林靜靜的誘惑，才投入英雄幫，陷害唯一的朋友葉梧秋。其四，鐵鳳師、司馬縱橫、怪和尚等俠義人物，他們的目的就是要顛覆名不副實的英雄幫。

只不過，作為短篇，頭緒顯得稍多，以至於作者難以照顧周全，而作者寫得過於隨意，常常信馬由韁，到關鍵處不得不糊弄。林靜靜、關怒同為英雄幫的領導人，但林靜靜卻殺了關怒，理由是，關怒要叛變英雄幫，不僅不請示幫主而私自做案，甚至暗殺了幫主風天子。這理由雖然說得過去，但卻並非最佳選擇。

更大的問題是小說的結尾部分，當勾魂金燕林靜靜要刺殺葉梧秋、再殺怪和尚時，拯救這兩人的並不是鐵鳳師、司馬縱橫，而是來自英雄幫的女殺手殺人桃。殺人桃為什麼要殺林大媽和林靜靜？她的解釋是林靜靜若不死，她就沒有半點自由。這理由雖然也說得過去，但對殺人桃的背景和經歷沒有交代，讓她在剛剛被林靜靜釋放後就突然殺掉林靜靜，未免會顯得非常突兀。更大的問題是，林靜靜利用鐵鳳師將關怒殺掉，葉梧秋找誰報仇？小說開頭，葉梧秋的復仇被隆重介紹，結果卻是虎頭蛇尾，不了了之，未免讓人失望。更大的問題是，英雄幫內訌不斷，互相殺戮，固然出人意料，但卻讓鐵鳳師、司馬縱橫這兩大正派俠義英雄從頭到尾都作了陪襯，豈不是得不償失？

最大的問題是，小說名《勾魂金燕》，主人公應該是勾魂金燕林靜靜這個人，她到底要做什麼？是想要為前幫主風天子報仇？還是要繼承風天子的遺志？或是要掌控英雄幫大權從而稱霸武林？書中沒有作任何介紹，以至於這個人的個性十分模糊，不知道她究竟是怎樣的人。她誘惑老吉要做什麼？她誘捕鐵鳳師又要做什麼？書中連這個都沒有交代，勾魂金燕林靜靜就被殺人桃殺死了。殺人桃為什麼要殺勾魂金燕林靜靜？莫非是暗示勾魂金燕林靜靜其實是個女同性戀，把殺人桃據為己有，而殺人桃對此非常反感？（書中倒是有一段話，勾魂金燕林靜靜對殺人桃說過「天下間每一個男人，都是臭的」這句話，並且寫到殺人桃依偎在林靜靜懷中。[20]）

《天地譜》與《風雲門》

《天地譜》[21]只是某部大書的第一卷，故事尚未完成。此係第一卷，講述太湖幫幫主沈三泰在五十歲生日時被害，有人嫁禍於水青蓮。水青蓮不得不逃亡，一路上不斷有人追殺，但也不斷有人保護。追殺水青蓮的人，包括圓月教的左護法方紫秀，以及血雲教的湯清揚、段世之等人；保護水青蓮的人，則包括阿浪、藍婆婆、楚雪衣、上官僻邪、向蓉、祁濟安，以及唐孤平、唐業懷父子。直到藍婆婆在望關口鎮遇到大漠飛鷹齊展，齊展對藍婆婆說他和水青蓮合創《天地譜》，在這一卷的結尾處，水青蓮與齊展終於相會，但作者並沒有寫他們相會之後發生了什麼，只是寫血雲教殺手繼續追殺楚雪衣、阿浪和祁濟安，幸而丐幫長老康竹泉率眾趕來，才使得楚雪衣等人轉危為安。

按理說，這部書的主人公應該是水青蓮、齊展。但在此卷書中，水青蓮只不過是一個引線，齊展更是到最後才出現，書中主要篇幅是講述江東大俠楚雪衣。楚雪衣這個名字頗為講究，大約是楚留香的「楚」，西門吹雪的「雪」，和沈勝衣的「衣」縫補而成。此人與雪刀浪子龍城璧頗為相似，是龍乘風小說的標準配置。有意思的是，書末出現的丐幫長老康竹泉，似是由雪刀浪子系列中唐竹權略加變化而來。康、唐形似，竹權與竹泉字同音也同。

少年阿浪的形象，也超過了水青蓮。如果這部書中有人能給讀者留下一點印象，很可能就是阿浪。據作者設計，他是個孤兒，卻也是個練武天才。作為藍婆婆的弟子，小小年紀就能將成名已久的黑蝴蝶上官飛、湯清揚等人打殺。所以，藍婆婆要將他推薦給武功更高的上官僻邪，於是將他逐出師門，由此引發他與上官僻邪之間的諸多有趣情節。藍婆婆被東方藏殺害，湯清揚和段世之卻說是楚雪衣所殺，阿浪從根本不相信，到基本不相信，到將信將疑而憤懣離開，這段情節也符合這個年輕人的個性心理。所以說，此人能夠給人留下一定的印象。

這部小說敘事拖遝，尤其是對話太多。小說開頭，雲伯駕車避難，在大雪中與阿浪對話，阿浪說他師父藍婆婆與黑蝴蝶上官飛的衝突故事，囉嗦得沒完沒了。待藍婆婆和祁濟安出現，又接著開始另一場談話，這幾段談話加起來，長達三十餘頁。雖然這些對話是在講述故事，交代情節，但作者似乎完全不顧水青蓮生病咳嗽，更不顧雲伯的心情，甚至也不顧雪天野外不可長留的常識。

其次是有若干情節不考慮人物的身分與個性，顯得很隨意。例如賭鬼和尚用毒掌傷了上官僻邪和阿浪，楚雪衣打敗賭鬼和尚，取得解藥。方紫秀說解藥只能救一個人，楚雪衣就委託方紫秀照應上官僻邪和阿浪等人，自己去追賭鬼和尚。這一情節的設置，主要目的是讓故事發展更加曲折，但若仔細推敲，就會發現至少有兩點不合常理：一是賭鬼和尚的解藥是否能解兩個人的毒？作者似乎想怎麼說就怎麼說，問題是，楚雪衣不知道一份解藥不能解兩人的毒，還要方紫秀提醒，未免有些經驗不足，不符合他的江湖經驗。

二是，方紫秀明明是追擊水青蓮的人，楚雪衣竟然相信她，並委託她照顧中毒的上官僻邪和阿浪，還要與方紫秀同行的容二（向蓉）提醒，更是讓人難以置信。等到楚雪衣回來，方紫秀、上官僻邪果然不見了蹤影，楚雪衣的江湖經驗竟不如剛剛進入江湖的向蓉？接下來的故事中，楚雪衣似乎並不關心師父上官僻邪，一心送水青蓮去望關鎮，直到怪醫祁濟安提醒，他才想起自己的師父中毒多時。這樣寫法，不合常理，更不合常情。

說到向蓉，書中的安排也不盡合理。作者介紹說，向蓉是跟著方紫秀從家裡逃出來的，也就是說，她的江湖經驗應該不多。但在追蹤賭鬼和尚時，她的江湖經驗竟然超過了楚雪衣，這是不合理之一。其次，向蓉是跟表姐方紫秀同行，但卻對楚雪衣說方紫秀不可信。再次，在後段故事中，向蓉竟再次變身，從「容二」變成了丐幫弟子小熊兒，她是如何做到的？她為什麼要這麼做？書中沒有交代。

楚雪衣與向蓉的關係，也寫得過於簡單潦草。向蓉第一次出現，是與方紫秀同行，且化妝成虬髯大漢、頭戴大斗笠，根本就看不到面容，而楚雪衣卻對她格外關注，從此耿耿難忘，似乎一見鍾情。果然，在容二以丐幫弟子小熊兒的身分出現，楚雪衣再次動心，以至於他明明被假冒的夏侯百勝打碎了膝蓋，卻能施展輕功追蹤丐幫小熊兒（容二，亦即向蓉，事見第七章《英雄氣概兒女情》）。這樣的寫法，明顯不合常理，武俠小說雖然講述傳奇，但傳奇也有敘事規則，膝蓋骨碎了無法施展輕功即是，作者的隨意，由此可見一斑。

《風雲門》[22]是《天地譜》的續作，實是同一部書的上下冊。小說的主人公，既不是創製「天地譜」的水青蓮、齊展；也不是風雲門十面尊者的兩個弟子風帝和雲後，而是江東狂人楚雪衣。在上冊中，楚雪衣等人竭力拯救了水青蓮和齊展；在下冊中，楚雪衣不僅幫助水青蓮、齊展找到金簫和銀簫，且幫助了段世之脫離血雲教，還送十面風雲璽到險關，幫助風帝制服天地二奴，從而解放了風帝，並最終讓雲後懺悔，讓血雲教冰消瓦解。

本故事的核心情節，是風雲門秘史。武林絕頂高手十面尊者創立風雲門，有兩個弟子，即風帝和雲後。雲後野心勃勃且心機歹毒，矇騙了師父十面尊者，以至於師父對風帝沒有好印象；但後來，十面尊者漸漸對雲後也有不滿，從而將本門掌門印信十面風雲璽交給了上官辟邪，讓他在十年之後交給風帝或雲後。意思是說，十年後才能看出這兩個人究竟誰是誰非、誰好誰壞，能夠接任風雲門掌門人。由於風帝沒有十面風雲璽，十面尊者的兩個僕役，即天地雙奴不服風帝管教，試圖衝出險關，很可能造成武林之災，風帝不得不與天地雙奴長期對峙。這樣，雲後沒有敵手，成立了血雲教，在武林中為所欲為。直到上官辟邪找回十面風雲璽，並讓其弟子楚雪衣到險關將玉璽送給風帝，才最終解決了風雲門危機。

小說中有若干看點。例如楚雪衣與向蓉戀愛，梅巧萼向段世之逼婚，梅美黛救助心上人段世之，以及最後出人意料的結局，即水青蓮、齊展合奏《天地譜》感化雲後，從而讓雲後與風帝重歸於好，等等。

從整體上說，作者寫作有些信天游，顯然是想到哪裡、寫到哪裡。篇幅不夠，或靈感不足，就用冗長對話來填補。從《天地譜》的開頭，就存在這樣的毛病，在《風雲門》中仍然如此，典型例證

小玉武功？為何不把自己的真實身分告訴岳小玉？他離開岳小玉之後去了哪裡？武林皇帝布北斗為什麼不住在自己家，而讓許不醉長期居住在公主府？布北斗、布狂風父子之間究竟發生過什麼？布狂風和萬如意之間究竟發生過什麼？容三公子、慕容雪、展獨飛三人之間究竟發生了什麼？展獨飛被一白衣女子劫走，白衣女子是誰？結局如何？

更重要的是，岳小玉被尤小玉劫走時，提龍王府主人萬層樓領導的神通教眾正在圍攻鐵眉樓，十六幫會的增援剛來到鐵眉樓，此戰結局如何？據布狂風說，神通教可能是明攻鐵眉樓、暗襲血花宮，五盾會首領龍眉決定放棄鐵眉樓、增援血花功，實情如何？結果如何？岳小玉和師父公孫我劍在血花宮碧血樓臺黑石堂練武時，神通教已兵臨城下，結果又如何？

此外，練驚虹的師姐尤小玉臨終前說，武林中還有一個更隱秘的組織叫「恨天」，似乎為害更烈，那是怎樣的一個組織？領導人是誰？它與血花宮是什麼關係？與神通教又是什麼關係？這些疑問，在《蚪龍倚馬錄》中都沒有答案，其中重要的故事情節要到《岳小玉傳》中才見分曉。

如此，怎麼能說《蚪龍倚馬錄》是一部獨立而完整的小說作品呢？按故事情節看，這兩部書分明是同一個主人公的同一個故事，可是作者卻用了兩個書名，而且在《岳小玉傳》的開頭數章，也並不是緊接著前一部書的情節續寫，而是另起爐灶，講述起青年劍客方孟海與其青梅竹馬的女友樓丹楓在長安重逢，並捲入另一起迷霧重重的血案中。即便萬如意、練驚虹出現，一時也無法看出此書與《蚪龍倚馬錄》的關聯性。為什麼會出現這種情況？關涉龍乘風小說創作的重大問題。

《蚪龍倚馬錄》篇幅不短，實質性故事內容卻不多，故事情節進展緩慢，大部分篇幅是由對話填充。岳小玉幾乎每遇到一個人，都會展開長篇對話，少則數十行，多則數百行，無論對話者的身分、場合、心境是否合適，作者都要抓住機會讓人物對話。最典型的例子是，小說最後部分，尤小玉將岳小玉劫持到血花宮，此時尤小玉已經身負重傷，生命垂危，作者仍安排她與岳小玉作數百行對話。其中固然有一部分內容與本書的情節秘密有關，例如有關練驚虹的表妹「不開花女后」葉大娘及「天恨」組織的訊息——這些訊息是否還有更好的透露方式則另當別論——等等，但其中也有令人匪夷所思的話題，例如五十多歲的尤小玉竟與十三四歲的岳小玉談論她美不美的話題，岳小玉說她比不上楊貴妃云云。五十多歲的尤小玉不僅是話癆，似乎還有話癖，大有「不對話毋寧死」的勢頭，而她也果然是在說完話之後立即死去。這顯然不是人物的自主行為，而是作者的安排。

為了增加對話，作者在書中專門安排了江東五癡——自稱為江東五傑——密底算盤常桂珠、葫蘆不悶胡不法、扇卷神州白世儒、玲瓏妙手舒一照、鐵杖如山鮑正行這五個寶貝，專門負責對話，毋寧說是專門負責製造廢話。這五個人的特點，是逮誰跟誰抬槓，且他們之間還相互抬槓，一件沒有爭議的事也會被他們製造出話題來「理論一番」，以至於花頭百出。往好裡說，這幾個人的對話，增加了小說的娛樂性趣味；而另一面則是大大延緩了小說敘事節奏，影響小說故事情節進展。如果把這幾個人的對話內容刪除，小說可能要減少一半以上篇幅。進而，如果將岳小玉與書中人物的對話刪除，小說內容更要減少四分之三乃至五分之四的篇幅。也就是說，製造大量對話，是作者生產長篇小說的首要秘訣。

作者生產長篇小說的第二秘訣，是隨時、隨地、隨意增加輔助線。長篇小說與中短篇小說的最大不同，並不是篇幅更長而已，更重要的是結構的藝術。正如手藝尋常的瓦工可以蓋一間茅棚，甚至可以蓋起一兩間平房；但若要蓋一座大型建築如宮殿或高樓，那就非懂得結構技藝不可，否則不僅不能成型，且還有隨時坍塌的危險。

長篇小說當然不像高樓或宮殿那樣會隨時坍塌，但若沒有事前的整體性構想與設計，則很難成型。龍乘風是否懂得長篇小說結構技藝的重要性？對此不便簡單武斷。只能說，龍乘風的這部長篇小說確實缺乏整體性構思與設計，以至於只能不斷地節外生枝、枝外再生節，即不斷地增加新人物、新線索，這些新線索中，有些或者與故事情節主線有所關聯，有些則是純粹的輔助線。岳小玉的幸運奇遇主線中涉及的人物，即鐵老鼠、郭冷魂、諸葛酒尊、公孫咳、公孫我劍、許不醉、歐如神、布北斗、江東五癡、布狂風、尤小玉、練驚虹等等故事段落，一半以上都是這樣添置出的輔助線。

其中最典型的例子，是武林皇帝布北斗劫持岳小玉並與他談話至死（談完話就死）、尤小玉劫持岳小玉並同樣與他談話至死。作為《虬龍倚馬錄》續書的《岳小玉傳》開頭，之所以將迫在眉睫的鐵眉樓危機、血花宮危機置於不顧，且將主人公岳小玉虛懸起來，而去敘述新人物方孟海和樓丹楓在長安捲入神秘案件，同樣屬於有意增加輔助線。值得注意的是，當作者放下主人公岳小玉的線索，講述方孟海和樓丹楓的故事時，岳小玉的線索就成了懸念；而當《岳小玉傳》第四章中主人公岳小玉出現時，方孟海和樓丹楓的及其長安血案的線索被放下便又成了懸念。如此，增加輔助線就成了作者製造懸念的一種重要手段，只要作者最後設法將這些線索縫合或拼接起來就成。也就是說，作者在輔助線與主線之間建立必要的聯繫，就能將輔助線變成小說的組成部分。不僅這部作品如此，龍乘風的大部分中篇小說，其實也是如此。

只不過，在長篇小說中，這樣做的缺陷會被放大。將諸多輔助線拼接成懸念叢生的複雜敘事迷宮，固然不失為一種創作方法，但有經驗的讀者能夠看出，如此長篇如同將為建築搭建的鷹架也納入建築景觀之中，相當礙眼。

為什麼會出現這種情況？不僅牽涉創作技法，也涉及創作觀念和創作能力。

追溯書中江東五傑或江東五癡的形象來源，不難發現，他們與《獵刀奇俠》等作品中郝世傑的弟子焦四四、高六六、侯八八，以及《紫氣宮嬌娃》中來自海蛟島、自稱「中原大法師」的智智、仁仁、勇勇，有明顯的「血緣」關係。而這些人物的始祖，當是金庸小說《鴛鴦刀》中的太岳四俠，以及《笑傲江湖》中的桃谷六仙。

而小說的主人公岳小玉的形象來源，則是《百變奇兵》中的少年小混混方寶樓（**這個小傢伙後來當了百變盟主**），《大俠楚雪衣》中的少年阿浪則步其後塵，他們的共同始祖，當是金庸小說《鹿鼎記》的主人公韋小寶。

【注釋】

1 龍乘風：《最後七擊》，香港，武林出版社，一九七八年冬季初版。
2 龍乘風：《熊族風雲》，香港，武林出版社，一九七八年冬季初版。
3 龍乘風：《無絕追魂殺》，香港，武林出版社，一九七九年春季初版。
4 龍乘風：《唐門風暴》，香港，武林出版社，一九七九年春季初版。
5 龍乘風：《醫谷驚魂》（第一——一六三頁），香港，武林出版社，一九七九年秋季初版。
6 龍乘風：《追擊九重霄》，載《醫谷驚魂》第一六五—三二六頁，香港，武林出版社，一九七九年秋季初版。
7 龍乘風：《血洗黃金船》，香港，武林出版社，一九七九年秋季初版。
8 龍乘風：《將帥風雲》（第一——一六四頁），香港，武林出版社，一九八〇年夏季初版。
9 龍乘風：《風流殺手俏嬌娃》，載《將帥風雲》第一六五—三二四頁，香港，武林出版社，一九八〇年夏季初版。

10龍乘風：《初戰會群雄》（第一六三—三三二頁），香港，武林出版社，一九八六年春季初版。
11龍乘風：《黃金戰袍》（第一八一—二六六頁），香港，武林出版社，一九七九年夏季初版。
12龍乘風：《獵刀奇俠》，載《陰手陽拳》第一六九—三三四頁，香港，武林出版社，一九七九年秋季初版。
13龍乘風：《獵刀奇俠》，《陰手陽拳》第二三八頁，香港，武林出版社，一九七九年秋季初版。
14龍乘風：《獵刀奇俠》，《陰手陽拳》第三三四頁，香港，武林出版社，一九七九年秋季初版。
15龍乘風：《鐵鳳師》，載《勾魂金燕》第一—八十二頁，香港，武林初版社，一九八〇年春季初版。
16龍乘風：《鐵鳳師》，《勾魂金燕》第十二頁，香港，武林出版社，一九八〇年春季初版。
17龍乘風：《鐵鳳師》，《勾魂金燕》第二十頁，香港，武林出版社，一九八〇年春季初版。
18龍乘風：《鐵鳳師》，《勾魂金燕》第三十三頁，香港，武林出版社，一九八〇年春季初版。
19龍乘風：《勾魂金燕》（第一六三—二四二頁），香港，武林出版社，一九八〇年春季初版。
20龍乘風：《勾魂金燕》第二二六頁，香港，武林出版社，一九八〇年春季初版。
21龍乘風：《天地譜》，香港，武林出版社，一九八六年春季初版。
22龍乘風：《風雲門》，香港，武林出版社，一九八六年夏季初版。
23龍乘風：《虬龍倚馬錄》，刊載《武俠世界》第一二八八期—一三三五期，共連載三十八期，時間是一九八四年三月至年末。
24龍乘風：《岳小玉傳》，刊載《武俠世界》第一三二六—一三七一期，共連載四十六期，時間是一九八四年末至一九八五年末。
25大陸曾出現過《岳小玉傳》和《岳小玉傳續集》兩種書，作者署名是臥龍生。

◆黃鷹小說述評◆

黃鷹（一九四六－一九九一），原名黃海明，祖籍廣東中山，生於北京，童年時遷居去香港。黃鷹從編譯日本小說開始寫作之路，因續寫古龍小說「驚魂六記」之《血鸚鵡》成名，繼而創作大量武俠小說，最後從事電影工作。

沈勝衣系列之《銀劍恨》

《銀劍恨》是大俠沈勝衣系列故事的第一部。篇幅不長，只有兩章，第一章是《雨夜風蕭索，銀劍芒冷寒》，講述銀劍殺手孫羽受雇刺殺錦衣侯香祖樓，接著受香祖樓雇用，去殺雇用孫羽殺他的人。香祖樓不知道，雇用孫羽殺他的人，正是香祖樓妻子舒媚的情夫潘玉。

小說第二章是《樓頭悲怨婦，殺手發雷霆》，講述孫羽的經紀人柳展禽愛上了有夫之婦，要孫羽去殺那個不知情的丈夫，成全他與有夫之婦的戀情。兩章中的兩個故事有明顯的相似之處，都是有夫之婦的情夫雇用殺手去殺無辜的丈夫，只不過，柳展禽要殺的人，正是孫羽即沈勝衣本人。

銀劍殺手孫羽竟然是俠名鵲起的沈勝衣，是這篇小說中最出人意料的佈局。小說中的另一出人意料的佈局，是沈勝衣的妻子霍秋娥不耐貧寒，逼迫丈夫去賺錢養家，沈勝衣不得不去做殺手；但霍秋娥又不耐寂寞，在沈勝衣離家期間，又與富貴中人柳展禽暗通款曲，結果是，情人要殺丈夫，終被丈夫所殺。

《銀劍恨》的故事相對簡單，作者的主要旨趣是營造小說的氛圍。小說採取古龍式短句分行形式，例如小說開頭：

「雨，夜雨，苦雨。

風蕭蕭，雨淅淅，春寒料峭。

寒雨滿空江，空濛濛，江濛濛，江邊兩岸的樹影也濛濛。

風吹樹梢，雨打樹梢，吹下了葉片片，打下了葉片片。

葉濕水，水濕葉，點點滴滴。竹笠邊緣的水珠也點點滴滴。

不單止戴著竹笠，那個人還披著蓑衣，竹笠點滴水珠，蓑衣也水珠點滴。」[1]

這樣的小說開頭，寫景即是寫情。雨中出現的這個神秘人，就是小說的主人公銀劍殺手孫羽，亦即大俠沈勝衣。看完整個故事之後，再看這個開頭，就會發現書中對暗夜淒風苦雨的描寫，不僅是描寫當晚的環境氛圍，同時也在描寫主人公沈勝衣淒苦無奈又茫然的心情。他是一個殺手，卻不以殺手為榮，更不以殺人為樂，只是為生活所迫，為情感所迫，不得已成為殺手，才會有如此心情。

作者精心安排了主人公沈勝衣的身世來歷，一是曾與前輩高手祖驚虹打成平手，而後又打敗了金絲燕、柳眉兒、雪衣娘、滿天星、擁劍公子等江南五大高手。二是他與霍秋娥結婚成家，因為無錢過中秋，妻子愁容滿面，不得不去做殺手殺人賺錢。具有諷刺意義的是，當沈勝衣以銀劍殺手孫羽的身分賺足了五千兩黃金，妻子卻愛上了他的好友柳展禽，而柳展禽竟要殺夫奪妻。

作為沈勝衣系列傳奇的第一部，《銀劍恨》中所寫沈勝衣的這段經歷，具有重要意義。一是有過挑戰祖驚虹及江南五大高手的經歷，進而又有當殺手的經歷，沈勝衣的武功及搏鬥經驗超越常人，自然令人信服。二是，沈勝衣當殺手賺足了五千兩黃金，從此有了雄厚的經濟基礎，不僅衣食無憂，且有接濟他人的能力。三是，沈勝衣在日常生活中的遭遇，使得他不再輕易墮入情網，也不甘再回凡俗生活之中，從而可以義無反顧地投身於仗義行俠的人生。

小說的缺點也很明顯。作者初寫小說，難免照顧不周，很可能沒有深入思考過，殺手和俠客本質上是兩類人。雖說殺手轉化為俠客或俠客轉化為殺手都不無可能，但像沈勝衣這樣明為俠客、暗當殺手，卻是自相矛盾。從小說的前半部看，銀劍殺手孫羽是個真正的殺手，他可以為錢殺人，為五十兩黃金去殺錦衣侯香祖樓，更匪夷所思的是，在殺香祖樓的同時，竟然受香祖樓以二千兩黃金雇用去殺自己的雇主。真正的殺手都要遵守一條基本規則，即受雇者不得出賣雇主，更不得傷害雇主，而銀劍殺手孫羽卻在受雇殺人之後，轉身就殺自己的雇主，這只能說明，孫羽即沈勝衣為錢殺人而罔顧規則，這樣的人，如何能立即變身大俠？

沈勝衣的妻子霍秋娥的形象，不但概念化痕跡明顯，而且也自相矛盾。從她的實際表現看，霍秋娥是道地的俗世中人。因為她不耐貧寒，丈夫沈勝衣不得不去當殺手；而丈夫出門賺錢時，她又不耐寂寞，以至於紅杏出牆。這就有了問題，一是，既然霍秋娥是這樣的人，她怎麼會嫁給沈勝衣？二是，如果霍秋娥是這樣一個俗物，書中有關她生活的詩情畫意又從何而來？——例如：

「月升在東天，東天一片雲愁，莫非天也正替人憂！
風急，風緊，雲湧，雲流。月明，月暗，月依稀消沉。
霍秋娥一聲短嘆，又一聲長吁。
月兒沉，一樣相思兩處心，
今宵愁恨更比昨宵甚，
對孤燈，無意寢，淚和愁付與瑤琴，
離恨向弦中訴，淒涼在指下吟，
少一個知音……」[2]

——這樣的霍秋娥，很適合多愁善感的青少年，但凡具有人生閱歷，難免會想，為物欲和情欲所支配的霍秋娥，哪來如此閒情？

沈勝衣系列之《十三殺手》

這部作品的核心問題是：沈勝衣為什麼要挑戰十三殺手？答案是：出於作者黃鷹的總體安排。表面看，有兩點重要原因，一是對柳展禽的仇恨難消，要把他的同類全都清除；二是此時沈勝衣仍然痛苦難消，要借挑戰十三殺手的路徑為自己撫平創傷：要麼對手死，要麼自己死。更重要的原因是，作者要讓沈勝衣成為一代大俠，首先是要與自己的過去徹底告別。挑戰十三殺手，就是沈勝衣的一種告別方式。

小說寫沈勝衣挑戰十三殺手的過程，頗費心思。柳展禽已在第一部小說中被殺。此次要對付的首先是高歡，目的不是殺人，而是逼供，要問出十三殺手都是哪些人。沈勝衣做到了，只可惜還有最後一個人未來得及說出，高歡就被人從遠處射殺。高歡畫蟹形，沈勝衣以為是指無腸君。這一情節，至少有兩個目的，一是讓沈勝衣錯找無腸君並造成情節跌宕，二是留下懸念：誰是最後一位殺手？

殺不了和尚在廟裡，殺張鳳在途中，而其餘八人卻都在蝙蝠先生家裡。殺蝙蝠在黑暗空間。沒殺步煙飛，反而救了她。七月七日的決戰，則多姿多彩，結局出人意料，作者並沒有神化沈勝衣，那結局不但合情合理，且還留有懸念。那就是，步煙飛會不會尋找沈勝衣？答案是：步煙飛還會出現在此後的故事中。

沈勝衣系列之《白蜘蛛》

《白蜘蛛》講述主人公沈勝衣捲入連環搶劫殺人案。應天府出了獨腳大盜，作案十七件，殺六十四人，共同點是用川中唐家的「銷魂蝕骨散」，並留下黑底白蜘蛛標記。七王爺限期三個月，現在兩個月過去了，老捕頭群七束手無策，蕭玲擔心哥哥巡按蕭放官職不保，請沈勝衣這個大俠來幫助捕盜。在第一樓中，步煙飛突然出現，對沈勝衣說，若想知道白蜘蛛消息，二更到城北天女祠見。沈勝衣前往天女祠途中遇襲，最後根據唐彪所獲書信捕獲巡按使蕭放的侍衛傅威，進而發現白蜘蛛竟然是退休後復出的大捕頭群七，幫凶是他的妹妹小鳳仙、妹夫侯昆。

小說的故事情節驚險刺激，但更重要的卻是單純少女蕭玲找沈勝衣破案這件事本身。在挑戰十三殺手之後，沈勝衣仍處於痛苦與空虛中，處在人生的十字路口，找不到人生方向，所以他吹笛抒悶、長歌當哭。蕭玲來找他去幫助破案，等於是給了他一個自我救贖的機會，且給了他一份工作、指出人生的方向。進而，美女蕭玲的敬慕和信任，不僅撫慰了沈勝衣心底創傷，更雕塑了他的靈魂——每個人都是社會化產物，每個人的社會形象都是由他人的眼光雕塑而成——沈勝衣百無聊賴，且不願讓蕭玲這樣的單純少女失望，於是跟著蕭玲來到應天府，參與偵破搶劫殺人案，從而為他的生活添加了實際內容，緊張刺激的破案過程也讓他暫時忘憂。

沈勝衣系列之《相思夫人》

《相思夫人》講述謀殺、綁架及案中案。有人雇傭殺手費無忌刺殺沈勝衣，緊接著雇主將出面雇凶的心腹殺害（是要殺人滅口）。費無忌沒有殺死沈勝衣，卻殺死了與沈勝衣在一起的蕭玲。沈勝衣在凶手斷劍上發現費無忌之名，而費無忌卻被金獅綁架了，金獅告訴沈勝衣，若要見費無忌、步煙飛，就跟他去相思小築見相思夫人。相思夫人是要雇傭沈勝衣假扮費無忌前往有情山莊，去破壞莊主多情劍客常護花的圖謀。為了步煙飛的安全，沈勝衣不得不扮費無忌來到有情山莊，結果出人意料，常護花找來金指、百變生、千手靈官、妙手空空兒、費無忌等人，說是要搶劫珠光寶氣閣，實際上卻是要利用相思夫人在有情山莊的臥底小翠，找到自己的妻子——相思夫人。

這個故事極其精彩，劇情反轉讓人擊節讚嘆，情理邏輯嚴絲合縫，且發人深思。這個故事須與第三部《白蜘蛛》聯繫起來看，否則有些情節可能摸不著頭腦，例如：蕭玲為什麼要找沈勝衣？而沈勝衣又為什麼要找步煙飛？巡按大人蕭放為什麼雇凶刺殺沈勝衣？這些疑問，都需要看過《白蜘蛛》（甚至需要看過《十三殺手》），才能找到確切因由。

書中沈勝衣像楚留香那樣摸鼻子，像《天涯・明月・刀》那樣對話。

書中第四章引用王維、李白等十一位詩人的作品，描繪殺手情懷，有些做作。

沈勝衣系列之《畫眉鳥》

《畫眉鳥》，講述連環強姦殺人案。沈勝衣來到洛陽的第二天，就遇到了怪事：他的床上出現女屍。原來是近幾天洛陽發生了連環強姦殺人案，受害人是怡紅院珍珠、富豪賈仁義的女兒賈如花、獨行女鏢師胡嬌，以及洛陽首富張虎侯的獨生女兒張金鳳。當地捕頭邱老六、曹七無力破案，就把張金鳳的遺體移置到沈勝衣床上，拉他下水的目的是請他破案。

故事情節複雜離奇，四個案件並非一人所為，前三起案件的凶手是賈仁義，張金鳳案的凶手則是飛夢軒掌櫃顧橫波、江魚、徐可等多人。賈仁義作案的原因，是要發洩對妻子柳眉兒的不滿，而顧橫波等人作案原因則是想侵吞首富張虎侯的巨額家產。古龍的楚留香傳奇中也有一部《畫眉鳥》，黃鷹的同名作品雖然沒有古龍小說那樣出名，但其傳奇性不遑多讓，而其寫真性即對人性的刻畫猶有過之。

值得注意的是，沈勝衣當年打敗過的五大高手，有三位即柳眉兒、雪衣娘、滿天星出現在這部小說中，最終分別被殺（擁劍公子在《十三殺手》中被殺），這些人物的出現，既是對沈勝衣「前史」的證實，也是沈勝衣與過去徹底告別，以新的形象走向未來。

《白蜘蛛》、《相思夫人》和《畫眉鳥》看似各自獨立，卻有共同特點，其一是沈勝衣參與這幾起案件，都是被人「綁架」：蕭玲請沈勝衣破案，是以少女的信任和敬慕綁架了沈勝衣；金獅和相思夫人則是以步煙飛的安危綁架了沈勝衣；而《畫眉鳥》更是當地捕頭邱老六、曹七以栽贓方式綁架了沈勝衣。

其二是，在這三個案件中，沈勝衣只是一個參與者，但卻算不上是破案的關鍵人，更不是破案的領導人。在《白蜘蛛》中，他雖然找到了傅威（那也是因為唐彪保留的那封信），卻根本就沒有懷疑大捕頭群七就是搶劫殺人案主凶白蜘蛛，是他將嫌疑人傅威交給群七時才發現群七的真面目。在《相思夫人》中，沈勝衣更是一個被動參與者，受相思夫人支使扮演費無忌，又被常護花利用而找到相思夫人，沈勝衣不過是別人的工具，在故事中作用有限，他沒有且不可能想到常護花名不副實，更沒想到相思夫人的相思對象就是常護花。在《畫眉鳥》中，沈勝衣的作用同樣有限，不過是螳螂捕蟬黃雀在後鏈條中的那隻螳螂，偵破案件的關鍵人其實是張虎侯。

作者這樣寫，大有道理：首先，此時的沈勝衣處於人生迷茫期，若沒有他人的推動或綁架，很難找到生活動力、更找不到生活的方向，所以，蕭玲、金獅、捕頭邱老六和曹七「綁架」他參與案件，實際上是幫助他找到重新投入生活的路徑和方式。其次，沈勝衣只是一個訓練有素的劍士和殺手，從未受過偵探訓練，因而在上述案件中的表現，符合他的實際能力。

進而，主人公沈勝衣在《白蜘蛛》、《相思夫人》、《畫眉鳥》中的經歷，對他的成長與轉變有多重重要意義。首先，當然是對眼下案件的忘我投入，能夠淡化他內心的傷痛。其次，是看到書中人生色相，諸如大捕頭變身搶劫殺人的「白蜘蛛」；常護花不懂得珍惜所愛，直到失去之後才意識到相思夫人的價值和意義；金獅苦戀相思夫人，最終仍然一場空；尤其是《畫眉鳥》中賈仁義與柳眉兒的愛情與婚姻錯位的悲劇，無不是沈勝衣的情感與人生的教科書：懂得愛的不見得擁有愛，擁有愛的不見得懂得愛。

再次，沈勝衣雖然離開了妻子霍秋娥（這個名字頗有寓意），但卻不能真正忘情，所以每逢圓月之夜，他都會想起失去所愛，從而痛苦鑽心。書中淒風苦雨的風景、月夜相思的唱詞，無不浸透主人公的苦痛血淚。最後，遇到步煙飛是一次刺激，遇到蕭玲是另一次刺激，導致沈勝衣的情感狀態，從冷凍期、休眠期向復蘇期轉化衍變。

步煙飛出現在《十三殺手》、《白蜘蛛》、《相思夫人》三部小說中，雖是驚鴻一瞥，卻牽引著沈勝衣的注意力。此時的沈勝衣雖然仍沒有重啟愛情的能力，也沒有重啟的意願——《十三殺手》中沈勝衣主動離開了步煙飛，在《相思夫人》的最後再次主動離開，即是證明——但步煙飛和蕭玲的出現，對沈勝衣的情感世界畢竟有重大擾動。

沈勝衣系列之《鳳凰劫》

《鳳豪劫》講述珠光寶氣閣搶劫波斯貢品碧玉鳳凰，公然挑戰皇家大內高手，因宮天寶逃脫而引發官府圍捕，這才形成本故事主幹。珠光寶氣閣陳留分舵玲瓏閣老闆韓康連夜製造銀製金童玉女雕像，將碧玉鳳凰藏於金童玉女之中，託楊大手運往洛陽，交給怡紅院妓女如意，楊大手派自己的獨生女兒楊小劍去洛陽。但到洛陽之後發現，金童玉女中的碧玉如意被人盜走。韓康、楊大手、楊小劍、如意、張虎侯等五人有重大嫌疑，由於楊小劍失蹤，楊大手更認定是張虎侯有責。張虎侯中毒針尚未康復，只得請沈勝衣回來幫忙查找楊小劍。

在本故事中，沈勝衣既非被綁架，也沒有費心力，就在如意處遇到韓康、孫壽等人，即知道是葉飛花綁架了楊小劍，算是完成了任務。其後金天祿等人逮捕韓康，孫壽、易憐香找葉飛花談判，易憐花撲殺韓康等主幹等，都與沈勝衣沒有關係。這個故事有傳奇性，而人物形象則相對淡薄。雖然孫壽、宮天寶、楊大手、楊小劍、易憐香、葉飛花等人能被指認，卻沒有更深的性格依據。

本篇是由此前幾篇小說的邊角料拼湊出一個傳奇故事。

沈勝衣系列之《無腸公子》

這是個復仇故事。有兩個復仇者，一是無腸公子，另一人是金絲燕。無腸公子復仇，是因為他師父無腸君被沈勝衣打敗而選擇自殺，寧死不辱，成了無腸君門下的人生信條。金絲燕復仇，則是因為她本人曾被沈勝衣打敗，名聲受損，無時無刻不在想要報仇。兩人報仇的方式截然不同，無腸公子是派十個師弟分別跟蹤並截殺沈勝衣，要尋找沈勝衣劍法中的破綻，然後自己公開挑戰；而金絲燕則是瞭解沈勝衣心理上的弱點，設計誘騙沈勝衣，讓他與朱雲一家及其師門少林寺為敵，同時還買通十二連環塢殺手錢起、崔浩，隨時刺殺沈勝衣和他的朋友公孫接。

兩個人的復仇，交織成本篇故事情節，沈勝衣一路被和尚跟蹤追殺，在清風閣酒館又遇金絲燕求情，讓他為自己主持公道。沈勝衣去找朱雲，險些被朱雲的女兒朱鳳帶下懸崖同歸於盡，幸而沈勝衣在危機時刻救了朱鳳，獲得了朱鳳的諒解，並得知實情。沈勝衣回到清風閣，公孫接已經被殺，沈勝衣本人也差點死於殺手錢起、崔浩的刺殺。金絲燕則逃離。沈勝衣將公孫接帶到朱鳳家，遭到少林寺僧的圍攻，金絲燕來，同樣遭到圍攻。無腸公子救出了金絲燕，目的是從金絲燕那裡打聽沈勝衣劍法的破綻，金絲燕說沈勝衣劍法上沒有破綻，心理上卻有，無腸公子說要公開挑戰沈勝衣，於是殺了金絲燕，因為金絲燕為了取信於沈勝衣，殺了四名無腸門下弟子。最後，無腸公子敗於沈勝衣，同樣選擇自殺。

在遭遇跟蹤截殺及復仇陷阱時，沈勝衣的行為充分體現了他的性格特徵。先後遇到十位和尚裝扮的殺手，他都只是打敗他們，而沒有殺掉他們，前六位都是失敗後自殺，後四位則是死於金絲燕之手。更說明問題的是，滿腔仇恨的朱鳳帶著沈勝衣去死，而沈勝衣在危機關頭卻救了朱鳳。

朱鳳要與沈勝衣同歸於盡，表明了她的個性，也說明對沈勝衣確實滿懷仇恨；而沈勝衣危難中向敵人朱鳳伸出援手，則充分表現出沈勝衣的俠義情懷。他要找朱雲，卻不忍犧牲朱鳳。也正因為沈勝衣的俠義情懷，才使得他免於和少林寺僧火拼。沈勝衣也曾殺人，對象是錢起、崔浩、歸十八，不僅因為他們殺害了他的好友公孫接，也因為他們是殺手。

書中復仇故事，都有前因。在《十三殺手》中，沈勝衣曾誤解了殺手高歡臨終前的血書遺言，以為無腸君是十三殺手之一，因而登門挑戰並打敗了無腸君，無腸君十分自負，寧死不辱，選擇自殺。

金絲燕復仇的原因，則是在沈勝衣的前史中，作者並沒有直接寫沈勝衣與金絲燕結仇的過程，只是說及沈勝衣成名前曾打敗過五位江南武林高手，其中擁劍公子已死於《十三殺手》中，柳眉兒、雪衣娘、滿天星則死於《畫眉鳥》，金絲燕是被沈勝衣打敗的五位高手中最後一位。沈勝衣打敗五位高手，並非與他們有仇，只是為了成名。但無論是為了成名還是出於誤解，沈勝衣曾打敗無腸君、金絲燕已成事實，弟子或本人復仇即是必然。「沈勝衣傳奇」至此，前史中敵手該出現的全都出現，《十三殺手》中結下的新仇也在此了結，如此，沈勝衣與自己的過去真正告別。開始走向未來。

沈勝衣系列之《天刀》

這個故事非常精彩。開頭寫沈勝衣和練真真相遇，練真真襲擊沈勝衣，只是要證明眼前的人真的是沈勝衣，這就非常精彩。更精彩的是，他們一起來到落馬鎮，在鎮口大街上見到美女裸體蠟像，既新奇、更神秘，由此進入故事中。恰好落馬鎮首富全祖望遭遇「天刀」南宮平復仇，沈勝衣和練真真自然地捲入這個案件故事中。

原以為敵手是南宮平，卻不料家賊難防，全祖望的族人兼總管全義、全祖望的外甥任少卿都與全祖望的第十八房夫人雪無垢有染，而且試圖利用此次南宮平報仇的機會，讓雪無垢打開密室，偷盜全祖望的珍寶。任少卿為了達到目的，專門請來大盜張猛等「楚西三十六友」，使得故事更加錯綜複雜。

十二連環塢的花雞、紫鴿、粉豹來找「天刀」，因為天刀曾殺害他們的同伴卜嘯虎，但他們不認識天刀，以為南宮平就是天刀，而不知道真正的天刀是練真真。他們的出現，使得這個故事更加曲折錯綜，也更加驚險刺激。

故事的結局十分精彩。名捕查四破案，揭露了全義、任少卿與雪無垢通姦，嫁禍於這兩人，讓全祖望將兩人打死。更精彩的是，在查四離開之後，沈勝衣發現了問題，查四不是真正的查四，而是那個宣稱要找雪無垢報仇的南宮平。這就讓沈勝衣真正參與到故事中去，而且還第一次顯露了他的觀察和推理能力。為沈勝衣此後偵破離奇案件奠定了基礎，讓沈勝衣的形象顯得突出。

值得注意的是，其一，沈勝衣見練真真，想起的是蕭玲，而不是霍秋娥，表明沈勝衣差不多已經從婚姻挫敗中走出，只是尚不知未來應走向何處。其二，這個故事結束時，練真真問沈勝衣是否找到了心中摯愛？沈勝衣對練真真說，他找到了，最後，他要到相思小築去——讀者應該記得：步煙飛在那裡——也就是說，此時的沈勝衣，已經將自己的情感徹底轉移，所愛對象正是步煙飛。

沈勝衣系列之《紅蝙蝠》

這一篇比尋常沈勝衣系列作品短四分之一。紅蝙蝠尚伯文、小偷尚伯武和尚雙雙三人都是何寡婦的養子女，但三人之間並無親情可言。尚伯文、尚伯武在何寡婦死後，姦污了尚雙雙，尚雙雙立志報仇。查四追捕紅蝙蝠到此，只不過是尚雙雙報仇的一個機會而已。作者安排了一個重要伏筆，那就是三年前他逮捕的盜賊其實是尚伯武，只不過尚伯武冒充了哥哥尚伯文之名，以至於查四一直以為尚伯武就是尚伯文。也正因如此，尚伯文對弟弟尚伯武恨之入骨，才會毫不留情地將他擊斃。真正的勝利者，其實是復仇者尚雙雙。

如實說出了自己的犯罪預謀、犯罪過程、犯罪真相。十八頁對話，如同審訊記錄。問題是，當時傅青竹並沒有被逮捕，更不在審訊室，如何會這般老老實實地交代案情真相？更重要的是，傅青竹如此殷勤，大大削弱了沈勝衣的探案業績，也降低了他的心智水準。假如此案由沈勝衣最後揭秘，其效果當會更好，也更令人信服。

沈勝衣系列之《風雷引》

《風雷引》[5]是個復仇故事。本故事講述的是，由於中原無敵杜樂天當年追殺劇盜世家朱藻、朱雲亭父子，朱雲亭因為心臟在右而免於死，將妻子腹中的雙胞胎取出，教他們練武並復仇。這對雙胞胎兄弟，即殺手壁虎和俠客上官無忌。上官無忌娶杜樂天獨生女杜九娘為妻，目的是為了復仇。這種復仇方式顯然十分特殊，也十分驚人。由於杜樂天武功超群，上官無忌兄弟的復仇行動遲遲無法展開。

柳伯威發出武林帖，號召武林同道誅殺楚碧桐，給這對志在復仇的兄弟提供了極好的機會。上官無忌殺了楚碧桐，壁虎號稱楚碧桐的好友，要為楚碧桐報仇，頭號目標當然是上官無忌，所以他誅殺上官高、上官雄、上官鳳兄妹，不會被杜樂天等人懷疑。若非沈勝衣在場，壁虎和上官無忌肯定會殺盡杜樂天一家。

小說真正的看點，是上官無忌夫妻及其子女的關係。朱家遺腹子化名上官無忌挑戰杜樂天，繼而成為杜樂天的上門女婿，當然不會愛上杜樂天的女兒杜九娘。杜九娘成為悍婦河東獅，一半是因為她是中原無敵杜樂天的獨生女兒，從小嬌生慣養，從不把別人放在眼裡，丈夫也不例外；另一半原因則是，上官無忌與她結婚之後，既不與她過夫妻生活，更談不上夫妻感情，杜九娘對這樣的丈夫自然心懷不滿。

此外還有第三個原因，那就是杜九娘與周濟偷情，無論感情如何，總也是一夜夫妻百日恩，何況她和周濟有三個孩子——這當然也是上官無忌讓壁虎毫不留情地殺害上官高兄妹的直接原因——杜九娘對上官無忌這個掛名丈夫當然更是無情寡恩。說起來，這個河東獅的形成，是有特殊的因由。進而，杜九娘的夫妻關係既然如此，她也就只能將自己的情感全部投入到兒女身上，對兒女寵愛無度。上官雄見到父親上官無忌回家，非但無動於衷，對父親的朋友沈勝衣更是毫無禮貌，就是最好的證明。

上官雄如此驕縱輕狂，一半是青春期少年的典型特徵，另一半則是複製了母親對父親的習慣性蔑視。也正因如此，上官無忌和壁虎兄弟密謀報復性殺害上官雄及其兄妹，才比較容易被人接受。說起來，杜九娘、上官雄母子也很冤枉，他們雖然驕縱任性，但卻罪不至死。成為壁虎兄弟的復仇對象，完全是因為長輩的所作所為，以及江湖人盲目但強烈的復仇衝動。

書名《風雷引》，來自書中的音樂名。這原是劇盜朱藻喜歡演奏的樂曲，音樂動人心魄，杜樂天在殺了朱藻之後，獲得了樂譜，同樣喜歡演奏這首樂曲。如果要追究這首樂曲及這個書名的意義，那應該是大風起於青萍之末，一旦風雷激蕩，一切就都為時已晚。

這像是一個寓言，象徵了江湖中人的宿命。小說的結尾，杜樂天打敗了上官無忌，但卻沒有殺他，而是讓他離開，這一行為，固然可以理解為對自己當年濫殺的懺悔，以及對上官無忌兄弟的歉疚；也可以理解為他還有愛心，不願讓唯一的孫女上官芸成為無父無母的孤兒。上官無忌沒有離開，而是選擇了自殺，固然是不願讓女兒失去愛她的外公，同時也是對「天意」的妥協或認同——壁虎臨終時說沈勝衣阻止他殺杜樂天是「天意」的體現。杜樂天仗義江湖，追殺劇盜，並非沒有理由，殺害孕婦雖有傷天理，卻也是無可奈何。

上官芸的個性與哥哥上官雄、姐姐上官鳳的個性不一樣。上官芸天真善良、純潔靈動，遠比她的哥哥姐姐可愛。究其原因，或許因為她是上官無忌唯一的女兒，與哥哥姐姐血統不同；或許是因為她從小跟著外公練武，沒有被母親杜九娘寵壞。無論如何，上官芸的不同，可見作者寫作的細心。

《風雷引》雖是沈勝衣傳奇系列的一部，但沈勝衣在這部書中的作用卻並不大。既沒有充當神奇偵探，也沒有仗義行俠，更無法改變上官無忌和壁虎兄弟的復仇決心與意志。說起來，沈勝衣只不過是這個復仇故事的見證者而已。如果說這部小說有什麼不足，那就是沒有寫出沈勝衣這個人物應有的光彩。

沈勝衣系列之《雷霆千里》

《雷霆千里》[6]講述粉侯白玉樓策劃並實施到大理國營救太平公主行動故事，書名《雷霆千里》，即是指此。本書實際上包括三段故事，第一段是開頭故事，講述易菁菁殺死輕薄她的杜仲武，受杜伯文、杜全等人圍攻，引出易菁菁好友殺手黑貓幫忙，其後黑貓與杜飛雲、唐晶作戰的經歷，直至主人公沈勝衣出場。

第二段是核心故事，即白玉樓率領沈勝衣、紅梅、石虎、翁天義、柳百刀、雷方等人前往大理天鵬堡營救太平公主，直到將太平公主的遺體運回中原，遭遇司馬王朝的阻截。第三段是尾聲故事，講述白玉樓等人面對司馬王朝的圍追堵截，終於戰勝司馬王朝的精銳，導致司馬王朝徹底覆滅。在這三段故事中，沈勝衣不僅起到了串聯作用，且還都起到了關鍵性作用。所以，故事雖有三段，小說尚屬完整。

第一段故事，表面是除霸故事，實際是愛情故事。武林世家易家堡主的獨生女兒易菁菁與殺手黑貓兩情相悅，但卻得不到父親易金虹的贊同。易菁菁為了消除父親對殺手黑貓的偏見，決定「改造」黑貓，即希望黑貓由殺手變成俠客。易菁菁的方法很簡單，那就是她到處招惹黑道人物，並把他們引向黑貓的居住地鳳凰集，讓黑貓將這些黑道人物消滅掉。

易菁菁以為，只有黑貓變成專門與黑道作對的俠客，她的父親易金虹就能改變對黑貓的印象，從而同意他們的婚事。易菁菁殺掉惡霸杜飛雲的次子杜仲武，固然是因為杜仲武對她有輕薄行為，更重要的原因卻是故意招惹杜家，最後讓黑貓出面收拾他們。易菁菁的行為引發了她希望的後果，只不過，其後果的嚴重程度超出了她的預期。杜飛雲、唐晶的武功都超出了黑貓，黑貓雖然殺了杜飛雲，卻被唐晶打殘，最後選擇自殺。只不過，黑貓之所以自殺，並不是因為身體傷殘而絕望，而是不忍讓易菁菁跟隨他受苦受難、傷心傷情。

這個愛情故事的與眾不同之處在於：易菁菁為了愛情，為了得到父親的同意和祝福，不惜設法改變黑貓的身分和行為，但她想不到，無論她和黑貓如何努力，都無法改變黑貓的歷史，即無法改變黑貓作為殺手的經歷。這一經歷必然會成為此後生活的悲劇之源。因為意識到這一點，黑貓決定：永遠離開易菁菁。因為他愛易菁菁，不願讓易菁菁生活在死亡威脅陰影下，所以他要永遠離開。真正的愛情，是要將所愛之人的幸福置於自己的願望之上。殺手黑貓做出的正是這樣的選擇，他的打算是，應幽冥公子之召，參與並破壞幽冥公子的行動，從而犧牲自己，為武林做一件好事。只不過，人算不如天算，他被唐晶打傷至殘，無法完成最後的心願，只得讓好友沈勝衣替自己完成最後的心願。

小說中，黑貓自殺後，沈勝衣抱著黑貓遺體與易菁菁、易金虹父女相遇的那一段，寫得非常細膩，感人至深。

易菁菁的父親易金虹的形象，也有一定的新意。易菁菁以為父親不同意她與黑貓交往，僅僅是對殺手黑貓有固執的偏見。實際上並非如此，易金虹之所以不同意她與黑貓交往，並不是因為他的過去，而是擔心他們的將來，因為黑貓曾當過殺手，將來必定會有人找他報仇，他們的生活將永無寧日。易菁菁是易金虹的獨生女兒，作為父親，當然不希望自己的女兒過沒有安寧的生活。他排斥黑貓，並非因為道德偏見，而是為女兒的未來擔憂。

讓人感動的是，易金虹沒有逼迫黑貓做出違心的選擇，而是與他交心。在得知黑貓決心離開易菁菁的消息後，易金虹反倒有些不知所措。更讓人感動的是，在黑貓死後，易金虹對女兒和黑貓的關係有了真正的理解，對黑貓其人有了透澈的認知，從而毫不猶豫地幫助黑貓的朋友沈勝衣。總之，易金虹這一兒女情長的父親形象，在武俠小說中難得一見。

第二段故事是這部小說的主幹，充滿傳奇色彩。大盜幽冥公子策劃入皇宮偷盜，被官府抓獲，粉侯白玉樓利用幽冥公子的號召力召集一個營救小分隊，前往大理營救被劫持的太平公主。沈勝衣受黑貓之託，以殺手黑貓身分應召。結果卻發現，召集人並不是幽冥公子，而是他的好友粉侯白玉樓。此次行動也不是偷盜，而是營救行動。

大理國師策劃劫持太平公主，極易引發兩國戰爭，粉侯白玉樓策劃營救行動，真正目的就是想避免大規模的戰爭衝突，避免重大傷亡。進而，營救小分隊在大理國境內的行動，也充滿危機懸念，充滿傳奇性。首先是大理聯絡員段九城臨陣叛變，小分隊還沒有展開行動就受到大理國師段無極的包圍。其次是，白玉樓小分隊裡矛盾重重，柳百刀曾敗於沈勝衣之手，隨時都可能找沈勝衣復仇。更重要的是，他們要營救太平公主，但太平公主早已自縊身亡，小分隊營救出的只是太平公主的遺體。

這段故事中的幾個人物寫得形象鮮明。首先是白玉樓的領袖氣質，其次是沈勝衣的俠義情懷，再次是翁天義的怪癖、石虎的愚憨、柳百刀的自負，最後是大理國師段無極的固執和犧牲。段無極是白玉樓小分隊的頭號敵手，但卻沒有被處理成道德反派，此人雖然有自負與固執的一面，並被沈勝衣加以利用；但當他看到白玉樓小分隊營救出太平公主的遺體後，知道自己給大理國惹出了大禍，他無法逃避，也沒有逃避，而是勇敢地追蹤白玉樓小分隊，試圖進行最後的補救。當他知道無法補救，並被沈勝衣戰敗，便勇敢自殺，維護大理國師的尊嚴。

第三段故事與前兩段故事有關聯。這也是一個愛情故事，只不過，與易菁菁和黑貓的愛情故事有所不同。幽冥公子邱靈（**本名上官靈**）是司馬王朝第四代掌門人司馬雙城的候選夫婿，司馬雙城對幽冥公子癡情一片，但幽冥公子卻想擺脫司馬王朝。並不是幽冥公子愛上了別人，更不是他始亂終棄，而是受不了司馬雙城自以為是的頤指氣使。幽冥公子策劃偷盜皇宮，就是他要擺脫司馬王朝的最好證明，因為他並沒有將此次行動向司馬王朝通報。

可悲的是，司馬雙城固執地認為幽冥公子不會有二心，從而要母親杜筠和叔叔司馬如龍、司馬騰空策劃劫持太平公主，換取幽冥公子的自由。其結果，卻是導致司馬家族的精銳全部戰死，司馬王朝從此覆滅。

在這個故事中，司馬雙城、杜筠母女的形象刻畫得可圈可點。司馬雙城對幽冥公子癡心一片，但卻不懂得尊重對方，更不懂得相互理解的重要性。這是一個被寵壞了的女孩，與司馬王朝的繼承人所需胸懷和能力不相匹配，相反，因為是司馬王朝的最高領導人，使得她愈發驕縱、為所欲為。

實際證明，她是司馬王朝的掌門人，其實卻是司馬王朝的災星。司馬雙城的母親杜筠，既無統治能力，更無政治智慧，卻自以為是且頤指氣使，以為她當真是垂簾聽政的皇太后。典型例證是，她與白玉樓談判，既不懂得朝廷政治的規矩，也不懂得談判磋商的技巧，只是一味盛氣凌人，以至於白玉樓無法也不想與她對話。假如她懂得尊重司馬如龍的智慧，司馬王朝應該不會如此快速地走向覆亡。

小說的語言也很簡潔。不少段落寫得頗有韻味，例如小說結尾：「風吹過，血腥味仍濃，江水依舊奔流，那漂浮在江面上的鮮血，卻已被遠遠送走。沈勝衣終於站起身來，目光隨流水遠送，感慨無限。」[7]這段話意味深長。

小說的不足，是紅梅這一人物。她是司馬王朝的雙嬌之一，也是司馬王朝安插在幽冥公子身邊的監視者，鍾情於沈勝衣或許並不稀奇，但書中對她背叛司馬王朝的決心和意志的書寫就顯得有些簡單草率。紅梅對沈勝衣的愛情，也寫得有些單薄；白玉樓要她跟隨自己回京城，並收她為義女，這一情節頗為感人，因而在其後的小說《屠龍》中被複製。

沈勝衣系列之《死亡鳥》

《死亡鳥》[8]中有兩個案子，一個是殺人案，另一個是搶劫殺人案。兩個案件的主凶相同，即極樂山莊主人極樂先生和百鳥院名妓彩鳳。前者是他們倆聯手殺害妓女孔雀，並將其分屍，所以如此，是因為孔雀曾讓彩鳳的戀人知曉其風騷入骨、欲望無度的真相，破壞彩鳳從良的機遇，從而成了彩鳳的眼中釘、肉中刺，最終讓其裙下之臣將其殺害。後者是兩人策劃，讓彩鳳誘惑天香樓主谷雲飛的心腹西門錦、西門華兄弟，伺機殺害谷雲飛，劫奪其密室寶藏。然後，彩鳳殺害西門兄弟，將寶藏運往極樂山莊，欲與極樂先生共用巨大財富。不幸的是，他們遇上了大俠沈勝衣，而且，前一案件恰好成了後一案件的破案線索。

這篇小說的看點，首先是開頭部分離奇而又恐怖，當兩個酒樓雇工攜帶殘酒深夜行走街頭，欲買些小食佐酒，卻在提籃小賣者的籃子裡看到一顆美女的人頭；當一位長相平凡而又年老珠黃的站街妓女遇到一個潛在的嫖客，卻從嫖客身上拉下一隻女性的臂膀；當沈勝衣和總捕頭查四在深夜遇到一隻大鳥抱著一具無頭女屍在街頭行走……其新奇恐怖效果不言而喻。

小說的另一看點，是由一起凶殺案的線索，追蹤並見證了另一起搶劫殺人案，誰也想不到，天香樓主谷雲飛的心腹愛將西門錦、西門華兄弟，竟是名妓彩鳳的裙下之臣；更想不到的是，西門兄弟奉命截殺沈勝衣，結果卻是要謀殺其主人谷雲飛，劫奪其密室中的五箱珠寶。

小說的前半段，沈勝衣是主動查案；而小說的後半段，沈勝衣卻是被動見證一起新的案件。小說的第三個看點，是極樂先生愛鳥成癡，不僅愛鳥，而且扮鳥，偏偏揚州有一個妓院叫百鳥院，妓院中的所有妓女都以鳥命名，彩鳳既為百鳥之王，極樂先生對妓女彩鳳竟也一往情深。彩鳳身為妓女，靠出賣色相為生，偏偏西門兄弟非我族類，不在乎兄弟分享一女，這些都會讓讀者大呼新奇。

本書名為《死亡鳥》，誰是「死亡鳥」？自然是作者設下的一個謎題，答案有多重。第一重答案是，本書第一個凶殺案中，死亡的妓女名為孔雀，孔雀可謂是死亡之鳥。第二重答案是，極樂也是鳥名，極樂先生以極樂為名，不僅養鳥，而且扮鳥，他說他扮演的那隻鳥就叫「死亡鳥」。這隻死亡鳥也確實導致了孔雀的死亡。

第三重答案是，在極樂先生的背後，還有妓女彩鳳，她才是真正的死亡鳥，她要報復孔雀，於是孔雀死亡；她要奪谷雲飛的財寶，於是谷雲飛死亡；她利用西門兄弟殺人奪寶，事成後西門兄弟就被她殺害；最後，當沈勝衣打敗極樂先生，她和極樂先生一起死亡——走向極樂世界。

本書的不足之處，是小說開頭的人頭、斷臂、無頭女屍雖然令人驚奇，細想起來卻不怎麼靠譜：極樂先生為什麼要帶著孔雀的人頭、斷臂、女屍去嚇唬人？若說他僅僅是為了取樂，顯然難以讓人信服。因為正是此人策劃讓彩鳳誘惑西門兄弟成為殺人奪寶工具，這一設計深沉綿密，幾乎天衣無縫。若說極樂先生以賣人頭、捨斷臂取樂，也還罷了，他嚇唬的畢竟是凡俗之人；問題是，他扮成大鳥，抱著無頭女屍，在深夜街頭引起沈勝衣、總捕頭查四的注意，以至於將沈勝衣引到他的極樂山莊，豈不是自找麻煩？

由這一點看，作者的寫作重點，是構想新奇故事，對故事背後的人物形象卻不怎麼用心。彩鳳、極樂先生、西門兄弟等等，不過是為新奇而新奇。

沈勝衣系列之《屠龍》

《屠龍》[9]中的「龍」，與皇帝無關，是指金龍堂主。小說的第一個看點，是名捕頭查四抓獲了金龍堂主後，卻又將他釋放，以至於被革職，並招致武林敗類的報復行動，查四受傷，沈勝衣及時解圍，並代查四去取金龍堂的花名冊。由此可見，所謂屠龍，也不是指刺殺金龍堂主，而是要消滅黑道組織金龍堂。

小說的第二個看點，是郭莊莊主郭寬這一人物。他是俠道人物，又是沈勝衣的好友，沈勝衣將受傷的查四送到郭莊養傷，看似萬無一失。殊不知，郭寬還有一個隱蔽的身分，即金龍堂主的下屬兼男寵。當金龍堂主突然出現，郭寬習慣性地服從，以至於查四很快就落入金龍堂主手中。

這一隱蔽的身分，導致故事情節的轉折，並造成巨大的懸念。誰也沒有想到，郭寬再次出現時，已做出人生的重大選擇，那就是站在俠義立場上反抗金龍堂主。郭寬的轉變，有充分的心理依據，身為太監，曾受金龍堂主救命之恩，很自然地成了金龍堂主的男寵，但他的內心厭惡這種行為，更厭惡此類關係，因而向金龍堂主提出離開金龍堂的請求。

金龍堂主有多個男寵，很痛快地答應了郭寬，實際上是把郭寬當成必要時加以利用的棋子。郭寬進入江湖後，博得俠義名聲，這也是他內心的嚮往，當然也是近朱者赤。當金龍堂主再度出現，郭寬不敢反抗，非但是因為習慣成自然，更是怕金龍堂主揭露他身為太監、男寵的人生隱秘。查四被金龍堂主抓走，郭寬有強烈的內疚，驅使他勇敢地面對真實，並做出最後的人生選擇，使他完成了公然對抗金龍堂主的英雄壯舉。雖然沒有拯救查四，但卻得到了查四的諒解。

小說的第三個看點，當然是金龍堂主的女兒紅綾，她盜取了金龍堂的花名冊，與名捕頭查四交換父親的人生自由，固然是出於她明確的是非觀念，更是出於她對父親的一片愛心。她從小生長在金龍堂中，如同金龍堂的公主，但她並不認同金龍堂的所作所為；另一方面，她雖不認同金龍堂的價值觀念和行為模式，但又深愛自己的父親，所以她不惜以背叛父親的方式拯救父親。紅綾的行為沒有得到父親的諒解，反而讓父親惱羞成怒，所以，紅綾成了這個故事中的悲劇主角：如果花名冊送到官府，金龍堂被瓦解，她就會失去父女親情；如果放任金龍堂為非作歹，甚至幫助父親，她同樣會痛苦不堪，實際上也會失去對父親的愛和尊重。紅綾的形象，是這部小說中情感最複雜、也最令人同情的人物。

小說的第四個看點，是金龍堂主這個人物。他是小說中的頭號大反派，他是一呼百應的武林霸主，也是六親不認的梟雄，在金龍堂中，他是神一樣的存在。被名捕頭查四抓獲，是他走下神壇的第一步，因女兒紅綾以金龍堂花名冊交換而獲得自由，固然讓他有意外之喜，卻也讓他尷尬鬱悶。自由的欣喜和丟面子的鬱悶相互糾結，讓這位武林梟雄失去常態。

第一個表徵，是對女兒紅綾的態度自相矛盾，作為堂主，對金龍堂的叛徒當然要嚴懲不貸；而作為父親，對處死獨生女兒紅綾卻又於心不忍，雖然他曾下令處死紅綾，但誰都看得出他言不由衷，因而在面對紅綾時總是網開一面。即使他再次公開發出必殺令，其部眾下屬對此仍是將信將疑。第二個表徵，是他在失去花名冊、且失去女兒之後，非但不去懲罰叛變的女兒，也不去積蓄力量對抗官府，而是對未能及時支援的金龍堂下屬發起大清洗行動。一手創立金龍堂，又一手摧毀金龍堂，是金龍堂主一生的功業。創立金龍堂是出於瘋狂膨脹的野心，而摧毀金龍堂則是出於野心受挫的瘋狂。本故事最出人意料之處，是金龍堂並非毀於官府，而是毀於創立者之手。

本書還有若干看點，例如天殘門長老邱義，在門規與道義之間做出艱難選擇。作為天殘門長老，按門規，他必須絕對忠誠於門主；但作為一個飽經滄桑的獨立個體，他實在看不慣門主貴妃與金龍堂主的所作所為。所以，邱義在與沈勝衣交流之後，又在門主面前當眾自打耳光；進而，在當眾自罰之後，仍然不忍對沈勝衣等人施加辣手。邱義的心理和行為，超出了一般武俠小說的常規。

由此可見，這部小說中的若干人物，溢出了組織規範，官府中的查四，黑幫中的紅綾、郭寬、邱義，都是在組織規範與個人意志的衝突中呈現出獨特個性。

《水晶人》

我看的版本是由香港武俠世紀出版社印行版。

《水晶人》不在《武俠世界》連載的「沈勝衣故事」序列中，最終是由武俠世紀出版社出版，可能是由於電視劇需要，也可能是由於意猶未盡而創作。

《水晶人》雖說標注為「沈勝衣故事系列」，主人公卻不是沈勝衣，甚至也不是水晶人，而是一樁謀殺案即杜殺謀殺案的嫌疑人翡翠、葉玲和公孫白。水晶人只是在小說開頭部分出現，即作為一個殺手，她刺殺了蘇伯玉，然後刺殺了石破山，隨即被出錢讓她殺石破山的千里追風邱獨行以七步追魂針所傷，進而死去。此後，水晶人再也沒有出現在武林中。

小說的正文，是毒閻羅的兒子曾被水晶人所殺，為了得到水晶人的蹤跡，為了迫使河北小孟嘗公孫白說出水晶人的下落，不惜以閻羅毒針將他打傷。恰好沈勝衣路經此地，遇到公孫白在「等死」，沈勝衣自告奮勇，將公孫白送到杜家莊療毒。殊不知，他的這一義舉，其實是落入了公孫白的圈套之中。公孫白來到杜家莊，固然是為了療傷，真正的目的是要與葉玲、翡翠一起刺殺莊主杜殺。

杜家莊的莊主杜殺是「碧落賦中人」，即是天帝之妻日后。她武功超群，個性剛愎自用，以「天人自居」——她的一雙腿就是由於要顯示其能，而被川中唐家的叛徒「唐家十八蜂」老大射中毒針而不得不自己斬斷——為了斂財，她將弟子女僕水晶訓練成殺手，即誰都可以出錢讓水晶人為他殺人（**小說開頭寫水晶人殺人也正是因為這個原因**），但當水晶人中了唐家毒針之後，她卻怨怒水晶人不小心，從而非但不給她療傷療毒，反而想要將她殺死。

杜殺的暴戾與暴行，引起了水晶人的同胞姐妹葉玲的強烈不滿，與此同時，杜殺的另一貼身女僕翡翠也因杜殺將她的妹妹珍珠弄成白癡、用藥讓她們失去生育能力、還要將她訓練成接替水晶人的另一殺手而對杜殺極其不滿，於是與水晶人的姐妹葉玲、男友公孫白一起預謀，利用毒閻羅試圖進杜家莊找水晶人的機會，謀殺莊主杜殺。

小說精心謀劃了故事的開篇，即將水晶人神秘化，主要是讓水晶人嘴含螢火蟲，而外人竟能看到螢火蟲在她的皮膚內飛動，彷彿這個人不是真人類，而是一個異種另類生物。這其實也是日后杜殺的一個策劃，即說水晶人不是人，而是她用一塊水晶雕塑而成，賦予水晶靈魂，所以她是不可戰勝的。沈勝衣送公孫白到杜家莊療毒，杜殺也還是這麼說，杜殺的神話包括：一，水晶人不是人，而是水晶的精靈，如今已形神俱滅；二，她（**杜殺**）本人也不是普通人，而是「天人」即碧落賦中人，具有超人的武功和能力；三，她（**杜殺**）已經有七百多歲了。

小說的主幹，其實是一個偵探故事，即不可一世的宮殿女皇、杜家莊莊主杜殺竟然被人謀殺了。這樁謀殺案的凶手究竟是什麼人？成了這個故事的最大懸念。沈勝衣、公孫白都多次看到水晶人和螢火蟲一起出現，而翡翠、杜殺等人則說水晶人早在三年前就已經死去——按照杜殺的說法是形神俱滅——既然如此，豈不是水晶人的鬼魂在殺人？說這個故事是一個偵探故事，也不是十分準確，因為這裡沒有職業偵探，甚至也沒有業餘偵探，故事中的沈勝衣在這裡並沒有扮演業餘偵探，他雖然有極大的好奇心，卻也沒有偵探此案的實際能力和實際可能性。

這個故事更像是一個神秘恐怖故事。水晶人出現時，總有螢火蟲伴隨，這些螢火蟲似乎受過專門訓練，能夠接受主人的指揮，這使得整個故事始終被神秘迷霧所籠罩。也就難怪沈勝衣完全找不到頭緒。為了使這個故事不至於枯燥乏味，作者專門安排了毒閻羅率部屬大舉進攻杜家莊，而在杜殺死後，珍珠和鈴鐺放出飛鴿通知天帝及其屬下，風雨雷電迅速趕來，將毒閻羅及其部屬剿滅。

直到這個故事的最後一段，天帝出現後，才開始「解密」和「揭秘」。說他雖然是日后的丈夫，但他並不贊成日后杜殺的行為，所以對杜殺之死，他並不感到意外，且不想為妻子報仇。只是他不願被人欺騙，這才希望有人能夠自首——他從一開始就合理地懷疑翡翠與本案有關，理由很簡單，無論水晶人是鬼魂還是他人，都不可能獨立殺死杜殺，肯定有人幫忙，而幫忙者極有可能就是翡翠。本故事的最後，消解了所有的迷霧和神話，日后杜殺不過是一個剛愎自用且自私自利的老太太而已，水晶人也只是一個被嚴格訓練的正常人，她有正常的感情（**她對公孫白的感情既真且深**）。碧落賦中人，包括日后、天帝也都可能犯錯。

故事的結局是，公孫白、葉玲、翡翠這三個謀殺杜殺的人，都以自殺而告終。他們雖然聽到了天帝說不予追究、不想殺人、不想再流血的話，但他們似乎都不相信天帝：這是這部小說中最有意思的地方，天帝並沒有顯示出杜殺那樣的不講理，且誰都知道碧落賦中人都是武林中惡勢力的對頭，只要他們出現在武林中，必有大批惡人遭受滅頂之災。從風刀、雨針、雷斧、電劍的講述中可以看出，他們平時就非常注意搜集武林中人的訊息，既搜集惡人的資訊，也搜集俠客的訊息（**例如沈勝衣的訊息他們也搜集了**）。也就是說，碧落賦中人應是標準的俠義人物，甚至應該是高標準的俠義人物。但作者卻似乎並不站在他們的立場上，首先是刻畫了杜殺的可怕形象；其次是翡翠寧死也不願相信看起來似乎更為理性且更為溫和的天帝，她寧可服毒自殺，也不願相信或接受天帝的赦免。

這部作品算不上是上佳之作。理由之一，是作者通過翡翠說明公孫白與葉玲、翡翠是一夥的，即早就有謀殺杜殺的策劃。那麼公孫白是什麼時候開始策劃或參與策劃謀殺杜殺的？如果說他一開始就策劃謀殺杜殺，但當時他甚至不知道水晶人已經死去，如何能策劃謀殺杜殺？他讓沈勝衣帶他到杜家莊療毒，更大的目的是要見水晶人一面。到了杜家莊之後才知道水晶人已經死去。他是在這個過程中與翡翠、葉玲見面並謀劃刺殺杜殺嗎？他是要利用沈勝衣嗎？書中都沒有交代。

進而，書中的毒閻羅形象也很讓人疑惑，此人如何從一個美男子變成痲瘋病？書中沒有任何交代，只是突然揭秘，讓人驚訝。和兒媳一起找水晶人為兒子報仇，固然是一個很好的理由，但他兒子如何被殺，書中竟也沒有交代。這當然可能是因為作者並沒有把毒閻羅當作重要人物來寫的緣故。

那麼，書中重要人物沈勝衣又如何？本書之中，主人公沈勝衣始終碌碌無為，除了帶公孫白來杜家莊（**看起來還是上當入圈套**）外，其他就沒有什麼作為。在若干章節中，作者甚至不惜篇幅，專門敘述沈勝衣的無奈和無能，說他沒有頭緒，說他找不到頭緒——天帝一來就找到了頭緒和線索，一來就懷疑翡翠參與了刺殺杜殺的計畫，聰明的沈勝衣為何對此一無所見、一無所覺？他難道不知道杜殺的武功有多高，一個水晶人或其他人怎麼能輕易地刺殺杜殺這樣的超級高手？

作者似乎有意讓沈勝衣從一開始到最後都處於被動地位中，束手無策，最後也還是翡翠放出螢火蟲，故意將他引到地下密室，才得知故事的真相，他不是偵探，甚至也不是智者，在書中僅僅是扮演一個聽眾／見證人的角色。作為一部「沈勝衣故事」書，主人公的這種表現，多少有些讓人遺憾。

《黑蜥蜴》

《黑蜥蜴》[10]是黃鷹創作巔峰期的作品之一，發表後立即被邵氏電影公司購買改編權，並由名導演楚原拍攝成同名影片，於一九八一年上映。

《黑蜥蜴》的故事情節，是武俠加偵探加懸疑，看起來還十分魔幻。主人公龍飛與司馬怒決鬥後趕往鳳凰鎮見女友，途中遭遇及其後的所見所聞，簡直匪夷所思。棺材裡裝木偶，木偶與其女友一模一樣，而且還會講話；車夫如蜥蜴，荒院裡佈滿了蜥蜴的木雕；屏風圖畫上的人物，上半身是人，下半身是蜥蜴，畫中美女腦殼裂開，腦髓和血被蜥蜴人吸取；小樓裡明明有人，轉瞬間消失無蹤……這一切若非魔幻，顯然就無法解釋。正因如此，故事的吸引力不言而喻。

這部作品的看點，不僅在其故事表層的神秘與魔幻，更在於其深層真相灼人。其核心，是個悲劇愛情故事。一劍勾魂丁鶴與三槍奪命蕭立原是一起出生入死的好友，兩人都愛上了鳳凰鎮昔日大盜白風的女兒白仙君，白仙君偏愛文武雙全的丁鶴，而父親卻把她許配給性格豪爽的蕭立。如此亂點鴛鴦，造成了丁鶴、蕭立和白仙君三個人的不幸。丁鶴愛白仙君，不忍離去，終於娶了白仙君的表妹，而白風也將隔壁的院子送給了丁鶴。丁鶴與白仙君發乎情而止乎禮，只有一次醉酒相擁，被蕭立發現，蕭立從此墮入地獄中。蕭立愛白仙君，並有幸與她結為夫婦，且生兒育女，但白仙君別有懷抱，蕭立疑神疑鬼，並無真正幸福可言。正因如此，白仙君一生抑鬱，並於三年前辭別人世。

這個故事的關鍵，是蕭立懷疑妻子與好友私通，卻又找不到確切證據。只是好友丁鶴身上有形如蜥蜴的黑痣，而他的兒子蕭玉郎的身上也有同樣的黑蜥蜴，於是黑蜥蜴就成了蕭立無法擺脫的夢魇。假如蕭立有面對真相的勇氣，主動詢問妻子白仙君或好友丁鶴，或許能夠找出事實真相。但他沒有這種勇氣，不是因為他性格軟弱，而是因為他深愛白仙君，害怕失去白仙君。所以，直到白仙君死去，他仍在夢魇中。

直到白仙君死後三年，黑蜥蜴的夢魇終於惡性發作，他要殺丁鶴的「孽種」蕭玉郎，要殺自己的白癡兒子蕭若愚，要殺情敵丁鶴和他的女兒丁紫竺，還要讓丁鶴的準女婿龍飛見證此事的全過程。於是就有這個《黑蜥蜴》的故事，即他以攝心術讓蕭玉郎雕刻黑蜥蜴，自己也扮作蜥蜴，在白仙君的雕像嘴裡放入黑蜥蜴，在蕭玉郎遺體的嘴裡放入黑蜥蜴……到處都是黑蜥蜴。直到最後才得知此事的真相，是白仙君的侍女白三娘與姐姐自作主張，將丁鶴的兒子與蕭立的女兒調換撫養。此時，白仙君已死，丁鶴自殺，蕭立的一生被黑蜥蜴的夢魇所控制，醒來後人事全非，除了自殺，已別無選擇。故事結局震撼人心。

世間魔性，不是來自外界，而是來自人的內心。在這個故事中，龍飛也曾遭遇類似的魔性。首先，是見到女友丁紫竺（應為蕭紫竺）的裸體雕像，足以讓他痛苦不安，雕像栩栩如生，必有人見過女友的裸體，不能不產生強烈的嫉妒情緒。其次，自己曾寫信約定見面日期，女友竟探親未歸，這就更讓他寢食難安，並讓雕像效應加倍發酵。

再次，聽說魔手蕭玉郎（應為丁玉郎）與丁紫竺從小青梅竹馬，且曾向丁紫竺求婚，這就讓木雕效應發酵到極點。好在，龍飛不是蕭立，他雖嫉妒不安，卻有勇氣調查真相，說起來並不難，那就是直接向當事人詢問。當丁紫竺說她沒有收到龍飛的信，說她不愛蕭玉郎，說她最近幾年從未見過蕭玉郎，龍飛的嫉妒心就消除了一大半；而當丁紫竺脫衣驗證，讓龍飛看到自己的身材與雕像的身材大不一樣，龍飛的嫉妒心就徹底消除了。讓人瘋魔的其實並非嫉妒本身，而是嫉妒心驅動的胡思亂想，胡思亂想具有魔性，足以讓人瘋狂。

由此可以證明，《黑蜥蜴》不僅故事好看，更難得的是寫出了愛情中人的瘋魔心理，顯現出作者對人性的深度洞察力。

《天蠶變》

長篇小說《天蠶變》[11]的名氣很大，影響也不小，多半是因為先有電視連續劇。小說是根據電視劇的創意改寫，既有令人眼花繚亂的故事情節，又有變化靈活的影視蒙太奇結構，還有短句分行且語句精煉的古龍筆法，是以得到不少讀者的喜愛。

《天蠶變》講述主人公雲飛揚從一個不受人待見的私生子，成長為新一代武林絕頂高手的故事。

這樣的故事，欲揚先抑，充滿曲折坎坷，最後觸底反彈，就格外激動人心。類似故事，以金庸《射鵰英雄傳》中郭靖的經歷為典型。本小說所寫，是在複雜詭譎的武林衝突中的人生境遇。武林的矛盾衝突十分複雜，分為不同方面。第一方面即武當派與無敵門的衝突，武當掌門人青松道長每十年一次與無敵門主獨孤無敵比武，無敵門要征服武當派的野心昭然若揭。

第二方面，是峨嵋派的年輕高手管中流為同門報仇，挑戰無敵門分舵，最終導致峨嵋派重大傷亡事件，幾乎滅門。協力廠商面，是逍遙谷勢力，始終在暗中針對武當派，並且監視無敵門，其目的也與無敵門相同，即要稱霸武林。在這一連串矛盾紛爭中，主人公雲飛揚原本是個無足輕重的小人物，他甚至不是武當派的正式弟子，而只是武當派的一個雜役，只是在業餘時間跟一個蒙面師父學藝；誰也沒有想到，這樣一個看起來無足輕重的小人物，最後竟成決定武林命運的關鍵人物。

《天蠶變》有雙重意義，一是指一種非常厲害的武功，即武當派所習的天蠶變內功；一是象徵主人公雲飛揚，從一個醜陋的毛毛蟲蛻變成美麗的蝴蝶。

本書因是由電視連續劇改寫而成，而電視連續劇自然要採用蒙太奇結構形式，小說繼承了這一方式，多角度書寫，多條線索並行，講述不同派別多個人物的故事，每段戲都很簡短，鏡頭不斷切換，節奏變化很快，符合現代讀者閱讀習慣。

小說中刻畫了多個人物形象，值得一說。首先當然是主人公雲飛揚，其次是新生代年輕高手，各派中都有雲飛揚的同齡人，例如峨嵋派管中流、逍遙谷傅玉書，無敵門公孫弘；還有兩位女主角，即無敵門獨孤鳳，逍遙谷傅香君。再次，是幾大勢力的領袖人物，即老一代人物，如武當派掌門青松，無敵門主獨孤無敵，逍遙谷主天帝，峨嵋派掌門一音大師等。最後，還有次一級的人物，如武當派的蒼松與赤松，峨嵋派的海龍老人，無敵門的千面佛、九尾狐及後加入的黑白雙魔，逍遙谷的風雨雷電和無面人等等。

雲飛揚是這部小說著重刻畫的人物。這一人物的最突出特點，就是命運多舛，人生坎坷，但卻心地善良、聰慧機智、刻苦耐勞、胸懷俠義、情感真摯。他是武當掌門人青松（原名羽萬里）與其表妹的私生子，所以如此，是因為外公不同意這門婚事，進而又因為羽萬里出家做道士並當上了武當派掌門人。所以，雲飛揚從小就不知道自己的父親是誰，只能跟母姓。假如他一直跟隨外祖父生活，他的命運可能是另一種樣子。

問題是，青松將他帶回武當，卻又不能公開他的身分，因而受武當派規矩的限制，不能正式接受他為武當門徒，只能在暗中教授他武功。這樣一來，雲飛揚在武當的角色就十分尷尬，做勤雜工還事小，更大的問題是人人都把他當作一個出身來歷不明的賤民。如此遭遇，十個少年可能會有八個被不公正待遇扭曲心靈，好在雲飛揚專心練武，並沒有心理變態。相反，他始終保持了與人為善及行俠仗義的善良本性。

雲飛揚的不幸，存在於多個方面，諸如他在書中多次出生入死，第一次是被逍遙谷主打傷，得到海龍老人的救助；第二次是被獨孤無敵打得經絡斷裂、武功盡廢，無意間獲得冰山雪蓮才恢復武功和健康；第三次是再次被獨孤無敵打傷，得到沈曼君的內力救助，從而練成天蠶變。這樣的遭遇，或許是「天蠶變」練習者所必經之路，置於死地而後生。

更大的打擊是，他所摯愛的少女獨孤鳳，不但是與武當敵對的無敵門中人，且竟是他的同父異母妹妹。這對重義而多情的雲飛揚而言，當是致命打擊。但即便如此，當他得知師伯燕沖天被殺後，還是挺身而出，維護一直歧視他的武當派，最終殺死獨孤無敵，讓武當派有機會重整旗鼓，也讓整個武林得到平安喘息之機。

逍遙谷少主人傅玉書竟成為武當派年輕掌門人，是這部書中最出人意料的情節。看到這一人物，讓人想起金庸小說《倚天屠龍記》的宋青書。只不過，傅玉書的形象顯然比宋青書更為傳奇，因為他並非出身於武當，而是設計騙取武當掌門人青松的信任，讓青松主動收他為徒，進而讓他成為武當派的繼任掌門人。

實際上，傅玉書所在的逍遙谷，與武當派有不共戴天之仇。原因是逍遙谷主人天帝曾被武當派囚禁，數十年沒有消息，傅玉書潛伏於武當派，主要目的是為祖父復仇。他殺害了青松道長的幾位大弟子，從而當上掌門弟子，進而殺害師父青松，進而設計誘捕師伯燕沖天，進而讓武當派弟子進攻無敵門，幾乎全軍盡沒。

傅玉書的復仇行為，極其陰險毒辣，無以復加。有意思的是，作者並沒有把傅玉書刻畫成復仇狂，更沒有把他當作十惡不赦的大壞蛋。例如，他對倫婉兒始終有一份真情，在武當掌門和與倫婉兒成親的選擇中，他雖然選擇了掌門人而放棄了倫婉兒，但他對倫婉兒仍有愛心。證據是，當他的祖父讓他殺害倫婉兒時，他沒有執行祖父的命令，而是讓倫婉兒逃亡，並生下了他們的孩子。

傅玉書對倫婉兒的始亂終棄，也受到了命運的殘酷報復，那就是他在逃亡時捂死的嬰兒，正是他與倫婉兒的孩子，這讓他備受打擊。最後，當他要偷襲雲飛揚時，被自己的妹妹傅香君所殺。這也是命運給予他的最後判決。此人的故事，讓人感慨。

峨嵋派青年新秀管中流的形象，也讓人印象深刻。剛出場時，他像是個紈褲子弟，帶著六寶、七安兩個僮僕行走江湖，派頭十足，眼高於頂，傲氣逼人，當然不會受人喜愛。但，當他得知一音大師及峨嵋派弟子被無敵門所殺，管中流毅然改變自己的作風，為了獲得陰柔內功秘笈而不惜紆尊降貴，無論黑白雙魔如何歧視折磨，總是逆來順受，這一行為表現出此人堅韌的一面。

為了替峨嵋派報仇，同時顯示自己，他毫不猶豫地殺了於他有恩的師叔海龍老人，表現他的刻薄；而他與傅玉書比武爭盟主，又表現他的自負與野心。最後，當傅玉書和逍遙谷以壓倒優勢逼他投降時，他寧可與情人依貝莎一起自殺，顯示他的自尊與傲骨。這一人物是一個複雜的人物，在書中的表現，既出人意料，卻又在情理之中。

無敵門主的弟子公孫弘，與雲飛揚、傅玉書、管中流都不同。第一次出現，是到武當山作信使，此人給人的印象是飛揚跋扈，不可一世。作為無敵門主獨孤無敵的大弟子，此人無論怎樣作惡都可以被理解、被接受。但作者卻沒有寫他作惡的一面，而是寫他多情的一面。他愛師妹獨孤鳳，對獨孤鳳百般討好，固然是情感所致，同時也是對師父獨孤無敵的忠誠。即使獨孤鳳在婚禮上逃走，他對獨孤鳳仍然是一往情深，仍然不惜違背師父的旨意，多次救助獨孤鳳。明知得不到獨孤鳳的愛，也不忍對獨孤鳳加以絲毫的傷害。這表明，此人並非十惡不赦。更讓人想不到的是，為了保護師父逃亡，他捨命與雲飛揚相抗，結果死在雲飛揚手下。在他死後，雲飛揚將他的遺體抱入無敵門大堂，算是對他最後的禮敬。

在老一代人物中，武當掌門人青松，是最複雜的人物。作為武當掌門人，竟然無法讓自己的兒子成為武當派的正式弟子，而只能在暗中蒙面教授兒子武功，這種選擇，不僅表現了青松處境的複雜與尷尬，同時也表現了青松為人的複雜與機智。他多次敗於獨孤無敵之手，但百折不撓；讓雲飛揚暗中救助無敵門的公孫弘和獨孤鳳（他應該知道獨孤鳳是他的私生女），表現出他的心計。但被傅玉書的行為所騙，既表現出他認知能力的局限，同時也表現他的善良和單純。最終，他為自己的輕信付出了生命的代價，好在他盡心培育了兒子雲飛揚。無論是作為父親，還是作為武當派掌門人，青松都是有缺陷的，但此人的個性缺陷，應該能夠得到讀者的同情與諒解，畢竟，青松道長是人，而不是神。

獨孤無敵是書中的大反派。但這位反派人物，並非卑鄙小人，甚至也不是十惡不赦的大壞人。畢竟，他是武林梟雄，有宗師氣象。證據是，他與武當派為敵，多次打敗青松，都沒有將青松置於死地；在最近一次打敗青松之後，還下令不許傷害青松。這樣做，固然是擔憂燕沖天的報復，但也表現他的梟雄作風。進一步的證據是，在燕沖天、雲飛揚都練成天蠶變，眼見大勢已去，逍遙谷主天帝呼籲他和自己聯手對付燕沖天，獨孤無敵驕傲地拒絕了。

更讓人感慨的是，他想要獨霸武林，練習絕滅魔功，以至於無法與妻子過性生活，以至於妻子沈曼君與武當掌門青松道長有一夜情，還生下了孩子獨孤鳳，獨孤無敵非但沒有殺沈曼君，且把獨孤鳳當作自己的女兒養育成人，這表明，此人並未喪失人性。

當無敵門被毀滅，他失去了稱霸武林的實力，才設計將獨孤鳳許配給雲飛揚，要讓這對不知情的兄妹亂倫，這當然是罪惡，但也事出有因。最出人意料的是，當燕沖天焚燒了無敵門總舵，他居然請「天殺」組織的殺手誅殺燕沖天，此舉當然沒有宗師氣派，而是下三濫行徑。可以理解的是，他因無敵門被焚燒而憤怒，因不敵燕沖天的天蠶變武功而絕望之舉（他一直不敢對武當派動手，就是因為忌憚天蠶變）。有意思的是，他因無錢支付，而惹禍上身，最後只得選擇向雲飛揚挑戰，即寧可死於雲飛揚之手，也不願死在天殺組織的報復行為中。也就是說，他實際上已經認同了死亡的結局，只是選擇死亡方式，以維護作為一派宗師最後的尊嚴。

與獨孤無敵相比，逍遙谷主天帝的人格更為卑下。逍遙谷中人自稱為「碧落賦」中人，碧落是道家所說九重天中的第一重天，但現實版的碧落賦中人所處的逍遙谷，卻更像幽冥世界。天帝的所作所為，實在說不上光明正大，到武當山去竊取超級武功秘笈而被捕，武當派並沒有殺他，而只是將他囚禁於寒潭。他非但不感激武當派寬大為懷，反而切齒痛恨武當派對他施加的懲罰和羞辱，最終對武當派實施極為殘酷的報復，幾乎讓武當派滅門。

他的孫子傅玉書的所作所為，可以說正是天帝行為的翻版，傅玉書也是天帝復仇與稱霸目標的工具。最讓人不齒的是，為了稱霸武林，他竟命令孫子傅玉書去殺害其情侶倫婉兒。但，此人也非一無是處，當他和孫子共同面對絕境時，他選擇犧牲自己，讓孫子逃亡。

燕冲天值得一說，是因為此人性格豪邁，而缺乏江湖經驗。在武當山專心練武，是他最佳崗位。不幸的是傅玉書殺害了青松，並竊取了掌門人之位。燕冲天練武多年，內功時斷時續、時有時無，這種狀況與他的心智水準相匹配。他在處理武當派日常事務中，顯然也是時靈、時不靈，實際上是不靈的時候多。

最大的失誤，是過分相信傅玉書，以至於被傅玉書牽著鼻子走，以至於落入逍遙谷的陷阱，被囚於水潭，受盡折磨和羞辱。幸而雲飛揚得到傅香君提供的資訊，將他救了出來，並讓海龍老人為他療傷，進而還去日本找到良藥，讓他不僅恢復健康，而且還在無意中練成了天蠶變。即便如此，此人的豪邁而粗放的個性並未改變，所以，最終死於「天殺」組織的殺手群攻之下，讓人感慨唏噓。

小說的不足之處是：認真去看，小說中的若干重要人物和情節不大經得住推敲。首先是武當派掌門人青松將自己的私生子雲飛揚帶上武當山，一方面是因為雲飛揚「來歷不明」而無法正式成為青松之徒，雲飛揚不但只能當雜役，而且受盡師兄們的嘲笑欺凌；另一方面青松卻又黑袍蒙面在夜裡教授雲飛揚武功。問題是：青松為什麼要帶雲飛揚上武當山？若是希望此兒平安，他可以讓雲飛揚留在外公身邊，或是另請高明教授武功。既然帶雲飛揚上武當山，只需說這是他親戚的孩子，即可名正言順地收徒，何須說他父親是誰、母親又是誰？

青松不正式收徒，看起來是公而忘私，暗地裡卻又教授雲飛揚武當六絕技，嚴重違背武當派祖傳規章，如此一來，反而讓青松成了表裡不一的人。從雲飛揚角度說，他隨青松上山，又多次請求青松收徒，對青松的身材語音勢必非常熟悉，青松蒙面教他武藝，怎麼會十幾年下來都沒有發現他的師父其實就是青松？武當山戒備森嚴，其他人如何能隨意上山？

再說青松與獨孤無敵的妻子沈曼青的關係。獨孤無敵因為練滅絕魔功而喪失生殖能力，妻子沈曼青紅杏出牆，當然是不無可能。據沈曼君回憶說，青松是被獨孤無敵打敗之後，逃入龍鳳閣比武，才與她有一夜情。問題是：小說中一直說，獨孤無敵與武當青松道長的比武，向來都是在泰山玉皇頂舉行——玉皇頂是泰山最高峰，而泰山又是五嶽之首，在泰山玉皇頂比武具有明顯的象徵意義——為何沈曼君又說是在無敵門中比武？這一說法與小說中既定的「歷史事實」不符。

進而，更說不過去的是，看起來他還對沈曼青念念不忘，否則就不會在與獨孤無敵決鬥前還冒險探訪沈曼青。這又帶來另一個問題，他對沈曼青有如此深厚的情感，表妹即雲飛揚的母親在他心裡又是什麼位置？武當掌門人青松道長的如此行徑，實在讓人難以置信。雖說是要寫人物的複雜性，青松的行為未免過於複雜。

再說碧落賦中人，天帝傅天威應該是武林名人，為偷盜武當絕技而到武當山當火工，這其實就有問題。天帝是逍遙谷主，應該是武林知名人物，為何武當派對這樣一個知名人士竟然沒有人認出？二是，即便武當派沒有人認識天帝，但武俠小說慣例，像天帝這樣的人，應該有與眾不同的氣派，武當派怎麼可能無人發現天帝身懷絕技？

更重要的是，武當六絕技既然只有掌門人才能練習，傅天威又怎麼能夠盜走練功秘笈？既然他能盜走六絕秘笈，為何無法將最重要的天蠶訣盜走？——傅玉書當上掌門人後，我們看到天蠶訣與其他六絕技的秘笈放在同一密室之中。——進而，武當派既然不收來歷不明的人為徒，為何對傅玉書網開一面？青松不僅收他為徒，且收徒後不過一年多時間竟將他選為三號掌門弟子，這豈不是自相矛盾？傅玉書的所作所為，無敵門能調查清楚，為何武當派竟對此毫無疑心？更何況，青松的弟子鐵石、木石為保護師父而死，青松逃離後，竟完全沒有想到要為這兩位徒弟收屍？有意思的是，作者一面要將青松寫成有智謀之人，一面卻又展示他的糊塗懵懂，如此自相矛盾，叫人如何理解並接受？

又次，關於天蠶變武功的修練，按照武當派檔案，天蠶變武功的關鍵需要上任掌門人口述，這倒沒有什麼問題。問題是，按照武當派的規定，天蠶變武功只能由掌門人修練，為何不是掌門人的燕沖天也修練這門武功？更大的問題是，青松自己不練天蠶變，不僅讓燕沖天練習，而且居然還將這門武當派最高武功秘笈抄本授予了他的情人沈曼君。青松是怎樣的一個人？為何竟把武當派的規範視若無物？

與此相關的問題是，從書中敘述看，天蠶變有兩種不同的修練途徑，一是燕沖天的逐步修練，到最後關頭出人意料地練成，這可以理解。但雲飛揚如何能夠練成天蠶變？他甚至不知道天蠶變這門武功，更不知道這門武功如何修練，只因沈曼君曾經修練過這門武功，在沈曼君將內力輸入雲飛揚體內幫助他康復，就足以讓雲飛揚立即完成「天蠶變」？天蠶變究竟該如何修練？恐怕無論是電視劇編劇還是小說作者，沒有人能夠說得清楚。這一關鍵說不清，當然是有問題。

海龍老人和管中流的衝突，管中流去找黑白雙魔學習陰柔內功，明明是受海龍老人指點，但在管中流練成陰柔內功之後，海龍老人卻又說他與邪魔外道交往，從而不承認他有資格當峨嵋掌門，這就自相矛盾，而且自尋死路。

最後，傅玉書偷襲雲飛揚，被其妹妹傅香君飛劍殺死，這一處理方式，未免有些簡單。主要是，傅香君是個極其善良的女孩，對所有人都不忍傷害，如何能忍心去殺害自己的親哥哥？她對雲飛揚一往情深，一心要救雲飛揚，在緊急關頭根本來不及細想，就做出了這種行為，固然勉強可以解釋。問題是，按照傅香君的身分與個性，既然比哥哥來得更早，為何不乾脆向雲飛揚說出傅玉書在現場埋伏？更大的問題是，如此處置傅玉書，無論如何都顯得有些簡單草率。因為，傅玉書是這部書中的主要人物，他的故事需要更加精細的構想才好。

《天蠶再變》

《天蠶再變》是《天蠶變》的續書。

在陳湘記書局版《天蠶再變》書前，作者黃鷹有一個簡短《前言》，重點是關於「天蠶變」武功的：「天蠶功到底是怎樣的一種武功？是來自什麼門派？本來有一個頗怪異的念頭，接而構思了一個故事，甚至擬名《變色龍》，卻因為種種原因包括對人性的失望，一直都沒有動筆，最近無意與某間電影公司的負責人提及，竟然有意將之改編為電影，這份創作的原動力也才無可奈何的死灰復燃。」[12]這部《天蠶再變》，應該就是作者所說的《變色龍》。之所以易名《天蠶再變》，當是因為《天蠶變》已產生很大的知名度，續書自然要借用。

在《天蠶再變》中，作者確實重新解釋了天蠶變武功來源，即來自西域魔教某個長老，具體是用魔教內功心法加上苗疆種蠱之法，創造出一種全新的內功即「天蠶變」，並把這種內功心法用梵文刻在石頭上。武當掌門人（枯木的師父、青松的師祖、白石和雲飛揚的曾師祖）到苗疆，將這份石刻拓印下來，帶回武當，對內功心法進行改造，從而變成了武當派的內功心法。

也就是說，武當派的這一內功心法是來自魔教長老的原創。從《天蠶再變》的情節中，我們知道，苗疆王子孟都修練《天蠶再變》，經歷了三個階段，第一階段是修練魔教內功，第二階段是使用人面蜘蛛種蠱，第三階段是使用「移花接木」之法（近似於金庸在《天龍八部》中所創造的「北冥神功」，即吸取他人內力為己之用），使其內力速成。為了應對《天蠶再變》這個書名，作者構想了一個奇觀：雲飛揚的內力被薩高設法傳遞到孟都體內，雲飛揚內力盡失，但有天蠶變內力的種子，從而在失去內力之後並沒有從此變成廢人，而是經歷了「天蠶再變」，即內力重生。

《天蠶再變》的故事相對簡單。西域魔教長老薩高來到苗疆，找到石刻上《天蠶變》內功心法，又找到練武天才孟都，讓孟都學習了天蠶變心法，要把他訓練成天下第一高手，並讓他為魔教稱霸中原武林作先鋒。孟都修練了基本功後，想要速成，薩高指點他使用移花接木之法，即強取中原武林高手的內功為己用。孟都的第一個目標是點蒼派掌門清虛，其後又對華山、青城、五臺等派高手下手。這樣做一舉數得，一是使得孟都的內力迅速增強，二是消滅了諸多中原武功高手，打擊了中原武林的自信心；三是無意中嫁禍於唯一懂得天蠶變的雲飛揚，從而容易引起中原武林的內訌。

中原武林中人自以為是，認定雲飛揚就是殺人凶手，迫使雲飛揚不得不調查天蠶變武功的來源，設法為自己解脫。雲飛揚來到苗疆，打敗了薩高和孟都，救出了被孟都俘獲的四川唐門老掌門唐百川。但薩高誘騙苗女貝貝將蠱母送入雲飛揚之口，從而控制了雲飛揚，並使用蠱術傳導，將雲飛揚的天蠶變內力全部輸送給孟都，不僅治好了孟都的內傷，且使孟都的內力得到極大提升，幾乎天下無敵。

在孟都破繭而出之前，四川唐門少掌門唐寧用暗器射殺了薩高。孟都欲強姦唐寧，唐寧自殺。孟都再赴中原，先後打殺了華山派劍先生、武當派長老枯木，又打敗武當掌門白石、少林百忍、青城玉冠、太湖總寨主柳先秋、洞庭君山紫龍王、點蒼鐵雁等人，迫使中原武林人臣服，並為他修建至尊殿。與此同時，雲飛揚正在經歷「天蠶再變」，在至尊殿修建建成之日再戰孟都。他的功力仍然在孟都之上，魔教金髮人試圖用火槍射殺雲飛揚，但卻誤中孟都。雲飛揚再赴苗疆，毀滅了天蠶變心法石刻，西域魔教稱霸中原的夢想再次破滅。

《天蠶再變》在形式上與《天蠶變》有所不同，《天蠶變》是要改編電視連續劇，從而必須採用蒙太奇結構，情節複雜，頭緒紛繁。《天蠶再變》則採用相對單純的小說形式，故事情節線索相對單純。薩高和孟都試圖以天蠶變武功稱霸中原武林，懂得天蠶變武功的雲飛揚不得不為自己洗脫罪名，從而與薩高和孟都勢不兩立。

孟都的妹妹貝貝愛上了雲飛揚，成了故事中最大的變數，若不是她，雲飛揚不會被蠱母所控制，孟都傷重難治，薩高的陰謀也就無法達成。但也因為她找來唐寧幫忙，殺了薩高，又將雲飛揚體內蠱母誘出，犧牲了自己，成全了雲飛揚。而成全了雲飛揚，也就間接地成全了中原武林。

小說中有若干人物形象值得一說。首先當然是雲飛揚。在《天蠶變》中，雲飛揚經歷了常人難以忍受的屈辱和傷痛，終於成了武功第一人，殺了獨孤無敵，為父親報復大仇、讓自己揚眉吐氣，讓武當派轉危為安。而在這部書中，雲飛揚隱居在武當後山，決心以自己的醫術救治蒼生，做一個普通人。但人在江湖，身不由己，孟都作惡，人們都認定是雲飛揚，所以他不得不重出江湖，為自己洗脫罪名，為武當維護平安，為中原武林盡一份心力。

《天蠶再變》中的雲飛揚，已經沒有多少飛揚的少年意氣，而是多了一份歷盡滄桑的沉鬱蒼涼。作為一個青年人，他仍然有自身的弱點，在面對苗女貝貝、漢女唐寧的情感衝突時，幾乎束手無策。也正因如此，才會讓薩高通過貝貝種蠱所控制。雲飛揚雖然武功高絕，但心智與個性卻是普通人，從而無法擺脫命運安排，甚至覺得自己是命運的玩物。

雲飛揚的敵手孟都也值得一說，他是苗疆峒主的兒子，書中稱為王子，是一個練武天才。被薩高精心培育成武學高手，而他自己也成了薩高的打手和工具。所以如此，一是因為孟都對漢人的歧視早有不滿，試圖以武功報復漢人，並證明苗疆兒女的優秀實力。二是因為他還年輕，自然渴望出類拔萃，成就輝煌。在開始出場時，孟都似乎是殺人不眨眼的惡魔；但他再度進入中原後，除了面對華山劍先生、武當枯木等決心以死相搏者外，對手下敗將並不趕盡殺絕，更不以殺人為樂。此人有一個優點，那就是敢作敢當，從不隱瞞自己的所作所為，也沒有殺人不見血的複雜心機。實際上，他心地單純，只不過是誤入人生歧途。

苗女貝貝也值得一說。她是個極其單純的少女，不知道江湖險惡，甚至不相信人間有惡人，即便惡人就在她身邊，她也以單純善良的心意去作別解。她對雲飛揚一見鍾情，就直接告訴了雲飛揚，也跟定了雲飛揚。為了在與唐寧的競爭中獲勝，受了師父薩高的誘騙，將蠱母下到雲飛揚體內，無意中害了雲飛揚；但她立即去找唐寧，為拯救雲飛揚而對唐寧低聲下氣，終於將雲飛揚體內的蠱母誘出，寧可犧牲自己，也不願讓雲飛揚抱憾終生。貝貝確實是人間的珍珠寶貝。

唐寧是另一種女孩，由於出身於武林世家，又從小得到爺爺唐百川的寵愛，加上容顏美麗、天資聰穎、武功過人，難免性格驕縱、自以為是、傲氣逼人。孟都擄走了唐百川，她以為是雲飛揚，於是對雲飛揚展開千里追蹤。甚至不給雲飛揚解釋的機會，即使明知不是雲飛揚的敵手，仍然不放棄報仇雪恨的初衷。長期的追蹤與對峙，終於意識到雲飛揚不是自己以為的那種人，但由恨轉愛，同樣熱烈而鮮明。與貝貝的競爭，成了她一生最艱難的考驗，發現雲飛揚與貝貝纏綿在床，立即轉身離去。得知雲飛揚在危難之中，又立即冒死前來。孟都覬覦她的美色，且以武功控制了她的身體，但她寧可自殺，也不願屈服，更不受玷污。

另一個值得一說的人物，是武當長老枯木。枯木即竊取魔教天蠶變心法的武當掌門人弟子，因為不屑於師尊的行為，寧可自棄於武當，到深山峽谷中獨自隱居。後來，他對雲飛揚說：「最初我是因為性子剛烈，討厭大部分的人性才跑到這裡來，一直到燕沖天下來，才發覺自己原來也有許多劣根性，一樣是那麼討厭，然後再發覺任何人都一樣，只要好根性多過劣根性便已很值得欣賞。」[13]

經歷了數十年的苦修與沉思，終於明白了人性的複雜。所以，在雲飛揚找到他，他就毫不猶豫地說出了武當派竊取魔教內功的秘密；當雲飛揚懇求他維護武當，他亦毫不猶豫地重出江湖，精心訓練武當弟子，孟都囂張而來，他就毫不猶豫犧牲自己，維護武當門下弟子的尊嚴。言行毫不猶豫，表明他對人性已感悟透澈。

「討厭大部分人性」，其實是作者的一種心態，也是這部書的一個隱含的主題。書中中原武林正派人物的身上，也存在著被作者討厭的種種。從華山劍先生，到青城玉冠道長，從點蒼鐵雁到五臺木頭陀，無不存在人類的劣根性。諸如自私自利、自以為是、自傲自大、頭腦簡單等等，好在，正如枯木所意識到的那樣，這些人身上也有好的因子，諸如自我反省、坦誠面對、不怕犧牲、同心同德。雖然這些人並不是決定中原武林命運的關鍵人物，他們的存在，豐富了故事色彩。

除了「人性多面」思想之外，這部小說還有另一個重要思想，即中原武林固步自封，不若西域魔教那樣兼收並蓄。小說結尾處，西域魔教金髮人與雲飛揚的一席對話，即充分表達了這一思想主題。這一思想並非針對中原武林，而是針對整個中原文化，本書的主人公雲飛揚甚至不知道「進步」是什麼意思。

本書也有漏洞與缺陷。

首先，作者寫作此書的第一衝動，是要說明天蠶變武功的來源及實質，這一衝動來自作者原初的構想。但無論是原初的構想還是此後的修訂，仍然沒有把這一武功當真說清楚。或者說，作者說清楚了這一部分，卻讓另一部分出現了問題。天蠶變若是以魔教內功加上苗疆蠱術即可練成，薩高何以指使孟都採取移花接木之術去強取其他武功高手的內力？退一步說，就算移花接木之術也是魔教內力的一種修練方式——若不損人利己，何以稱為魔教？——那麼，武當派前任掌門人在獲得這份武功秘笈後，如何將它改變成正派修練方法呢？據《天蠶變》和《天蠶再變》中說，天蠶功的修練方法，有「作繭自縛」、「替人做嫁」、「脫胎換骨」等多種途徑與方法，這些途徑與方法的原理又是什麼？書中沒有寫明。恐怕也無法真正寫明，想像可以天馬行空，隨意而行，但要論證，卻非易事。

其次，本書的情節也有一個漏洞，那就是薩高為何不與西域魔教取得聯繫？作者的解釋是，薩高在用孟都做實驗，不知道實驗結果如何，所以就沒有及時聯繫魔教總部，取得相互配合。而等到孟都武功練成時，薩高又被唐寧擊破生命鼓，被蠱啃噬身亡，從而來不及與魔教總舵取得聯繫。這一解釋，遺漏了一段，那就是當孟都第一次練成天蠶功，赴中原用移花接木之術強取點蒼派掌門人清虛等人的內力，眼見成功在即，薩高為何不與魔教總舵取得聯繫？作者之所以如此寫，很可能不是真正的疏忽，而是有意為之，不與魔教總舵聯繫，這部小說的故事情節會更加單純，只需要雲飛揚與孟都一戰就能解決問題。若是通知了魔教總舵，讓魔教大舉進入中原，那就需要全面佈局，需要作者花費更多心思。

最後，作者還有一個重要疏忽，那就是把「西域」與「西洋」兩個不同的概念混淆了。在中文裡，西域和西洋有不同的概念範疇，西域是指現在的中國新疆地區以及中亞地區，而西洋則是指現在的歐洲以及美國。大體上說，西域是個古老概念，而西洋則是近代才有的概念。作者把西域魔教擴展為西洋魔教——證據是小說中出現的帶火槍的金髮人——很容易引起讀者的誤解和爭議。

《雲飛揚外傳》

本書雖名《雲飛揚外傳》[14]，雲飛揚卻很少出場。算起來不過寥寥數次，一是開頭在少林寺大戰白蓮教不老神仙，第二次是在仙桃谷中被猿長老軟禁，第三次是和徐廷封、小子一起上武當山救難，第四次是百花洲大會上揭露人尊真面目並幫助群雄脫險，第五次是在皇宮中殺天河上人並被紛羅刹所殺。作者選擇這個書名，不過是要借用《天蠶變》和《天蠶再變》等作品中雲飛揚的鼎鼎大名，要寫出這一武林名人的最後結局：救難、受傷、再救難、再受傷、最後救難及犧牲。

這部小說的真正主人公，是安樂侯徐廷封。他不但貫穿小說始終，而且參與了從朝廷到江湖的每一次關鍵事件。徐廷封既是皇封世襲的安樂侯，又是崑崙派掌門人鍾大先生的弟子，他的雙重身分，使得他可以在朝廷與江湖間自由行動。小說實際上是由三段故事構成，第一段是武宗皇帝與九千歲太監劉瑾之間的權力鬥爭，第二段是武宗皇帝與外藩寧王朱宸濠的較量，即「寧王之亂」，第三段是白蓮教人尊與武林正派的衝突，而人尊圖謀非江湖，而是江山，即取明朝而代之。

三段故事雖然各有側重，卻有內在聯繫，在第一段故事即誅滅權閹劉瑾段落中，寧王朱宸濠及白蓮教與南宮世家都已出現，並且在這一政治衝突中扮演了重要角色。寧王朱宸濠一面給皇帝送龍袍密信，一面給劉瑾送「心藥」，試圖兩面討好並坐收漁人之利。白蓮教的天地雙尊不僅在京城製造了上百起童男童女失蹤案，且一度充當劉瑾的高級殺手。南宮世家的老太君也帶著五位兒媳來到北京，並在關鍵時刻協助寧王攻擊劉瑾部屬，決定了這場衝突的最後結局。到了第二段故事，寧王才一度成為主角，暗地裡招兵買馬，試圖篡奪皇權。

本書的反派一號人物是誰？是這部小說最大的看點。本書的頭號反派，既不是太監劉瑾，也不是寧王朱宸濠，更不是白蓮教的天地雙尊即苦海雙妖，而是直到小說最後才露出真面目的南宮世家的老太君——白蓮教人尊。如果要用一句話說《雲飛揚外傳》的內容提要，應是：白蓮教人尊苦心經營圖謀造反。這部書的最大看點即最突出的敘事特點，就是伏流千里，直到小說最後才揭露頭號反派人物的真面目。

小說開頭，說白蓮教主不老神仙與少林寺心禪上人決鬥前，就已說及白蓮教教主之下有天地人三尊，天地雙尊早早出現，惟獨人尊失蹤多年，即使在教主出關時也沒有露面。實際上，人尊早已露面，且一直活動在小說故事中，只不過所有讀者都不可能想到，堂堂南宮世家的老太君，居然是白蓮教的人尊。人尊不但躲在劉瑾的背後，躲在寧王的背後，更躲在南宮家老太君的人皮面具背後。

所以如此，當然是因為她有出人意料的重大圖謀及旁人難以企及的深度機心。小說中最令人震撼的一幕，就是老太君讓藥人殺手處死南宮世家的最後一個男子南宮博；更驚人的是，最後才知道南宮世家的太爺、太君及五個兒子全都死於這位冒充老太君的人尊之手。所以如此，不過是利用南宮世家的錢財製造藥人殺手，同時利用南宮世家的聲譽欺騙世人。相比之下，白蓮教主不老神仙蓋霸天、白蓮教天地雙尊等人，都不過是普通江湖人，在政治謀略上遠不如人尊。

本書的結局令人震撼。武宗皇帝經歷了三次厄難，即劉瑾專權、寧王叛亂、白蓮教迷魂，三次都是徐廷封率人救險。但在白蓮教之亂解除後，武宗皇帝居然要毒殺首席功臣徐廷封。這一結局不僅出人意料，而且令人震驚。所以如此，與其說是因為徐廷封功高震主，不如說武宗皇帝喪失人性，以及傳統政治冷酷無情。此所謂飛鳥盡、良弓藏，狡兔死、走狗烹。更深層的原因是武宗皇帝心智平庸，追求淫樂，卻是自高自大的天子至尊，每次玩火都險些燒身，被徐廷封所救，都會刺激他脆弱的自尊。消滅功臣，不過是他維護自尊的病態方式。

書中人物，雲飛揚、徐廷封、鍾大先生、蕭三公子、無為大師、猿長老等，都給人留下一定的印象。不過，讓人印象最深刻的，應是南偷和小子師徒。

南偷和徒兒小子之間的關係引人注目，師父自稱老頭，徒弟就叫小子，雖有長幼之序，似尊卑界線模糊，兩人亦師亦友，隨時相互打趣，顯得非常特別。師徒相處及對話，無不十分生動。這種關係的描寫，或許是受到古龍小說中朋友間相互打趣的影響，引申到師徒關係中，卻有很好的理由。理由之一，是這兩個人的性格都很特別，師父南偷技藝超群且生性詼諧，既不願意被傳統禮法所束縛，更不願意因師徒規矩而束縛了徒兒的自由天性，所以就「創造」了這樣一種自由親切的師徒關係模式。徒兒小子以這種方式被教養，久而久之，也就習慣成自然。小子天資聰穎，本性自由奔放，與師父相處能夠保持真我，令人羨慕。

值得注意的是，這對師徒看似沒大沒小，其實小子對師父的愛和敬，比常人更深更誠。南偷不是偷盜者，而是走江湖的藝人，真正的身分卻是白蓮教主蓋霸天的弟弟蓋嘯天，因與哥哥的目標及志趣不同而離開白蓮教，被南宮世家老太君設計殺害，是因為人尊要掩蓋自己的真面目，追蹤調查者殺無赦。說起來，南偷可算是人尊圖謀江山的第一個犧牲者。好在，他的徒兒小子繼承了他的俠義情懷，也繼承了白蓮教的碧玉令，最後學會了白蓮教的七煞琴音，清理了白蓮教門戶。小子是這部小說中最活潑可愛的人物，青春飛揚，個性瀟脫，熱情洋溢，赤膽感人。南偷死了，雲飛揚死了，徐廷封死了，小子還活著。只要小子活著，江湖就有正氣。他與南宮明珠的愛情，也是這部小說中引人注目的情節線索。

書中的幾條情感線索，也值得一說。

一是，傅香君請求出家，師父苦師太卻堅決拒絕，說她塵緣未盡。苦師太是過來人，瞭解少女情懷，不希望弟子在沒有準備好的情況下終生面對青燈黃卷。傅香君去少林寺送信，再次見到雲飛揚，但雲飛揚再次身受重傷，並再次拒絕了她的愛。有意思的是，苦師太給鍾大先生寫信，託他成全傅香君與安樂侯徐廷封的姻緣，而傅香君在與徐廷封相處過程中，尤其是與徐廷封女兒憶蘭的相處中，悄然愛上了徐廷封。這種微妙的情感變化，是真實人性的生動表現。只可惜，徐廷封沒有珍惜這份愛，終於被皇帝毒害，有情人無法成為眷屬。

一是，崑崙派掌門人鍾大先生的女兒鍾木蘭與華山派蕭三公子兩情相悅，但鍾大先生卻將女兒許配給南宮世家的四公子南宮學，鍾木蘭只能屈己從父，嫁入南宮家。中國古代無數青年男女都有類似經歷，與眾不同的是，鍾木蘭出嫁不久，丈夫南宮學就被殺害，這對夫妻有名無實。蕭三公子深情不變，鍾木蘭無奈躊躇，在百花洲論劍時，她被人尊算計，不知不覺地落入人為陷阱中，求蕭三不要傷害她的父親，反而被父親斥責，怒火沖天的鍾大先生打傷了蕭三公子。到這時，鍾木蘭才下定決心離開南宮世家去照顧受傷的蕭三公子。只是，鍾木蘭仍沒有決心和勇氣與蕭三公子結為夫婦，只敢與心上人以朋友之禮相待。蕭三公子被粉羅剎殺害，鍾木蘭毀容為他報仇，她對蕭三公子的一片深情溢於言表。

一是，寧王朱宸濠的女兒朱菁照從小就喜歡表哥徐廷封，但徐廷封對這位郡主卻不動心。在救了武當弟子陸丹後，對陸丹也有了情不自禁的好感。到底是愛徐廷封還是愛陸丹？恐怕朱菁照本人也說不出來，原因很簡單，因為她是少女且是郡主，驕縱任性卻未必真正瞭解知道自己心思。待寧王叛亂彌平，嬌生慣養的郡主淪落到無家可歸時，這才一改驕縱習性，懂得珍惜也懂得了愛。只可惜，陸丹從迷惑中醒來，卻已是生命的終點，朱菁照本人也被親哥哥朱君照殘酷殺害。

《名劍》

《名劍》[15]當然是講述名劍的故事，說的是當世兩把名劍，即花千樹的寒星劍、風萬里的齊物劍。花千樹的好友王十騎善於相劍，說齊物劍是一把凶劍，齊物劍的擁有者將不得好死。這種預言，當代讀者多半難以置信，但在王十騎的時代，這種對劍的直覺卻非同小可，所以花千樹將齊物劍送給了不懂武功的美女鉉姬。王十騎的預言並非無的放矢，證據是，齊物劍的第一任主人風萬里死了，第二任主人花千樹死了，第三任主人鉉姬也死了。只不過，故事的結尾卻出人意料，第四任主人李驀然卻沒死，反而是寒星劍的臨時主人連環死於齊物劍下。

《名劍》其實是說名劍客的故事。花千樹、風萬里是老一代的名劍客，李驀然、連環是新一代名劍客。名劍客有好有壞，齊物劍的主人風萬里劫奪三十六萬兩鏢銀，殺死七十二條人命，終於被花千樹所殺。這場比武，既是劍客較技，也是正邪之爭。李驀然用齊物劍與花千樹的寒星劍比武，是單純的比武，所以，結果是寒星劍主人敗於齊物劍主人，那是因為李驀然更年輕，而花千樹的內傷一直沒有痊癒。李驀然與連環形成另一種對比，李驀然找花千樹比劍，純粹是想挑戰名家，讓自己成名。而連環要為師父風萬里報仇，大可明目張膽地進行，但他卻始終在暗中行事，目的不在為師報仇，更在於奪取寶劍。所以，到最後，連環被李驀然所殺，這不僅是技不如人，同時也是人不如人。

《名劍》也是愛情故事。首先是李驀然與言小語之間的愛情故事，兩人原是青梅竹馬，兩情相悅，但因李驀然跟師父古柳練劍十年，耽誤了提親的時間，言小語的父母等不及，將女兒許配給家世更好的連環，造成了有情人無法成為眷屬的愛情悲劇。這是中國古代常有的愛情悲劇。只不過，這個故事稍有不同，若非李驀然一去十年無消息，言小語的父母也不至於將女兒另許他人。

也就是說，言小語的父母並非李驀然愛情的阻礙，真正的原因，是所謂事業與愛情的衝突。李驀然是事業中人，把練劍置於愛情之上，這才是他失去言小語的根本原因。十年後重逢，言小語已嫁做他人婦，往日的深情只能壓抑在內心最深處。言小語與李驀然之間，只能是發乎情而止乎禮，各自黯然神傷。言小語的丈夫連環心胸狹窄，雖無真情，卻要面子，始終想將李驀然置於死地。言小語向李驀然通風報信，讓連環無法容忍，他殺不了李驀然，只能將妻子言小語殺害。

書中還有另一段愛情故事，那就是花盈之對李驀然的片面愛情。作為天下第一劍花千樹的獨生女，花盈之對李驀然的好感溢於言表，自稱石頭兒，稱對方為雨點兒，即已表明了心跡。李驀然在客棧中與言小語相擁的一幕，被花盈之發現，花盈之負氣而去，是更加確切的證明。

書中還有第三個證據，那就是當言小語找到花盈之，想讓花盈之消除對李驀然的誤解，而花盈之卻根本不相信言小語，將她送回連環身邊。表面上，花盈之不相信言小語，是聽信了連環的謊言；實際上，花盈之的所作所為還有更深的潛意識動機，那就是對言小語充滿敵意，也就是把言小語當作情敵對待。這也正是花盈之深愛李驀然的確切證明。假如花盈之沒有將言小語送回，或是連環沒有殺害言小語，花盈之與李驀然之間或許還有發展愛情的機會。但花盈之潛意識情感衝動行為，確定了她片面愛情的悲劇宿命。由於言小語之死，她不敢面對李驀然，只能悄然遠離至愛之人。

這部小說的主題，不是劍，而是「名」。無名氏、李驀然、連環等人要挑戰天下第一劍花千樹，無非是想成名。花千樹作為天下第一劍，早已知曉名聲的虛妄，所以他寧可隱居，以避免青年劍客的挑戰。只不過，青年人並不懂得名的虛妄，前赴後繼地追求名聲。李驀然也是如此，直到言小語去世，他才真正懂得，任何虛名都無法彌補失去言小語的內心空虛。

這部小說的不足之處，是鉉姬與花千樹關係曖昧，未予說明。若花千樹真愛鉉姬，為什麼不與鉉姬一起隱居？若花千樹不愛鉉姬，為什麼又將齊物劍送給鉉姬，並且在發現李驀然攜帶齊物劍後，要去詢問鉉姬端的？說起來，鉉姬與李驀然的關係也有些草率，救助受傷的李驀然是一回事，而與李驀然發生性關係則是另一回事。當然，年紀不大的鉉姬耐不住春閨寂寞，與健康帥氣的李驀然有一夜露水姻緣，也符合人的本性。問題是，若鉉姬真愛李驀然，為什麼在花千樹死後，又自殺在他靈前，為他殉情？無論如何，鉉姬這一人物總是有些概念化。

《名劍》被改編成電影，電影比小說更精彩。

《天魔》

《天魔》[16]的最大創意，是將科幻故事與武俠故事進行有機嫁接。此前，似乎還沒有人做過這樣的實驗性寫作，武俠小說講述的是古代故事，勢必以古代作為時代背景，作者須努力寫出古代的社會環境和思維特徵；而科幻故事則是向前看，要求作者寫出未來可能發生的故事。前者是向後看，後者是向前看，二者的視點不同，敘事方向截然相反。《天魔》的貢獻，是將科幻元素融入武俠故事中。

鳳棲梧的女友婷婷不堪凌辱，咬舌身亡，但鳳棲梧卻見到了活著的婷婷，當然不會有任何懷疑，抱起她就走。鳳棲梧傷癒後發現，自己的女友婷婷竟和自己的哥哥鳳生睡在一起，當然會傷心痛苦，卻也不會想得太多，無非要麼是哥哥酒後亂性，要麼是婷婷水性楊花，根本不可能想到婷婷的體內寄居了外星生物。一向光明磊落的鳥王鳳生，竟然對中原五義的老么柴東升發起偷襲，且將其全家主僕一百四十餘人全部殺害，明顯與鳳生的個性與作風不符，但人們也只會懷疑鳳生過去的英雄肝膽掩蓋了其卑鄙心腸，不可能想到鳳生的意志會被他人控制。

進而，中原五義想起多年前在西北一人村殺死過一個吸血女子，萬萬想不到這個叫做依依的女子與安家的小妾憐憐、鳳生的妻子婷婷有什麼關係。按照武俠小說的觀點，即便這三個處於不同時空的女子即使有關，那也不過是鬼魂作怪。如果當真是鬼魂作怪，則《天魔》的故事最多不過是一個平庸的故事，甚至會被斥為胡思亂想。《天魔》的非凡之處，正在於外星生物寄居人類身體這一創意。

本書的另一看點，是鳳棲梧的心智與個性。最重要的一點，是他的獨立性，哥哥鳳生是鳥幫幫主，人稱鳥王，而弟弟鳳棲梧卻不是鳥幫成員，而是一個獨立的人。其次，當鳳棲梧發現自己的女友婷婷與哥哥鳳生發生性關係時，雖然痛苦萬分，卻仍然保持清醒的理智，沒有被嫉妒或仇怨沖昏頭腦。進而，為了不傷兄弟之情，也不傷害女友和哥哥的面子，他寧可獨自承受失戀之痛，認了女友變成嫂嫂這一殘酷的現實。正因如此，在中原五義之首曹廷向他作出解釋，雖然其說法令人難以置信，且無半點證據，鳳棲梧卻選擇了信任與和解，一方面，是因為鳳棲梧的天性喜愛和平而不喜殺戮，另一方面則是由於他心智過人，始終保持清醒的理性，這就是為什麼他能夠找到恰當方式，以應對未知。

中原五義之首曹廷也是個非凡人物，當鳳生出人意料地偷襲柴東升一家，而後得知鳳生即將偷襲鬍子玉家，立即將計就計，召集在世的四義到胡家佈置陷阱。若非鳳棲梧出人意料地出現，鳳生及其鳥幫部屬必將有去無回。進而，當他得知鳳生已死，鳥幫勢必大舉報復，他沒有選擇玉石俱焚的抵抗，而是選擇率人向鳳棲梧說明真相。這一選擇，不僅需要超人的智慧，更需要超人的膽略。

書中的鴿子群，也是小說的一大看點。鴿子是鳥幫的情報組織，其成員有一部分來自中原五義門下，由於敬仰鳥王鳳生的為人，他們秘密加入鳥幫；而當鳳生要向中原五義的鬍子玉家發起偷襲時，他們又秘密地通知了中原五義。進而，當曹廷決定與鳳棲梧和談時，這些人又請求與曹廷一起返回鳥幫，明知此去有死無生，他們依然義無反顧，決心以自己的生命換取家人的安全。這些人是典型的江湖人，卻與一般武俠小說中通常的江湖人有所區別。

這個故事不僅是理智的故事，同時也是勇氣的故事。鴿子群是一群有勇氣的漢子，中原五義門下其他人也同樣是有勇氣的漢子——當曹廷說明將與怪物作戰，讓他們自主選擇去留時，明知隨時會有生命危險，其門下弟子竟全部選擇留下，無人選擇離開。無獨有偶，鳥幫的骨幹鐵雁在被怪物抓住時，鐵雁說：「別人能犧牲，我鐵雁為什麼不能犧牲？」這話令人血脈賁張，在鐵雁的感召下，受怪物控制的鬍子玉也說了類似的話，正因人們如此勇敢地前仆後繼，才能戰勝怪物。

《九月奔雷》

《九月奔雷》[17]的故事情節看起來很一般，但若轉換視角，把它當作一部「古代反恐小說」來看，就很有意思了。這個故事最大的看點，是刻畫了實施恐怖報復的反派主人公天地會主司馬縱橫的形象。說他實施恐怖報復，是因為在此前，他也曾雄心勃勃，要與朝廷的當權者較量一番，他曾聯絡朝廷的力量和武林的力量發起過篡權行動，但以失敗而告終。

六個月後，也就是在這個故事開始之時，司馬縱橫的行為和心理都有了極大的變化，他的勢力與朝廷的勢力已經完全不成比例，無法形成真正的較量，但他又不死心，更不服氣，從而發起新一輪的攻擊行動。之所以把司馬縱橫的行為定性為恐怖主義，是因為此時的他完全沒有建設性的目的，只有破壞性的行動，行動的目的只是發洩仇恨與不滿。也就是說，司馬縱橫到了此時，完全是為了殺戮而殺戮，想方設法製造混亂和恐怖。

在新一輪的攻擊行動中，司馬縱橫的心態和作風有了極大的變化，表現之一，是對已經失去作用的自己人殘酷無情，例如對被他收買的了因和尚和他的情婦，在刺殺長風後，立即變臉將其處死；對協助了因攻擊長風的那些人，更是出爾反爾，見死不救。假如把反抗朝廷作為一項事業，就絕不會如此；只有把對朝廷和社會實施恐怖行動的人，才會如此不管自己人死活，幹一票就是一票。表現之二，他對轟炸皇陵祭祀行動其實也不一定看好，自己躲在幕後，而讓替身出場。此時，司馬縱橫已從反抗者領袖變身恐怖主義者，自己貪生怕死，卻罔顧他人生命。

與司馬縱橫合作的歐陽絕，也是值得一說的人物。此人是恐怖組織中不可或缺的技術專家，擅長機關設計和工程設計。此人最大的特點，是內心陰暗而空虛，當然也非常怕死，內心也充滿恐懼。內心充滿恐懼的人成為恐怖主義的幫凶，是值得研究的一個現象。他在自己的住處設計種種機關密道，又精心培養替身，充分證明了他對死亡的恐懼。

他自恃聰明，但與司馬縱橫相比，似小巫見大巫。司馬縱橫利用他設計機關刺殺長風，真正的目的，是讓龍飛震怒並毀滅歐陽絕的山莊，從而讓歐陽絕死心塌地地與他合作。在山莊被毀後，歐陽絕果然成了死心塌地的恐怖主義者，一方面是要報復，另一方面是要向世人彰顯他的天才。恐怖組織中有技術專長的人，大多有歐陽絕類似的特點，即並不關心政治，也不懂得政治，只專注於自己的專長得到發揮。當自己的技術發揮受阻時，就會變得衝動而瘋狂。書中歐陽絕最後的結局，就充分證明了這一點：他如同瘋子。

小說中的正面人物，寫得相對一般。反恐領導人龍飛的特點，是遊弋在朝廷與江湖之間，政治和人情並舉。他有二十四個義子女，都是他的政治助手及武打幹將。萬花山莊莊主常護花之所以甘願成為皇家殺手，除了本人的政治選擇外，與龍飛的義女香芸應不無關係。

小說的不足，是天地會這一名稱。天地會是歷史上真實存在的組織，以反清復明為目標，只存在於清代。說司馬縱橫是天地會主，不妥之處是，其一，書中的龍飛不像是清朝人，司馬縱橫也完全沒有反清復明的政治目標。其二，在武俠小說中，天地會向來是正派組織，而這部書中把天地會主當作實施恐怖行為的反面人物來寫，讓人有些難以接受。

《五毒天羅》

《五毒天羅》[18]的故事很吸引人，從黑虎寨毒氣事件即讓人震驚，寨主黑虎中毒後的反應更讓人毛骨悚然。其後是柳東湖中毒事件，天武牧場的調查者龍山被施毒的黑衣人發現，推進了故事情節。黑衣人追蹤龍山到百家集，並在百家集施放毒霧，就更將毒霧的威力展示無遺。其後是雙獅堂堂主金獅、銀獅和排教教主木天行率人展開調查，懷疑毒霧事件是江湖中勢力最大的天武牧場所為。這樣的懷疑看似合情合理，但接下來的情節卻又出現了轉折，天武牧場場主樓天豪本人也中了毒霧，派大弟子秦玉驄去請三絕書生來幫他療毒，這似乎又證明毒霧事件並非天武牧場所為。如此，毒霧事件的製造者是誰，就成了最大懸念。

最後事實證明，毒霧事件確實是由樓天豪與三絕書生聯手所為，這一出人意料的真相，有相當可靠的依據，樓天豪要稱霸江湖，可謂無所不用其極，沒有什麼做不出來，也沒有什麼不敢去做。樓天豪不僅欺騙了江湖人，也欺騙了自己人，連自己的大弟子秦玉驄及其他正派弟子都被樓天豪欺騙了。

這個故事的看點，是書中的若干人物形象。首先是郭勝，這是一個游俠，他第一次出場，是在百家集發死人財，這一行為令人反感，所以秦玉驄懷疑他是施放毒霧的人。郭勝第二次出現，是主動申請做樓月香的保鏢，每對付一人收一兩銀子，錙銖必較，如同市儈。如此按勞取酬，雖然比發死人財要好些，但還是讓人難以接受。

但在接下來的情節中，郭勝形象變得越來越可愛了，他幫助樓月香，並不是真的為財，而是一種俠義行為。中毒之後視死如歸，顯示出這一人物的精神氣質；最後面對樓天豪時大義凜然，更顯示他俠骨錚錚。郭勝的行為符合游俠的特有氣質，低開高走，讓人印象深刻。

其次是樓月香。她是樓天豪的獨生女兒，是秦玉驄的未婚妻。秦玉驄被派執行任務，樓月香要追隨心上人，即便被三阿姨軟禁，也還是違禁走出牧場。她這樣做，似乎是單純的驕縱任性，也可以看作是天真無知。但在回程中，得知自己的父親可能是毒霧製造者，她的冷靜表現就令人刮目相看了。

當父親製造和施放毒霧之事得到最後確證，她的選擇更是讓人肅然起敬：非但沒有無條件地站在父親一邊，反而是與秦玉驄一起保護郭勝，公然與父親對峙。用她的話說，如果父親把她培養成一個順從的女兒，她也許會惟命是從；但她是一個具有獨立意志的人，當然要按照自己的理性，站在正義的一方。這一選擇，實在難能可貴。

再次是三絕書生。此人因醫術、易容、暗器三項技能超群，被稱為三絕書生。發明吸入即死的毒霧，更令他自我膨脹，以為自己是四絕、五絕的超人。其結果，是被金獅算計，死於非命。如此天才墮入邪惡之路，在人類歷史上屢見不鮮。

又次，三阿姨的形象也很有意思。此人出場不多，但也讓人印象深刻。她應該是樓天豪的寵妾、樓月香的繼母，對樓天豪死心塌地，對樓月香更是寵愛有加。她雖然有自己的價值觀，並不認同樓天豪稱霸江湖並欺騙弟子的行為，也曾設法勸說過樓天豪。但到最後，發現樓天豪一意孤行，她不僅停止勸說，且在樓天豪危機時刻挺身而出，救助了樓天豪。更出人意料的是，在臨死前還勸說樓月香，讓她理解自己的父親，站在父親一邊。這一行為，將嫁雞隨雞的傳統價值觀演繹得淋漓盡致。

最後，是樓天豪這個人。此人毫無疑問是個梟雄，為了稱霸江湖，為所欲為。把大弟子兼準女婿秦玉驄當作誘餌，欺騙敵人也欺騙秦玉驄，就是典型的例證。出人意料的是小說最後，當他發現自己的女兒公然站在自己的對立面，雖然他對三絕書生說過犧牲女兒在所不惜的話，但還是不忍親自下手傷害自己的女兒，甚至也不願下令圍攻，而是眼睜睜地看著女兒和秦玉驄、郭勝離去。這一行為，雖未扭轉樓天豪形象，卻增加了情感維度和心理變數，讓這一人物更為複雜而真實。

這個小說的不足也很明顯。首先是，要製造毒霧，無論在科學上還是技術上都超出了古代江湖人物的能力極限，即不可能。其次，當三絕書生指揮黑衣人在百家集施放毒霧，就不再是簡單的江湖故事，而是一個社會公共事件，即必然要驚動官府。樓天豪、三絕書生這樣的江湖人敢不敢這樣做？這樣做了之後，官府中人為什麼沒有展開調查？這是這部小說存在的兩大疑問。

《殭屍先生》

《殭屍先生》[19]是個喜劇故事。故事情節和敘述語言都有明顯的喜劇性，寫作目的是為了娛樂讀者，讓讀者開心。故事開頭寫秋生遭遇老鬼，老鬼如精靈，讓秋生原地轉圈圈，戲耍秋生、文才和九叔，讓人對九叔的茅山法術將信將疑，這就達到了敘事目的。九叔終於降伏了老鬼，降伏的過程卻讓人發噱解頤。

秋生、文才和九叔的關係，既是師徒，又如父子，卻也像是冤家；他們之間的對話，如同說相聲。鬼魂與殭屍雖是按照民間傳統方式書寫，而作為喜劇故事，看點就不僅是鬼魂與殭屍，更在面對鬼魂與殭屍的人；其突出特點，不僅在於故事本身，而在於幽默與諷刺。義莊看管人兼茅山法術師多半是從恐怖經驗中找到對付鬼怪殭屍的辦法，只是這種方法有時靈有時不靈。秋生的職業是脂粉店營業員，卻喜歡茅山法術，這才拜九叔為師，偏偏是學習茅山法術的人常常遇鬼，可謂心想事成，因即是果，果亦是因。相信鬼魂存在的人，鬼魂就與之同在。

《殭屍先生》的重點，其實是人間色相。財主任老爺的父親之所以變成殭屍，據九叔的解釋，是因為一次做生意受挫，心裡憋了一口氣不得出，這才死而不腐，變成殭屍。更深層的原因是，風水師將自家風水寶地告訴任老爺，無非求得相應代價，但任老爺卻用欺詐手段奪得風水寶地，風水師當然不會讓這塊寶地的風水顯發，而是堵死氣孔，任老爺的父親變成殭屍，也可以說是風水師的報復。

再說秋生與文才。秋生正處於性欲旺盛的年齡，遇到美女，其實是鬼不迷人人自迷。遇到活著的婷婷是如此，遇到死去的小玉也是如此，女鬼小玉製作迷魂糕，用的是秋生買來的糯米，誰說得清他與小玉相遇及纏綿，究竟是真事還是臆想與夢遺？文才一知半解，卻又自視聰明，不知天高地厚，如他所言，是「文質杉杉的文，才疏學淺的才」。更重要的是，這傢伙貪吃貪睡，既胖又懶，即便沒有被殭屍抓傷，也已接近殭屍。九叔不許他吃魚吃肉，只讓他吃稀飯，還讓他動作不休，說是為了治療殭屍毒，卻也未嘗不是治療他的懶病和肥胖症。

捕頭武時威，是任老爺的姨侄，婷婷的表哥，從小父母雙亡，年近三十尚未成婚，身材高大威猛，說話卻帶童音，這其實是他靈魂的寫照。武時威從業十年，升級為當地捕頭，多少有些自我膨脹，認為自己能當上一品大將軍。在下屬和平民面前喜歡擺架子，遇到秋生和文才則不免受窘吃癟。任老爺被殭屍所害，他卻將九叔當作嫌疑人，其見識可見一斑。搜索殭屍到山洞，殭屍近在咫尺，他卻勞而無功，且急忙逃出，其作風也就一目了然。人如其名，時威時不威。

故事中的小鎮居民，也是不可忽視的角色。在平時，對官府捕頭武時威畢恭畢敬，但當殭屍出現，任老爺被害，武時威一時無法破案，他們對武捕頭的態度即一百八十度大轉彎，明裡不敢說，暗地裡議論紛紛，說武捕頭無能。在平時，他們對財主任老爺言聽計從，殭屍出在任家，他們對任婷婷小姐也就不再客氣，一定要任小姐作捕獲殭屍的誘餌。聽說糯米能隔人氣，就蜂擁去米店，將糯米搶購一空；導致鄰鎮米價上漲一倍，且還摻入秈米。

《火鳳凰》

《火鳳凰》[20]算得上是黃鷹武俠小說創作的晚期代表作。小說篇幅不太長，故事也不很複雜，卻寫出了新思想、新主題和新氣象。

小說的表層，是個奪寶故事，故事情節從頭到尾都圍繞著九幫十八會的財富展開。開頭是說九幫十八會的首領，決定按十二連環塢的首領武老大的謀劃，為了與蒙古侵略者決一死戰，決定將各幫會的財富集中收藏，以便失敗後將來有人利用這筆財富招兵買馬，繼續反抗蒙古兵。為了保密，十二連環塢的司庫于廷文將參與藏寶的三十六人全部殺死；而後自己也決心自殺，只因為大刀會首領秦正器相信他，不願看到這位忠心耿耿的義士死亡，才保住了他的性命，然而他卻主動挖出了自己的雙眼。

由於抗擊蒙古事業失敗，多年後，于廷文的想法改變了，他想用這筆財富讓自己的雙眼復明，結果被武老大之子武玉龍殺害。武玉龍殺害于廷文，並不是為了九幫十八會，而是為了他自己，他要截取藏寶，赴海外開疆拓土。只不過螳螂捕蟬，黃雀在後，武老大等人追蹤武玉龍，元朝國師封神無忌率部將武老大等人誘入陷阱。這個奪寶故事的結局，出乎讀者意料。

這個故事的真正看點，卻是借奪寶故事，講述人心隨時局的變化而變化，演繹衝突與和解主題。九幫十八會在蒙古兵大舉南下之際，決定擔任匹夫之責，奮勇抗擊侵略者，為此才要集中埋藏財寶，以期抗敵事業可持續發展。無奈在抗敵過程中，九幫十八會的首領及其部眾並不齊心，而是各有自己的小九九，除了十二連環塢和大刀會以外，其餘二十五個幫會都是虛應故事，臨陣脫逃，從而導致整個九幫十八會聯盟冰消瓦解，抗敵事業歸於慘敗。為此，武老大從此心灰意冷，不再圖謀東山再起，只想將九幫十八會的財富各歸原主。武老大並不怨恨他人，只因為他懂得，貪生怕死，乃是人之常情；再則，元朝江山已穩，繼續反抗，只能徒然犧牲，即便付出再大傷亡的代價，也無法顛覆乾坤。

另一方面，元朝國師封神無忌之所以要徹底消滅九幫十八會及所有江湖人，原因不過是害怕這些漢族英雄繼續反抗，他雖好大喜功，一旦發現九幫十八會首領已無意於聯盟反抗事業，他也就立即改弦更張，決定讓九幫十八會分得財富，平安生活。於是，這個奪寶故事，最終以出人意料的和解方式得以解決。

在民族衝突故事中，《火鳳凰》的和解結局極為少見，這可能會引起道德問題爭端：武老大、秦正器、鳳棲梧等漢族英雄人物究竟是否應該與蒙古國師和解？或：他們與異族統治者的和解行為，是否屬於不道德行為？現代讀者能夠接受這樣的結局，是因為現代讀者大多懂得，和解是解決衝突的一種方式。這一解決方案，深得曼德拉主義精髓。

有意思的是，小說中的九幫十八會首領放過了叛變通敵的宋堅，並沒有將他處死；當然更不會對一度背叛父親奪取藏寶圖的武玉龍追究其道德或法紀責任。民族衝突都能和解，衝突以和解方式得以解決，關鍵是，特定的歷史情境造成了人心的改變。武老大等人沒有清算宋堅的叛變通敵行為，是因為此前他們已經諒解了九幫十八會首領及其部眾的自私自利及貪生怕死行為。既然宋堅的行為能被諒解，武玉龍的背叛、搶劫、與敵合作等罪行，自然也能被赦免。更何況，武玉龍在關鍵時刻還曾對封神無忌反戈一擊，從而立功贖罪。如果不是武玉龍及時發起反擊，武老大及九幫十八會首領的船早已被蒙古官船火炮炸沉。如果武老大等人全都犧牲了，還會有誰來追究武玉龍的背叛、搶劫和與敵合作？

《火鳳凰》的衝突與和解主題，並沒有抹殺善惡界限，也沒有混淆道德是非，而只是提升了創作的認知複雜度。在抗擊蒙古侵略者的戰鬥中，奮戰與犧牲者仍然是英雄，逃命與苟活者之所以被諒解，不過是因為經歷生死考驗的武老大等人洞察了人性的弱點，不再非此即彼，更不自以為是。同一個于廷文，開頭是鐵骨錚錚的義士，結局是自私自利的普通人。在藏寶和奪寶故事中，武老大公正廉明，宋堅私欲膨脹，大多數人圖謀自利而隨波逐流，所有這些都是人性的正常值域內。真正高貴的人性，不僅在其自身的高貴，且在於能理解並相容人類各種卑污。

武玉龍形象，是這篇小說的一個亮點。作為江湖領袖武老大的兒子，無論怎樣出色，都會被認為是其父親的榮耀餘蔭。這位才智過人的青年為了證明自己，才不惜背叛父親、背叛九幫十八會，暗地裡培植死黨，策劃劫奪公共資材。他的行為，並非出自對財富的貪婪，不過是要反抗父親的權威，證明自己出色非凡，從而彰顯其獨立性與價值感。他的行為，看起來是自負驅動，根源卻是自卑。好在，這位年輕的梟雄只有證明自己的衝動，而沒有因嚴重的自卑感導致心理變態，因而在父親和妹妹生死存亡時刻，毫不猶豫地拯救親人，戴罪立功。

書中的十二連環塢及九幫十八會總頭領武老大形象，也頗值得一說。武老大武功超群，謀略過人，品德高尚，是真正的英雄領袖。但這位英雄不能創造時勢，而只能被時勢所塑造，抗元失敗後，意志消沉，光輝盡失，連他的兒子也背叛了他。好在他尚有英雄底色，在閒散消沉的日子裡，竟練成了祖傳的「綿裡勁」，且胸襟更加豁達寬容，對人性有更深的洞察力和憐憫心。否則，這場與聯盟內奸及與蒙古統治者的雙重衝突，就不可能以和平的方式解決。

書中的封神無忌形象，也非同一般。一般講述漢民族與蒙古統治者衝突的故事中，蒙古國師多為十惡不赦的凶徒，否則就是令人不齒的小丑。封神無忌確實狂妄，否則不會將自己的姓名改為「封神無忌」；他也確實凶惡，否則不會對九幫十八會群雄窮追不捨，必欲殺之而後快。但他也是一位心智過人的政客，在得知武老大及九幫十八會首領無意再反抗時，立即妥協退讓，聽憑對方取得財寶、分配財寶並平安地生活。封神無忌做出這一決定，固然有怕死的因素，即，若他不妥協，很可能會導致武老大等人拼死奮爭，最終可能是魚死網破；但在這一因素之外，還有一個重要因素，那就是他意識到，若以殺止殺，可能會導致更多的殺戮和更大的反抗。由此證明，他是個合格的政客，不過，也只是政客而已。

【注釋】

1 黃鷹：《銀劍恨》第一頁，香港，武林出版社，一九七九年冬季初版。
2 黃鷹：《銀劍恨》第九十五—九十六頁，香港，武林出版社，一九七九年冬季初版。
3 黃鷹：《鬼血．幽靈》，香港，武林出版社，一九七六年秋季初版。
4 見黃鷹《鬼血．幽靈》第一六六—一八四頁，香港，武林出版社，一九七六年秋季初版。
5 黃鷹：《風雷引》，香港，武林出版社，一九八四年夏季初版。
6 黃鷹：《雷霆千里》（上下冊），香港，武林出版社，一九八二年春季初版。
7 黃鷹：《雷霆千里》（下冊）第四五六頁，香港，武林出版社，一九八二年春季初版。
8 黃鷹：《死亡鳥》，香港，武林出版社，一九七七年春季初版。

9 黃鷹：《屠龍》，香港，武林出版社，一九八四年夏季初版。
10 黃鷹：《黑蜥蜴》，香港，武林出版社，一九八〇年春季初版。
11 黃鷹：《天蠶變》，香港，麗的電視有限公司一九七九年七月初版。
12 黃鷹：《天蠶再變・前言》第一冊，扉頁，香港，陳湘記書局「黃鷹小説專輯2」，無出版時間。
13 黃鷹：《天蠶再變》第一冊第九十五頁，香港，陳湘記書局版（無出版時間）。
14 黃鷹：《雲飛揚外傳》，香港，武林出版社，一九八五年夏季初版，共三冊。
15 黃鷹：《名劍》，香港，武林出版社，一九八〇年夏季初版，曾被拍攝成電影。
16 黃鷹：《天魔》，香港，武林出版社，一九八一年夏季初版。
17 黃鷹：《九月奔雷》，香港，武林出版社，一九八四年夏季初版。
18 黃鷹：《五毒天羅》，香港，武林出版社，一九八四年夏季初版。
19 黃鷹：《殭屍先生》，香港，武林出版社，一九八七年夏季初版。
20 黃鷹：《火鳳凰》，香港，環球出版社，一九八八年夏季初版。

—憶念金庸　重溫武俠—

陳墨評金庸系列

文／陳墨

1《陳墨品金庸》上下　2《陳墨賞析金庸》
3《陳墨情愛金庸》　4《陳墨人物金庸》
5《陳墨文化金庸》　6《陳墨藝術金庸》

賞析金庸，品味金庸，評論金庸，看懂金庸！

你知道金庸的第一部武俠小說是哪一部？
金庸武俠裡唯一能自創武功的是誰？
最具傳奇性的人物形象是何人？金庸為何不喜歡別人研究他？

金庸的小說，是中國現代武俠小說的出類拔萃者。金庸小說的難能可貴，是既不模仿他人，也不自我複製。沒有新的創意，他就宣布封筆。另外，他花了十年時間對自己的連載小說進行全面修訂，這一做法，也是獨一無二的現象。金庸小說的藝術和文化價值，在於它打破了雅俗邊界，可以雅俗共賞；在於它獨創一格而且博大精深。衡量一部文學作品的品質高低，要看讀者是否可以從不同層次、不同側面去欣賞它、評價它、與它對話交流。本書即是將金庸從一九五五年至一九七二年所創作的共十五部小說一一進行剖析，讓讀者更加了解金庸的內心世界。

中國香港武俠名家名作大展（上）

作者：陳墨
發行人：陳曉林
出版所：風雲時代出版股份有限公司
地址：10576台北市民生東路五段178號7樓之3
電話：(02) 2756-0949
傳真：(02) 2765-3799
執行主編：朱墨菲
美術設計：吳宗潔
行銷企劃：林安莉
業務總監：張瑋鳳

初版日期：2022年9月
版權授權：陳墨
ISBN：978-626-7153-17-8

風雲書網：http://www.eastbooks.com.tw
官方部落格：http://eastbooks.pixnet.net/blog
Facebook：http://www.facebook.com/h7560949
E-mail：h7560949@ms15.hinet.net
劃撥帳號：12043291
戶名：風雲時代出版股份有限公司

風雲發行所：33373桃園市龜山區公西村2鄰復興街304巷96號
電話：(03) 318-1378
傳真：(03) 318-1378
法律顧問：永然法律事務所 李永然律師
　　　　　北辰著作權事務所 蕭雄淋律師

行政院新聞局局版台業字第3595號 營利事業統一編號22759935

定價：550元

國家圖書館出版品預行編目資料

香港武俠名家名作大展 / 陳墨著. -- 初版. -- 臺北市
: 風雲時代出版股份有限公司, 2022.07　冊；　公分

ISBN 978-626-7153-17-8（上冊：平裝）. --
1.CST: 武俠小說 2.CST: 文學評論

857.9　　111009548